АРКАДИЙ И ГЕОРГИЙ ВАЙНЕРЫ

Петля и камень в зеленой траве

ИЗДАТЕЛЬСТВО
Москва
2000

ББК 84 (2Рос-Рус)6
В14

Серия основана в 2000 году

Серийное оформление и компьютерный дизайн
А.А. Воробьева

Художник Ю.Д. Федичкин

Вайнер А., Вайнер Г.
В14   Петля и камень в зеленой траве: Роман. — М.:
ООО «Издательство АСТ», 2000. — 448 с.

ISBN 5-17-001183-0

«Место встречи изменить нельзя», «Визит к Минотавру», «Гонки
по вертикали»... Детективы братьев Вайнеров, десятки лет имеющие
культовый статус, знают и любят ВСЕ.

Вот только ... мало кто знает о другой стороне творчества братьев
Вайнеров. Об их «нежанровом» творчестве.

О гениальных и страшных книгах о нашем недавнем прошлом.
О трагедии страны и народа, обесчещенных и искалеченных социа-
листическим режимом. О трагедии интеллигенции. О любви и смерти. О судьбе и роке, судьбу направляющем...

Прочтите ЭТО. Прочтите! ЭТО вы запомните, потому что забыть,
прочитав хоть раз, не сможете уже НИКОГДА...

ОТ АВТОРОВ

Известно: у каждой книги своя судьба. И особый интерес вызывают судьбы нетривиальные.

Думается, роман «Петля и камень...» переживает именно такую, необычную судьбу.

Книга была задумана и написана в 1975—1977 годы, когда короткая хрущевская оттепель осталась далеко позади — в самый разгар брежневского «застоя», в условиях, при которых строить какие бы то ни было политические прогнозы было по крайней мере авантюрным легкомыслием.

Все видели, к чему мы пришли; никто не мог сказать — куда мы идем.

Разгул всесильной административной машины, новый культ личности, океан демагогической лжи, в котором утонуло наше общество, нарастающая экономическая разруха, всеобщее бесправие — вот социальная и духовная атмосфера, в которой создавался и которую призван был воссоздать наш роман.

Задача казалась нереальной, тем более что авторы «умудрились» положить в его основу две самые запретные, самые острые, самые неприкасаемые «зоны»: беззаконную деятельность органов госбезопасности того периода и — «еврейский вопрос»! И притом взяли себе принципом описывать правду, одну только правду, ничего, кроме правды...

Роман, судя по всему, был заранее обречен. Он и лежал «в столе» до поры, доступный лишь самым близким людям. С учетом печального опыта гроссмановской «Жиз-

3

ни и судьбы», сохранившейся просто чудом, авторы не показывали рукопись в редакциях, не хранили ее дома, а фотопленку с зашифрованным текстом укрыли в надежном месте, отклоняя лакомые предложения западных издателей, — это уже был горький урок Синявского и Даниэля.

Но рукописи не горят.

И приходит однажды их пора.

Август 1989 года.
Москва

ЧАСТЬ ПЕРВАЯ

Подробности разгадки я не знаю,
Но, в общем, вероятно, это знак
грозящих государству потрясений.

В. Шекспир. Гамлет

1. АЛЕШКА. 9 ИЮЛЯ 1978 ГОДА. МОСКВА

Я знал, что это сон.

Небыль, чепуха, болотный пузырь со дна памяти. Дремотный всплеск фантазии пьяницы. Судорога похмельного пробуждения.

Но сил прогнать кошмар не было. И не было мысли вскочить, потрясти головой, закричать, рассеять наваждение...

Услышал негромкий стук, даже не стук, а тихий треск расколовшегося дерева. Торчит из двери огромный нож. Кинжал с черненой серебряной ручкой, весь в ржавчине и зелени, еще мелко трясется. И прежде чем он замер, я разглядел на рукоятке выпуклые буквы «SSGG». И хотя я никогда в жизни не видел этого кинжала, я сразу сообразил, что это повестка тайного страшного суда «ФЕМЕ». Не шелохнувшись лежал я на тахте, глядя с ужасом на вестника кары, и пытался сообразить — почему мне? За что?

Дверь неслышно растворилась, и я увидел их. Трое в длинных черных капюшонах с прорезями для глаз и рта. Но обувь у них была обычная — черные полуботинки. И форменные брюки с кантом.

Они молча смотрели на меня, но во сне не нужны слова, мы хорошо понимали друг друга.

— Ты знаешь, кто мы? — беззвучно спросил один.

— Да, гауграф. Вы судьи Верховного трибунала «ФЕМЕ».

— Ты знаешь, кто уполномочил нас?

— Да, гауграф. Вас наделили беспредельными правами властители мира.

— Ты знаешь, что мы храним?

5

— Да, гауграф, вы храните Истину и караете праздномыслов, суесловов и еретиков.

— Ты знаешь символы трибунала «ФЕМЕ»?

— Да, гауграф. Штрих, шиайн, грюне грас — «петля и камень на могиле, заросшей зеленой травой».

— Значит, тебе известен приговор «ФЕМЕ»?

— Да, гауграф. Суд «ФЕМЕ» выносит один приговор — смерть. Но я ведь никогда и ничего...

— Разве? — молча засмеялся судья. — А как хранится тайна «ФЕМЕ»?

— За четыреста лет никто не прочитал ни одного дела «ФЕМЕ», и на каждом архивном пакете стоит печать — «Ты не смеешь читать этого, если ты не судья «ФЕМЕ»...

— Ты хотел нарушить тайну «ФЕМЕ», — мертво и решенно сказал гауграф.

— Но я ничего не видел! Я ничего не знаю! Я не могу нарушить тайну!..

— Ты хотел узнать — этого достаточно! — молча всколыхнулись черные капюшоны, и сквозь обессиливающий ужас забилась мысль-воспоминание, что я их знаю.

— Я не хочу умирать! — разорвало меня животным пронзительным воплем, но гауграф протянул руку к кинжалу, и обрушился на меня грохот и пронзительный вой...

...Дверной звонок гремел настырно, въедливо. Тяжелыми ударами ломилось в ребра огорченное страхом и пьянством сердце.

Я приподнялся на постели, но встать не было сил — громадная вздувшаяся голова перевешивала тщедушное скорченное туловище, и весь я был как рисунок человеческого тела в материнской утробе. В огромном пустом шаре гудели вихри алкогольных паров, их горячие смерчики вздымали, словно мусор с тротуара, обрывки вчерашней яви. Мелькали клочья ночного кошмара, чьи-то оскаленные пьяные хари — с кем же я пил вчера? — и вся эта дрянь стремилась разнести на куски тоненькую оболочку моего надутого черепа-шара. Кости в нем были тонюсенькие, как яичная скорлупа, и я знал, что положить ее обратно на подушку надо очень бережно.

Пусть там звонят хоть до второго пришествия — мне следует осторожно улечься, очень тихо, чтобы не разбежались длинные черные трещины по скорлупе моей хрупкой гудящей головы, натянуть одеяло повыше, подтянуть колени к подбородку, вот так, теснее, калачиком свернуться — так ведь и лежит в покое, тепле и темноте многие месяцы зародыш. Я зародыш, бессмысленный пья-

6

ный плод рода человеческого. Не трогайте меня — я не знаю ничьих тайн, оставьте меня в покое. Я хочу тепла и темноты. На многие месяцы. Я еще не родился. Я сплю, сплю. В моей огромной пустой голове шумит сладкий ветер беспамятства...

Потом — прошло, наверное, полторы-две вечности — я открыл глаза снова и увидел крысу. Худощавую, черную, в модных продолговатых очках. Я смотрел на нее в щель из-под одеяла — может быть, не заметит, что я уже не сплю. Но она сидела почти рядом — за столом — и в упор смотрела на меня. Я не шевелился, прикидывая потихоньку — может быть, юркнет крыса в дверь, вслед за ночными судьями?

Крыса посидела, пошевелила длинной верхней губой, где у всех нормальных крыс должны быть щетинистые рыжие усы, а у этой ничего не было, и сказала:

— Детки, в школу собирайтесь, петушок пропел давно...

Голос у крысы был тонкий и культурный. Но я на эти штучки не покупаюсь. Лежал не дыша, как убитый.

— Алешка, брось выдрючиваться, вставай, — сказала крыса, и ее культурный голос чуть вибрировал, будто она выдувала слова через обернутую бумагой расческу — есть такой замечательный инструмент у мальчишек.

Как прекрасно было бы мне жить в плаценте постели маленьким, еще не родившимся в этот паскудный мир плодом! Как было бы тепло, темно и покойно во чреве похмельного сна! Но возникла крыса, и надо рождаться в сегодняшний день. И я высунул в мир голову — благо, за промчавшиеся вечности стала она много меньше и тверже.

— Здравствуй, Лева, — сказал я крысе, и этот мой первый новорожденный звук был сиплым и серым, как утро за окном.

— Тебе сварить кофе? — спросила крыса.

— Свари, пожалуйста, Лева, мне кофе, — ответил я вежливо, хотя хотелось мне не кофе, а пива. — А ты как попал сюда?

— А мне открыл твой сосед — такой милый старикан...

Милый старикан Евстигнеев — пенсионер конвойных войск, веселый стукач-общественник, впустил ко мне крысу.

Но Лева знал, что я спрашиваю его не о том, кто открыл ему дверь, а зачем он пришел ко мне. Штука в том, что когда я приоткрыл глаз и увидел его острый голодный профиль, чуть смазанный металлической оправой очков, я уже понял — случилась лажа, день моего новорождения отмечен какой-то крупной неприятностью.

Приятные неожиданности могут случаться и со мной, допускаю: умер Мао Цзэдун, мне дадут Государственную премию

7

РСФСР или я угадаю шесть цифр в спортлото, но ни с одной из этих приятностей ко мне не явится спозаранку Лев Давыдович Красный. И не станет варить мне кофе для опохмелочки. Он мне принес гадость, огорчение, боль — это все уже здесь, в моей комнате, он насыпает все это противное вместе с сахаром и коричневым порошком кофе в старую закопченную турку, чтобы подать мне в постель этот странный напиток с горьковатым ароматом кофе и кислым вкусом беды. А я только что родился, я еще не оторвал пуповину сна...

Милый старикан-стукач впустил ко мне заботливую крысу.

Я вылез из постели и увидел, что спал в рубашке, брюках и носках. Пиджак валялся на полу, один башмак — у двери, а другой почему-то на стуле. Не помню я, как вернулся домой.

Красный смотрел на меня с отвращением. У него неправильная фамилия — он не красный, он как петлюровский флаг — весь жовто-блакитный. Голубые подглазья, желтые скулы, синеватый от бритья подбородок. Лихая замшевая куртка — нежно-оранжевая — и роскошный небесный бантик. Он не Красный. Он жовто-блакитный.

— Хорошо отдохнул вчера? — спросил Лев Давыдович Жовто-блакитный.

— Замечательно. Жаль, что тебя не было, — сказал я совершенно искренне. Там, где я вчера налузгался, кто-нибудь обязательно поколотил бы крысу.

— Ты куда? Кофе уже готов! — закричал он, будто испугался, что я смоюсь со своей жилплощади и он не успеет укусить меня.

Успеет, наверняка успеет.

— Я в уборную. Можно?

— Спасибо за доверие, — засмеялся Лева, а длинные желтые зубы выдвинулись грозно вперед, и я на всякий случай попятился.

В гулком коридоре огромной коммунальной квартиры было совсем пусто, и только Евстигнеев отирался рядом с кухней, перекрывая дорогу в сортир.

— Доброго вам здоровьичка, Алексей Захарович, — сказал он с чувством.

— Здорово, Евстигнеев.

— Дружок к вам пришел спозаранья, звонил, звонил, я уж и пригласил его пройти. Видали?

— Нет, не видал.

— Не видал?! — всполошился Евстигнеев. — Он как вошел к вам, так я, почитай, все время из коридора не отлучался.

Рыхлые склеротические щеки Евстигнеева стали наливаться синевой.

— Куда же он подеваться мог? — волновался старичок, и все его надувное-набивное лицо перекатывалось серыми комьями. В тряпичной душе филера бушевали сильные страсти — ищейка сорвалась со следа.

Я поманил его пальцем и сказал на ухо тихо и значительно:

— Он, наверное, вышел через окно...

— Куда? — совсем взбесился Евстигнеев. — С пятого этажа-то?

— В эмиграцию подался. Знаешь, они какие!

А сам нырнул в уборную. Уселся и стал читать старые газеты, аккуратно сложенные в мешочек на двери. Газета сообщала, что строители сделали очередной трудовой подарок населению — пустили вторую очередь комбината по выпуску тринилфинилакриловой кислоты, в связи с чем больше нам не надо волноваться за судьбу анилнитрилового производства.

Прекрасно, хоть одна проблема для меня решена.

Вот тоже интересно — прополку сорняков на полях закончили в целом на неделю раньше. Славу Богу, прямо гора с плеч.

Елабужские машиностроители взяли обязательство выпустить сверхплановой продукции на 120 тысяч рублей. Какая там у них продукция — выяснить не удалось, потому что рядом с заметкой из газеты был опрятно вырезан прямоугольный кусок. Этой сортирной цензурой занимался Евстигнеев — он забирает из уборной к себе в комнату газеты и ножницами вырезает с первых полос официальные фотографии, чтобы мы не оскверняли эти вдохновенные лица способом, особо унизительным для их достоинства.

Со стоном и рокотом бушевала вода в осклизлых сопливых трубах, черные космы паутины провисли по углам. По стене полз клоп. Тьфу, пропадите вы!

Между уборной и моей комнатой метался обезумевший от горя стукач, он крутился под дверью, как кот, вожделенно и трусливо, его снедали тоска и желание просочиться в комнату через щелку под дверью.

— Алексей Захарыч, а как же теперь... — Он просунулся ко мне, но я отодвинул его несокрушимой рукой — железной десницей, красивой и могучей, как рука миролюбивых народов на плакатах, где она перехватывает хилые алчные грабки мировых империалистов, милитаристов, сионистов и прочих пиночетов.

— Пошел вон, старик, — сказал я ему застенчиво. — Не светись у моей замочной скважины, не то я тебя ненароком дверью прищемлю...

— Дык... дык... Вить... — закудахтал Евстигнеев, но я уже был в комнате. Вместе с жовто-блакитной крысой. Лев Давыдович чинно кушали кофе. И вид у него был абсолютно невозмутимый, будто он каждое утро ненароком забегает ко мне вестишками перекинуться, кофейком побаловаться, о совместной вечерней жизни договориться. Но в его маленьком мозгу, ладно скроенном, хитро скрученном, нашей жизнью зло надроченном, по скользким глухим лабиринтам бесчисленных извилин и перегонным стрелкам нейронов уже мчались незримые электрические сигналы моей беды. И хотел я из всех сил оттянуть разговор. Да крыса не спешила вцепиться в меня.

— Пей кофе, остынет, — сказал он.

— А у тебя выпить, случайно, не найдется? — спросил я безнадежно.

— Я по утрам не пью.

— Не ври, Лева. Ты и по вечерам не пьешь. Ты бережешь себя для народа.

Он пожал своими замшевыми худыми плечиками, и было в его коротком жесте неизбывное море презрения.

А я стал стягивать с себя все — ношеное, мятое, спанное, жеваное, грязное, и, пока я ходил голый по комнате, доставая из шкафа белье и с вешалки купальный халат, Жовто-блакитный смотрел на меня в упор с ленивым любопытством, и никакой неловкости он не испытывал, и не пришла ни на миг ему мысль, что надлежало бы отвернуться, — он смотрел на меня безразлично, как на животное, и чужая нагота его не смущала.

— Сейчас приду, — буркнул я и отправился в ванную. В коридоре загрохотал мне навстречу копытами, подранком-кабаном покатился Евстигнеев.

— Я... с... тобой... Алексей... Захарыч... поговорю... в... другом месте...

— Цыц, старик! Не пререкайся! Ты говоришь со старшим по званию!

Я поджег газовую конфорку под колонкой, закурил сигарету и уселся на край ванны. Дым сладко и душно шибанул в голову. Затянулся круто, и голова стала надуваться и расти, как давеча, когда я был счастливым беззаботным зародышем, еще не убитым судьями «ФЕМЕ».

Ровно гудело красно-синее пламя горелки, прыгали там огоньки, короткие и жадные, как кошачьи язычки, шумела вода из крана, и огорченно-сердито бубнил под дверью Евстигнеев. Вот, Господи, напасть какая — взяли они меня в клещи: с одной стороны — ватный кабан-стукач, с другой — замшевая злая крыса. Влез под душ, запрокинул голову, и струйки дробно, весело застучали по лицу. Они ласково стегали кожу, крепко гладили, усыпляли, успокаивали, шептали: ду-ш, до-ш, до-ш, до-ж, до-ждь. Но я помнил, что это не дождь, потому что такой мягкий дождь бывает только в мае и пахнет он травой и землей. А сейчас был июль, и пахло мочалками, скверным мылом и потом.

И Евстигнеев заходил под дверью:

— Поговорим... в... другом... месте...

Интересно было бы узнать поточнее этот метафизический адрес «другое место», в котором обычно собираются потолковать рассерженные друг на друга сограждане. Беда в том, что мало кто из них после этих разговоров оттуда возвращался.

Вытерся полотенцем и пошел к себе, за мной трясся рысью Евстигнеев, хрипел, булькал и рычал, и я боялся, что он меня цапнет стертыми резцами за икру. Уселся за стол, пригубил кофе, тут и Лев Давыдович счел увертюру законченной. Он прокашлялся, будто на трибуне, и сказал своим невыносимо культурным голосом:

— А у Антона очень большие неприятности...

Вот те на! Антон — неукротимый удачник, ловкач и мудрец, всегда благополучный, как таблица ЦСУ!

— Что с ним?

— С ним, собственно, ничего, но... — выжидательно поблескивали желтые алчные бусинки под синеватым отливом модных очков.

— Слушай, Красный, брось мычать — говори по-человечески!

— Дело в том, что Димка трахнул какую-то девку, и...

— Ну и что? — нетерпеливо перебил я. — В его возрасте я это делал регулярно, и моих дядей не будили по такому поводу спозаранку!

— Но ты при этом, наверное, спрашивал у своих девок согласия?

— Лева, женщин не надо отвлекать пустыми разговорами — им надо дать себя в руки.

— Племянник оказался глупее тебя — он сам ее взял в руки и, как любит выражаться твой брат Антон, сделал ей мясной укол...

— А она что?

— А она с папой своим пошла на освидетельствование. Твой племянничек эту идиотку дефлорировал, — мерзким своим культурным голосом объяснял Жовто-блакитный.

И мне казалось, что он получал от всей этой пакости громадное тайное наслаждение. На лице его был пылкий налет озабоченности, всем видом своим он изображал готовность и решимость помогать Антону выпутаться из постыдной истории, в которую тот вляпался благодаря своему похотливому кретину. А я ему верил. В его бесцветном культурном голосе была еле слышная звонкая нотка счастливого злорадства — ну-ка, братцы Епанчины, покажите-ка себя как следует, вы же такие молодцы, красавцы и счастливцы, вы же такие баловни жизни, вы же такие любимцы женщин, вы же наша замечательная элита, наш лучший в мире «истеблишмент»! А в суд не хочите? А с партбилетом в зубах к товарищу Пельше? А вообще рожей по дерьму? Как? Нравится?!

— Что же делать? — спросил я растерянно. — Они ведь в милицию пойдут?

— Этого нельзя допустить, — отрезал Красный.

— А освидетельствование? Это же официально? — закричал я. Красный поморщился:

— Не впадай в истерику. Ты человек юридически безграмотный...

— А какая тут нужна грамота?

— Изнасилование относится к делам частного обвинения — оно не может быть возбуждено без жалобы потерпевшей. Пока они не пошли в милицию — еще можно все уладить...

— Как уладить? Зашьем ее... обратно? Что тут можно уладить? Там небось вся эта изнасилованная семья по потолку бегает! Они Антона с Димкой в порошок сотрут!

— Не сотрут! — твердо взмахнул узкой острой головой Красный. — Я уже говорил с отцом...

— Да-а? И что?

— Сейчас мы с тобой поедем к ним.

— К кому? — не понял я.

— К потерпевшей. И к ее замечательным родителям. Ее зовут Галя Гнездилова, а его — Петр Семенович.

— А я-то зачем поеду? В каком качестве? Подтвердить породу? Или оценить качество работы?

Красный терпеливо покачал головой, смотрел на меня с отвращением.

— Алеша, ты — писатель, хоть и не генерал, но все же с каким-то имечком. Поэтому ты и будешь главным представителем всей вашей достойной семейки. Они ни в коем случае не должны знать, что Антон — начальник главка, иначе нам с ними никогда не расплеваться...

— Ничего не понимаю, бред какой-то. Они что — писательского племянника пожалеют, а сына начальника главка загонят за Можай? В чем тут логика?

— Мы их с тобой не будем просить о жалости. Мы им предложим ДЕНЕГ! — сказал он сухо и отчетливо. Будто дрессировщик щелкнул шамберьером над ухом бестолкового животного.

— Денег? — переспросил я ошарашенно. — А почему ты думаешь, что они возьмут у нас деньги? Почему ты решил, что они хотят денег?

Красный коротко хохотнул:

— Алеша, не будь дураком — денег все хотят. И деньги могут все.

— Так-таки все?

— Все. Если бы у меня вот здесь лежало сто тысяч, — он почему-то показал на маленький верхний карманчик куртки, — я бы вас всех купил. И продал бы, да, боюсь, покупателя не найти...

— Черт с тобой и со всеми твоими куплями-продажами. Но почему я должен предлагать ему деньги? А не Антон?

— Потому что ты как бы свободный художник — личность нигде не служащая, беспартийная, состоящая в одинаково бессмысленной и почтенной для дураков организации — Союзе писателей. Поэтому наш контрагент сообразит, что если мы не сойдемся в цене, то допечь он тебя никак не может, а деньжата при тебе останутся.

— А Антон?

— Антон — крупный деятель, член партии. Если эта история выплывет на свет, он сгорит. Поэтому изнасилованный папа при некоторой напористости разденет его до исподнего и доведет до полного краха. Ты пойми, что речь сейчас даже не о Димке, а обо всей карьере Антона...

— А где он сейчас, Антон?

— У себя в кабинете, сидит на телефоне.

Я механически прихлебывал кофе, не ощущая его вкуса, и меня остро томили два желания — выпить пива и вышвырнуть крысу в коридор на съедение кабану. Голова моя утратила свою ночную легкую воздушную округлость, она стала квадратной и тяжелой, как железный ящик для бутылок, — мои немногие мысли и чувства были простыми, линейными, они обязательно пересекались между собой. Досада на племянничка, прыщавого кретина, а поперек — жалость к Антону. Нежелание вмешиваться в эту грязную историю — и боязнь ужасного по своим последствиям скандала. Отвращение к Красному — и сознание, что только этот смрадный аферист может как-то все уладить. Стыд перед Улой — и возмущение: я-то тут при чем?..

13

Но было еще одно чувство, которое я всячески гнал от себя, а оно ни за что не уходило. В моем бутылочном ящике, где все эти нехитрые мыслишки и чувства уже сложились в удобные тесные гнезда для спасительного груза дюжины пива, начал потихоньку копиться ядовитый дымок страха.

Это был один из видов моих бесчисленных страхов — страх приближающейся опасности. Вообще-то у меня полно разных страхов, из меня можно было бы устроить выставку, настоящую музейную экспозицию страхов. Как в этнографической коллекции, они развиваются у меня от каменного топора — простого ужаса побоев до последнего достижения нравственного прогресса — опаски рассказывать политические анекдоты в компании более трех человек.

Страх, легкое дуновение которого я ощутил сейчас, был полупрозрачный, сизо-серого цвета, холодноватый, чуть шуршащий, он сочился из-под ложечки. Ах, если бы кому-нибудь удалось взглянуть на стенды моего музея — ведь там все мои кошмары экспонированы в цвете, звуке, в месте возникновения, там есть температурные и временные графики, таблицы социальной, семейной, сексуальной трусости, там стоят на тумбочках гипсовые слепки моих подлостей, окаменелые скелетики предательств, игровые диорамы моей изнаночной, вчерне проживаемой жизни...

Вот этот еле заметный предвестник опасности — быстро шевельнувшийся во мне сполох страха — заставил меня отшвырнуть чашку и матерясь полезть в брюки. Я не вышвырнул крысу в коридор, а стал собираться с ним к несчастному папе Петру Семеновичу Гнездилову, к его вонючке, которая сначала хороводится с этими лохматыми онанистами, а потом ходит на освидетельствование. Дело в том, что я почувствовал — даже не формулируя для себя — это довольно паршивое происшествие для всех нас, для всего нашего дома и так просто оно не закончится.

Натягивая носок, я злобно бурчал себе под нос:

— Безобразие какое! Ну как тут можно книгу закончить? Каждый день какая-то пакость приключается! Дня нет покоя! Только соберешься, сядешь, тут бы сосредоточиться как следует — и пошло бы, пошло! Так нет же! Что-нибудь мерзопакостное уже прет на тебя, как поезд...

— Ты еще забыл о своем сердце, — сказал с серьезным лицом Жовто-блакитный.

— А что? — поднял я голову — сердито и подозрительно.

— Ничего — я просто вспомнил, что у тебя еще больное сердце. — И гадко усмехнулся.

14

Я долго смотрел на него, прикидывая — к чему бы это он? И сказал ему очень внушительно:

— Заруби себе на носу, Лева, — мое сердце тебя не касается!

— В общем-то нет, конечно, не касается. — Он пожал плечами. — Но относясь к тебе симпатично...

— Заруби себе на носу, что мне наплевать на твое отношение ко мне. И мои дела и болезни тебя не касаются! Заруби это крепко на своем носу!

— Оставь мой нос в покое, — недовольно сказал Лева. — Поехали.

В коридоре бесшумно катился нам навстречу Евстигнеев — он успел переобуться, несмотря на жару, в подшитые валенки.

— Вот же он, Алексей Захарыч, дружок-то ваш... Вот же он!

И все всматривался, цепко, по-собачьи в костистую острую рожу Красного, запоминал старательно, взглядом липким, приставучим лапал, щупал его рост, одежду, особые приметы — а вдруг придется еще показания давать, не может он — ветеран службы — позорно мямлить: «не запомнил»! На то он и поставлен ответственным по подъезду, на то он и есть у нас старший по квартире, на то и служит внештатным участковым инспектором, чтобы все запоминать, все слышать, всех знать!

И хотя не до него мне было, а отказать себе в удовольствии не смог:

— Познакомься, Лева, с этим милым человеком...

Крыса вежливо показала желтые клыки, протянула сухую лапку, культурным голосом рокотнула:

— Красный.

И кабан тряпочный пихнул ему свою подагрическую лопату:

— Евстигнеев — мое фамилие, значица. С большой приятностью...

— Лева, это наш Евстигнеев, прекрасный парень, — сказал я. — Но у него, сукина кота, склероз стал сильнее бдительности. Написал на меня донос в милицию, прохвост эдакий, и по безумию своему опустил его в мой почтовый ящик.

Евстигнеев ухватился за грудь, будто собрался, как Данко, вырвать свое пылающее сердце пенсионера конвойных войск и осветить вонючую сумерь грязного длинного коридора. Красный испуганно отшатнулся. Но Евстигнеев сердце не вырвал, а только сипло и задушевно сказал:

— Неправда ваша, Алексей Захарыч! Не доносил я! Сигнализировал. Правду сообщал. В нашу родную рабоче-крестьянскую милицию. Для вашего же, можно сказать, блага и пользы! Чтобы провели с вами разъяснительную работу о недопустимо-

15

сти пьянства! Особенно среди писателей, людей, можно сказать, идеологических. Сиг-на-ли-зи-ровал!

На харе его был стукачевский восторг, искренняя вера в почтенность его гнусного занятия. Я и злиться не стал — плюнул и повлек за собой остолбеневшего Красного.

Вчера — спьяна — закатил я «Москвича» двумя колесами на тротуар. Сейчас он был какой-то весь скособоченный, задрызганный, в ржавчине и потеках, несчастный, как заболевший радикулитом старый холостяк. На капоте кто-то написал много похабных слов, а на лобовом стекле вывел: «Хозяин — дурак!»

Вот уж что правда — то правда!

На сияющем «жигуле» Льва Давыдовича никто такого не напишет!

2. УЛА. МОЙ ДЕД

— Суламита! — позвал меня дед.

— Что, дед?

— Ты не спишь?

— Нет, уже не сплю.

— Ты горюешь?

— Нет, дед. Я грущу.

— Ты грустишь из-за него?

— Из-за всего. Из-за него тоже.

— Он ушел навсегда?

— Он вернется.

— Почему же ты грустишь?

— Он уйдет снова. И вернется. И уйдет.

— Почему, янике, почему, дитя мое?

— Я старше его.

— Намного?

— Прилично. На два тысячелетия...

— Ай-яй-яй! — огорчился дед. — Он — гой?

— Да.

Дед долго молчал, раздумывал, старчески кряхтел, потом спросил мягко:

— Суламита, дитя мое, ты полна горечи и боли. Ты любишь его?

— Да, дед.

— За что?

— Он умный, нежный, он кровоточит, как свежая рана.

16

— И все?

— Он — мой сладостный муж, он дал мне незабываемое блаженство.

— И только?

— Он — мой ребенок, отнятый злодеями, изуродованный, и вновь найденный мной.

— А что они сделали с ним?

— Он пьяница, трус и лжец.

— Он знает, кто мы?

— Нет, дед. Не бойся: я не открыла ему великую тайну. Да он и не поверит.

— Это хорошо, — тихо засмеялся дед. — Суламита, янике, ты ведь знаешь, что плод, зачатый от них, принадлежит им.

— Дед, среди них есть масса людей прекрасных!

— Конечно, дитя мое! — прошелестел в темноте дед. — Но им не вынести такого...

— Почему же мы выносим? Как нам достает сил?

— Мы — другие, Суламита. Мы — вечны. Каждый из нас смертен, а все вместе — вечны.

— Почему, дед?

— Мы дети незримого Бога, чье истинное имя забыто. Он послал нас сюда вечными хранителями очага жизни. Из нас — тонких прерывистых нитей — он сплел нескончаемую пряжу жизни. Мы не можем погасить огонь и не в наших силах прервать великую пряжу. Мы не вернемся в наш мир, не выполнив завета.

— Дед, почему наш Бог невидим?

— Мы не нуждаемся в образе Божьем. Мы носим Бога в сердце своем. И как нельзя заглянуть человеку внутрь сердца своего, так нельзя увидеть Бога.

— Всякий может уговорить себя, что у него в сердце — Бог.

— Нет, — засмеялся тихо дед. — Или у тебя в сердце Бог — и ты это знаешь точно. Или твое сердце — глиняная кошка с дырочкой для медяков.

— Почему же Бог так карает нас?

— Всех людей карает Адонаи Элогим за нарушенный завет, но другие народы рассеялись, как мякина на ветру, иссякли, как дождь на солнце, изржавели, как потерянный в борозде лемех. А мы живы. И несем память своих мучений.

— Дед, объясни, почему я, почему мой крошечный дом должны нести ужасное бремя страданий за давно нарушенный завет? Разве я виновата?

— Нет, Суламита, твоей вины нет. Когда ты родилась?

17

— Девятого тишри 5708 года.

— Видишь, как давно мы пришли! Дом твой — каменный стручок на усохшей ветке сгоревшего дерева. И сама ты — зеленый листок с дубравы Мамре. Не ищи простых объяснений, отбрось пустые слова. Ты — живая нитка вечной пряжи, протянутой сюда из нашего мира...

Тающая темнота клубилась в окне. Дед замолчал. Теперь он будет молчать долго. Я встала с постели, прошла через комнату, и холодный пол нервно ласкал босые ноги. Уселась на подоконник и стала смотреть в пустой колодец двора. Угольная чернота ночи выгорела дотла, и со дна поднимался серый рассветный дым. Надсадно шипела где-то недалеко поливальная машина. Зябко. Я видела пролетающий над домом голубой ветер, он нес меня на себе, трепещущий зеленый листочек.

И, закрыв глаза, слушала тонкий звон приближающегося света.

— Суламита! — шепнул дед.

— Что, дед?

— А почему он так смеялся, глядя на меня?

— Его рассмешил твой картуз, твои пейсы, твое пальто, застегнутое, как у женщин, на левую сторону...

— Да-а? — озабоченно переспросил дед, подумал немножко и спросил ласково: — Суламита, дитя мое, может быть, им не надо показывать меня?

Я слезла с подоконника, подошла ближе и посмотрела ему в лицо, и глаза его были в моих глазах. Блекло-серые, выгоревшие от старости. Девяносто четыре года. Какой он маленький! Сухие неподвижные губы.

— Дед, как же мне не показывать им тебя? Я последний побег твоей усохшей ветви. Ты — начало, я — конец, ты — память моя, а я — боль твоя, ты — разум мой, а я — око души твоей. Дед, ты — это я. А я — это ты...

3. АЛЕШКА. СГОВОР

Они жили в старом пятиэтажном доме где-то за Сокольниками. Кажется, этот район называется Черкизово. А может быть, нет — я плохо разбираюсь во всех этих трущобах. Человеку, который здесь родился, не стоит на что-то надеяться — его жизнь всегда будет заправлена кислым тоскливым запахом нищеты.

Я шагал за Красным по темной лестнице и прислушивался к похмельной буре в себе, а Лева бойко, петушком скакал по ступенькам, и сзади мне видна была его тщательно зачесанная лысинка — белая, ровная, как дырка в носке. Он мазал свои волосенки «кармазином», и запах этой немецкой дряни пробивался даже здесь — сквозь кошачью ссанину и тухлый смрад плесени и пыли. Интересно, хоть какая-нибудь завалящая бабенка любила Леву? С ним, наверное, страшно спать — просыпаешься, а рядом в сером нетвердом свете утра лежит на подушке покойник. Тьфу! Нет, с ним можно спать только за деньги.

На двери было четыре звонковые кнопки с табличками фамилий, и Лева, близоруко щурясь, елозил носом по двери, отыскивая нужный ему звонок. Сейчас он был особенно похож на крысу, принюхивающуюся к объедку, и я думал, что как только найдет — сразу скусит пластмассовую кнопку. Но не скусил, а ткнул пальцем, дверь сразу отворилась, выкинув к нам на площадку обесчещенного папку — Петра Семеновича Гнездилова.

Я узнал его мгновенно, будто мы были сто лет знакомы, хотя, к счастью, я увидел его впервые. Бледное лицо, островытянутое, как козья сиська. Естественное благородное уродство сиськи было маленько попорчено толстыми роговыми очками.

— Здравствуйте, Петр Семенович. Моя фамилия — Красный, я с вами говорил по телефону. А это дядя Димы, известный советский писатель Алексей Епанчин...

— Очень приятно, читал я ваши юморески в «Литгазете» на шестнадцатой полосе. Приятно познакомиться.

Действительно, очень приятно, просто неслыханно приятно познакомиться с таким известным писателем с шестнадцатой полосы! Да еще при таких возвышенных обстоятельствах!

Но он вовремя опомнился и сказал с горечью и гневом:

— Жаль только, по печальному поводу...

А нахалюга Красный, не теряя ни мгновения, прямо тут же на лестнице бодренько воскликнул:

— Ах, Петр Семенович, голубчик вы мой, разве все в жизни рассчитаешь — повод печальный, а может быть, радостью на свадьбе обернется!

И козья сиська глубокомысленно изрекла:

— Беды мучат, да уму учат!

Поволок нас Петр Семенович в комнату — по длинному, изогнутому глаголем коридору, забитому картонными коробками, деревянными ящиками, жестяными банками, цинковыми корытами, тряпичными узлами, бумажными пакетами и ржавыми велосипедами. Господи, откуда у нищих столько барахла берется?

— ...Мы в квартире наиболее жилищно обеспеченные... все-таки две комнаты... хоть и смежные... обещают дать отдельную квартиру... — блекотал Петр Семенович. Я слышал его будто через вату, оглохнув от ужаса предстоящего разговора.

Ввалились в апартаменты наиболее жилищно обеспеченного, и белобрысая ледащая девка с пятнами зеленки на ногах порскнула в соседнюю комнату, откуда сразу раздался щелчок и гудение телевизора. Наверное, чтобы соседи не подслушивали.

Я сидел за столом напротив Петра Семеновича и почти ничего не понимал из того, что он говорил. А он и не говорил даже, а плевался:

— Ответственность... народный суд... родители отвечают... дочерь на поругание... девичья честь... моральная травма, не считая физической... моя дочерь...

Он плевался длинными словечками, липкими, склеенными в скользкие струйки, они шквалом летели в меня:

— Моральные устои... наше общество... тюрьма научит... мы, интеллигенты... нравственность... наша мораль... приличная девочка... законы на страже... моя дочерь...

Я пытался сосредоточиться, вглядываясь в его рожу, и — не мог. Меня почему-то очень отвлекало то, что он называл свою приличную девочку «дочерь», и наваждением билось острое желание попросить его назвать эту белобрысую говнизу «дщерь» — я точно знаю, что такое бесцветное плоское существо надо называть «дщерь». Я не понимал, что мне говорит ее папка, потому что против воли все время думал про то, как ее насиловал Димка. Собственно, не насиловал — не сомневаюсь ни секунды, он ее «прихватывал». В чьей-то освободившейся на вечерок квартирушке набились вшестером-ввосьмером, и до одури гоняли магнитофон, и под эти душераздирающие вопли пили гнусный портвейн, и не закусывали, а подглатывали таблетки димедрола, чтобы сильнее «шибануло». И плясали, и плясали, а эта сухая сучонка елозила своими грудишками по нему, а он уже таранил ее в живот своим ломом, и ей это было приятно, она все теснее притиралась к нему, и он глохнул от портвейна, димедрола, музыки и этой жалобной плоти, которую и в пригоршню не собрать, а потом они — оба знали зачем — нырнули в ванную, заперли дверь, и долго, слюняво мусолились, пока он, разрывая резинку на ее трусах, запустил потную трясущуюся ладонь во что-то лохматое, мокрое, горячее, и для такого сопляка это стало постижением благодати, и остановить его могла только мгновенная кастрация, но никак не ее вялые стоны — «не надо, Димуля, не надо, ну не надо, я боюсь, я...» — а он уже там! Он уже урчит, поросенок, ухватившись за ее тощие ягодицы, и нет ему, гаду, никакого дела до того, что завтра за эту собачью случку надо будет: ему — в тюрьму, Антону — прочь с должности, а мне сидеть здесь и слушать этого смрадного типа...

С какой стати?

Меня больно ударил под столом Красный, и я сообразил, что неожиданно заорал вслух.

— Что «с какой стати»? — насторожился Гнездилов, и сиська его сразу надулась, покраснела, напряглась — сей миг ядовитое молоко брызнет.

— Не обращайте внимания, Петр Семенович, — подстраховал Красный. — Алексей, как все писатели, задумчив и рассеян. Так вот, я хотел сказать, что, может быть, они любят друг друга, зачем эта гласность, они ведь могут пожениться...

— Что же вы, Лев Давыдович, совсем меня за идиота держите? — обиженно засопел Гнездилов, толстые очки его вспотели. — Мы же интеллигентные люди, чай, не в старой деревне живем, где надо было — по дикости — позор женитьбой прикрывать, нам от такой женитьбы один наклад. А стыда мы, слава Богу, не боимся — без стыда лица не износить, как говорят. Да и стыдиться нам нечего, это пусть такого выродка ваша семья стыдится. А моя дочерь экспертизой освидетельствована именно как приличная девушка...

Наступила тишина за столом переговоров, только в соседней комнате горланил телевизор, гугниво и нагло, как пьяный.

Господи, как давно — сегодня утром — я был народившимся плодом... А проныра Лева снова сделал бросок, уцепился тонкой лапкой:

— Так если вы, Петр Семенович, возражаете против брака Галочки с Димой, то уж, сделайте одолжение, поясните свою точку зрения...

— А я не возражаю — хотят, пусть женятся. Это их дело, нынешняя молодежь сегодня женится, завтра расходится. Но я, как родитель моей единственной дочери, ее воспитатель, обязан думать о ее будущем. А поскольку ее будущему в результате насилия нанесен огромный ущерб, то я ставлю вам условие: или вы компенсируете в какой-то приемлемой форме этот ущерб, или ваш пащенок пойдет в тюрьму... Это мое слово окончательное, и если вы не хотите ужасных неприятностей...

И по тому, как он визжал, вздрючивая свою нервную систему рептилии, я видел, что он опасается, как бы мы не ушли без возмещения ущерба.

21

— И мы полны стремления договориться о форме и размерах возмещения, — сладко буркотел Лев Красный.

Прислушиваясь к их сопению, возне и перепалке, я вспомнил, как у нас любили освещать в прессе любимый аттракцион загнивающего Запада: на потеху толстым буржуинам две голые бабы дерутся на ринге, залитом мазутом. Два противных мужика передо мной бились сейчас всерьез на ринге, залитом жидким дерьмом. К счастью, одетые!

— Пять тысяч!

— Две тысячи...

— Никогда! Пусть идет в тюрьму!

— Две с половиной... И женится.

— На черта он нужен! Четыре восемьсот! Молодо-зелено, погулять велено.

— Две семьсот. Это взнос за однокомнатный кооператив...

— Сами-то небось в трехкомнатной мучаетесь? Четыре шестьсот!

— Вас в трехкомнатную не примут... Две девятьсот.

— А где же ее, однокомнатную, взять? Пятьсот рублей — на взятку только!

— Три ровно! И мы устроим кооператив.

— Три с половиной! Ваш кооператив, и пусть женится, паскудник!

— Хорошо, три с половиной, наш кооператив, но без женитьбы... По рукам?

— Что взято, то свято... — умиротворенно заключил Петр Семенович Гнездилов и замотал довольно своей козьей сиськой. — Но деньги чтобы были сегодня у меня. — И похлопал конопатой ладонью по короткой жирной ляжке.

Красный водил «жигуль» так же, как носил свою нарядную одежду, — аккуратно и бережно. От изнурительности этого черепашьего движения, кармазинного запаха Левкиных волосиков, духоты и пузырящегося еще в желудке страха тошнота стала невыносимой, и на Садовой я заорал ему «Стой!», выскочил из машины и нырнул в магазин с застенчивой вывеской «Вино». Время подходило к двенадцати, и за час торговли водкой очередь уже прилично рассосалась — к прилавку, огражденному стальной звериной сеткой, стояло не больше тридцати человек. И несколько сразу повернулись ко мне:

— Троить будешь?

— Возьмем пополам?

— Але, у меня стакан есть...

— Слышь, друг, дай семь копеек, на четверочку не хватает...

Страшная мордатая баба-торгашка с жестяным белым перманентом жутко крикнула из-за прилавка:

— Ну-ка, не орать, алкаши! Щас всех отседа вышвырну! Прекращу продажу.

И все притихли, забуркотели негромко, забубнили на низких, и зрелище это было почище любой цирковой дрессуры — от одного окрика уселись на задние тридцать черных, трясущихся, распухших, разбойного вида мужиков. И правильно сделали, потому что там, за стальной сеткой, в бесчисленных ящиках стоит себе в зеленых бутылочках сладостный нектар, единственное лекарство, одна радость, дающая и веселье, и компанию из двух других забулдыг, и свободу, и счастье. Водочка наша нефтяная, из опилок выжатая, ты же наша жизнь! Пока ты льешься в наши сожженные тобой кишки — весь мир в тебе, и мир во мне.

И над всем этим счастьем хозяйкой вздымается мордатая торгашка. Захочет — опустит сетку над прилавком, краник кислородной подушки перекроет. Напляшешься тут перед ней, как висельник на веревке, наунижаешься вдоволь, пока эта сука краснорожая смилостивится. А что поделаешь? Все тут ей должны и обязаны — один пять копеек, другой бутылку не вернул, третий до одиннадцати бутылку выпросил, а четвертый — после семи. И не вякни — вся милиция окрестная у нее в подсобке отоваривается. И четвертинки всегда в дефиците, так если она хорошо относится — сама по полбутылки разольет и с маленькой наценочкой отдаст. Нет, не денешься никуда — в соседний-то магазин бежать глупо, там ведь тоже в очереди снова час стоять, и другая мордатая грозная торгашка, да и за всяким другим прилавком в сотнях тысяч лавок со стыдливой надписью «Вино», которого сроду там и бутылки не было, а только нефтяная да древесная водка и кошмарные спиртовые опивки с краской под названием «портвейн» — везде стоят эти страшные бабы.

Об этом я подумал как-то мельком, подтираясь поближе к прилавку, и очередь не слишком на меня заводилась — потому как не знали еще, с кем я троить или половинить стану. Только вяло сопротивлялись, сдвигаясь тяжелыми плечами, и шел от них невыносимый дух перегара, табачища, немытого пота, подсохшей вчерашней блевотины. Кабы старик Перельман — автор «Занимательной арифметики» — ходил в водочные магазины так же часто, как я, наверняка построил бы он красивый арифметический этюд: «если всех людей, которые каждый день стоят за водкой во всех питейных заведениях, выстроить в одну шеренгу, то получилась бы очередь от Земли до Луны»...

Торгашка привела очередь к порядку и стала снова отпускать бутылки. Но тут же все застопорилось: из толпы выскочила на середину тесного магазина полупьяная девка с огромным переливчатым фингалом, похожим на елочную игрушку, и стала плясать. И громко петь при этом:

Я тя, Клашка, не боюсь.
Голой жопой обернусь,
Поцелуй меня ты в зад,
Коль частушечка не в лад!

Ух-ты, ах-ты, все мы — космонавты!

Очередь довольно захохотала, заерзала радостно, а торговка Клашка подняла свою бычью голову и сказала мрачно, полным ртом:

— Параститутка. Вон отседова! А вы, пьянюги паскудные, пока не вышвырнете ее — банан сосите, а не водку...

И грохнула сетку вниз. И звериная тоска заполнила магазин.

— Фроська, сука, чё натворила?

— Фроська, голубушка, иди себе, не даст она тебе все равно...

— Достукаешься, Фроська, посадит она тебя...

— Фрося, брысь на улицу, мы тебе сольем...

— Фроська... Фросинька... Фросюка... Фрося...

И поволокли ее, упирающуюся и матерящуюся, из магазина. И обратно — к сетке:

— Кланя!.. Клаша!.. Клавочка!.. Клавдия Егоровна!..

А я-то — уже перед сеточкой! Я-то своих собратьев соплеменных хорошо знаю — никто под злым оком Клавдии Егоровны не посмеет стоять столбом, когда есть команда вышвырнуть Фроську взашей! Нельзя не обозначить активного участия в выдворении нечестивки из храма людской радости, когда верховная жрица Клашка уже опустила большой палец долу. И пока проводилась карательная экспедиция, я уже пророс сквозь сетку четырьмя рублями и парольным кличем: «Без сдачи!».

Заворошились, закипели, задундели, вскрикнули, пронзительно заголосили разом:

— Гад... паскудина... Кланя — не давай... Сукоед... без очереди... я мы — не люди?... потрох рваный... не давай... долбаный... курвозина поганая... Васька, держи... без очереди... сучара хитрожопый... ж-и-и-и-д!.. жид!..

А Клавдия Егоровна, нежная душа, повела взором на них суровым, а мне тепло улыбнулась — фунт золота в пасти показала — и сказала доверительно:

— Вот темнота-то, житья от них нет, пьянь проклятая, — и гаркнула коротко: — Молчать! Тихо!..

24

И все замолчали, задышали гневно, и успокоились, и стихли. И стоил их протест ровно тридцать восемь копеек сдачи, которые я оставил голубице Клаве. По копеечке на рыло. А она мне к бутылке еще дала соевый батончик — закусить. И пока я шел к двери мимо очереди, они все бурчали обиженно, но вполне миролюбиво:

— Ишь, шустрик нашелся... тоже мне ловкач — хрен с горы... а мы что — не люди?..

Я ответил последнему коротко:

— Вы — замечательные люди...

Отверженная Фрося сидела на ящике неподалеку от дверей магазина. Грязными пальцами она ласкала свой бирюзовый синяк и тихонько подвывала. Эх, художнички-передвижнички, ни черта вы в жизни не смыслили. Вот с кого надо было писать «Неутешное горе». Я сорвал фольговую пробку, крутанул бутылку и сделал большой глоток.

Ослеп. Слезы выступили на глазах, я задохся, и водка раскаленным шаром стала прыгать вверх-вниз по пищеводу — между гортанью и желудком, еще не решив — то ли вылететь наружу, то ли сползти в теплую тьму брюха. Пока не просочилась все-таки вниз. Прижилась. И сразу стало легче дышать, и тяжесть в голове стала редеть, тоньшиться и исчезать. Откусил полбатончика, разжевал и сразу же махнул второй раз из бутылки.

И на душе полегчало, и мир стал лучше. И полбутылки еще оставалось. Подошел к Фросе, толкнул ее в плечо:

— На, Фрося, выпей... — Поставил на асфальт бутылку и сел к Левке в машину.

— Что ты там делал? — спросил он, притормаживая у Колхозной площади.

— Я хотел ледяной кока-колы или оранжада, но эти странные люди почему-то назвали меня жидом. Черт побери, как обидно, что у нас есть еще отдельные несознательные люди, чуждые идеям интернационализма.

— К счастью, их совсем мало, — серьезно ответил Красный. — Миллионов двести.

— А куда ты дел остальные шестьдесят? — поинтересовался я.

— Они еще не слыхали про жидов. Но все впереди... Культурный рост малых народов огромен.

— Не сетуй, Лева. Вы платите незначительные проценты на прогоревший политический капитал ваших отцов и дедов.

— А почему мы должны платить? — спросил Лев. — Почему именно мы?

— Читай историю. Ваши деды и отцы все это придумали. И уговорили, конечно, не немца, и не англичанина, и не француза, а самого легковерного и ленивого мужика на свете — русского, что, мол, можно построить рай на земле, где работать не надо, а жрать и пить — от пуза...

— Этому вас на политзанятиях в Союзе писателей учат? — поинтересовался Красный.

— Нет, этому нигде у нас не учат. Это мне пришлось самому долго соображать, пока я не понял, что коммунизм — это еврейская выдумка. Воображаемый рай для ленивых дураков.

— Алеша, а ты не боишься со мной говорить о таких вещах? — сказал безразличным голосом Красный, но я видел, как у него побелели ноздри.

— Нет, не боюсь.

— Почему?

— Потому, что ты еврей. Во-первых, тебе никто не захочет верить, понимаешь — не за-хо-тят. Я — советский ариец. А ты еврей. А во-вторых, благополучие всех Епанчиных — это и твое благополучие. Антон — это сук, на котором ты надеешься просидеть до пенсии...

— Что ж, все правильно, — пожал он замшевыми плечиками. Тут мы и подъехали к дому на улице Горького, на подъезде которого висела тяжелая парадная доска: «Главное управление по капитальному ремонту жилых домов Мосгорисполкома».

Заперли машину и пошли к Антону.

4. УЛА. МОЯ РОДОСЛОВНАЯ

Еще ночь, но уже утро.

Таинственный миг суток — из черных чресел ночи рождается день.

Сумрак в комнате — не свет, а рассеянные остатки тьмы.

Размытое пятно на стене — драповое пальто деда, застегнутое на левую сторону.

Фибровый чемодан на полу раскрыт. Это наш родовой склеп. Это пантеон. Семейная усыпальница. Картонный колумбарий. Святилище памяти моей. Мое наследство — все, что мне досталось от умершей тети Перл. Чемодан полон фотографий. Там — мы все.

В рассветный час ожидают бессмертные души давно ушедших людей. По очереди, но очень быстро они заполнили мою маленькую квартиру — кирпичный стручок на усохшей ветви давно сгоревшего дерева ситтим, драгоценного дерева Востока.

Сядьте вокруг нашего деда, древнего Исроэла бен Аврума а Коэн Гинзбурга. Сядьте вокруг, семя его и ветви его. Сядьте, праведники и разбойники, мученики и злодеи. Сейчас вы все равны, вы все уже давно за вратами третьего неба. А судить вас пока никто не вправе — еще не выполнен завет, но ветви срублены и семя втоптано в камень.

Сядь, бабушка Сойбл, вот сюда, в кресло, по левую руку деда. Это твое место, ты занимала его сорок два года — всем на удивление, всем на зависть. Сочувствием, вздохами, усмешками провожали под свадебный покров «хыпу» тебя — нищую восемнадцатилетнюю красавицу, принятую в дом завидным женихом — богатым купцом Гинзбургом, имеющим сто сорок тысяч рублей, три магазина, четырех детей и пятьдесят два года от роду. И бежал по местечку Бурбалэ-сумасшедший, и кричал нараспев:

«...и была девица Ависага Сунамитянка очень красива, и ходила она за царем, и прислуживала ему, и лежала с ним, и давала тепло состарившемуся Давиду, но царь Давид не познал ее...»

И смеялся мой дед над сумасшедшим Бурбалэ, и познал тебя, бабушка Сойбл, и была ты ему сладостна, как мед, и радостна, как вино, и животворна, как дыхание Господне. Двенадцать сыновей и дочерей ты подарила деду, и в твоей огромной любви к нему пробежали годы, долгие десятилетия, и за то, что прилепились вы так друг к другу, Бог даровал вам величайшую радость — вы умерли в один день, в один час, в один миг.

Двенадцать детей, двенадцать колен, двенадцать ветвей. «Всему свое время, и время всякой вещи под небом; время рождаться и время умирать...»

Все вы собрались ко мне, кроме дяди Иосифа, седьмого сына, потому что он один еще жив. Но он никогда здесь не бывает.

Присел на стул у окна Абрам — первенец, умница, талмудист и грамотей, лучший ученик иешибота, которого в тринадцатом году возили к виленскому цадику, и старый гуэн сказал: «Доброе имя лучше дорогой масти, и день смерти лучше дня рождения», и все поняли, что уготована Абраму стезя еврейского мудреца и святого. А он спутался со студентами-марксистами, попал в тюрьму, вышел большевиком, стал комиссаром и секретарем Уманского горкома ВКП(б), и не было лучше оратора, когда с трибуны, обитой кумачом, разъяснял людям политику «на текущем моменте». Момент тек и тек, пока его светлые воды не подхватили дядю Абрама и не снесли в подвал областного НКВД, и дядя Иосиф слышал из соседней камеры, как волокли по коридору Абрама на расстрел и он кричал сиплым сорванным голосом, захлебываясь кровью и собственным криком: «...Товарищи!.. Коммунисты!.. Это секретарь горкома Гинзбург! Происходит фашистская провокация!.. Товарищ Сталин все узнает! Правда восторжествует! Да здравствует товарищ Сталин!..»

У Абрама и его жены Зинаиды Степановны Ковалихиной, заведующей наробразом, детей не было. Наверное, потому, что они были старыми товарищами по партии и дети отвлекали бы их сначала от революции, затем от мирного строительства, а потом от текущего момента. В газете «Уманская правда» Зинаида Степановна напечатала письмо, в котором известила своих единомышленников и прочее народонаселение, что очень давно замечала у своего мужа бундовские замашки, меньшевистские шатания и троцкистское вероломство, всегда давала им твердый большевистский отпор, в связи с чем он затаился, пробрался к руководству городской партийной организацией и где только мог пытался троцкистско-зиновьевски-каменевско-бухарински вредить партии и родному народу, пока пламенные чекисты, возглавляемые железным наркомом — дорогим товарищем Ежовым, — не сорвали лживую маску с его звериного облика замаскировавшегося фашиста и врага народа. В связи с чем она официально отрекается от него.

Я видела ее однажды — седенькая говорливая старушка с безгубым ртом, в грязной кофте с орденом на отвороте. Она работала директором Музея революции СССР.

А тогда — жарким страшным летом 1937 года — сидел дед на полу в комнате с занавешенными окнами перед семью негасимыми свечами священной «мсноры» и в плаче и стенаниях просил неумолимого и милосердного Господа, чье сокровенное имя Шаддаи, чтобы растворил он двери третьего неба и впустил грешную душу любимого сына-мешумеда, и соединилась бы она там с душами еще двух братьев — Нухэма и Якова.

Вот они — и здесь они стоят в разных углах, и здесь они во всем различны. Огромный, под потолок, дядя Нухэм, в кубанке, весь в ремнях, со шпорами на коротких сапожках. Краснознаменец, кавалерист, пограничник. Дядя Яков, печальный тихий человек в очках без оправы, шмурыгающий от непроходящего насморка носом. Учитель, книжник, сионист.

Четверть века топтал землю толстыми ногами дядя Нухэм. И много преуспел. Гулким ручьем пустил он по земле кровь человеческую — Кронштадтский мятеж он подавлял, и в расстреле Колчака участвовал, и бандитов-антоновцев ловил. Но дядя Нухэм знал не только, как лучше наладить сельское хозяйство и устроить прекрасную жизнь русским крестьянам. Позвали — и он поехал устраивать счастье дехкан и скотоводов в Среднюю Азию.

Тогда еще все были живы — все двенадцать ветвей, все двенадцать детей, и дед в тоске говорил сыну — красному командиру: ты красен, как раскаленный нож, ты красен, как лицо греха, ты красен, как безвинно пролитая кровь. Остановись, сын мой!

«Лучше ходить в дом плача об умершем, чем в дом пира — ибо таков конец всякого человека, и живой приложит это к своему сердцу...»

Но душа Нухэма уже омертвела, заржавев от пролитой крови.

Он уехал усмирять басмачей, диких бедных людей, которые никак не соглашались отдавать пищу, кров, жен и своего Бога. Нухэм хотел превратить их дом плача в общий дом пира. И басмач прострелил ему голову.

И сказал дед в скорби и слезах: «Смотри на действование Божие: ибо кто может выпрямить то, что Он сделал кривым?»

А дядя Яков — читал, учился и учил. Бог не дал ему орлиного глаза, глаза Нухэма, и потому взирал он на жизнь не через прорезь прицела, а сквозь тяжелые крученые буквы старых пергаментов. Когда-то он прочитал книгу доктора Теодора Герцля, и взор его был обращен в прошлое, которое провиделось ему днем завтрашним. Кончается пора диаспоры — пришло время собираться на берега Сиона, где все мы будем мирно, трудолюбиво и радостно счастливы. Он проповедовал перед своими друзьями и влюбленно смотрящей на него женой Ривой, и щеки ее рдели от восторга и чахотки.

А дед грустно смотрел на друзей и учеников Якова, качал головой и мягко объяснял сыну: «Есть время искать и время терять, время молчать и время говорить...»

Они исчезли однажды ночью, будто архангел Метатрон унес их в преисподнюю. Осталась от них на руках у бабушки Сойбл четырехлетняя тихая девочка Мифа и пришедшее полгода спустя уведомление о том, что они приговорены к десяти годам без права переписки. Еще через полгода пришел конверт, надписанный чужим почерком, и записка, что письмо нашли на рельсах железной дороги около деревни Погост под станцией Тайга. А в самом письме был написан адрес деда и замученными буквами выведены слова: «Прощайте. Мой Иерусалим близок. Един и велик наш Господь. Целую вас, сохраните дитя. Яша».

И ледовитая серая вода безвременья сомкнулась над ними.

А посреди комнаты на табурете сидит тетя Рахиль и весело безмолвно смеется — на всех фотографиях она смеется, не улыбается, не усмехается, а от всей души хохочет. Смеясь она писала стихи, смеясь поступила в театр, смеясь познакомилась со своим Иваном Васильевичем Спиридоновым, смеясь шутки ради вышла за него замуж, смеясь всем отвечала: «То, что вы говорите, я уже когда-то от кого-то где-то слышала, а то, что говорит он, я не слышала никогда». Знаменитый летчик, высокий, молчаливый, красивый, очень спокойный, он улетал на Чукотку, на КВЖД, в Испанию, на Халхин-Гол и возвращался неизменно спокойный, молчаливый, застенчивый — с новыми шпалами, ромбами, орденами и звездами. А Рахиль смеялась и терпеливо ждала, и смеялась, когда он прилетал. Она носила огромную широкополую шляпу, горжетку из чернобурок, бриллиантовые кольца и серьги, она была первой в Москве женщиной, которая научилась водить автомобиль и ездила за рулем «эмки», подаренной Спиридонову правительством. Она ходила на приемы в Кремль. И там, наверное, тоже смеялась, показывая свои жемчужные зубы.

Но у Спиридонова отобрали «эмку», ромбы, ордена, небо, набили грудь свинцом и засыпали красной тяжелой глиной в одной яме вместе с другими семнадцатью авиационными генералами, которые теперь — голые, синие, скрюченные, изуродованные — были мало похожи на сталинских соколов, и каждый бы поверил, что они — враги народа.

Не знаю, смеялась ли Рахиль, когда ее допрашивал заместитель наркома госбезопасности Фряновский — басистый наглый кобель с двуспальной кроватью при кабинете, но «нет» она говорила твердо. Эти кавалеры — крутые ребята, и она пришла в лагерь уже с выбитыми зубами.

Двадцать лет назад тетю Перл разыскала подруга Рахили по лагерю и рассказала, что в 1946 году их вели колонной по Дубне, где уже работали над созданием нашей мирной атомной бомбы. Рахиль выбежала из строя за брошенной прохожими краюхой хлеба, и ее тут же срезал автоматной очередью конвойный-киргиз.

Конвоир не знал мудрости деда и не ведал слов Екклезиаста — «Есть время разбрасывать камни и есть время собирать камни». Конвоир не думал о том, что брат Рахили — Нухэм разорил его дом и убил его отца-басмача, перед тем как другой басмач — брат конвойного-киргиза — застрелил Нухэма.

Киргиз был простым мирянином новой религии и аккуратно исполнял ее первый завет: «Руки за спину, шаг влево, шаг вправо считается за побег, конвой стреляет без предупреждения».

Конвой стреляет без предупреждения. Стреляет, стреляет, стреляет.

Старая зечка, подруга Рахили, со слезами вспоминала ее — какая была добрая, веселая, отчаянная евреечка. Голодно, плохо, а она всегда смеялась. Все зубы выколотили, а она им назло смеялась!

Мне часто снится смеющаяся беззубым ртом Рахиль.

Дядя Меер, белокурый гигант, судья и мудрец среди одесских биндюжников, неспешно мнет толстыми пальцами сыромятный кнут. Его мир был пирамидой спокойной необдумываемой любви, на вершине которой находились три дочери — такие же крупные, рыжеватые и доброжелательные, как его лошади Зорька и Пеня. После лошадей место в его сердце принадлежало покорной тихой жене Мирре, затем шли его друзья — бывший налетчик Исаак Ларик, мясник Мойша Зеленер, биндюжник Шая Гецес и дантист Тартаковер. Как атланты, держали они на себе его мир, в котором было полно веселья, драк, грубой ругани, несокрушимого товарищества, добрых «шкаликов» под кусок скумбрии с помидорами, место в синагоге и единственная постоянная надежда — смысл и цель жизни — хорошо выдать замуж девочек. С добрым приданым, с шумной свадьбой на всю Мясоедовскую, с почтенными «мехетунэм»*.

Но на верных своих лошадках отвез Меер дочерей не к венцу, а к последнему поезду, уходящему в тыл. Посадил в вагон, оторвал полсердца и отправился на призывной пункт. И пирамида, которую он возводил целую жизнь, положив в фундамент весь добрый мир людей, рассыпалась на глазах. Под Житомиром прорвавшиеся немецкие танки в упор расстреляли поезд и всех пассажиров сожгли, перебили, изорвали гусеницами. Не вернулся из разведки Исаак Ларик. Убило бомбой Мойшу Зеленера. Повесили на Привозе Шаю Гецеса. Сгорел в крематории, пролетел черным дымом над польскими полями дантист Тартаковер. И билась на земле в пене, хрипя и дергая ногами, лошадь Зорька, пока Меер с татарином Шамсутдиновым стреляли из последней уцелевшей пушки по приближающимся черным крестам. И тогда Господь дал ему наконец отдохновение от непосильной ноши из обломков разрушенной пирамиды — упал, обхватив землю огромными руками, последним усилием пытаясь удержать расколовшийся шар, и стало легко, и дед шептал в изголовье:

«Участь сынов человеческих и участь животных — одна участь: как те умирают, так умирают и эти, и одно дыхание у всех, и нет у человека преимущества перед скотом...»

Тень дяди Мордухая быстро ходит по комнате — он никогда не мог спокойно сидеть на месте, он всегда куда-то торопился —

* Родители жениха.

на субботник, на партсобрание, на маевку. Он был обществен-
ник, рабкор, ворошиловский стрелок, ударник Осоавиахима,
член МОПРа, профсоюзный активист и страхделегат. Дядя Мордухай любил песню «Еврейская комсомольская» и стыдился политической отсталости деда. Он объяснял деду, что только социализм смог наконец решить еврейский вопрос и теперь задача
евреев, сохраняя свой язык для семейного общения и нереакци-
онные традиции для истории, полностью раствориться в великой пролетарской культуре русского народа. Он носил бархат-
ную толстовку и ругался неуверенным матерком. На праздники
дядя Мордухай запевал — и остальных настоятельно просил под-
певать — заздравную песню «Лейбн зол дер ховер Сталин, ай-
яй-яй!..» — «Пусть живет товарищ Сталин, ай-яй-яй!».

Он уехал в Биробиджан строить еврейскую государствен-
ность, редактировал там газету, писал боевые письма о том, что
только глупцы и слепые не видят, как здесь, в вольной семье
нанайского и удэгейского народов, евреи обрели наконец свою
историческую родину.

В дяде Мордухае социализм потерял верного, надежного
строителя, когда в 1952 году у выдумщиков очередного антисо-
ветского заговора не хватило для пасьянса шестерки — какого-
нибудь шумного еврея. И ангел смерти Саммаэль уронил со своего меча огненную каплю на общественника-выкреста Мордухая
Гинзбурга. За восемь дней заговор был раскрыт, обезврежен,
расследован и покаран.

В прошлом году меня разыскал его сын Иосиф — усталый
медленный человек с сизыми стальными зубами. Он хотел познакомиться, повидаться, попрощаться. И уехал в Израиль. В аэропорту мы стояли обнявшись с этим незнакомым человеком и тихо
плакали. Его слезы были на моем лице, и он сдавленно говорил:
«...Суламита, девочка моя, поехали отсюда, я — слесарь, у меня
золотые руки, для тебя всегда будет кусок хлеба...»

И безликими тенями суетились и печалились среди своих
маленьких детей тетя Бася и тетя Дебора — я никогда не видела
их лиц, не сохранилось даже фотографий. Адское пламя испе-
пелило их следы на земле. В моем пантеоне нет их лиц — только имена — тетя Бася и ее муж дядя Зяма, их дети Моня, Люся
и Миша. Тетя Дебора с дядей Илюшей и сыновьями Левой и
Гришей. Все безмолвно сошли в Бабий Яр, фашисты лишили их
души, плоти и имени, и изгладилась память о них. Искру памяти мне передала тетя Перл, на мне кончаются все их пути.

«...Напрасно пришли вы и отошли во тьму, и ваше имя по-
крыто мраком...»

А ты, юная веточка дедовского дерева, молодой веселый инженер Арончик? Ты говорил, что нет Бога, а есть материя. Нет духа, а есть энергия. Нужна не новая религия, а новая технология. Мир устроит не Мессия, а технический прогресс. Людям нужны не пророки, а инженеры.

Ты оказался прав. Инженеры сделали техническое чудо — «мессершмит». Дали ему энергию бензина, полученного по новой технологии из каменного угля. Он взлетел легко, как дух, й под Прейсиш-Эйлау испарил твою материю. И ты вернулся к своему Богу, ибо он начало и конец вечности. А деда уже не было, чтобы благословить тебя напутственно:

«Все идет в одно место: все произошло из праха и все возвратится в прах...»

Адонаи Элогим, великий Господин мой! Как я устала! Я истратила все силы, чтобы собрать вас и оживить. Зачем? Не знаю...

Мы пришельцы из другого мира. Верю в тебя, Господи, пославший нас из тьмы в эту жизнь. Мы не умираем, пока хоть одна ниточка вечной пряжи хранит в себе память об ушедших. Мы вечны, пока храним огонь завета. И я не могу умереть, не передав нить памяти идущим за нами...

Все исчезли, отлетели от меня. Только лица отца и мамы ясно светили передо мной. Но и они стали меркнуть, расплываться, рассеиваться.

— Подождите! — попросила я. — Мне надо спросить вас...

Покачал головой отец:

— Я знаю, о чем ты хочешь спросить... Но нас нет... Давно... Мертвые ничему не могут научить живых... Прощай, Суламита... Реши сама...

И мама шепнула:

— Как трава, увядаем мы в мире сем...

И дед пошевелил губами:

— «Род приходит, и род проходит, а земля пребывает вовеки». Аминь...

В смятении и бессилии я заплакала. И сошла большая тишина.

5. АЛЕШКА. ИГРЫ

Антон расстроенно смотрел по телевизору вчерашний футбольный матч. Увидев нас, с досадой показал на экран:

— Вот времечко-то пришло! Никто ничего не хочет! Инженеры не думают ни хрена, рабочие не работают, футболисты бегать не желают...

Со злостью нажал выключатель и пошел к нам навстречу:

— Здорово, братушка! Как хорошо, что ты здесь, малыш...

— Здорово, Антошка, — обнял я его. — А что толку с меня?

— Не скажи, — качнул своей лобастой огромной башкой Антон. — В делах-делишках ты, конечно, человек бестолковый. Но я люблю, когда ты рядом. Мне — увереннее...

Мы сели за боковой стол — красного дерева аэродром, затянутый зеленым сукном. Антон нажал кнопку, мгновенно в дверях выросла секретарша Зинка. Я уверен, что Антошка с ней живет — он вообще любит таких икряных задастых баб с толстыми ногами и чуть уловимым горьковатым запахом пота...

— Гони кофе и коньяк. Тот, что мне армяшки привезли... — А нам скомандовал: — Докладывайте, бойцы, хвалитесь успехами... Эх, мать твою за ногу, не было печали...

Так и сидели мы в конце необъятного стола, грустные, озабоченные, а на другом конце незримо витала тень Петра Семеныча с белесой дщерью, и никогда я еще не видел Антона таким озабоченным и неуверенным — может быть, потому, что он привык за этим столом обсуждать проблемы капитального ремонта ЧУЖИХ домов, а сейчас нам надо было сохранить от разрушения СОБСТВЕННЫЙ дом Антона.

Красный сидел олеворучь Антона, молча и внимательно смотрел ему в лицо. А раз он молчал, несмотря на команду докладывать, значит, считал, что это правильнее сделать мне. И весь Лева — маленький, смугло-желтый, крючконосый — рядом с громадным Антоном был похож на ловчего ястреба, севшего на плечо к хозяину и в любой миг готового сорваться в атаку.

— Ее отец требует три с половиной штуки. И однокомнатную квартиру в кооперативе, — сообщил я.

— Ничего, побаловал сыночек, — тяжело помотал Антон головой.

— Надо будет объяснить Диме, что ты оплатил ему наперед батальон проституток, — пожал я плечами.

— А на роту вы не могли сговориться? — недовольно поинтересовался Антон у Красного, и Лев злобно поджал сухие синие губы.

— Не напирай, Антошка, — вмешался я. — Мы бы с тобой от этой сволочи дивизией не отбились.

— Да ты не обижайся, Лева, — надел бархатный колпачок на своего ловчего Антон. — Ты ведь знаешь — откуда мне такие деньжищи взять?..

Вошла Зинка с подносом, на котором были тесно составлены рюмки, чашки, кофейник и бутылка золотого «Двина». Она

34

все это расставляла по столу, и салфетки поправляла, и несуществующую пыль сметала, и к двери отходила, и вновь возвращалась — за бумагами, вроде бы забытыми, и коль скоро Антон не приглашал остаться, то хотелось ей хоть краешком уха уцепить, о чем здесь беседа идет. Но мы все молчали, пока она крутилась в кабинете и когда по первой стопе врезали, и лимончиком закушали, и кофе отхлебнули. А я подумал о том, что полжизни уже прожил, но никогда еще не покупал себе коньяк «Двин». И Антон не покупал. Ему армяшки привозят.

Я думаю, у нас никто легально не зарабатывает таких денег, чтобы покупать «Двин». Его выпускают специально для жуликов, которые привозят подарки начальству. Никого больше не интересуют борзые щенки — все мечтают о выпивке и закуске.

Антон будто почувствовал, о чем я размышляю, и сказал Красному с досадой:

— Лева, ну где же мне взять три с половиной тысячи? Я ведь взяток не беру!..

— Надо думать, — осторожно сказал Красный.

— Думай, Лева, думай, ты у нас самый умный. Если не придумаешь, нам сроду не придумать. — Антон повернулся ко мне и сказал: — Ты знаешь, Алешка, я только недавно сообразил, почему начальникам платят такую маленькую зарплату...

— Ну, скажем прямо, не такую уж маленькую, — усмехнулся я. — Пятьсот рублей, плюс спецкотлеты, плюс казенная дача, плюс казенная квартира, плюс казенная машина с двумя шоферами, плюс путевки, плюс бесконечность богатств нашей Родины...

Антон не разозлился, а терпеливо сказал:

— Малыш, я не о том. Мне представляют бесплатные блага, которые в Америке может себе позволить только миллионер. А денег — как паршивому безработному негру. Смекаешь почему?

Я незаметно показал ему глазами на Левку — не стоило при нем все это обсуждать. Но Антон махнул рукой:

— Перестань! Левка — свой человек. Без него я бы не допер до всего этого.

Я пожал плечами:

— Так чем же ты недоволен, начальствующий диссидент?

— Зарплатой. Ты понимаешь, ИМ не жалко платить мне и три тысячи в месяц. Но не хотят. Нарочно не хотят...

— Почему?

— Чтобы не забаловал. Все мои блага — пока я сижу в этом кресле. А на сберкнижке у меня ноль целых, хрен десятых. И если меня вышибают, я сразу становлюсь полным ничтожеством. За моей спиной всегда маячит бездна нищеты. И это гарантия:

нет в мире мерзости, которой я бы не совершил, чтобы удержаться на своем месте...

— Перестань, Антошка, не надо, — попросил я, мне было невыносимо больно слушать его горестно-сиплый шепот, боковым зрением видеть алчно-стеклянный ястребиный глаз Левки, пронзительно желтый за толстыми стеклами очков.

Антон наполнил до краев большую рюмку коньяком и разом проглотил ее. Хлопнул ладонью по сверкающей полированной закраине столешины:

— Все! Поговорили, хватит. Какие есть идеи, Лева?

— Первое. Продать ваш «жигуль»...

— Не годится, — отрезал Антон. — Мне сейчас на «жигуль» наплевать, но за один день его не продашь...

— Если договориться, деньги могут выдать вперед.

— Я не могу сейчас продавать машину, которую я купил три месяца назад из спецфонда. Понятно? Меня не поймут... Там... — И он показал большим пальцем куда-то вверх.

— Второе, — кивнул Левка, сняв с обсуждения первый вопрос. — Занять на какое-то время деньги у Всеволода Захаровича. Он только что из-за границы, у него наверняка есть деньги...

Мы с Антоном переглянулись и, несмотря на серьезность момента, захохотали. Только сумасшедший или незнакомый мог рассчитывать перехватить денег у нашего брата Севки. Мамина кровь.

— Не глупи, Лева, — замотал головой Антон. — Наш братан — скупец первой гильдии. Он, кабы мог, деда родного похоронил у себя на даче, чтобы сэкономить на удобрениях. И вообще, его ни в коем случае трогать не надо, у него на беду нюх собачий. Сразу же пристанет — зачем? почему? что случилось? Ну его к черту...

Антон встал из-за стола, прошелся по огромному кабинету, остановился у окна, тоскливо глядя на улицу.

— Господи, где же денег взять? Из-за такого дерьма вся жизнь рушится. — Он взглянул на меня и сказал горько: — Вот тебе и Птенец...

И я вспомнил, что Антон и его идиотка-жена всегда называли Димку Птенцом. Не знаю, откуда взялось это непотребное прозвище, но они называли его только так — наш Птенец. Птенец уже не писается, Птенец обозвал бабку дурой, Птенца вышибают из школы, Птенца устроили в Институт международных отношений.

— В чем же дело? Мы ведь росли как трава! А я Птенца тяну с третьего класса. Постоянно репетиторы — то отстал по русскому, то схлопотал пару по алгебре, то завалил английский.

Потом — институт! Хвост за хвостом. И все время — подарки учителям, подношения экзаменаторам, услуги деканам. Этому — ондатровую шапку, этому — ограду на кладбище, этому — путевку в санаторий, этого — устроить в закрытую больницу, этого — вставить в кооператив, этому — поменять квартиру. И вот перешел Птенец наконец на четвертый курс, я уж решил, что все — конец моим страстям, вышел человек на большую дорогу, вся жизнь впереди... А он мне вот что подсуропил...

Я смотрел на Антошку и думал о том, что ни один человек в беде себе не советчик, и в делах своих не судья, и самый умный человек не слышит, что он несет в минуту боли и потерянности чувств. Птенец с большой дороги и белесая дщерь.

В дверь засунула голову Зинка:

— Антон Захарович, к вам с утра рвется Гниломедов. Что?

— Пусть зайдет...

Гниломедов вплыл в кабинет — не быстро и не медленно, не суетливо и не важно, а плавно и бесшумно, и огибал стол он легким наклоном гибкого корпуса, и ногами не переступал по ковру, а легко взмахивал хвостовыми плавниками на толстой платформе, и кримпленовый костюм на нем струился невесомо, как кожа мурены, и можно было не сомневаться, что нет в нем ни одной косточки, а только гладкие осклизлые хрящи, сочлененные в жирно смазанные суставы.

И на изморщенной серой коже — дрессированная улыбка из дюжины пластмассовых зубов. Он наверняка дрессировал по вечерам свою улыбку, мял и мучил, он занашивал ее на харе, как актер обминает на себе театральное платье.

— Хочешь коньяку? — спросил Антон.

— Я бы с удовольствием, — выдавил из пасти еще пять зубов Гниломедов. — Но мне же к трем часам в партконтроль...

— Ах да! Эта напасть еще... — сморщился Антон. — Ты, Григорий Васильич, подготовил покаянное письмо?

— Конечно, — раскрыл папку Гниломедов. — При проверке факты подтвердились в целом, проведено совещание с руководителями подразделений, начальник СМУ-69 Аранович освобожден от занимаемой должности, начальнику управления механизации Киселеву строго указано...

— Подожди, Григорий Васильич, а что с бульдозерами?

— Тут написано. — Гниломедов взмахнул бумагой. — Как вы сказали, Антон Захарыч, бульдозеры сданы на базу Вторчермета как металлолом...

Я ждал, что тут Гниломедов от усердия взмахнет хвостом, стремительно и плавно всплывет под потолок, сделает округлый переворот и вверх брюхом, как атакующая акула, поднырнет к столу. Но он, наверное, не успел, потому что Антон спросил мрачно:

— А Петрович все проверил?

— Безусловно — копии накладных предъявлены в УБХСС...

Как первоприсутствующий в своем заведении, Антон говорил всем подчиненным «ты», но это бесцеремонное «ты» имело много кондиций. Первому заместителю Гниломедову он говорил «ты, Григорий Васильич». Второму заму Костыреву — «ты, Петрович». Своему помощнику Красному — «ты, Лева». Начальникам поменьше — «ты, Федоркин». А всех остальных — просто «ты», ибо дальше они утрачивали индивидуальность и растворялись в святом великом понятии «народ».

Красный повернул к Гниломедову свою острую рожу:

— Григорий Васильич, вы в партконтроле напирайте на то, что УБХСС к нам претензий не имеет...

— А почему вы думаете, Лев Давыдыч, что обэхаэсэсники не будут иметь к нам претензий? — сладко улыбнулся ему Гниломедов, мягко вильнул верхними плавниками.

— Я вчера говорил с начальником хозуправления МВД Колесниковым — они нас просили включить в план капитальный ремонт трех зданий.

— И что? — заинтересовался Антон.

— Ну, я ему ласково намекнул — включить могли бы в этом году, да его же коллеги не дают работать, нервируют коллектив. Если он с ними договорится — мы сразу же займемся их домами...

— Молодец, Левка, — кивнул Антон.

— Толково, Лев Давыдыч, толково, — одобрил Гниломедов, — жох, пробы негде ставить...

— А он обещал? — переспросил Антон.

— Сказал, что позвонит, — обронил Красный и с усмешкой добавил: — Ему же надо набить цену своей услуге...

— Может, зря бульдозеры на лом сдали? — пожалковал на пропавшее добро Антон.

— Да ну их к черту! — впервые без улыбки, от всей души, очень искренне сказал Гниломедов. — Из-за этой сволочи Арановича такие неприятности! Их брат всегда хочет быть умнее всех...

Гниломедов запнулся, увидев устремленный на него взгляд Левы, желтый, как сера, но ненависть к шустрому Арановичу почти мгновенно победила хранящую его сдержанность, и он со злобой закончил:

— Вы уж простите, Лев Давыдыч, но у вашего брата есть эта неприятная черта — соваться всюду, куда не просят... — Помолчал и добавил, сипя от ярости: — Вырастаете, где вас не сеяли...

Он уже не переливался, не струился и не плавал гибко по кабинету, а походил на корявый анчар — он весь сочился ядом. В охватившем душевном порыве напрочь забыл свою дрессированную улыбку, и пластмассовые зубы его клацали, как затвор, выпуская в нас клубы звуковых волн, отравленных смрадом ненависти. Наверное, они должны вызывать гнойные нарывы, зловонные язвы.

И не потому, что я люблю евреев или мне хоть на копейку симпатичен Красный, а потому, что мне противен Гниломедов, который — я не сомневаюсь — будущий Антошкин погубитель, я сказал с невинным лицом:

— А я и не знал, Лев Давыдыч, что Аранович ваш брат...

Красный зло ухмыльнулся, Гниломедов смешался, Антон махнул рукой:

— Да нет — ты что, выражения такого не слыхал? — Повернулся круто к Гниломедову: — Хватит ерунду молоть. Давай я подпишу письмо, и езжай...

Он нацепил очки, еще раз пробежал письмо глазами и широко подмахнул, сердито бормоча под нос:

— Хозяева!.. Хозяйственнички!.. Бизнесмены хреновы, матери вашей в горло кол!.. Расточители!.. Падлюки!..

Выплыл, чешуисто струясь, из кабинета Гниломедов, на прощание тепло поручкался со мной, и дал-то я ему только два пальца, а он не оскорбился и не разозлился, не заорал на меня и не плюнул в рожу, а душевно помял мне обеими руками два пальчика — не сильно, но очень сердечно, по-товарищески крепко, выдрал из хари своей мятой улыбочку, будто заевшую застежку «молнии» раздернул, шепнул напутственно: «Хорошо пишете, Алексей Захарыч, крепко! С у-удовольствием читаю! И жена очень одобряет!..»

Сгинул, паскуда. Понюхал я пальцы свои с остервенением — точно, воняют рыбьей слизью. И налет болотной зелени заметен. Теперь цыпки пойдут...

— Арановича жалко, — тяжело сказал Антон. — Толковый человек был...

— А он что, воровал? — поинтересовался я.

— Кабы воровал! — накатил желваки на скулы Антон. — Горя бы не знали. Он, видишь ли, за дело болеет! Все не болеют, а он болеет! Вот и достукался, мудрило грешное!

— Так что он сделал?

— Из металлолома два бульдозера восстановил, — хмыкнул Красный.

— И что?

— Нельзя.

— Почему? — удивился я.

— Ах, Лешка, мил друг, не понять тебе этого, — вздохнул Антон. — Тут час надо объяснять этот идиотизм...

И Красный молчал. Я посмотрел на него — у Левки было лицо человека, озаренного только что пришедшей догадкой, какой-то необычайно ловкой и хитрой мыслью.

— Есть идея, — сказал он равнодушным голосом.

— Насчет Арановича? — все еще отстраненно спросил Антон.

— Какого черта! Насчет денег!

— Да? — оживился Антон.

Господи, какие пустяки определяют человеческие судьбы! Не мучай меня с утра похмелье, не пей я по дороге водки, а здесь коньяк и кофе, я бы выслушал Левкино предложение, и, может быть, ничего бы впоследствии не произошло. Или многое не произошло бы.

Но у меня распирало мочевой пузырь, я вскочил с места и, крикнув Левке: «Погоди минуточку, я сейчас!», выскочил в туалет, за комнатой отдыха при кабинете.

Сколько нужно мужику, чтобы расстегнуть штаны, помочиться, застегнуть снова молнию и вернуться на свой стул? Минута? Две? Три?

Но когда я вернулся — понял, что они успели здесь перемолвиться без меня.

Они сидели с подсохшими отчужденными лицами, будто незнакомые, и в глазах их была недоброжелательность, и я сразу почувствовал, что их уже связал какой-то секрет или тайна, а может быть, сговор, в котором мне места не было.

— Что? — спросил я.

— Да ерунда, Лева тут предложил поговорить с одним человеком, но мне это кажется несерьезным, — как-то суетливо, скороговоркой зачастил Антон, и я понял, что он мне врет — Красный НАШЕЛ ВАРИАНТ.

Мне бы подступить с ножом к горлу, а я, дурак, обиделся. Не хотят — как хотят. Это в конечном счете их личное дело. Мне наплевать. С какой стати?

И Антон, который хорошо знал меня и оттого точно меня чувствовал, тоже понял, что я знаю — он врет. И сказал, глядя в сторону:

— Лева тут попробует еще один вариант... Не наверняка, но попытаться можно... Как любил пошутить Лаврентий Павлович Берия: попытка — не пытка...

И засмеялся смущенно, на меня не глядя.

Я встал и, стараясь скрыть охватившую меня неловкость, тоже засмеялся:

— Пусть, конечно, попробует. Он ведь из нас самый умный...

6. УЛА. ВСТРЕЧИ. ПРОВОДЫ

«Внимание! На старт! — дико заголосила стена. — Внимание! На старт!»

Я приподняла голову с подушки.

Внимание! На старт! Нас дорожка зовет беговая!

Гипсолитовая стенка вогнулась ко мне в комнату.
«Передаем концерт спортивных песен и маршей!»

...Нас дорожка зовет беговая!
...Если хочешь быть здоров — закаляйся!..

Трясся портрет на стене, дед испуганно жмурил глаза.

Чтобы тело и душа были молоды!..

В соседней квартире живет пенсионер-паралитик. Он любит радио.

...Были молоды! Были молоды!

Он хочет, чтобы тело и душа были молоды.

Ты не бойся ни жары и ни холода!..
...Закаляйся, как сталь!

Я не боюсь ни жары, ни холода. Я боюсь радио.

Если хочешь быть здоров — закаляйся,
Позабудь про докторов, водой холодной обливайся!

Дребезжит стена, напряженная, как мембрана.

Удар короток — и мяч в воротах!
Кричат болельщики, свисток дает судья!

Сыплется побелка, стонет паркет. Стена хрипит и воет, паралитик крутит приемник, как пращу.

В хоккей играют настоящие мужчины.
Трус не играет в хоккей!

41

Трус не играет. Трус не слушает радио. Трус жить не может.

...Все выше, и выше, и выше!
Голы, очки, секунды!
Спорт! Спорт! Спорт!

Физкультурный парад. Спортлото. Звездный заплыв черноморских моряков. Спартакиада. Гимнастическая пирамида. Олимпиада. Самый сильный человек планеты Василий Алексеев поднял 600 килограммов. Советский народ — на сдачу нового норматива комплекса ГТО! Товарищ Сталин — лучший друг физкультурников! Хочешь в космос — занимайся спортом!

Эй, вратарь, готовься к бою!
Часовым ты поставлен у ворот!

Радиоволны размозжили, в клочья разорвали паралитика, липкими струйками, густыми потеками разметало его по стенам занимаемой им жилплощади.

...Чтобы тело и душа были молоды!
Были молоды!.. Были молоды!..

Физкультура и радио — плоть и дух. Люди без цели, без воли, без памяти занимаются физкультурой и слушают радио.

Только в ванной под сильной струей душа не слышно радио, и я счастлива: паралитик не знает, что я наплевала на предписание закаляться, как сталь, — я не обливаюсь водой холодной, поскольку тело мое и так молодо, а душа моя все равно незапамятно стара, ей несколько тысяч лет.

Из-за соседа я никогда не завтракаю дома — вдруг он проломит своей радиостенобитной машиной перегородку и ввалится ко мне в комнату? Мычащий, слюнявый, не боящийся ни жары и ни холода, закаленный, как сталь. Мне его безумно жалко, но и себя тоже — я его очень боюсь...

Лечу по лестнице — лифта ждать глупо. Жую по дороге яблоко; у него кислый, свежий, радостный вкус. Во дворе в песочнице плавают пузатенькие, задумчивые, как рыбки-гуппи, малыши. Мимо дома, мимо сквера, через школьный двор. В пустых гулких классах перекатываются голоса маляров. Из окна выкинули большую карту мира, и повисли на мгновение высоко надо мной два цветных полушария — переливающееся пенсне вселенной. Раскачиваясь, медленно планируя, опускались они на землю, как солнечные очки мира. Синие очки слепого творца.

Сегодня я еду на час позже, чем обычно. Просторно в стеклянном дребезжащем сундуке троллейбуса. Я еду не на работу. Сегодня я сердечно приветствую. Я еще не знаю, кого я буду сердечно приветствовать: мне велено явиться в десять часов к столбу номер 273 на Ленинском проспекте, и там мне скажут, какого дорогого гостя столицы мы будем сегодня сердечно приветствовать.

В нашем гостеприимном городе самые сердечные люди работают в Октябрьском районе. Здесь проходит трасса следования гостей из Внуковского аэропорта, и не реже раза в неделю нас выводят сердечно приветствовать очередного нашего друга.

У метро я встретила Шурика Эйнгольца. Он медленно шел по тротуару, останавливался, с любопытством озирался на толпы бегущих мимо него людей. В безобразных мешковатых штанах, тяжелых зимних ботинках. На животе мучительно разъезжалась вискозная кофточка-тенниска. Нет, он не франт, в этом его никак не упрекнешь. Эйнгольц смотрел на гостеприимных земляков, закидывая голову немного назад, и осторожно продвигался вперед, выдвигая каждый раз ногу с опаской, будто боялся провалиться в канализационный люк. Он был похож — в своих толстых бифокальных очках — на слепого. Кудрявые рыжеватые пряди над ушами и нос, выраставший не из переносицы, а прямо из темени. Короткий толстый хобот, он шевелил им. Он принюхивался к смраду распаренной жарой и скукой толпы, он обонял тление: страх, равнодушие и общую усталость, которую называл формой неосознанной тоски.

— Шурик! — крикнула я ему. — Шурик, я здесь!

Эйнгольц повернул ко мне линзы, приветливо поднял хобот.

— Я боялась перепутать метро — мы договорились встретиться у «Калужской», а она теперь называется «Октябрьская». А где теперь «Калужская»?

— В самом конце радиуса.

— Шурик, зачем это делают? — спросила я. — Это же им самим должно быть неудобно!

— Им, Ула, деточка моя, это удобно. Переименователи не ходят пешком и не ездят в метро, им безразличны переименованные города...

Мы шли по Ленинскому проспекту, мимо гостиницы «Варшава», мимо Института стали, а вокруг сновали обеспокоенные люди — это трудящиеся искали каждый свой столб, у которого им надлежит приветствовать, они находили и снова теряли в толпе сотрудников, бешено подпрыгивали на глазах уполномоченных, чтобы их видели в ликующей толпе гостеприимно встречающих, чтобы не подумали, будто они смылись и не выполнили своего важного общественного долга.

Проезжую часть уже очистили от транспорта, и пустая улица выглядела непривычно: пугающе, настороженно.

Плечистые ребята — при галстуках и пиджаках, несмотря на духоту, — стали сбивать народ в ровные шеренги вдоль бровки

43

тротуаров. С серыми цинковыми лицами эти ребята выслушивали доклады старших трудящихся, давали им короткие указания, толкали людей, быстро разгребали ухватистыми лапами сгущения и передвигали своих сограждан, как вещи, в возникающие щели, наверное, по своим засекреченным представлениям об эстетике советского гостеприимного ликования. И все это — с неподвижными физиономиями, с белыми пустыми глазами, тяжелыми желваками на скулах. Они читали в наших душах, они знали, что мы недостаточно искренне приветствуем, они видели, что мы больше хотели бы сбежать — в магазины, химчистки, на почту. И молча предупреждали нас: вы еще об этом пожалеете!

Уполномоченные представители трудящихся озирались, как наседки, пересчитывая своих подопечных, сверяясь по спискам — все ли на месте, все ли машут флажками, все ли выражают на лицах безграничную радость по поводу приезда хоть и неизвестного пока, но все равно дорогого гостя.

По пустынной улице проехала милицейская машина — желто-синяя, с пульсирующими на крыше красными сполохами тревожных фонарей, с медленно вращающимися серебряными рупорами. Из рупоров доносилось покашливание надзирателя — «Кх-ках-кхе», «Кх-ках-кхе». Он прочищал глотку спокойно и естественно, не обращая на нас внимания, не стесняясь нас, как он не стеснялся окружающих стен, камней, деревьев.

— В этом есть что-то похожее на приготовления к казни... — сказал Эйнгольц.

Плотный, коренастый, тяжелый, с коротким толстым носом-хоботом, Эйнгольц был похож на тапира — маленького несостоявшегося слона. Красноватые глазки за бифокальными линзами печально смотрели на пустую дорогу.

Он положил мне на плечо руку — белая беззащитная кожа рыжего, измаранная сгустками веснушек, истыканная редкими щетинками белых волос.

— Кого казнить будут, Шурик?

— Наше достоинство.

Из магазина «Варна» порскнула толпа баб. Они бежали, держа в руках банки баклажанов «баялда». Хорошая штука, взять бы, но мы и так опаздываем.

Мне было жалко Шурика, потерявшегося здесь тапира, мудрого, сильного, застрявшего навсегда экспедиционера — красавца из другого мира. Он попал не в тот отряд генетического десанта.

— Шурик, тебе было бы хорошо стать профессором в маленьком университетском городке. Где-нибудь на Среднем Западе...

Он покачал головой:

— И что я бы им преподавал?

— По-моему, ты знаешь все. Рассказывал бы им о нас.

Эйнгольц сделал по крайней мере еще десять своих неровных ощупывающих шагов, наклонился ко мне и тихо сказал:

— Ула, я начинаю думать, что мы никому не нужны. Мир не хочет о нас знать, он нами не интересуется, он забыл о нас...

— А история? Этнографы? Археологи?

— Нет, их время еще не пришло. Мы — кошмарная Атлантида, дикая и кровавая, над нами — океан лжи, насилия и забвения.

Какие-то фабричные девочки, крикливо одетые, в яркой косметике, пили из бутылки портвейн, пронзительно смеялись, а одна, посмотрев на Эйнгольца, громко запела:

> Хорошо, что наш Гагарин
> Не еврей и не татарин,
> Не калмык и не узбек,
> А советский человек!

Девчонка была красивая, рослая, с круглыми глупыми голубыми глазами. Эйнгольц смотрел на нее с доброй улыбкой, почти ласково. Может быть, она будила в нем какие-то воспоминания? Мне казалось, что ему хочется погладить ее по голове. Там, в его мире, она, наверное, была кошкой. Или стройной длинношерстной колли.

И тут откуда-то издалека, с самого конца проспекта, донеслось завывание, вначале негромкое, вялое, будто плач большого кота, но с каждым мгновением оно становилось пронзительнее и гуще, оно приобрело яркий желтый цвет и уродливую форму падающего с неба зверя, вой был плотным, как замазка, и невыносимо скребущим, словно стеклянная вата за шиворотом.

Это мчался перед кортежем милицейский «мерседес». Сирена выла ритмично, она опускала животный крик боли до низкого ужасного рева и взмывала вверх яростно-синим свистом отчаяния и страха перед надвигающейся волной страдания. Казалось, что сидящие в «мерседесе» рвут руками его внутренности, и он вопит, рыдает и молит стоящих на тротуарах людей забыть о достоинстве. Сирена — электромеханический приборчик, симулянт и шантажист — своим ненастоящим страданием показывала людям, что можно сделать с ними, если так способны кричать металл и пластмасса.

Хлынул наконец черной рекой правительственный кортеж. Огромные мрачные машины, стальные ящики на толстых колесах, лавиной мчались по проспекту. Взлетели вверх флажки, все заголосили, в задних рядах заметались, забегали. Визг, прыжки, суета и крики, толчея, отдавленные ноги, вопль восторга — вона, вон-а! на второй машине! усатенький! с погонами!..Ур-а-а!

Какой-то дорогой гость с числительным титулом — первый заместитель, второй секретарь, третий председатель.

Эти черные страшные автомобили мчались бесконечной оравой, безбрежной, исчезающей за горизонтом, бронированные, тяжелые, непроницаемые, тускло сверкающие на солнце, неслыханный парад торжества силы, демонстрация ее громадности — голова кортежа уже исчезла из виду, а конец еще не выехал, наверное, с аэродрома — десятки километров командиров, извергающихся подобно лаве из бездонных недр Тартара. С ревом моторов и глухим гудом шин они неукротимо катили по дороге в светлое будущее, окруженные счастливыми толпами ликующих, размахивающих флажками и транспарантами людей, которых, само собой, держали в должном порядке и на необходимом расстоянии плотные цепи железных парней с золотыми сердцами.

Тетя Перл рассказывала, как во время войны она стояла на Садовом кольце и смотрела вместе со всеми на тысячи пленных немцев, которых гнали по Москве. Они шли много часов, и в разгар дневной жары один из солдат упал в обморок. Сосед тети Перл, старый еврей-коммунист, эмигрант из Австрии, отсидевший там несколько лет в концлагере и перед войной все-таки пробравшийся к нам, подбежал к упавшему немцу и напоил его из бутылки водой. Солдат очнулся и ушел с колонной. А железный паренек увел соседа, и больше его никто не видел.

— Тебе плохо? — Я увидела перед собой ласковый толстый хобот моего тапира.

— Не обращай внимания...

Тапир умен и прекрасен. Но помочь мне он не может.

Мы вошли в вестибюль института. Пыль, обрывки флажков, духота. Огромный плакат — «Уважайте труд уборщиц!». Я всегда с испугом останавливаюсь около этого плаката, ибо мне мнится в нем какой-то тайный, непонятный мне смысл. Что-то ведь это должно значить? Это же ведь не буквально — уважайте труд уборщиц! Почему именно уборщиц? Почему никто не призывает уважать мой труд? Или труд Алешки? Или Эйнгольца? Что-то это все-таки значит? Уважайте труд уборщиц!

Не понимаю. Но уважаю. И люблю.

Послушно люблю начальство и уважаю уборщиц.

Уважайте труд уборщиц!

7. АЛЕШКА. ПОЛЕТ

По Тверскому бульвару медленно плыл я в раскаленном вареве этого невыносимого дня. Сладкая дурь коньяка во мне мешалась с горьковатым запахом пыльных тополей, синие дымы бензинового выхлопа оседали на цветах радужным нефтяным конденсатом, серый асфальтовый туман стелился по газонам, собирался в плотные клубы по кустам — как для внезапной атаки.

Из одинокой высоты опьянения я неспешно планировал вниз, на вязкую задымленную мостовую, в этот противный мир. Я ощущал, как вместе с потом истекает из меня топливо моего движения, горючее моего отрешения, радостного уединения, счастливой обособленности от всех. Синими ровными вспышками горит во мне спирт, питая неостановимый двигатель сердца, поддерживая стабильное напряжение на входах компьютера моего мозга — он снова громадный, всесильный, всепомнящий. Он — самообучающийся.

Я — беззаботный летчик, не заглянувший в баки перед вылетом.

Я лечу над пустыней, здесь негде приземлиться, если кончится горючее. Подо мной Сахара, невыносимый зной, говорящие на чужих языках, иссушенные жаждой и лишениями кочевники, заброшенные оазисы закрытых на обед магазинов, заледеневшие колодцы пивных, переделанных в кафе-мороженое.

Три тысячи шагов до бара в Доме литераторов. Далеко, на самом горизонте раскаленного московского полдня, он встает как мираж. Как надежда. Как обещание счастья. Как голубые снега Килиманджаро, вздымающиеся за смертельными песками Сахары.

Если не хватит горючего — наплывет незаметно вялое равнодушие, и всемогущий, бурно пульсирующий компьютер опадет, как проколотый мяч, засохнет и сожмется, превратившись в коричнево-каменный бугорчатый шарик грецкого ореха, и обрушатся тоска и бессилие раннего похмелья, полет перейдет в свистящее падение в черную пропасть беспамятства — сна, засыпанного жгучим, едким песком пустыни...

Но пока еще шумят во мне ветер коньяка и одиночество полета.

Слева под крылом проплыли безобразные серые утесы ТАССа, густо засиженные черными мухами служебных машин. Пять лет я прожил на этом острове — глупый дикий Пятница, наивный чистый людоед, попавший на обучение к корсарам пера, проводящим дни в общественной работе и страстном ожидании часа, когда попутный корабль увезет их с каменистых берегов моральной устойчивости на службу в загнивающую заграницу, разлагающуюся, к счастью, так неспешно, что ее умирания и безобразных язв хватит еще на много поколений пламенных журналистов.

И пока шевелились эти воспоминания, я пролетел над графитным столбиком памятника Тимирязеву, хлопнул его по макушке и повернул круто направо, в сторону собора Вознесения, на котором было написано: «ЭЛЕКТРОМЕХАНИЧЕСКАЯ МАСТЕРСКАЯ». Вдоль улицы Герцена выстроились запряженные лошадьми коляски, из бокового притвора, прямо из-под букв «...СТЕРСКАЯ» выходили люди во фраках, дамы в белых платьях, с длинными шлейфами, с букетиками флердоранжа. Ба! Чуть не опоздал — это же Александр Сергеевич Пушкин с Натальей Николаевной из электромеханической мастерской, где их сейчас повенчала депутат районного совета ткачиха-ударница Мария Гавриловна Погибелева.

Иногда ее фамилия Похмельникова. А иногда Погибелева. Может быть, их две?

Александр Сергеевич, дорогой, привет вам от пустякового писателя с 16-й полосы!

Я — монгольфьер, надутый спиртовыми парами. Прощайте, Александр Сергеевич! Мне надо долететь, кончается горючее, я бешено теряю высоту...

Мелькнуло слева от меня турецкое посольство, и развевающийся над ним флаг окрасил небо вечерней зеленью. На этом ярко-зеленом небе взошел месяц. И проклюнулась звезда. Ах, как быстро я летел вниз! Как пропала высота моего сладкого полета! Как мгновенно кончился вечер над турецким посольством, как быстро зашел за моей спиной месяц, а звезда упала, не взойдя в зенит, — и полет был так стремителен, что я камнем пролетел через рассвет и упал снова в палящее марево раскаленного дня около посольства Кипра. Я чувствовал, что ноги мои задевают за асфальт, я чиркал подметками по мягкому тротуару, я отталкивался, чтобы еще немного пролететь, но туфли вязли в черной каше гудрона.

Я оттолкнулся руками от плотного горячего воздуха, чуть-чуть приподнялся и улетел в вестибюль, сумрачно-темный, мрачно-прохладный, прекрасно-пустой...

В большом деревянном холле тоже было пусто, и, подчеркивая нереальность всего происходящего, горланил в одиночестве телевизор — напудренный диктор передавал последние известия.

— Муся! Два по сто! — закричал я со ступенек буфетчице, и она молча, со своей простой, всепонимающей, доброй улыбкой мгновенно протянула мне две кофейные чашки.

Первую я хлестнул прямо у стойки, и водка рванулась в меня с жадным урчанием, как струя огнемета. Подпрыгнули, метнулись по стенам желтые огни, располосовали тьму исступленной жажды, кровь хлынула в ссохшийся, почти умолкший компьютер — и я обвел прозревшими глазами кафе, задышал сладко и глубоко, будто вынырнул из бездонной ледяной толщи.

Мой родной сумасшедший дом — стены, исписанные самодельными стишатами, разрисованные наивными шаржами, стеклянный трафаретик «Водка в буфете не отпускается», пожелтевшее объявление «Сегодня в ресторане — рыбный день», зыбкие плывучие лица картонных человечков за столиками. Как мне близка тихая истерия этого перевернутого мирка: толстые официантки орут на маленьких писателей, вместо мяса те покорно жуют рыбу, водку тихонько пьют из кофейных чашек, а кофе нет совсем!

Спасибо, Мусенька, спасибо тебе, радость моя, спасибо — ты меня за что-то любишь, почему-то считаешь своим и наливаешь мне незаметно водку под прилавком!

Я уцепился за край углового столика и ногой обвился за стул — чтобы не взмыл под потолок мой монгольфьер, я боялся проткнуть стену олсуфьевского особняка и вылететь в садик канцелярии западногерманского ботшафта. И снова — легкость, бесплотность тела. Жаль только, что беспрерывно сновали окрест коллеги. Говорили, задавали вопросы, рассказывали. Как хорошо было лететь над электромеханической мастерской Вознесения — никто там тебя не мог достать, а Пушкину было не до меня. Свадьба — это ведь такое хлопотное мероприятие!

Седой акселерат Иван Янелло — семидесятилетне-розовый, с голубыми глазами глупого ребенка — рассказывал о неполовозрелых девушках. Рассказывал скучно, для такого специалиста — дважды судили — мог бы придумать поинтереснее.

Болотный нетопырь Коля Ушкин — талантливый, пьяный — свидетельствовал: «Это не выдумки, что черти бывают, я сам видел...»

Маленький усатенький Юрик Энтин, значительный, как богатый лилипут, снизошел ко мне, поведал: «Вчера после обеда сел, написал гениальную пьесу. Жаль, не успеют поставить в «Комеди Франсез» — сейчас в Париже готовят фестиваль моих пьес...»

Секретарь парткома Старушев дергал меня за рукав, просил жалобно, показывая на Римму Усердову: «Ну скажи ей, скажи, какой я писатель!» А она слабо мотала головой: «Не писатель ты и не человек вовсе, ты — моллюск, моллюск с чернильным мешком».

Откуда-то из подпола, с очень большой глубины, выплыл поэт Женя Корин, весь расплющенный давлением, очень худой, тонко вытянутый, с повисшими, как у утопленника, волосами, взмахнул бескостной, как водоросль, рукой, жалобно заморгал красными веками, беззвучно пошевелил губами — на лице засохли донный песок и капли слез.

49

Незаметно вырос надо мной официант Эдик — нежная душа. Он гомосексуалист и ценитель музыки. Поцеловал меня в темя и поставил на стол три бутылки чешского пива. Энтин заныл: «Эдик, а почему мне не дал чешского пива?»

Но Эдик сразу его осадил — таким не полагается! Вот так!

И не заметил я, упиваясь тонкой горечью моравского хмеля, как возник передо мной Петр Васильевич Торквемада — пастырь душ наших, хранитель всех досье, секретарь союза, бывший генерал МГБ, друг-соратник моего папки. Тусклый блеск очков, худое постное лицо инквизитора.

— Опять нализался как свинья? — бесшумно, тихо орал он одними губами. — Отца только позоришь, мерзавец!

— Отец не ходит в ЦДЛ — не знает, что я его позорю...

— Сейчас с банкета из дубового зала пойдет все руководство союза — хорошо будешь выглядеть, засранец! — шипел, пиявил меня Торквемада.

— А они сами будут пьяные, не заметят, — вяло отбивался я.

Тут растворились двери, и хлынули с банкета писательские генералы. В глазах зарябило...

А мой постный истязатель поскакал вприпрыжку за начальством.

На стуле рядом уже сидел поэт Соломин — круглые глаза, на затылке маслянисто-гладкие рожки, ма-аленькие, как косточки фиников, в руках крутит хвост, будто ремень на брюках распоясал, сучит под столом сухими копытами, топочет потихоньку, козлоногий.

— Дай, Лешенька, рубль, дай до завтра, дай рубль до завтра, выпить надо — умираю, денег нет, меня вчера в туннеле под Новым Арбатом ограбили, последние сорок семь копеек отняли, а в милицию не могу пожаловаться — паспорт я узбекам продал за бутылку...

— Изыди, противный, серой воняешь! — И бросил ему металлический рубль, а он его не поймал, звякнула монета по полу, сверкнула в темноте, а ее уже подхватил зубами Володя Степанов, зарычал, отгоняя Соломина, и приклеил ее на курточку рядом с краденым орденом Виртути милитари, а мне крикнул со своего стола:

— Вишь, Алеха, ордена? Мне их дали в Корее, я там американские летающие крепости на «По-2» сбивал...

Врет он все, он не умеет и летать даже, а форму пограничника купил в Военторге по безналичному расчету для самодеятельного театра. Реквизит пропили, театр разогнали, самого Степанова вышибла из дому жена, и он теперь живет в зеленой форме пограничника...

Было жарко, шуршал песчаный ветер, и свет меркнул медленно, будто вселенский электромонтер постепенно гасил его яркость реостатом чувств. И шум был вокруг ровным, ничто

50

меня не беспокоило, и было мне хорошо, тихо, только обидно, что все время соскальзывал локоть с пластмассового стола, и тогда резко бросало вперед-вниз мой заблокированный компьютер. Ему это было очень вредно, сейчас ему необходим покой, он самообучался. Тише, тише, не трогайте его, пусть он живет своей отдельной жизнью...

Летит голубой монгольфьер с зеленой макушкой.

Красное, тугой ковки медное солнце.

«Отдыхайте на курортах Черноморья!»

Синяя вода течет из ладоней.

Это ты, моя любимая, истекаешь из моей жизни.

Хотя это вздор — ты не можешь уйти из моей жизни. Ты можешь истечь только вместе с жизнью.

Плывет монгольфьер по синей воде — это я пролетаю в твоих зрачках.

Ула!

Я больше не могу без тебя. Прости. Не сердись. Прости меня.

Моих сил хватило на два дня. Два дня я не вижусь с тобой, два дня назад мы разошлись навсегда. Какая глупость! Какое «навсегда»?

Ула, прости меня, дурака. Ула, я больше не могу. Ула, ты еще не знаешь, что ко мне приходили ночью судьи «ФЕМЕ». Их пустил ночью потихоньку в квартиру мой сосед — стукач Евстигнеев. Ула, мне очень страшно жить без тебя. Только не бросай меня, Ула. Прости меня!

Я встану на колени и признаюсь тебе. Этого никто не знает! Ула, ты — мой дух, моя душа, ты — моя надежда на вечную жизнь. Если ты меня бросишь, улетучится душа, останется сморщенная пустая оболочка лопнувшего монгольфьера. Меня перестанут узнавать люди и будут называть Таурином, Степановым или Марковым — это все равно, они все разоренные пленочки давно улетевших душ. Я буду сидеть здесь всегда, сучить копытами, носить чужие ордена и жить в форме пограничника...

Прости меня!

8. УЛА. ДОГОВОРИЛИСЬ — МИШЕНЬ С ПРИЦЕЛОМ

По коридору бежали научные сотрудники. Поджарая сухоногая Светка Грызлова обошла на повороте задыхающегося, беременного портфелем Паперника, крикнула мне на бегу:

— Получку дают!

Бегут. Я пропустила их дробно топотавший косяк и толкнула дверь своего бомбоубежища с табличкой «Отдел хранения рукописей».

— Здрасте-здрасте-здрасте, дорогие товарищи. Здрасте. Получку дают, — объявила я, и ветер страстей шевельнул тяжелые своды.

Надя Аляпкина пошла со стула, как ракета со старта, — грузно воздымалась она, и в этой замедленности была неукротимая сила, которая еще в комнате зримо перешла в скорость, светлое пятно ее кофты мелькнуло в дверях и исчезло навсегда. Суетливо заерзала секретарша Галя, опасливо косясь в сторону заведующей М. А. Васильчиковой, недовольно поджавшей губы, и бочком, бочком, нырком, пробежками, по-пластунски ерзнула между столами на выход, ветерком сквознула в коридор. Кандидат в филологию, старший антинаучный сотрудник Бербасов Владимир Ильич, громогласный, с заплесневелой, тщательно выхоженной рыженькой бородкой, человек искренний, исключительно прямой, принципиально говорящий — невзирая на чины, прямо в глаза — только приятные вещи, поднялся над столом, как на трибуне, и я приготовилась услышать что-нибудь принципиально-приятное, но не смогла сообразить, как он это привяжет к получке, а он бормотнул скороговоркой:

— Ула, сегодня вы почему-то необычайно хорошо смотритесь... — Потом торопливо откашлялся и со значением сказал Васильчиковой: — Я — в партбюро...

И через миг до нас слабо донесся его неровный ледащий топот застоявшегося мерина.

Я кинула на пустой, только вчера генерально расчищенный мною стол сумку, уселась и посмотрела на Марию Андреевну. Старуха горестно качала головой.

— Сердитесь?

— Нет, — сказала она, и в голосе ее, во взгляде, во всем облике была большая печаль. — Но не понимаю...

Я промолчала.

— Почему они так бегут? Что, не успеют получить свою зарплату? Или кому-нибудь не хватит?

— Не сердитесь, Мария Андреевна, у них нет другого выхода. Бытие определяет сознание, — засмеялась я.

Бабушка Васильчикова — человек старой закалки, совсем иного воспитания, мне трудно объяснить ей, что люди бегут не от кандального грохота — их давно преследует лязг консервной банки на собачьем хвосте.

— Ах, Ула, никто и не заметил, как трагедия сталинской каторги постепенно выродилась в нынешний постыдный фарс всеобщего безделья...

По-своему она права — средний служащий нашего Института литературоведения может с гордостью считать, что он поквитался с системой трудового найма.

— Если посчитать, сколько нам платят и сколько мы делаем, то так и выходит — квиты, — сказала я расстроенной Бабушке.

— Не смейтесь, Ула! — сердито сказала Бабушка, слабо отбиваясь от меня. — Не смейтесь, я поняла окончательно, что современный обыватель — это новый Янус...

— А что в нем нового?

Она серьезно сказала:

— К посторонним он обращается голубоглазым ликом творца и созидателя, а к своим — чугунной испитой харей бездельника. Люди разучились работать...

Пронзительно, как милиционер, свистнул закипевший чайник. Он парит полдня, у нас все любят пить чай с сушками и дешевыми конфетами. Бедная моя, дорогая Бабушка! Взгляни на чайник! Неужели раньше ты не замечала, сколько тысяч часов проведено за праздными чайными разговорами!

Влетела с грохотом Света Грызлова и еще из дверей закричала Бабушке:

— Марь Андреевна, я — в Библиотеку Ленина...

Бабушка смотрит на нее застенчиво-грустно, слегка поджимает губы. Ни в какую библиотеку Светка не поедет, а сейчас нырнет в продуктовый, а оттуда сразу — в магазин «Лейпциг», там Сафонова вчера оторвала сумку. Но ничего нельзя менять, да и не нужно, и они обе говорят обязательные слова, как старые актеры повторяют надоевшую роль.

— Хорошо, Светлана Сергеевна. Только запишитесь в журнал...

Господи, мы все столько лет повторяем слова из одной и той же надоевшей скучной пьесы, что знаем наизусть чужие реплики. Сейчас вернется с зарплатой Надя Аляпкина, тяжело отдышится и скажет, что поедет в Бахрушинский музей. А завтра, забыв, что ездила в музей, поведает, что отстояла огромную очередь за колготками для младшенького в «Детском мире» — нигде детских колготок нет, а они их просто жгут на себе, а потом вспомнит, что у метро давали свежий котлетный фарш, а в «Диете» почти не было народа за рыбой простипомой.

Пришла Люся Лососинова, вернулась секретарша Галя, явился задумчивый Бербасов, уселся за стол и стал сортировать купюры, раскладывая их по разным отделениям портмоне. Отдельно положил десятку в тайный кармашек брюк. Ему тяжело — он платит алименты на детей прежней жене, а от нынешней заначивает деньги для отдыха с любимой девушкой. Видимо, будущей женой. Однажды, остервенясь, Бербасов кричал у нас в комнате: «Ничего! Ничего! Еще два года осталось этому идиоту до восемнадцати! Кончатся алименты — копеечки от меня не увидите!»

Я возненавидела его навсегда...

Пыхтя, ввалилась Надя Аляпкина.

— Эйнгольц возьмет твою получку, — сообщила она мне и повернулась к Васильчиковой: — Марь Андреевна, мне надо в Бахрушинку ехать...

— Хорошо, Надежда Семеновна. Только запишитесь в журнал. Педус следит за этим строго...

Бербасов очнулся от своих финансовых грез при слове Педус, которое на его нервную систему рептилии действует как приятный раздражитель:

— Ула, чуть не запамятовал — вас просил зайти после обеда Пантелеймон Карпович...

Врешь, свинья, ничего ты не запамятовал. Никогда твой дружок Педус не попросит — зайдите сейчас ко мне, пожалуйста. Он всегда предлагает зайти через два часа, или после обеда, или к вечеру, или послезавтра — потерпи, помучайся, поволнуйся, подумай на досуге: зачем тебя зовет в свою комнатку с обитой железом дверью начальник секретного отдела. Господи, какие у нас секретные дела в институте? Какие секретные дела у меня лично? Но Педус существует, он у нас всюду. И я его боюсь. Боюсь его неграмотной вежливости, боюсь сосущей пустоты под ложечкой.

— Давайте пить чай, — предложила Галя, а Люся Лососинова уже начала капитально обустраиваться за своим столом.

Люся — симпатичная сдобненькая блондинка — похожа на немецкие фарфоровые куколки, изображающие балерин и пейзанок в кружевных длинных платьях. Я думаю, у мужиков должны чесаться пальцы от непереносимого желания пощипать ее за бесчисленные кругленькие, мягонькие, беленькие, сладенькие выступы. Всегда приоткрытые, чуть влажные семужно-розовые губки и прозрачные незабудковые глаза, не замутненные ни единой, самой пустяковой мыслишкой. За этими нежными глазками — неотвратимо влекущая бездна неодушевленной пока органической природы.

Природа требует. Она требует неустанно питания, и Люсенька целый день ест. Из дома она приносит сумку с продуктами, и все у нее приготовлено вкусненько и аппетитненько, на чистеньких салфеточках и красивых картонных тарелочках, и вызывают завистливую раздраженную слюну бутербродики с селедочкой, и яичко с икорочкой, и золотистая, как шкварка, куриная пулочка, и вокруг пунцовая редисочка вперемешку с изумрудной зеленью молодого лука и грузинских травочек, огурчики махонькие, громко-хрусткие, помидорчик рыночный краснобокенький, и телятинки ломоточек — нежный, розовый, как Люсина грудка. Термос заграничный, крохотный — на один стакан, с кофейком душистым, от души заваренным. И пирожных три — эклер, наполеон и миндальное.

Беспрерывно, с самого утра Люся жует, хрумкает, тихонько чавкает, мнет сахарными зубами, язычком причмокивает, сладко урчит от удовольствия. Поев, аккуратно складывает пакетики, салфеточки, картонные тарелочки в сумку и подсаживается к нам пить чай с сушками и леденцами.

— Я бараночки ужас как люблю! Особенно сушеные, — говорит она ласково.

Светка Грызлова, веселая грубиянка, добродушная ругательница, унижает ее неслыханно:

— Как же ты можешь жрать целый день и людям крошки не предложишь? А потом еще наши сушки молотишь, как машина! Ты, животное!

— Ну не сердись, Светочка! У меня организм такой!..

И сейчас она уже раскладывает на столе свои бесчисленные кульки, свертки и пакетики, краем глаза кося́сь на корзинку с сушками.

А тут зашли женщины из отдела библиографии посоветоваться — предлагали почти новые джинсы. Закипел торг. Во всех учреждениях женщины обеспечивают себя за счет натуральной торговли — дообщинного обмена. Продают неношеные кофточки, покупают «фирменные» юбки, меняют сапоги на французские туфли с доплатой, косынки на бюстгальтер, ночную сорочку на шарф, польскую косметику на югославские солнечные очки.

Галя перепечатывает — для себя — со светокопии стихи Мандельштама. Круглова из отдела фондов списывает под диктовку Люси Лососиновой рецепт торта «Марика», Сафонова вырезает из газеты переведенную с выкройки модель платья, а тут вернулась неожиданно Аляпкина с полной сумкой бананов — около института с ларька продавали, народу почти нет, не таскаться же целый день с авоськой.

Заодно она рассказывает, что у нее есть адрес портнихи, которая перешивает из купленных в комиссионке на Дорогомиловке офицерских шинелей женское пальто — закачаться можно, последний импортный писк!

Заглянул Моня Фильштейн, просит разрешения в нашей комнате порисовать стенгазету — у них мужики устроили шахматный турнир, накурили — не продохнуть.

Закончив вопрос с джинсами — решили не брать, дорого, женщины пьют чай, рассказывают мифические истории о прекрасных, щедрых любовниках и грустные притчи о пьющих мужьях, не спеша делятся сплетнями, обмениваются советами в лечении и воспитании детей, сообщают о новейших диетах, вспоминают об отпусках, свадьбах и примечательных домашних событиях.

Все время звонит телефон — за восемь часов массу делишек можно устроить с помощью этой милой выдумки Эдисона. А не устроишь — то просто отдохнешь за приятной беседой.

Галя кладет трубку внутреннего телефона и кричит:

— Девушки, внимание! Завтра в десять часов Гроб!.. Все слышали?

— Какой еще гроб? — пугается Люся Лососинова.

— Гражданская оборона! Семинар!

Моня Фильштейн отрывается от сосредоточенного рисования огромного знамени на листе ватмана.

— Эй, старухи, а вы не забыли, что от вашего отдела на той неделе трое должны сдавать норматив ГТО?

Моня заведует спортсектором в профкоме, у него свои заботы.

На лице Бербасова — тоска, он мучится, что сейчас лето, в сети политучебы каникулы, и он не может нам напомнить, что завтра у нас занятия по диалектическому материализму.

А старухи забыли, не помнят, они не желают думать обо всем этом. Они сейчас красят друг другу маникюр, Круглова начесывает мне перед зеркалом стрижку «а-ля сосон». Разве что не моемся. Наверное, потому, что нет душа.

Будний день. Не выходной, не праздник, не карантин, не сумасшедший дом, не светопреставление. Обычный рабочий день.

Раньше я думала, что так работают только в нашем институте. Но мои знакомые физики, инженеры, врачи, служащие рассказывают приблизительно то же самое про свои учреждения.

Наверное, это и есть та обстановка огромного трудового подъема, в котором, как уверяют ежедневно газеты, живет все наше общество. Наверное.

Но ведь летают ракеты, ходят поезда, где-то льют сталь и добывают на-гора уголек. Все это кажется мне не естественным результатом человеческого труда, а каким-то удивительным чудом. Ведь и там царит обстановка огромного трудового подъема? Правда, ракеты падают, поезда разбиваются, а сталь льют плохую. Но...

— Ула, вот твоя получка, — протянул мне через стол тощую пачечку Эйнгольц, подслеповато щурясь за толстыми линзами своих бифокальных очков, и от этой прищуренности и рыжего румянца у него был застенчивый вид, будто он стеснялся того, как мало я зарабатываю.

Сегодня малая получка — расчет. В аванс я получаю пятьдесят пять рублей, а сегодня — минус восемь рублей двадцать копеек подоходного налога, минус пять сорок бездетного налога, минус рубль десять — профсоюзный взнос, минус девять шестьдесят в кассу взаимопомощи — долг за стиральную машину. На руки — тридцать рублей семьдесят копеек. Одна десятка, две пятерки, две трешки, четыре мятых рублика, пригоршня медяков.

Поквитались лень с нищетой.

Но скоро я разбогатею. Как только аттестационная комиссия утвердит мою кандидатскую диссертацию, мне добавят пятьдесят рублей.

— Спасибо, Шурик, я тебе очень обязана...

Шурик ласково ухмыляется, часто помаргивает толстыми красноватыми веками:

— Неслыханный труд! Надорвался, пока нес твои миллионы!

Суетливый ровный гомон голосов вокруг прорезал скрипучий отчетливый возглас Марии Андреевны Васильчиковой:

— Запомните, Бербасов, что дикость, подлость и невежество не уважают прошедшего, а пресмыкаются перед одним настоящим...

На миг наступила зловещая тишина, которую Бербасов, забыв о своей принципиальной установке разговаривать приятно, вспорол пронзительным вопросом:

— Хотелось бы яснее понять, на что вы намекаете, уважаемая Мария Андреевна?

Бабушка немного помолчала, потом тихонько засмеялась:

— Я не намекаю, а цитирую. Вам, Бербасов, как профессиональному литературоведу, не мешало бы знать, что это слова Пушкина. Впрочем, вы не пушкинист. Вы ведь специалист по поэзии Демьяна Бедного...

Наверное, нервную систему Бербасова расшатали денежные неурядицы. Он скинул с себя заскорузлую робу всегдашней приятности, как пожарный свой комбинезон после ложной тревоги, и запальчиво крикнул:

— Да-да-да! И нисколько об этом не жалею. И очень я доволен темой своей диссертации! И если бы пришлось выбирать снова, я бы, не задумываясь...

Бабушка грустно покачала головой:

— Ах, Бербасов, Бербасов! Боюсь, мне не объяснить вам, что поэт — это не тема. Поэт — это мир...

Эйнгольц хлопнул Бербасова по плечу:

— Угомонись, боец! Не демонстрируй. Человек, довольный собой к старости, ни о чем не жалеющий и не мечтающий все изменить, — просто кретин...

Я встала:

— Ладно, я пойду к Педусу. — И мучительно заныло под ложечкой.

Великая сила ужаса, неслыханная энергия страха.

И частичку этой энергии я внесла в складчину нашего кошмара, нажимая на кнопку звонка перед дверью спецотдела. Страх начинается с необъяснимости — никому не понять, почему на всегда запертой двери спецотдела должна быть звонковая кнопка, почему сюда надо звонить, а не стучать, как в любую дверь института.

Звонят и долго ждут. Там, за дверью, не опасаются, что, разок звякнув, можешь уйти, не дождавшись приглашения. Сюда никто сам не ходит, а если вызвали, то есть пригласили, то постоишь, подождешь, как миленький.

Потом щелкнул замок, приоткрылась тяжелая, обитая железом дверь, и на меня воззрилась белым оком без бровей Кирка Цыгуняева — секретарша Педуса. Она называется инспектор первого отдела. Через ее плечо я видела — сейчас она инспектировала банку с сельдью, раскладывала, по росту делила в два пергаментных пакета. Селедка нынче дефицит, нигде нету. Видимо, как говорит мальчонка Нади Аляпкиной, где-то «скрали». Или за трудную работу паек им полагается.

— Меня Пантелеймон Карпович вызывал, — сказала я и с ненавистью к себе заметила, что против воли, против разума, против всего на свете говорю тихим заискивающим голосом.

Я эту белоглазую суку тоже боюсь. Она сидит за запертой железной дверью. Господи, как мы привыкли к театру абсурда! Любую пару разнополых сотрудников, застигнутых на работе в запертой комнате, замордовали бы разбирательством «аморалочки на производстве», замучили бы бесстыдными грязными расспросами, допросами, очными ставками.

Но не этих. Эти двое вурдалаков сидят взаперти по должности. Им полагается сидеть при закрытых дверях. Видно, их миссия предполагает такую святость, такую избранность функций, что сама мысль об их мерзких забавах на скользком дерматиновом диване должна быть кощунством. Да и я бы думать об этом не рискнула, кабы не работала так давно в нашем институте. Уже на моей памяти произошел громкий скандал, когда явилась в институт моложавая бойкая жена прежнего дряхлого директора и долго, с матерком, жуткими криками возила за волосья по коридору его тогдашнюю секретаршу Кирку Цыгуняеву, шумную, добродушно-распутную белоглазую девку.

Супруга вернула директора окончательно в лоно семьи, поскольку вскоре после замятого скандала его вышибли на пенсию, и он успел лишь, как падающий вратарь в броске, сплавить Кирку в первый отдел, где за годы сидения взаперти ее добродушие усохло вместе с блеклыми прелестями. Круглыми белыми глазами без ресниц смотрит она на нас, и взгляд ее подсвечен тусклым блеском злорадства и угрозы: «Я о вас такое знаю!..»

Кирка и Педус, наверное, ласкают друг друга чистыми руками. Пахнущими пайковой селедкой.

В этой вольере есть электрический звонок на входе, но нет умывальника — Пантелеймон Карпович утирает измазанные селедкой руки газеткой. Эти руки гипнотизируют меня — в них страшная ненатруженная сила, нерасплесканная прорва жестокости. Толстые пальцы с короткими обломками ногтей, заросших пленкой серой кожи, рвут газетный лист, стирают жир, слизь и селедочные чешуйки.

Бросил Педус мятый газетный ком в корзину и поднял на меня безразлично-строгий взор. Верхняя кромка его взгляда упиралась мне в подбородок, будто я через отдушину в потолке высунула голову на второй этаж, и он при всем желании не может посмотреть мне в глаза.

— Так, Суламифь Моисеевна, — сказал Педус и замолчал. А я поймала себя на том, что стремлюсь заглянуть ему в глаза, показать, что я во всем искренна, что я еще ни в чем не провинилась. Но он мне этого не позволил, он смотрел мне в подбородок и еще немного вбок за спину, туда, где шуршала бумагой Кирка Цыгуняева. Ей-то он доверял, но среди них первый принцип — доверяй, да проверяй. Вдруг «скрадет» на селедку больше?

— Руководитель агитколлектива товарищ Бербасов жалуется, что вы уклоняетесь от работы в избирательной кампании, — огласил он обвинение, почти не открывая длинную и очень узкую ротовую щель.

У кого просить снисхождения, кому жаловаться? Педусы претерпели эволюцию как физиологический тип. Социальная мутация, новая порода человекообразных существ. Среди них почти нет лысых — последней исчезла лысина Хрущева, и с ней окончательно пропало хоть что-то человеческое в них. Нет лысых. Мало думают. Командуют и сердятся.

Тяжелые брыластые щеки, раздавившие змеистые безгубые рты. Нет толстогубых добрых весельчаков. Сердечный веселый человек не может стать начальником — он ненадежен в предназначении вечному злу. Атрофировались губы, превратились в роговые жвалы, которыми косноязычно гугнят что-то написанное на бумажке. Артикуляции нет, жвалы мешают, все дело в этом.

Глаза пропали. Стекловидные мутные пузыри в заграничных очках. Как они все похожи, бессмертные злые старики-здоровяки!

— Что же вы молчите? — шевельнул крепкими жвалами Педус. — Нехорошо...

— Я не уклоняюсь, — тихо ответила я и поразилась сиплости своего голоса. — Я только недавно закончила оформление документов для представления диссертации в ВАК — вы же знаете, как много их требуют. Вчера я завершила опись архива писателя Константина Мосинова — это была срочная работа по указанию директора...

Педус приподнял взгляд на два сантиметра:

— А зачем — Мосинов ведь жив?

— Не знаю. Он почему-то при жизни передал нам весь архив. Директор мне велел...

Взгляд снова опал — он не обнаружил ничего занимательного в том, что здоровенный и якобы активно работающий литератор при жизни сдает свой архив. Во всяком случае, ничего нелояльного в этом не усматривается. А если даже что не так, то это вопрос не его уровня — не ему судить о лояльности такого выдающегося писателя, как Константин Мосинов. Раз директор сказал — значит, нечего рассуждать. Лучше поговорить обо мне.

— Ваша диссертация — это ваше личное дело, и нечего оправдывать личными делами отсутствие общественной активности...

— Моя диссертация включена в научный план института, — робко заметила я.

— А вы не препирайтесь со мной, я вас не за этим вызывал, — сжал свои страшные желтоватые пальцы с обломанными ногтями Педус, и я испугалась, что он мною оботрет их, как недавно газетой. — Оправдываться, отговорки придумывать все мастера, все умники. А как поработать для общего дела всей душой — тут вас нет...

— Я никогда не отказываюсь ни от какой работы, — слабо вякнула я.

А он неожиданно смягчился, пожевал медленно фиолетовыми губами, будто пробуя на вкус свои пресные линялые слова:

— Вот и сейчас нечего отлынивать. Вы человек грамотный, должны понимать общественно-политическую значимость такого мероприятия, как выборы... — Подумал не спеша и добавил, словно прочитал из смятой, замаранной селедкой газеты: — Надо разъяснить населению обстановку небывалого политического и трудового подъема, в которой наш народ идет к выборам...

Он — киборг. Порочный механический мозг, пересаженный в грубую органическую плоть. Он — неодушевленный предмет, ничей он не сын, никто его никогда не любил. И вызвал он меня не ради выборов.

— Значит, больше не будет у нас разговоров на эту тему. Договорились? — утвердительно спросил Педус. — Согласны?

— Договорились, — сказала я. — Согласна...

Мы согласны. Со всем. Всегда. Все. Миры замкнуты. Педус наверняка не слышал о декабристе Никите Муравьеве, а то бы он ему показал кузькину мать за кощунственные слова — «Горе стране, где все согласны».

Они — звено удивительной экологии, где горе страны и униженность граждан — источник их убогого благоденствия, извращенной звериной любви за железной дверью и пайков с баночной селедкой.

А Педус уже крутанул маховичок наводки и впервые посмотрел мне в глаза. С настоящим интересом снайпера к мишени.

— Еще у меня вопросик к вам есть, товарищ Гинзбург...

Молчание. Пауза. Палец ласкает курок. Мишени некуда деться.

— Я оформлял для аттестационной комиссии объективку на вас, возник вопросик...

Жвалы уже не шипят, они щелкают ружейным затвором. Не стучи так, сердце, затравленный зверек, мишень в тире должна быть неподвижна.

— Там как-то не очень понятно вы написали о родителях...

— А что вам показалось непонятным?

— Когда был реабилитирован ваш отец?

— Моему отцу никогда не предъявлялось никаких обвинений. Он был убит в 1948 году в Минске...

— При каких обстоятельствах?

— Прокуратура СССР на все мои запросы всегда сообщала, что он пал жертвой не установленных следствием бандитов.

— Ай-яй-яй! — огорчился Педус. — Он был один?

— Нет, их убили вместе с Михоэлсом...

— Так-так-так. А ваша мамаша, извините?

— Она была арестована в сорок девятом году, в пятьдесят четвертом направлена в ссылку, в пятьдесят шестом реабилитирована. В шестьдесят втором году умерла от инфаркта. Все это есть в моей анкете...

— Да, конечно! Но, знаете ли, живой человеческий разговор как-то надежнее. А копия справки о реабилитации мамаши у вас имеется?

— Имеется.

— Ну и слава Богу! Все тогда в порядке. Вы ее занесите завтра, чтобы каких-нибудь ненужных разговоров не возникло. Договорились?

— Договорились.

Захлопнула за собой железную дверь, медленно шла по коридору, и мне показалось, что от меня несет селедкой. Договорились мишень с прицелом.

Зачем ему справка?

9. АЛЕШКА. БРАТ МОЙ СЕВА

Во сне я плакал и кричал, я пытался сорвать свой сон, как лопнувшую водолазную маску. Он душил меня в клубах багровых и зеленых облаков, в разрывах которых мелькали лица Антона, Гнездилова, Торквемады, Левы Красного, и все они махали мне рукой, звали за собой, а я бежал, задыхаясь, изворачиваясь, как регбист, потому что в сложенных ладонях своих я нес прозрачную голубую истекающую воду — Улу. А там — на границе сна, в дрожащем жутком мареве на краю бездны — меня дожидались зловещие черно-серые фигуры судей «ФЕМЕ». Во сне была отчетливая сумасшедшая озаренность — судьи «ФЕМЕ» хотят отнять мою живую воду...

Открыл глаза и увидел за своим столиком Севку.

— Здорово, братан, — сказал он, ослепительно улыбаясь, как журнальный красавчик. Он и по службе так шустро двигается, наверное, благодаря этой улыбке.

— Здорово... Как живешь?

— А-атлична! — белоснежно хохотнул. А глаза булыжные. Он меня жалеет. Севка на шесть лет старше меня. А выглядит на десять моложе. Он полковник. А я — говно. Он — всеобщий любимец, папкина радость, мамкино утешение. А я — подзаборник, сплю в кафе ЦДЛ.

— Выпьем по маленькой, малыш?

— Выпьем, коли ставишь.

Охотнее всего он бы дал мне по роже. Но нельзя. Севка вообще ни с кем никогда не ссорится. Это невыгодно. Интересно, их там учат драться?

— Конечно, поставлю! Я сейчас пока еще богатый!..

— Не ври, Севка. Не прибедняйся, ты всегда богатый.

— Ну, знаешь, от сумы да от тюрьмы...

— Брось! — махнул я рукой. — У тебя профессия — других в тюрьму сажать да чужую суму отнимать...

— А-аригинально! — захохотал Севка. — Надеюсь, у тебя хватает ума не обсуждать этот вздор с твоими коллегами?

— Зачем? Тут каждый пятый на твоих коллег работает!

Севка кивнул Эдику, и тот как из-под земли вырос с графинчиком коньяка и парой чашек кофе.

— Еще кофе! Много! — сказал я Эдику, он обласкал меня своей застенчивой улыбкой и рысью рванул к стойке.

Севка достал из красивого кожаного бумажника с монограммой десятку и положил ее на столешницу, пригладил ногтем и рюмкой прижал. Не шутил, не смеялся, не глазел по сторонам, а молчал и смотрел на десятку, как вглядываются в лицо товарища перед расставанием. Он с детства любил просто смотреть на деньги. Он тяжело расходился с ними — как с хорошими, но блудливыми бабами.

— Не жалей, Севка, денег, — сказал я ему. — Скоро война начнется — сами пропадем.

Полыхнул он улыбкой, головой помотал, разлил по рюмкам коньяк.

— Ну что, будем здоровы? Давай за тебя, обормот, царапнем. — Вылакал, не сморщившись, наклонился ко мне, сказал тихонько: — Тебя твоя профессия очень дурачит, ты начинаешь придавать слишком серьезное значение словам. Ты верь не словам, а тому, что они скрывают. Ну что, еще по рюмке?

— Нет, мне хватит. Ты на что намекаешь?

— Я намекаю на то, чтобы ты молол языком поменьше, а побольше думал. Тебе уже пора...

— Так о чем велишь подумать?

— О том, что, сидя на двух стульях, ты себе задницу разорвешь.

— А почему на двух стульях?

Севка вылил из графина коньяк в свой фужер — чтобы не пропало оплаченное, со вкусом выпил, вытер свежие губы херувима и сказал мне раздельно:

— Великий Гуманист объявил: «Кто не с нами, тот против нас». В твои годы человек должен определить позицию, а не болтаться как дерьмо в проруби...

— Отсутствие твердой позиции — позиция художника, — ответил я вяло.

— Малыш, я говорю с тобой серьезно. Писатели в первую очередь служащие, мелкие или крупные — уж как там у них выходит, а потом лишь художники. Нам не нужны Пегасы, а потребны тихие ленивые мерины. Поэтому вам сначала надевают на морду торбу с овсом и сразу же подвязывают шоры, потом вдевают удила, затем дают шенкеля, потом — шпоры, а если понадобится — ременную плеть...

— Тебе приятно унижать меня? — спросил я его просто.

— Нет, малыш. Я хочу, чтобы ты взялся за ум и стал человеком.

— А что это такое — стать человеком?

— Определись. Хочешь стать нормальным писателем — мы тебя за два года в секретари союза протащим. Не хочешь слушаться Маркова и Кожевникова — слушайся Солженицына, мы тебе быстро вправим мозги своими методами. Только не сиди здесь и не спи за столиком пьяный.

— А тебе что до этого?

— Потому что, Алеха, ты мой брат. Ты меня когда-то очень любил. И слушался.

— А теперь не люблю. И не слушаюсь... — сипло сказал я и почувствовал, что сейчас заплачу. И очень боялся, что он это заметит, — я хотел, чтобы ему было обидно, больно и горько, а в груди у меня гудела черная гулкая пустота.

Севка пожал плечами, криво усмехнулся и устало предложил:

— Поехали ко мне ужинать?

— Нет, я устал сегодня. Если можешь, отвези меня домой.

— Давай... А-атлично отвезу. — И снова залучился, просиял, залыбился.

Пошли мы с ним через дым, парной гомон кафе, толкотню и перебранку — как поплыли, а шел Севка чуть сбоку от меня и чуть сзади — вроде бы он и не со мной, а сам по себе прогуливается. Он стеснялся меня. Жалел и стеснялся. Он хотел, чтобы я стал человеком.

В деревянном вестибюле играли в шахматы писатели-подкидыши, одинокие старые сироты. Томимые безмыслием и отвращением к своему родному домашнему очагу, они сползаются сюда по вечерам, бездарно выигрывают и бессмысленно проигрывают, гоняя по клеткам деревянные резные фигурки, в надежде растратить тягостное свободное время. Они похожи на деревенских старух, коротающих на завалинке вечера в поисках вшей. Свободное время терзает их, как эти мерзкие злые насекомые, и они хищно ловят его и с треском давят обкусанными ногтями коротколапых тупых рук.

И с балкончика второго этажа смотрит за ними Петр Васильевич Торквемада, ими он доволен, эти в свободное время запрещенных книжонок не читают, о свободе не пустобрешат, анекдотов о начальстве не рассказывают.

Тут он нас увидел с Севкой — махнул рукой, полыхнул мутно окулярами, щелкнул протезной челюстью и взвился в воздух, со свистом в пике вошел, у паркета довернул ногой, как рулем вертикали, повис на миг и плотно в пол впечатался. И Севку душевно обнял, за плечи потряс, сказал на всхлипе:

— Ах, какой ты добрый молодец вымахал!..

Тут только я сообразил, кто Севку так быстро разыскал, ко мне неотложкой в кафе вытребовал. Отошли они в сторонку, Торквемада быстро, бойко буркотел Севке на ухо, в грудь его пальчиком подталкивал, по спинке нежно ладошкой оглаживал, втолковывал, в мозги ему впрессовывал, доверялся, жаловался, в душевной боли раскрывался, с боевым товарищем советовался, и над этой кислой кашей пережеванных страстей вонючими брызгами вылетали отдельные словечки:

— Мы... с панталыку... с вашим батькой... балбес... враги... окружение... вербовка... чекисты...

А мне было все равно, я сегодня устал, пропал кураж, пьянка назад покатила. Подступила блевотина, и распирало мочевой пузырь. Я подумал, что хорошо бы сейчас подойти к Торквемаде и Севке, пока они так дружно обнялись в своем педсовете, и обоссать их. Они так увлеклись, что и не сразу бы заметили. Два обоссанных шпиона — замечательно!

Но тут они обнялись еще раз, трогательная картина — старый мастер заплечных дел и признательный талантливый ученик.

Господи, как мне надоело все! Господи, как мне все невыносимо противно!

А Севка махнул мне рукой и направился к выходу. Торквемада, не глядя на меня, вприпрыжку зашагал на своих подагрических ходулях, захрустел артритными суставами вверх по лестнице. Там, наверху, у него логово, где пахнет архивной пылью, звериной мочой, плесенью, вдоль стен стоят шкафы, в которых, поговаривают, на каждого из нас есть досье, огромный старинный диван, похожий на эшафот, по углам валяются недогрызенные человечьи кости, а на столе — вертушка, правительственный телефон.

На улице было все покрашено кричащим желто-красным светом июльского заката. Жарко и пустовато. Напротив, из ворот бразильского посольства выкатили на шикарной машине хохочущие нарядные негры. Наверное, поехали к бабам. А может, по делам. Один из них почему-то помахал мне рукой, ладонь была как у обезьянки, — длинная, розовая.

— Жуткий народ, — сказал у меня над ухом Севка, он тоже смотрел им вслед.

— Да-а? Почему?

— Грязные ленивые твари. И очень наглые. Мы еще с ними наплачемся...

Пузырь внутри меня стал огромным и тяжелым, как Царь-колокол. И так же мог треснуть каждую минуту. Севка обошел свою сияющую, вылизанную «Волгу» и стал отпирать дверь, а я притулился к заднему крылу, расстегнул штаны и обильно полил ему колесо. Севка сначала не понял, что я делаю — ему такое в голову не могло прийти, ведь за такое хулиганство можно с загранслужбы вылететь. А кроме того — мочиться на его машину! Полированную, лакированную, в экспортном исполнении, оплаченную новенькими распрекрасными зелененькими долларами, с каждого из которых Севка сам заботливо и любовно стирал ком грязи и ком крови.

Наклонив немного голову и повернувшись назад, он смотрел на меня через стекло, и на лице его были оторопь и мука, потому что сейчас уж было ему совсем не понять: кого надо жалеть больше — меня или валютную обоссанную «Волгу».

Но видать, их там чему-то учат, потому что утерпел, ничего не сказал, дождался, пока я открыл дверь и с облегченным вздохом плюхнулся на сиденье, затянутое алым финским чехлом.

Покатились, помчались, пошуршали на Колхозную, и до самой Маяковской площади Севка переживал в себе боль и копил жалость к нам обоим, пока не сказал, собравшись с силами:

— Мне Петр Васильич на тебя жалуется...

— Пусть он поцелует меня в задницу, твой Петр Васильич, — ответил я сердечно.

Севка похмыкал, и это выразительное хмыканье было красноречивее всяких слов — что с пьяным дураком говорить?

Так мы и катились по вечерним тихим улочкам в насупленном злом молчании. Убаюкивающе ровно гудел мощный мотор, ласково шоркали, с шелестом и присвистом раскручивались колеса по Садовой, залитой безнадежно желтым вечерним светом — цветом отчаяния, и воздух, пропитанный бензиновыми парами и запахом теплого гудрона, медленно и верно удушал, как «циклон Б». На

66

тротуарах у закрытых овощных киосков стояли огромные пустые ящики-клетки с раскатившимися на дне окровавленными мятыми головами арбузов. Жившие в клетках звери пожрали своих гладиаторов и в голоде, тоске и ненависти разбежались по замирающему городу. Гладиаторы с отъеденными головами — как знак безнадежности — бесплотно струились у запертых дверей магазинов с вывеской «ВИНО».

Лохматые хулиганистые подростки с гитарами и велосипедными цепями пили в подворотнях бормотуху, пронзительными голосами кричали, матерились и громко хохотали.

А на углах стояли подкрашенные дешевки с прозрачными лицами идиоток.

Ах, пророки, прорицатели, предсказатели, сказители! Иерархи и юродивые! Вы это имели в виду, предрекая — быть Москве Третьим Римом? Вы про что толковали: про величие или вырождение?

Эх, дураки, мать вашу! Все сбылось...

Севка плавно притормозил около моего дома, встав сразу же за моим обшарпанным грязным «Москвичом». Я подумал, что наши машины похожи на своих хозяев.

— Смотри, бегает еще твой «москвичонок», — удивился Севка.

— Бегает.

— Пора менять на новую...

— Хорошо, завтра куплю «мустанг»...

Я полез из машины, норовя как-нибудь так попрощаться, чтобы не давать Севке руки, но он положил мне свою крепкую большую ладонь на плечо и сказал негромко:

— Алеха, не дури. Не из-за чего нам ссориться. Ты этого не знаешь, но еще поймешь. Ты еще поймешь, Алешка, что тебе глупо меня ненавидеть. Да и за что?..

Я захлопнул за собой дверцу, и Севка крикнул мне в окошко:

— Завтра приходи к старикам обедать... — И умчался.

Господи, зачем ты отнял у меня мой голубой монгольфьер?

Вчера в издательстве мне сказала редакторша Злодырева: «Ваш герой в романе заявляет — мы погибнем от заброшенности и озабоченности. Что это значит?» Действительно — что это значит?

Ула! Ты ведь знаешь, что это значит. Какая пустота! Какая бессмыслица во всем. Мне надоело все. Мне надоела эта жизнь. Я сам себе невыносимо надоел.

Идти домой было боязно — там темнота, запустение, в коридоре поджидает ватный кабан Евстигнеев.

Отпер дверь «Москвича» и сел за руль. Не знаю, сколько я сидел в маслянистой тишине, облокотившись на пластмассовое колесо баранки. А дальше все произошло как под гипнозом. Я сунул в замок зажигания ключ, мучительно заныл от усталости стартер, чихнул, затрещал, рявкнул мотор, и, не давая ему прогреться, а, скорее, самому себе одуматься, остановиться, перерешить, рванул руль налево, колеса спрыгнули с тротуара, и я помчался по улице...

Я гнал по пустынным улицам, вжимая каблуком до пола педаль акселератора, и мотор захлебывался от напряженного рева, полыхал большой свет фар, тревожно бились оранжевыми вспышками на поворотах мигалки, когда я на полном ходу прорезал редеющие ряды машин, колеса испуганно гудели на выбоинах и трамвайных рельсах. Засвистел у Красных ворот милиционер, но я плевал на него. Что будет завтра — не имеет значения, а сейчас никто меня не мог догнать и остановить. Я бежал от себя самого.

Бросил незапертую машину во дворе, вбежал в подъезд, поднялся на лифте, нажал на кнопку звонка и, услышав за дверью негромкие шаги, почувствовал, что у меня сейчас разорвется сердце.

— Что с тобой? — испуганно спросила Ула.

Я втолкнул ее в переднюю, захлопнул за собой дверь и прижал изо всех сил к себе.

— Ты моя... никому не отдам... ты моя душа... ты мой свет на земле... ты мой монгольфьер... ты вода в ладонях... ты воздух... ты свет... ты остаток моей жизни...

Ула не отталкивала меня, но она была вся твердая от напряжения и уходящего испуга. Она молчала. Она не раздумывала — она слушала себя самое.

В освещенной комнате на стене мне была видна большая фотография деда Улы — смешного старикана в пейсах, картузе и драповом пальто, застегнутом на левую сторону. У него сейчас лицо было как у иудейского царя — высокомерное и горестное. В нем была замкнутость и неодобрение. Мне пришла сумасшедшая мысль, что Ула прислушивается к нему. От страха я закрыл глаза и почувствовал, как она обмякла у меня в руках.

10. УЛА. МОЙ ЛЮБИМЫЙ

Мне кажется, я помню тот вечер, когда мы пришли сюда.

Отгрохотала тяжелая, труднодышащая гроза, унося лохмотья туч на восход, туда — за мутный Евфрат, бурливо-желтый Худдекель, еще называемый Тигром.

Бушевали на горизонте голубые сполохи молний, и в их истерических коротких вспышках видны были низкие кроны пустынных акаций ситтим, прижимающихся к земле, как спящие звери.

Красный мокрый грунт. Пучки клочковатой выгоревшей травы.

Пахло горелым навозом, прибитой пылью, пряными цветами.

Вдалеке у леса багровым заревом нарывал костер.

Человек спрыгнул на Землю и отпечатались в ней его следы. Наклонился и набрал рукой пригоршню, помял в ладони:

— Адама — глина, — сказал высоким звенящим голосом.

Помахал рукой на прощание, крикнул:

— Будь благословен, Пославший нас!

И пошел на север, в сгустившуюся тьму, где расстилалась земля обетования, суровая колыбель новой жизни, юдоль горечи, вечного узнавания.

Его еще видели все, когда он поскользнулся в луже и упал, перемазавшись в глине.

И слыхали в немоте ночи его смех, и его голос, в котором дрожали слезы бесстрашия, упорства и одиночества:

— Я — Адам. Сотворенный из глины. Я — Адам. Помните меня под этим именем. Я — Адам...

Адам... Адам... — звучало в моих ушах, а я уже не спала.

Да я и раньше не спала. Блаженство было невыносимым, как мука, и сотрясающие меня токи с ревом и стоном оживляют ячейки моей древней памяти, заглушая, стирая все происходящее вокруг.

Повернулась на бок и увидела, что Алешка не спит. Он смотрел мне в лицо, положив свою горячую ладонь на мою спину. Прижал меня ближе к себе, и мы молча смотрели друг на друга, и думали мы об одном и том же. Я уверена — он тоже вспоминает, как мы познакомились.

А я вдыхала его сильный горьковатый запах и смотрела, как мерцают блики уличного света в его глазах.

...Я ехала на день рождения к подруге — от метро «Войковская» почти час на автобусе до Бибирева. Зима. Конец декабря. Он вошел на остановке — рослый, красивый, без пальто и без шапки, и от его белокурой головы поднимался прозрачный парок. Он прижимал к себе три бутылки шампанского. И был уже слегка навеселе. Почему он без пальто? Он огляделся мельком в автобусе, увидел меня. Шагнул ближе, свалил на сиденье бутылки, как дрова, и сказал:

69

— Девушка, у меня нет мелочи. Купите у меня за пятачок бутылку шампанского!

— Я не делаю дешевых покупок, — сухо сказала я ему и отвернулась к окну. Он мне понравился, он мне сразу очень понравился...

Алешка приподнялся на локте и стал целовать меня в грудь, жесткие шершавые губы, волнующие, алчные, ползет от вас по коже шершавый холодок, сладко замирает в груди.

...Он уселся рядом, сложив свои бутылки на колени.

— Поеду без билета, — сказал он весело. — И если контролеры заберут меня в милицию, грех падет на вашу распрекрасную головку.

Я молча смотрела в окно, в круглую черную дырочку, протертую в наледи на стекле, — прорубь в черный бездонный мир, оттаянную любопытными теплыми пальцами. Громадный океан тьмы, слабо подсвеченный огнями уличных фонарей и встречных машин — глубинных фосфоресцирующих жителей. Агатовый дымчатый кружок — иллюминатор батискафа, проваливающегося в бездну. Я видела, как там, за тонкой холодной стенкой, взмахивают костистыми плавниками голых веток заледеневшие деревья-рыбы и упираются в мой зрачок стылые глаза светофоров, висят невесомые коробки затонувших домов.

Он мне очень нравился. И я боялась его. Я не хотела его тепла, мне боязно было смотреть, как курится белый парок над его головой, я так страшилась взглянуть в его светлые глаза оккупанта! Но он мне нравился. С ним было не так ужасно в душной капсуле батискафа, летящего в тартарары...

Алешка думает о том же, он вспоминает вроде бы отдельно, но и вместе со мной. Я закапываюсь лицом в его грудь, а от рук его, быстрых, жарких, легко скользящих по моему животу, ногам и снова по груди, вливается в меня сухой жар, и каждая клеточка рвется к нему — быть ближе. Господи, неужели когда-то его не было со мной?!

...Он остановил бесцельный пролет батискафа, ткнув пальцем в мои чахлые гвоздики, запеленутые вспотевшим целлофанчиком:

— У вас есть цветы, а у меня — вино. У вас — очевидная красота, а у меня — общепризнанный талант. Давайте объединим наше богатство и станем счастливы, как первые люди.

— Слушайте, талант, по-моему, вы просто волокита. Дайте пройти, сейчас будет моя остановка.

— Какое совпадение! Моя — тоже!

Это он, конечно, врал. Ему надо было выкидываться в створчатый люк батискафа давным-давно, когда плавающие в черноте пятиэтажки Лихоборов висели на самой малой глубине...

Алешенька, любимый мой, почему люди не придумывают названия для любовных игр? Я не понимаю, почему, написав миллионы стихов о любви, романтики, мечтатели и поэты постыдились дать имя блаженному слиянию, венцу и вершине любви, и осталось оно как название болезни — имуществом и достоянием врачей, именующих его собачьим словом «коитус», и арсеналом хулиганья и дикарей, подобравших ему матерные прозвания и пакостные клички.

Алешка, как крепки твои руки, как горячи твои бедра на ногах моих, которые я распахиваю тебе навстречу, любимый мой! И сколько бы раз мы ни любили друг друга до этого, сердце снова замирает в миг, когда ты со стоном-вздохом-вскриком входишь в мое лоно, разжигая своим яростным факелом внутри все нарастающее пламя, гудящее, слепящее, счастливое.

— ...Я иду с вами, — сказал он на заснеженном кусочке бездны — наш батискаф с хриплым урчанием уже мчался дальше вглубь, унося во мрак и прорву Бибирева красные хвостовые огни.

Я молча пошла по тротуару, надеясь и боясь, что ему надоест и он отстанет. Но он шел рядом, насвистывал, радостно смеялся, разговаривал, будто сам с собой:

— А почему бы и нет? Где же еще в наше время знакомиться двум приличным людям? На работе все надоели. Всех знакомых уже знаешь. Знакомых знакомых — тоже. В рестораны женщины ходят со своими мужчинами. На концертах я не бываю. В библиотеки не хожу. Нет, автобус — все-таки самое подходящее место. И пожалуйста, не спорьте со мной, я это понял точно.

— Я с вами не спорю. А знакомиться не хочу.

— А почему? — искренне удивился он. — Почему, не зная обо мне ничего, вы заранее против меня? Подумайте сами, со сколькими дрянными людишками вы знакомитесь только потому, что какой-то третий, тоже малознакомый гусь говорит: «Познакомьтесь, это мой друг», или — «Это наш новый сотрудник».

Я засмеялась и спросила:

— Чего вы ко мне привязались? Зачем вам нужно это?

Он загородил дорогу, поставил на снег свои бутылки и серьезно сказал, прижимая руки к толстому свитеру:

— Вы — женщина из моего забытого сна. Я забыл вас, когда проснулся. А сейчас увидел в автобусе и сразу вспомнил. Конечно, это вы! Вы мне приснились впервые очень давно, на рассвете, а потом еще снились много раз. И я снова забывал. Но я знаю ваш голос, ваши словечки, я помню ваш смех, я испугался сейчас, увидев сердитую морщинку на переносице — это уже было!

Я не удержалась и сказала глупость:

— Вы это всегда говорите, знакомясь в автобусе?

Он зажмурился, потом смущенно улыбнулся:

— Не надо так. Вы разрушаете память сна моего...

Я рассердилась — идиотизм какой-то! Выпивший человек без пальто, зима, вечер, бездонная затопленность пустынного Бибирева.

— Я ухожу! Мне надоело. И вы идите домой, вы простудитесь, сейчас очень холодно.

— Может быть, — кивнул он и пошел за мной.

— Куда вы идете? — спросила я через несколько шагов.

— К вам домой.

— Я иду не домой, я иду в гости!

— Еще лучше. Вы сразу поймете, что я лучше всех ваших старых знакомых...

Да, мой дорогой, ты был прав, ты лучше моих старых знакомых, лучше новых, лучше незнакомых. Для меня — лучше.

Какая в тебе нежность и сила! Когда ты любишь меня, когда ты входишь в меня, у тебя всегда закрыты глаза, ты весь во мне.

Ближе!

     Ближе!

        Возьми все, мой любимый!

Как тяжело ты прильнул ко мне, какая сила внутри меня от твоей мускулистой тяжести!

Теснее!

     Крепче!

        Крепче!

           Какая радость!

              Она бушует во мне и ревет.

            Отнялись ноги. И руки не весят ничего.

Только твоя тяжесть на моей груди.

          Ты щит на сердце моем.

Ах, как легко, как невесомо лечу я над миром!

Какая счастливая истома в спине!

          Нечем дышать.

А впрочем — и не надо!

Я — двоякодышащая,

          я дышу каждой порой. Каждой клеткой.

Сильнее,

     Алеша!

          Сильнее,

               любимый!

Пусть будет тебе сладостно со мной —

          мы прилепились друг к другу.

Мы стали одной плотью.

...А тогда, в Бибиреве, на улице, измученной зимой, стоял он без шапки, с бутылками в руках и со смехом говорил, что незнакомых мужчин очень даже удобно приводить в гости. И шел со мной до дома, до подъезда, до самой двери, и, когда уже на лестничной клетке я пыталась прогнать его, страшась, что уйдет, он сказал мне:

— Я замерз и никуда не пойду... — и нажал кнопку звонка.

Прислушиваясь к гомону за дверью, я механически спросила:

— А где же ваше пальто?

Простучали в передней каблуки, с железным чавканьем заелозил замок, но он успел ответить:

— У меня нет пальто. У меня была куртка. Как у папы Карло. Я поменял ее на шампанское.

Распахнулась дверь, в передней было полно людей, все они радостно, нетерпеливо заорали, и этот безумный сон продолжался — никто не удивился, что я вошла в дом из зимы, с улицы, с раздетым незнакомцем, все кричали:

— Быстрее, быстрее! Мы заждались! Садитесь...

— Алексей Епанчин...

— Очень приятно. А это вы пишете такие смешные рассказики в «Литературке»?

— Случается.

— Ой, как здорово! Девочки, помните, мы еще хохотали...

— Я вас сейчас не так рассмешу!

— Ула, ну что ты копаешься — как замороженная...

— Значит, вас зовут Ула...

— Где вас посадить, Ула?

— Слушай, Улка, а что же ты не говорила, что с ним знакома?

— Я с ним не знакома.

— Ха-ха-ха — ты всегда что-нибудь сказанешь.

— Эйнгольц, подвинься на диване.

— Ой, какое шампанское холодное, просто прелесть.

— Ула, я же вам говорил — вы женщина из моего утреннего сна...

Не беги так, время! Остановись! Продли мою невесомость и тяжесть чресел моих, полных тобой, Алеша.

Если бы так было всегда!

И кажется, не может быть счастья острее и светлее, и все-таки — наслаждение становится все больше.

И сильнее.

И подъем еще вершится, и туманное полузабытье, полное страсти и движения, воздымает меня все выше.

Не верится, будто такая радость может еще расти, и хочется рухнуть в беспамятство опустошенности.

Быстрее,
        любимый,
                быстрее!

...Как быстро пролетел тот вечер! Действительно — он был лучше моих старых знакомых. Как он веселился, шутил, произносил пышные грузинские тосты, рассказывал анекдоты с веселым легким матерком, вызывая восторг целомудренной интеллигентной компании.

А на меня не смотрел, не говорил со мной, просто не замечал, будто знакомство со мной ему понадобилось только для того, чтобы проникнуть в эту недостижимую для него компанию рядовых служащих, маленьких научных работников. Я начала тихо ненавидеть его. Пока он не подошел ко мне и строго сказал:

— Собирайтесь, мы идем.

— Куда? — удивилась я.

— Домой. Я честно отработал номер.

Самое удивительное, что я безропотно встала и начала собираться. Господи, какое счастье, что я не стала с ним спорить, препираться, не послала его ко всем чертям!

Ветер вспурживал по земле низкие белые гребешки снега, ой, как было холодно! А он шел рядом без пальто, без шапки, засунув ладони под мышки. Мелькнул зеленый фонарик такси. Я помахала рукой.

Он спросил со смехом:

— А у вас деньги-то есть? У меня — ни копья!

— Садитесь, подкидыш, черт вас подери! — сердито сказала я. — Где вы живете?

— Это не имеет значения — мы едем к вам. Спать.

Он говорил не нахально, а несокрушимо твердо. И в его раздетости, в безденежье не было жалости, а звучало в его голосе уверенная радостная раскованность человека, доплывшего до берега с затонувшего корабля. Чего стесняться и о чем жалеть, коли под ногами снова твердь земная? И пока подтормаживало рядом с нами такси, я сказала ему, старательно скрывая необъяснимую внутреннюю дрожь:

— Я не собираюсь с вами спать.

А он очень крепко прижал меня к себе:

— И не надо. Пока — не надо. Счастье — не в тех женщинах, с кем хочешь спать, а в тех, с кем хочешь просыпаться. Их на земле единицы. И мне повезло — я встретил вас в автобусе...

Любимый мой,

мы —

наверху!

О-о, я больше не могу! Не могу! какая боль, какая радость! Судорога наслаждений,

пик восторженной муки,

вот оно, счастье соития!

Ты весь —

во мне,

я чувствую тебя под сердцем.

Ни вздохнуть,

ни шелохнуться,

все отнялось.

И трепет плоти —

последняя конвульсия,

как смерть зерна —

перед зачатьем нового плода.

И дыхание твое — хрип, и тело твое бьется в моих объятиях, словно улетающая птица. И стон твой на пытке любви — как песня.

...Я до сих пор не могу понять, что произошло со мной в тот вечер — почему не прогнала его, не высадила где-то в центре из такси. Я привезла его домой, замерзшего, пьяного, счастливого, загнала в горячую ванну, а потом показала диванчик на кухне:

— Здесь вы будете спать, — а он молча мотал головой — нет, не буду.

И не стал. А спал со мной, и нам было прекрасно. Как сейчас. Как всегда, когда мы вместе.

Только под утро я задремала, а проснувшись, увидела, что его нет.

Его рядом со мной не было. И стало мне обидно и тревожно. Приподнялась на локте — на его подушке лежал исписанный неряшливым торопливым почерком лист. Я поднесла его к глазам, в неверном свете зимнего утра было не разобрать.

«Любимая! Не просыпайся без меня, не вставай. Скоро буду». Куда это его понесло спозаранку? Я облегченно засмеялась и снова погрузилась в дремоту.

Без пальто и без шапки. Придурок.

А еще говорил, что хочет просыпаться со мной! Впрочем, он — проснулся, это я проспала...

Алешка лежал не шелохнувшись, почти не дыша, отстраненный, отрешенный, очень далекий, совсем чужой.

Ах, как далеко нас разбросало во время стремительного падения с вершины счастья. Алешенька, ты ведь знаешь тысячи слов, ты ведь держишь их все в голове, как фокусник диковины в кармане. Придумай слово — имя любви. Она безымянна, и от этого будто нема. Люди совестятся называть ее гадкими именами. И в ней самой появляется от этого гаденький тусклый налет.

Алеша, как хорошо, что ты настоящий мужчина, что ты знаешь сокровенную тайну любви, и от этого я чувствую, я знаю наверняка — тебе неведомо мерзкое слово «коитус», когда ты входишь ко мне. И ты не совокупляешься со мной, не гребешь меня, не трахаешь — ты познаешь меня.

...А тогда, утром, я проснулась вновь от трезвона дверного звонка, рвавшегося от злости и нетерпения. Накинула халат, выбежала в переднюю, распахнула дверь — огромный букет роз вплыл яростным взрывом света в сизый унылый сумрак, и на нем висел, как на летящем аэростате, Алешка.

Без пальто и без шапки. С сизым от холода лицом. Смеющийся, легкий, пролетел он на своем волшебном букете в комнату, бросил его на стол, и рассыпавшиеся розы завалили его, их было так много, что они падали на пол...

Схватил меня в охапку, и озноб объял меня от холода его рук, от ледяного прикосновения его толстого свитера, и мы бросились на тахту — как в воду.

Он любил меня, не успев раздеться, весь трясущийся от стужи и возбуждения, но и тогда он был мне сладостен, он познавал меня.

— Где же ты взял такие цветы? — шептала я растерянно.

— Они росли на тротуаре около твоего дома. Я сорвал сто одну розу — на каждый год нашей жизни с тобой...

И началась моя странная жизнь с этим сумасшедшим, который менял пальто на шампанское, печатал в периодике нелепые — как бы смешные — рассказики, забившись в угол тахты, читал мне по ночам свою удивительную фантасмагорическую прозу, отнимал мою зарплату на выпивку и покупал у кавказских спекулянтов букеты из сто одной розы.

Алешка заснул. Он спал, уткнувшись лицом в подушку, судорожно вцепившись в мою руку, тихонько постанывая и всхлипывая.

11. АЛЕШКА. ЗУБ БУФЕТЧИЦЫ ДУСЬКИ

Проснувшись, я подолгу смотрю в неподвижное лицо Улы и гадаю — спит или слушает себя? И томят меня нежность, удивление, отчаяние.

Я никогда не знаю — останешься ли ты со мной до вечера.

Редеют сумерки, и в сгустившемся свете видно, что лицо твое стало беззащитно-детским, как у вифлеемских младенцев перед избиением. И тогда ревет во мне их голосами тоска — тоска по нашим детям, которым не суждено родиться никогда — ибо бессмысленно и жестоко плодить нищих алкоголиков и истеричек.

А ведь наверняка Ула мечтала иметь ребенка. Детей. Много. Даже этого я ей не дал...

Спи, моя любимая. Ты — моя судьба. Ты — мое всегдашнее ощущение зыбкости этой жизни, ты — мое постоянное искушение и вечный укор. Ты — моя единственная надежда на новую, иную жизнь.

Я неудобно лежал на одном боку, боясь разбудить Улу, слушал ее тихое дыхание и в слабом свете занимающегося утра рассматривал ее лицо, и мое сердце сжималось от нежности и испуга. И меня все время раздражала ветка шиповника в стеклянной банке на столе. Толстые набухшие цветы, как треснутые помидоры.

Я высвободил потихоньку руку из-под шеи Улы, сполз с тахты, на цыпочках подошел к столу и вытащил ветку из банки. Уколол руку, холодные капли с нее падали на мой голый живот.

Высунулся из окна и кинул ветку вниз. Она падала почти отвесно, тяжело, и только отдельные лепестки с перезрелых цветов отрывались на лету и медленными красноватыми каплями кружились в воздухе.

Глухо, как тряпка, с мокрым шлепком, шмякнулась на асфальт. И казалась сверху просто грязным черным пятном на сером асфальте.

Прочь от воспоминаний! Прощай, память. Сладких тебе сновидений. Ула, я должен ехать. Долгое утро, медленные сборы. Сегодня — воскресный обед у моих стариков, обязательный, скучный, последний узкий мостик в семью, когда-то сплоченную, как кулак в ударе, а ныне растопырившуюся слабой пригоршней попрошайки у судьбы.

Неслышно притворил за собой дверь, еле слышно цокнул замок, я спустился на один этаж и оттуда вызвал лифт — я не хочу, чтобы тебя, Ула, разбудила гремящая коробка лифта, я берегу твой покой, Ула. Я берегу твой покой и боюсь грохочущего тормоза лифта, я боюсь кричащих во мне воспоминаний.

Боже, какой тяжкий дал ты нам крест — нашу память!

Качается кабина в темной шахте, гудят тонкие стенки, визжат над головой тросы — я стою в пластмассовой коробке, подогнув немного колени, упершись изо всех сил руками в дверь. Я уверен, что умру в оборвавшейся кабине лифта. Лопнет последняя нитка давно перетертого троса, и полетит вниз моя хрупкая скорлупка с воем и железным скрежетом, преследуемая чугунной чушкой противовеса.

Дурацкая фантазия! Этого не может быть. Тросы проверяют в первую очередь. Но все стали так плохо работать.

Растворяются двери, и я сразу же забываю о своем страхе. Пока снова не войду в лифт. Мы входим в свои воспоминания, как в лифт — ап! — захлопнулись дверцы, нажимайте кнопки лиц, времен, событий — поехали.

Я сел в незапертую машину и удивился, что за ночь ее всю не разворовали. Завел мотор, из ящика достал пачку мятых сигарет и с удовольствием, со вкусом жадно затянулся. Слушал гул прогреваемого мотора — чвакали и стучали разбитые поршни в изношенных цилиндрах, пронзительно свиристела помпа, маячили перед глазами раскачивающиеся стрелки приборов. Курил и думал о себе, и мысли эти были мне противны. Ибо со мной случилась беда — и виновата в ней тоже была Ула.

Я стал раздумывать в последнее время о смысле жизни. А это худшее, что может случиться у нас с человеком, поскольку с этого момента над ним начнет дымиться серый нимб обреченности.

Докурил, включил первую скорость и поехал тихонько со двора. У ворот остановился, отворил дверцу и посмотрел наверх — Ула стояла на балконе. Я высунулся и заорал: «Вечером приеду!» — и она помахала рукой.

Сейчас надо обязательно выпить. Я автоматически выруливал в направлении Садовой и медленно соображал, где можно в такую рань, да еще в выходной день, хлебнуть стакан-другой.

Те, кто задумался о смысле жизни, наверное, умирают в такие часы. Когда выпьешь — оно все-таки легче. А вообще-то — не факт.

Генка Шпаликов повесился в Переделкине на рассвете. На столе — полбутылки бормотухи, надкусанное яблоко и раскрытый том Флобера. Почему Флобера? Непонятно.

А Голубцов выстрелил в себя из охотничьего ружья вечером, часов в десять, магазины были закрыты, да и денег не было.

Манана Андронникова, безумная, отчаявшаяся, выбросилась ночью из окна и повисла, пронзенная насквозь флагштоком праздничного украшения в честь Международного женского дня.

И Юлик Файбишенко, талантливый беспутный босяк, весельчак и пьяница, удавился на своем ремне — в лесопосадке у железной дороги под Донецком. Я читал заключение — «...в полосе отчуждения железной дороги...» Как ты попал в полосу отчуждения под Донецком? Что ты там делал? Почему ты именно там понял, что никакого смысла нет, что все мы вялые похмельные ханурики? Ничего не разобрать — все сумеречно и мутно, как наши замусоренные искрученные души.

Я не хочу умирать. Я утратил вкус к жизни, но я еще не потерял надежду. У меня есть Ула — может быть, что-то еще случится, может быть, она выведет меня из этой мглы и потери самого себя.

Ох, Господи, как мне тяжело! Только выпивка ненадолго освобождает от этого страшного сумасшедшего напряжения. Надо быстрее выпить!

Быстрее! Быстрее! Правильнее было бы остановиться и подумать — куда вернее податься в это безвременье, но во мне уже все бушевало, кричали пронзительными голосами внутренности — дайте выпить! Мне надо выпить!

Сердце билось редко, тяжело, с густым протяжным всхлипом.

Володька Вейцлер умер в воскресенье утром — негде было опохмелиться.

А у Олежки Куваева остановилось сердце за несколько часов до свадьбы — посовестился в доме у невесты попросить стакан водки.

Всем им не было сорока, и уже давно пришла мука — неразрешимый вопрос о смысле жизни. Нигде, как в России, нет столько писателей — тяжело пьющих людей, безнадежно убивающихся совестью.

Беда в том, что сейчас всерьез разговаривать о смысле жизни стало смешно. Почти неприлично.

Большинство людей вообще пробегают через жизнь, не успев задуматься о такой ерунде, как ее смысл. Загнаны, озабочены, замучены, утомлены пустяковыми неприятностями. Целый день голодны, а вечером слишком сыты.

Быстрее! Быстрее! Как хорошо, что по утрам в воскресенье так мало машин, так мало пешеходов.

Стоп! Стоп! Направо! В первый ряд! Вспомнил! «Моська» с визгом вынес меня на Новослободскую — прямо на Савеловский вокзал. Если в буфете дежурит Дуська, у нее найдется и выпить.

Они работают сутками. Сутки торгуют, двое отдыхают. Тридцать три процента вероятности. Если она выходная, поеду на аэровокзал, там в ресторане у швейцара Коломянкина всегда есть водка по двойной цене.

Подогнал машину к кассовому залу — оттуда ближе к буфету, выключил мотор, и «моська» еще судорожно подергался и забулькал, его сотрясал азарт детонации, он разделял мое состояние, у него, наверное, тоже абстиненция. Я уверен, что мы передаем своим машинам свою судьбу, свой характер. Старея вместе с нами, они, как жены, становятся похожими на нас внешне.

Пробежал по лестнице, через две ступеньки, ворвался в буфет, рысью ударил к стойке — над ней возвышалась раскаленным идолом Аку-Аку подруга моя Дуська, разлюбезная моя воровка, дорогая моя спекулянтка, родненькая моя несокрушимая вымогательница — проклятая ты наша спасительница, мерзкая наша надежда, отвратительная утешительница моя. Гора неряшливо слепленных окороков, бесшумно и ловко снует она за прилавком, взвешивает, наливает, выдает, принимает, негромко и зло командует двумя подсобными девками-чернавками, проходящими у нее трудную науку украсть с каждого завеса, недолива в каждый стакан, обсчета пьяных, всучивания тухлятины, сбагривания «левака». Громадная, как всплывший утопленник, она не знает удержу и усталости в воровстве, страха перед милицией и жалости к своим пропившимся должникам.

Она сухо кивнула мне и показала глазами на дверь подсобки, я нырнул в заставленную ящиками и коробками клеть, и она вышла мне навстречу из-за шторки:

— Ну?

— Стакан.

— Два рубля.

Она наливала водку, томя меня дополнительными секундами ожидания, сначала в мензурку — наверное, для того чтобы точнее самой знать, сколько не долила. И отодвинула меня от тарированной стекляшки подалее своим рыхлым огромным плечом, и на лице не было черточки человеческой — только губы еле шевелились.

Ап! А-ах! Ой-ой-ой! Пошла по горлышку, покатилась. Полыхнуло пламя, задохся. И тишина.

Открыл глаза — смотрит на меня Дуська равнодушно, оценивающе — на сколько еще стаканов располагаю.

Я только один раз видел на ее красномясом лице человеческое выражение — гримасу страдания. У нее чудовищно болел коренной зуб. Но смениться и пойти к врачу она не хотела ни за что — пропал бы весь профит за смену. Она страдала, но, как настоящий боец, погибая от боли, свой боевой пост не покидала. Я был в тот момент как сейчас — на первом веселом кайфе, когда все легко, никого не жалко, и душа закипает жестоким озорством. Я сказал ей:

— Давай вырву зуб. И все пройдет...

Окинула меня оценивающим взглядом:

— А умеешь?

— Чего тут уметь...

— Чем рвать будешь? — деловито спросила Дуська.

— Пломбиром, — кивнул я на никелированные толстые клещи, которыми она опечатывала буфет.

Она твердо уселась на ящик с консервами «сайра», широко расставив свои окорока, мрачно приказала:

— Давай, чего там...

Мы боролись, как античные герои. Я засунул ей руку в пасть, упираясь локтями в наливные зельцы толстенных грудей, она мычала и басом взревела, когда я накладывал, умащиваясь поудобнее, пломбировочные клещи на ее желтый бивень, там что-то хрустело и пронзительно трещало, она сжимала меня, как в оргазме, своими пылающими мягкими ляжками, страшными ручищами вцепилась в мои ягодицы и выла жутким нутряным стоном, а я раскачивал клещами зубище, ломая к чертям ее десну, и руки мои заливала ее густая, как пена, слюна и горяченькие жиденькие слезы, она хрипло дышала, я чувствовал в этой извращенческой близости с ней трепыхание ее несокрушимого сердца злого животного и входил в еще больший садистский азарт — так, наверное, убивают.

Сжал изо всех сил клещи и рванул на себя — хрясть! И сам испугался грохота, с которым вылетел зуб, будто сосновую доску переломили.

Огромный зуб, на четырех корнях-ножках, как у пожилого мерина. Он был размером с мой мизинец. В ошметках мяса.

Оцепенело смотрела на меня Дуська, сплевывая время от времени на пол сгустки крови. Я положил зуб в спичечную коробку и сказал:

— Зуб я возьму себе...

Не открывая рта, полного крови, она покачала головой и показала мне кукиш величиной с грушу.

— Я тебе за него рубль дам, — предложил я.

Она подумала немного, утвердительно кивнула.

Я зуб берегу. В нем есть страшное значение. Однажды он из символа, отвратительного талисмана, станет реальностью...

— Еще выпьешь? — спросила Дуська.

Хотелось. Уже было хорошо, прекрасно было бы добавить. Но мне надо сегодня к старикам. Нельзя приходить пьяным до начала игры.

— Нет, я пойду.

— Иди. — И выпихнула меня за дверь.

«Моська» стоял у тротуара замурзанный, серенький, будто дремал. Я пнул его ногой в колесо — поедем? Капот мотора был еще теплый.

Уселся за руль, достал из тюбика таблетку валидола, пососал не спеша — не от сердца, а чтобы сбить маленько водочный запах. Поедем, пожалуй. Хорошо бы «моську» вымыть. В условиях нашего неназойливого сервиса уйдет на это часа два. А! Так обойдемся!

Завел мотор и покатил в центр. Оттуда на Ленинский проспект, на Профсоюзную, в Зюзино. По пустым улицам летнего пустого, словно вымершего города я катал самого себя, свое одиночество, свои грустные копеечные размышления.

Это было приятное, необременительное одиночество, почти покой — когда спирт в твоей крови убил адреналин, наступил недолгий химический баланс. Мозг ясен, мысль легка, и нет мучительного бремени уставшего тела, нет волнующего присутствия Улы, и нет взвинчивающего разгона нарастающей пьянки, не надо выламываться перед приятелями и нет повода взъяриться на коллег-идиотов, не вызывает ненависти начальство и невозможно заплакать из-за тупости родителей.

Я ехал по необитаемым улицам городской пустыни, где дома были неотличимы, как барханы, и замурованы, как термитники, и твердо знал, что людей там нет — их всех увел за собой волшебной дудочкой бродячий крысолов.

Зачем поверили? Теперь не вернетесь никогда.

Как мне было покойно и хорошо — какие я придумывал книги! И без сожаления их сразу забывал. Маленькая кабина «моськи» была полна голосов — отчетливо звучали и навсегда отлетали, растворившись в шорохе колес, диалоги выдуманных людей, удивительно живых, настоящих, ярких! Одним подрагиванием ресницы я стирал их внешность, и они исчезали, будто в клубах дыма, и выскакивали из этих волшебных кулис уже преображенные, и характер у них был другой, и говорили они другими голосами совсем иные вещи.

У них были прекрасные идеи, и выражали они их с элегантной лаконичностью.

Мне это было так легко! Почему же так трудно все это начирикать перышком на бумаге?

Ах, какие божественные драматургические повороты! Какие сказочные рывки сюжета!

Эй, люди, куда же вы? Зачем вы все послушно бредете за унылым крысоловом? Вы ведь больше не вернетесь! Не слушают. Не хотят слушать. Они все — придуманные и живые — хотят верить дудочке крысолова.

Ну и черт с вами! Поеду дальше, придумаю других. Придумаю и вспомню.

Если хорошенько припомнить, то ничего и придумывать не надо — со мной уже было все.

Но сейчас не хочется вспоминать, потому что почти любое воспоминание окрашено черно-желтым цветом горечи.

Сейчас лучше придумывать. Катится «моська» по безлюдным улицам, катится стрелкой по циферблату, теплый толстый ветер вваливается в открытое окно — он пахнет травой и пылью, хрипло мурлычет приемник, не заглушая голосов набившейся в машину компании. Пора разворачиваться, ехать к старикам на обед, и еще на полпути вся компашка незаметно выскочит на ходу — по одному, не прощаясь. Навсегда.

12. УЛА. МОЙ МИР

Ходить в магазин воскресным летним утром — самое милое дело. По мне, во всяком случае. Продуктов, правда, почти нет. Но покупателей немного. Все отоварились за пятницу и субботу.

По пятницам с половины дня служащие бегут из своих бесчисленных учреждений — министерств, комитетов, управлений, бюро, контор, дирекций, институтов, секторов, отделов, подотделов, групп, отделений и советов — и бурным потоком врываются в магазины, заполненные бесчисленными провинциалами, крестьянами — ударниками полей, прочим городским людом, добывающим на уик-энд колбаски, масла, кусок мяса, а в случае особого везения — импортную курицу, поскольку отечественная птица превратилась в такой же реликт, как птеродактиль.

Горожане набирают еду авоськами, командированные — чемоданами. Крестьяне, наши кормильцы, нагружаются мешками. Ничего не попишешь — кушать всем хочется.

Странно, однако. Крестьяне ездят в город за мясом и маслом, горожан тысячами посылают работать в колхозы. И те, и другие недовольны.

Нигде люди так не разобщены в своей тошнотворной сомкнутости, как в очереди за вареной колбасой. Нигде так люди не проникнуты злобой, как в этой многочисленной извивающейся змее, каждый сустав которой ненавидит предыдущий и мертво равнодушен к последующему. Бесконечная гидра никогда не становится короче, и сколько бы людей ни отваливалось от прилавка, она растет с хвоста, матерея от злости и надежды урвать хоть полкило варененькой. Вьются без края, изгибаются, заполняя своими кольцами магазин, змеи очередей, неспешно переваривая в себе все доброе, милосердное, человеческое.

Чем ближе к продавцу, к голове очереди, тем злее, безжалостнее, остервенелее становится змея. Ее позвонки срастаются намертво, между ними нож не просунешь, они тяжело дышат друг другу в затылок, острый пот капает на соседей, тычат в нос лохматыми подмышками и острыми локтями, их зубы сомкнуты, а глаза устремлены на прилавок — хватит ли на их долю?

Бессмысленно просить, чтобы тебя пропустили без очереди. Можешь рассказывать, что дома у тебя больная мать, а на улице двое маленьких ребятишек, что тебе нужно всего двести граммов, что у тебя улетает самолет или начался диабетический приступ. Десятиглавая гидра лишь на миг обернется к тебе, чтобы выбросить в ругательстве десять быстрых жалящих языков, щелкнуть желтыми клыками, и отвернется к прилавку, сомкнувшись еще теснее.

Люди навсегда поссорились в очередях.

Городские кричат крестьянам: «Паразиты, обжиралы проклятые, из-за вас в магазин не войти! Мешками грабите!»

Крестьяне в долгу не остаются: «Захребетники проклятые! Нешто вы этот хлеб да мясо растили? Мы вас кормим, а нам бы хоть мясного духа нюхнуть когда!»

И те, и другие стараются выпихнуть из очереди командировочных провинциалов. Те отбиваются: «Вас бы к нам переселить! Узнали бы про жизнь счастливую!»

Старухи кричат молодым, старающимся занять очереди одновременно и за колбасой, и за маслом, и в кассу: «Что же вы, заразы, все ловчите, везде наперед поспеваете! А нам тут хоть до ночи стой!»

А те отвечают им с пеной у рта: «Карги проклятущие! Пенсионерки, мать вашу! Что же вы днем, пока мы на работе, по магазинам не ходите? Что вас нечистая сила вечером волокет, когда нам взять что-нибудь надо?»

Сивый от старости дед тычется в очередь, как потерянный щенок, — он занял место и отошел посидеть на ящике, да забыл, за кем занял, и теперь старается в склизкой от пота, жарко дышащей змее найти свой сустав. А змея молчит. Молчит каменно, ни одной трещинки не найти в этой стене, и он скулит, уже утратив надежду: «Доченьки, родненькие, я же тут стоял, вот за бабой в зеленом, за мной еще стояла девчонка с мальцом. Где же они?»

«Нечего уходить было! Так все на шармака полезть могут — мы здесь занимали!»

А тут татарка впустила не то родственницу, не то подругу, и о дедке попросту забыли, его печаль щепкой унесла волна вспыхнувшей ярости: «Ах вы, жулье соленое! Татарва противная! Спекулянты! Гадюки! Ворье! Вам бы только русского человека нажарить! Кит манан кая барасам! Сволочи!»

Татарки зло хохочут, остро скалят золотые зубы: «Ваша все — пьяницы! Дураки! Рука убери! Отрежу!»

Татарок боятся, поэтому сразу набрасываются на унылого мужчину в галстуке, шляпе, в очках, вежливо просящего продавца нарезать колбасу: «Нарезать ему! А сам — руки отсохнут? Машка, ты ему отрежь его... Шляпу надел, теллигент хренов! Дай ему по окулярам!..»

Человек растерянно моргает: «Товарищи, я вас не понимаю! Я вас не понимаю, товарищи...»

В упоении очередь ревет: «Гусь свинье не товарищ...»

Люди навсегда поссорились в очередях.

Нет, они не хуже других — американцев, немцев или французов. Но они бедные.

История нашей жизни — это драма непреодолимой бедности...

И размышлять обо всем этом по дороге из магазина домой мне легко, потому что я богата — умудрилась купить не только кусок мяса, крупы и овощей, но и сорвала кило молочных сосисок — при мне выкинули.

— Ты чего улыбаешься? — спросил меня Эйнгольц. Он сидел на скамейке у ворот моего дома. — Приглашаешь в гости, а сама...

— Не сердись. — Я поцеловала его в пухлую щеку. — Задержалась, зато вот сосисок достала. Пока от магазина шла, человек десять спросили: «Где сосисочки брали?»

Я нарезала мясо ровными кубиками и сказала Эйнгольцу:

— Мы с тобой сегодня будем есть настоящее еврейское жаркое! С подливкой, с коричневой картошкой!

Эйнгольц развеселился:

— Это прекрасно! А то у меня завтра пост начинается — четыре недели без мяса.

— Шурик, а ты строго соблюдаешь посты? — удивилась я.

— Конечно! Мне, как сознательному христианину, негоже ловчить и давать себе поблажки. Да это и не тяжело, Ула. Если в охотку делать — не трудно совсем...

Ровными длинными спиралями скручивается кожура и падает в мойку. Неужели он действительно верит в распятого Мессию? Или это маска? Очень сложная, двойная маска, обращенная в первую очередь вовнутрь. Ах, каких только масок не напридумывало наше время! А может быть — действительно верит? Но почему в Христа? Разве может еврей поверить, будто Мессия, посланец нашего Бога, уже приходил?

— Шурик, ведь ты же еврей, — сказала я почти жалобно.

Эйнгольц усмехнулся:

— Во-первых, только наполовину. Мой отец русский. А кроме того, человеческая сущность Страстотерпца была еврейской. Но я убежден, что евреи, не признав Иисуса своим избавителем, проскочили свой поворот к истине, как заблудившийся человек в лабиринте теряет дорогу к спасению...

Я вывалила поджарившееся мясо из сковородки в чугунок — пускай томится, а сама уселась напротив Эйнгольца, не спеша закурила.

Несколько раз Шурик делал мне предложение — легко, без нажима, почти шутя, и я, смертельно боясь потерять его — лучшего, единственного своего друга, изо всех сил мягко, просто ласково, с веселым добрым смешком, полунамеками отклоняла их. Шурик — прекрасный человек, но я себе не могу представить его мужем. Это было бы ужасно. Мы дружно и спокойно прожили бы с ним какое-то время — чуть меньше, чуть дольше, отшелушились бы и отпали пустяки, и всплыло бы неизбежно главное, для меня совершенно невыносимое. Отсутствие внутреннего слуха, глухота души, неведение нашей богоизбранности, беспамятство и необязанность служения нашему Обету.

Он не знает, он не помнит, откуда мы пришли. И зачем.

А Алешка?

Я оправдываю себя тем, что и он не станет моим мужем.

Но он ведь и не мог знать того, что было заложено в генетическую память предков Шурика! И еще одно — может быть, я это придумала, но я верю, что Алешкина душа способна к возрождению. Боже, как я верю, что он может стать гораздо больше себя.

— Ула, а во что ты веришь? — смотрел на меня в упор Эйнгольц.

— Во что я верю? — медленно переспросила я.

Дорогой мой Шурик, безвинный мешумед, еще один кусочек тверди, сползший в окружающий нас океан. Ты, наверное, со мной не согласишься, мне не убедить тебя. Ты ведь все знаешь, ты все читал, обо всем передумал, а про Завет не мог вспомнить. В чужом тебе мире ты нашел ответ в христианстве, но и этот протест был конформистским.

Меня заставил так думать Эйнгольц, его приятели-евреи, принявшие христианство. В долгих разговорах они доказывают мне, что этика христианства и христианская евхаристия выше иудаистской.

Я с ним не спорю. Я думаю, человек не может прийти к вере через дискуссию. Искренняя вера — озарение, это саморазвивающийся талант, это культура постижения истины и смысла твоей жизни.

И я говорю без надежды, что он поймет меня:

— Я верю в бессмертие праведных душ. Я верю в будущий рай.

— А в ад? — спрашивает с легкой усмешкой Эйнгольц.

— А в ад я не верю. Ада нет. Ад — это смерть, конечность существования, отказ в бессмертии. Ад — это забвение.

— А кто решит твою судьбу? Кто оценит праведность?

— Наши судьбы решаются каждый день. Нашим Богом, высшим разумом, приславшим нас сюда. Умершие праведники попадают в рай. Праведность — это мудрость и доброта, они не могут здесь исчезнуть с нашей плотью. Они нужны там...

— Но здесь они еще нужней?

— Как знать! Бог посылает новых...

Шурик медленно проговорил:

— У апостола Павла сказано: «Любовь долго терпит, милосердствует, любовь не завидует, не превозносится, не гордится, не бесчинствует, не ищет своего, не раздражается, не мыслит зла, не радуется неправде, а сорадуется истине; все покрывает, всему верит, всего надеется, все переносит — любовь никогда не перестает, хотя и пророчества прекратятся, и языки умолкнут, и знание упразднится».

Наклонила я голову:

— Ты говоришь. Я верую.

— А как ты вернешься к себе? — с участием спросил Шурик.

— Не знаю. Этого никто не знает из живущих. Может быть, это вроде телепортации.

Эйнгольц развел руками:

— Ну-ну-ну, Ула! Это уже разговор не из теологии, а из научной фантастики...

— Почему? Если бы Александру Вольте показали цветной телевизор, он бы сошел с ума. А мы смотрим футбол из Аргентины — ничего?

— Естественный технический прогресс!

— Нет, мне не кажется этот процесс естественным. Ты никогда не задумывался над очень странной вещью: люди высадились на Луну, а про себя не знают ничего! Что такое наше мышление? Что такое память? Что наши сны? Что такое наша биология вообще? Ничего не известно...

— Когда Адам вкусил с древа познания, Господь изгнал его из Эдема, и тайна древа жизни сохранилась навсегда...

13. АЛЕШКА. СЕМЕЙНЫЙ ОБЕД

Я вошел в подъезд отчего дома на Садово-Триумфальной, кошмарного сооружения с портиками, лепниной, немыслимыми эркерами, висящими с крыши колоннами, облицованного гранитом, регулярно рушащимися фризами — один из шедевров расцвета сталинского архитектурного стиля «вампир». После войны этот дом, один из самых больших в Москве, имел собственное имя — «дом МГБ на Маяковской».

Ни в одной футбольной команде не менялся так состав игроков, как обновлялись жильцы нашего дома. Они въезжали сюда на трофейных «опелях» и «мерседесах», солдаты тащили за ними караваны трофейного добра, жены успевали посоревноваться шубами, раскатывали на персональных «зимах» и «зисах», шумно пили, дрались, пока однажды ночью — довольно скоро — ответственного квартиросъемщика не увозили навсегда в неприметной «Победе». Оставшиеся семьи выселяли совсем, иногда их просторные квартиры превращали в коммуналки, подселяя к ним родственников бывших хозяев жизни.

Их сажали поодиночке, иногда этажами, порой целыми подъездами — это зависело от подъема или спада очередной волны репрессий. Никто в доме не сомневался в их виновности, хотя я убежден, что ни одного из них не арестовали за действительно совершенные ими бесчисленные преступления — просто машина насилия время от времени требовала — для собственной надежности — смазки кровью. Они уже давно были не людьми, а деталями этого громадного механизма насилия и истязаний, у которого было пугающе-бессмысленное название — ОРГАНЫ, и высшая цель — вселение неиссякающего, неизбывного, неистребимого, всеобъемлющего ужаса в душу каждого отдельного человека. И чтобы эта машина не знала ни при каких обстоятельствах осечек, сбоев и неполадок, чтобы она стала абсолютной — ее детали своевременно и досрочно заменялись другими.

Смертию жизнь поправ.

Особенно крепко сажали из этого дома в сорок девятом, пятьдесят первом, пятьдесят третьем. По ночам во всем доме не светилось ни одного окошка, хотя не спали нигде, сторожко прислушиваясь к шуму затормозившего во дворе автомобиля, стуку парадных дверей, гудению лифтов.

Я помнил, как отец регулярно вырезал маникюрными ножницами странички из своей телефонной книжки. Ночью, когда я бежал пописать, я видел мать в бигуди и толстом капоте, неподвижно замершую в передней. Теперь уж я и не помню — дожидалась ли она отца с работы или ждала страшных гостей.

Однажды — это я хорошо запомнил, — когда арестовали полковника Рюмина, нашего соседа и организатора дела врачей-убийц, отец приехал с работы утром с бледным жеваным лицом и бодряцким голосом сказал матери:

— Да не тревожься ты! Нам нечего бояться — у меня совесть чиста...

А мать в ответ заплакала.

Штука в том, что у всех, кого забирали из нашего дома, совесть была чиста. Потому что совесть давно стала понятием чисто разговорным и была твердо и навсегда заменена словом «долг».

А первая заповедь долга — забыть о совести, чести и милосердии.

Существовала только беззаветная преданность величайшему вождю всех народов Иосифу Виссарионовичу Сталину — за это выдавалась индульгенция авансом — на совершение любых злодеяний. И видит Бог — за это с них никогда не требовали ответа.

В отчаянии и душевной тоске, при совершенно чистой совести они с ужасом слушали обвинения в каких-то мифических, никогда ими не совершенных предательствах, нигде не существовавших заговорах и пособничестве никем не завербованным шпионам. Их обвиняли вчерашние коллеги, с такой же чистой совестью, с беззаветной преданностью выполнявшие служебный долг по профилактическому обслуживанию и ремонту великой машины устрашения, ни на миг не задумываясь о том, что вскоре бесовское сооружение потребует их собственной жизни, ибо, обменяв совесть на долг, они объявили дьявола своим Богом и включились в неостановимый цикл индустрии человекоубийства, признающей единственную энергию — тепло живой человеческой крови.

Смертию жизнь поправ. А-а! Все пустое! Не о чем говорить...

После пятьдесят третьего никого в нашем доме не арестовали, словно хотели еще раз подчеркнуть, напомнить, затвердить — отсюда забрали только людей с чистой совестью, таковы уж прихоти культа личности — пострадали только свои!

Никого не забрали после двадцатого съезда, никого не пригребли во время реабилитаций, ни о ком не вспомнили, когда выкинули кровавого Иоську из мавзолея. Давным-давно выданная индульгенция сохранила силу — за действительные злодеяния спрашивать не с кого, не о чем и некому.

Всех увел унылый крысолов...

Вспоминая об этом, я легче пережил страх поездки в лифте, тем более что мне почему-то не так страшно сорваться в утлой кабинке, когда она ползет вверх, а не стремительно проваливается в тесном стволе шахты к центру земли.

Захлопнув бронированную дверь лифта, огляделся на огромной лестничной клетке. Двери шести квартир. Господи, каких шесть романов пропадают в сумраке и тишине подъезда! Ведь вся литература, возникшая после того, как подох Иоська Кровавый, поведала только о жертвах этого мира кошмаров. Ни у кого не оказалось сил, знания или возможности написать о тех,

90

кто этот мир построил и запустил в работу. А ведь они — истязатели и мученики — нерасторжимое двуединство нашей жизни, нельзя понять нашего существования, не зная лиц мучителей, радостно подрядившихся за харчи, хромовые сапоги и призрачную власть пролить море людской крови.

И я не могу. Тошнота подкатывается к горлу, выступает обморочная испарина и трясутся руки, когда я думаю об этом. Мне очень страшно, я хочу забыть то, что я знаю о них. Я хочу бежать сломя голову за дудочкой крысолова...

— Что ты растрезвонился как ошпаренный? — заслоняя дверной проем квадратными плечищами, улыбался Гайдуков.

— Задумался.

— Поменьше думай, здоровее будешь! — радостно загототал жеребец, вталкивая меня за руку в прихожую.

— Это по тебе заметно, — искренне сказал я.

— Ну тебя к черту, — благодушно отмахнулся Гайдуков. — Хочешь хороший анекдот? Вопрос на парткомиссии: «Что такое демократический централизм?» А он отвечает: «Когда на партсобрании все «за», а разойдясь по домам, все — «против»!

Я засмеялся, а Гайдуков уже волок меня в столовую — «давай выпьем пока».

Андрей Гайдуков — муж моей сестры Вилены, он появился много лет назад в нашем доме, еще угловатый, застенчивый, и поразил меня неожиданной сенсацией: «Вот ты, Алешка, все время читаешь, думаешь о чем-то. А я тебе — как старший — скажу, что это глупость». «Почему?» — удивился я. «Потому что в жизни важно иметь хорошее здоровье и много денег. Все остальное — чепуха!»

Гайдуков второсортный спортсмен, из тех, что лучше всего играют без соперников, где-то долго и сложно химичил, пока не вынырнул в центральном бассейне. Директором. И тогда он выполнил свою жизненную программу, приложив к своему хорошему здоровью много денег. Как он их выцеживает из мутной воды бассейна, я не представляю, но денег у него всегда много, а пуще этих денег — неслыханные связи, знакомства и блаты. Антон ходит к Гайдукову попариться в бане и говорит загадочно и многозначительно, что эта сауна для ловкого человека — почище любого Эльдорадо...

— А где старики-то? — спросил я.

— Мамаша сейчас с кухни подгребет, пряженцы печет. А папаша пошел за папиросами — он ведь у нас паренек старой закалки, сигареты не уважает. Ну, оцени, как хлеб-соль организовали?

Я посмотрел на стол — зрелище было впечатляющее. Черной и красной смальтой застыли блюдца с икрой, серебрился в траве толстоспинный залом, крабы на круглом блюде рассыпались красно-белыми польскими флажками, пироги с загорелыми боками, помидоры, мясо...

— Селедка — иваси? — поинтересовался я, наливая еще рюмку.

— И-ва-си!.. — протянул презрительно Гайдуков. — Лапоть ты! Это сосьвинская селедочка, раньше царям подавали...

— Вы, жулики, и есть цари нынешней жизни, — заметил я без злости и быстро выпил. И сразу полегчало, тепло живое растеклось по всему телу. А тут и маманя выплыла в столовую, неся большой поднос с драченами — желтыми, прозрачными, кружевными, из крупчатки белейшей, на яйцах, на свежей сметане, залитыми русским маслом.

Я поцеловал ее в щеку, а она сердито поморщилась:

— С утра налузгался?

— Да по одной с Андреем пропустили...

— А то я не знаю, какая у тебя первая, а какая пятая! Прямо несчастье — терпежу нет за стол сесть, как у людей водится!

— Да бросьте нудить, мамаша, — вмешался Андрей, — сегодня же праздник...

— Какой праздник? — удивился я.

— Праздник Вознесения — святой престольный день, — заржал жеребец. — Нам бы только повод!

А тут и отец поднадошел. «Здравствуй!» — кивнул он мне сухо, сел в углу в низкое кресло, развернул газету «Правда» и закурил папиросу. И отключился.

Мать отправилась дохлопатывать на кухню. Гайдуков любовно переставлял что-то на столе, а я сидел и внимательно рассматривал отца. Он до сих пор красивый. Печенег, одетый в старомодный двубортный костюм. Он читал газетную полосу, а круглые его серо-зеленые глаза были совершенно неподвижны. Будто спал, не смежив век. Но он не спал — я хорошо знаю эти страшные круглые глаза.

Я боюсь отца до сих пор.

Давнишний его адъютант, хитрожопый бандит Автандил Лежава, множество лет назад рассказывал с хохотом и с восторгом о том, как отец допрашивал какого-то ни в чем не признающегося епископа из Каунаса. Он не задавал ему вопросов, не кричал на него, не бил — он два с половиной часа не отрываясь смотрел тому в глаза, и епископ не выдержал напряжения — лопнул какой-то сосуд и залило глаза кровью. Все смеялись...

92

Мне часто видится в кошмарах каунасский епископ. Бледное расплывающееся лицо без отдельных черт, приклеенное к огромным белесым глазам, залитым кровью, и все мертво, кроме ртутно-подвижной крови, переливающейся мерцающими лужицами в затопленных ужасом белках...

От этого ли давнего рассказа из моего детства, или от чего другого, но я не могу смотреть людям в глаза, я испытываю почти физическую боль, когда чей-то взгляд упирается в мои зрачки, и спасительные шторки век отгораживают от чужого участия, интереса, насилия. От взгляда епископа.

У меня глаза как у отца. Нам страшно и неохотно смотреть друг другу в лицо.

Пронзительно затрещал звонок у входа, и Гайдуков из коридора заорал:

— Сейчас! Сейчас открою! — протопал тяжело кожаными подковами по паркету.

Шум, смех, треск поцелуев, как шлепки по заднице, рокот Антошкиного голоса, благопристойный подвизг его жены Ирки, Антошкин вопрос: «Слышал новый анекдот?», — снова хохот, их громкое дыхание, навал толпы по коридору, нераспрямляемые морщины отца, ввалились в столовую. Антошке отец подставляет для поцелуя гладкую коричневую щеку, похожую на ношеный ботинок, а Ирке сухо протягивает руку. Антошка крепко обнимает меня, хлопает по плечам, заглядывает участливо в лицо, и я спрашиваю его тихонько: «Деньги достал для Гнездилова?» А он конфузливо прячет глаза, быстро бормочет: «Все в порядке, достали, потом расскажу», да я и сам вижу — все в порядке, коли Ирка так весело заливается, истерический накал гаснет, и Антошка снова твердый, в себе уверенный. Когда мне в лицо не смотрит.

У нас умеет смотреть в глаза только наш папка.

Да я ведь еще вчера понял, что Левка Красный нашел вариант. И слава Богу — меня это не касается. Отбили своего засранца от тюрьмы, а нас от позора — и ладушки!

Не понимаю только, где они могли взять деньги. С чего Антон вернет? Чем расплатится?

Не мое это дело, я выпить хочу.

— А где Виленка? — спросил Антон.

— В ванной, последнюю красоту наводит, — сказал с усмешкой Гайдуков. — Сейчас появится...

И в тот же миг, чтобы ни на секунду не подвести своего замечательного муженька, выскочила Виленка — и снова объятия, чмоки, всхлипы, возгласы удивления, бездна дурацких восторгов, будто годы не виделись. Виделись. И не так уж восторгаются.

Вилена что-то рассказывала Ирке, та делала заинтересованное лицо, а сама смотрела на нее с сочувствием. У нас в семье все так относятся к Виленке — она очень здоровая, красивая, доброжелательная, абсолютно безмозглая корова. От Гайдукова она переняла строй и форму речи, в ее устах слова этого шустрого языкатого нахала выглядят кошмарно. И говорит она степенно, очень глубокомысленно, рассудительно, и от этого глупость ее особенно вопиет.

А Гайдуков хитро, быстренько ухмыляясь, обнимает ее, гладит крутой высокий зад, ласково, сладко приговаривает: «Ах ты, моя умница, мыслительница ты моя ненаглядная, советчица и наставница многомудрая!»

— А что, Андрюшенька, я разве что-то не то говорю? — удивляется Вилена.

— Все правильно, моя травиночка, все уменько, моя родная, ты все всегда говоришь правильно, — смеется Гайдуков и продолжает докладывать Антону про спартакиаду, с которой он только что вернулся.

С веселым хохотком рассказывает о жульничестве судей, подтасовке результатов, о запрещенных подстановках игроков, о выплате денег «любителям» сразу после финиша, о переманивании спортсменов, взятках и огромных хищениях на этом развеселом деле.

Я потихоньку выпил еще рюмку, пока гости устремились в коридор на звонок, кто-то пришел, судя по возгласам — Севка с женой.

Оттуда раздавался бойкий голос Гайдукова:

— Слушай, Севка, шикарный цирковой анекдот: «Инспектор манежа объявляет: внима-ние! рекорд-ный трюк! один раз в се-зо-не — «Борьба с евреем»! В номере участвует вся труппа!» Ха-ха-ха! Хи-хи-хи! Хе-хе-хе! — это Севка дробит смех, как сахар щипчиками.

— ...Ты чего такой кислый сидишь?

Передо мной Эвелина — Севкина жена.

— Привет, я не кислый. Я задумался...

— Задумался? Ах ты, мой тюфяк любимый! Разве так здороваются с близкой родственницей? Вставай, вставай, дай я тебя расцелую, сто лет не видела...

Она целует меня, а я пугаюсь — так льнет она ко мне своим гибким змеиным телом и целует своими твердыми горячими губами быстро, крепко, будто покусывает, а потом мягким языком проскальзывает незаметно и мгновенно между моими зубами, и язык уже напряжен, он толкает меня во рту хищно и требовательно, он мне объясняет, что и как надо делать, и губы ее уже обмякли слегка, они влажны и нежны, и засос ее глубок, словно колодец, голова кружится. Она резко отодвигается от меня, смотрит смеющимися глазами на неподвижном фарфоровом лице, серьезно говорит:

— Вот это и есть настоящий родственный поцелуй. Можно сказать, сестринский...

Я негромко говорю ей:

— Ты — извращенка, Эва...

— Конечно! — Она смеется. — Смерть надоела преснятина. Не извращнешься — не порадуешься...

И жмет меня острыми маленькими грудями. А я и так в углу. Мелькают перед глазами ее блестящие зубы, небольшие острые клычки, под пепельными волосами просверкивают на ушах бриллианты, и пальцы ее где-то у моего лица, и на них тоже переливаются бриллианты, и на шее струятся — она вся как новогодняя елка.

— Отстань, ведьма...

— Ох, Алешенька, деверек мой глупенький, ничего-то ты в жизни еще не смыслишь.

— Это Севка ничего не смыслит, когда оставляет тебя здесь по полгода...

— Ему наплевать — загранпоездка дороже. Им бабы не нужны, они там, как зеки в лагере, онанируют. Это им интереснее...

— Я бы на его месте тебя бросил! Я ведь знаю, с кем ты тут без него путаешься.

— Алешенька, дурашка, потому ты и не на его месте! Ему бросить меня нельзя — долго за кордон выпускать не будут, разведенца этакого...

— А чего же ты его не бросишь?

— Зачем? Нас устраивает. Мы ведь извращенцы...

— Эва, ты подкалываешься?

— А как же! — И захохотала солнечно. — Мне без этого никак невозможно.

— Погибнешь, Эва. Мне тебя будет жалко, ты ведь хорошая баба.

— Не жалей, дурашка, мне лучше. Да и аккуратничаю я — всего помаленьку...

— Ты знаешь — тут на малом не затормозишь.

— Не бери себе в голову. Мы все обреченные. Да плевать! Жаль только, что я своего дуролома узнала раньше тебя. Нам бы с тобой хорошо было — мы оба люди легкие.

— Не знаю, — покачал я головой.

— Околдовала тебя твоя евреечка, — усмехнулась Эва. — Это у тебя морок. К бабкам надо сходить — может, снимут заговор.

— А я не хочу...

— В том и дело. Это я понимаю.

— У тебя что — роман неудачный?

— Да нет! Просто как-то все осточертело! Мой идиот совсем сбрендил...

— Это ты зря, Севка — не идиот. Он свое разумение имеет.

— Ну, Алешечка, подумай сам, какое там разумение! У него солдафонский комплекс. Ему ведь нельзя в форме показываться, глисты тщеславия жрут немилосердно. Прихожу домой третьего дня, он разгуливает по квартире в шинели и в своей полковничьей каракулевой папахе. И фотографирует себя на «Полароид»! Ну и сам посуди! Какая должна быть дикость, чтобы такую варварскую шапку сделать почетной формой отличия. И он гордится ею!

— У нас у всех маленькие слабости, — засмеялся я, представив Севку в зимней шапке душным вечером — позирующим самому себе у аппарата.

— Ах, Алешечка, маленькие слабости у него были семнадцать лет назад. А сейчас... Ладно, давай лучше выпьем, пока они сплелись в пароксизме родственной любви.

Мы выцедили с ней по большой рюмке, медленно, с чувством, и я захорошел. Завалился в кресло. Эва уселась на подлокотник, задумчиво сказала:

— У меня иногда такое чувство, что моя психушка — это и есть нормальный мир. А все вокруг — сумасшедший дом. Ездила в этом месяце на кустовое совещание в Свердловск, жутко вспомнить. Больные лежат по двое на кровати, персонал везде ворует, дерется, не знает дела. Белье не меняется, медицинские назначения путают или не выполняют, жалуются больные — вяжут в укрутки, возмущаются — глушат лошадиными дозами аминазина. Обычные наши безобразия в провинции удесятеряются. А у нас в отделении держат просто здоровых...

— Эва, не по тебе это дело, ты бы отвалила оттуда. А?

— Ну что ты несешь, Алешка? Куда я могу отвалить? Мне сорок лет, я кандидат наук, всю жизнь на это ухлопала. Куда мне деваться? На БАМ? Шпалы класть? Или переучиться на косметичку?

— Ты ведь знаешь, Эва, как я к тебе отношусь — поэтому и говорю. У нас творят жуткие вещи. За это еще будут судить...

Она сухо, зло засмеялась:

— Дуралей ты, Алешка. Никого и никогда у нас судить не будут, мы все связаны круговой порукой. Кто будет судить? Народ? Эта толпа пьяниц? Или...

Тут все ввалились в столовую.

— Все по местам, все по местам! — хлопотал Гайдуков.

Загремели стульями, зашаркали ногами, посуда пошла в перезвяк, все усаживались, удобнее умащивались, скатертью крахмальной похрустывали, что-то голодно взборматывали, шутили, стихая помаленьку, пока все не заняли привычные, раз навсегда заведенные места.

Отец во главе стола хищно пошевеливал усиками — я только что сообразил, что они родились из бериевских, просто подросли на пару сантиметров по губе. От обозримой еды, а главное — от предстоящей выпивки он поблагодушел, стихнул маленько рысичий блеск в его круглых глазах. Одесную — Антон, нервно-веселый, с каменными желваками на щеках, за ним — Ирина с близоруко-рассеянным взглядом, сосредоточенная на своей главной мысли, что женщины мира разделены на две неодинаковые группы: в одной — Клаудиа Кардинале, Софи Лорен и она, а все остальные — коротконогие таксы. Дальше сидит Гайдуков, квадратный, налитой, похожий на гуттаперчевый сейф, Вилена со своим красивым глубокомысленным лицом многозначительной дуры, пустой стул их сына Валерки, для будущего счастья набирающегося здоровья в спортлагере. А денег ему, видать, папка достанет.

Мать. У нее складчатое твердое лицо, прокаленное плитой — как рачий панцирь. Глаза стали маленькие, старушечьи, внимательно нас переглядывает, всех по очереди, будто пальцами кредитки отсчитывает, сердцем теснится, чтобы лишнюю не передать.

Потом — я, унылый смурняга. Никого не люблю. И себе надоел. Невыносимо. Слышу, как повизгивают стальные ниточки троса, перетираются, с тонким звоном лопаются. Сколько осталось?

Рядом Эва, вся сверкает, переливается, ноздри тонкие дрожат. Плохо кончит девочка. Ее гайка с резьбы сошла. Когда-то еще было время — тихонько назад открутить, с болта снять, маслицем густо намазать, снова аккуратно завернуть — и дожила бы тихо, в заплесневелой благопристойности. А она — нет! С силой гонит гайку дальше — на сколько-то еще оборотов хватит?

Неужели Севка этого не видит, рукой не чувствует, как раскалилась от бесцельного усердия ее жизнь? Нет, похоже, не видит. Или замечать не хочет. Белозубая улыбка, как капуста на срезе — «а-ат-лично!»

И дочка их Рита ничего не видит, ни на что, кроме яств на столе, не обращает внимания — у нее какая-то странная болезнь, чудовищный аппетит. Жрет все что попало, когда угодно. И сама — с меня ростом, худющая, белая, как проросшая в подвале картошка. Тоста не дождалась — в жратву врезалась, уши прозрачные шевелятся.

Отец поднял рюмку:

— Ну, с Богом! За наше здоровье!..

Ап! Понеслось! Чего они так о здоровье пекутся? На кой оно им? Мать в поликлиники ходит, как на работу. В три поликлиники — в их МГБешную, в районную и в мою писательскую. В сумке всегда — десять дюжин рецептов, прописей, медицинских рекомендаций. С ума сошла на этом.

Водочка «Пшеничная», водочка «Посольская», водочка «Кубанская». Вся экспортная, желтым латунным винтом закрученная. Водка с винтом — аква винтэ. Где берут? У меня точка зрения нищего учителя чистописания, попавшего на купеческий обед.

Еще по одной шарахнули. В голове поплыл негромкий гул, умиротворяющий, приятный, фиолетовой дымкой он отделял меня от родни, их чавканья, суеты, разговоров.

Собственно, сами-то разговоры я слышал, но успокаивало отсутствие связи, логики, сюжета. Я не прислушивался к началу и не обращал внимания на концы.

Снова выпили. И закусили. Неграмотный скобарь Гайдуков объяснял Антону какую-то философскую теорию, поразившую его красотой слов. Наверное, у себя в бане слышал.

— Ты, Антоша, пойми, современная жизнь происходит в мире процессов и в мире вещей... Мы включены в мир процессов... но мир вещей заставляет...

Действительно, смешно — мир политических процессов и мир импортных вещей.

— Молодец, Андрей! Жарь круче! — крикнул я ему.

— Да, мир процессов порождает...

— Давайте выпьем за нашу мамочку! — Это, конечно, сынок Севочка.

Давайте выпьем. Можно за мамочку. Спасибо тебе, мамочка, дай тебе Бог здоровья. Мать улыбалась застенчиво, с большим достоинством. Заслуженный успех. Золотая осень жизни. Пора сбора плодов.

Я заел травкой и неожиданно для себя спросил:

— Никто не знает — может быть, я Маугли?

Все на миг глянули на меня, Гайдуков спросил:

— В каком смысле? — А Эва громко захохотала.

Но все уже отвернулись, в пирог с вязигой врубились.

— ...А насчет равенства — это демагогия. Равенство — это не уравниловка! Да, не уравниловка!.. — распинался Антон. Умный ведь человек, а чего несет. — Мой опыт и мой труд дороже, и я должен больше получать. Равенство — это не уравниловка...

Равенство, ребята, это не уравниловка. Советую вам, отлученным от семги и водки на винте, это запомнить покрепче. Равенство, стало быть, не уравниловка.

Оторвалась на миг от тарелки долговязая блекло-картофельная девушка Рита:

— Мне один мальчик стихи прочитал, послушайте:

Чтобы нас охранять — надо многих нанять,
Это мало — службистов, карателей,
Стукачей, палачей, надзирателей.
Чтобы нас охранять — надо многих нанять,
И прежде всего — писателей!

Вот тут наступила тишина. Ласковый дедушка посмотрел на нее зеленым круглым глазом, добро пообещал:

— Гнить твоему мальчику в концлагере — это уж ты мне поверь, я в этом понимаю.

И первый раз подала голос Эва:

— Никто ничего не знает, никто ни в чем не понимает — в смутные живем времена...

Гайдуков, чтобы выровнять обстановку за столом, велел всем наливать по рюмкам, а пока рассказал анекдот: на здании ЦК вывесили стандартное объявление — «Наша организация борется за звание коммунистической». И еще одно: «Кто у нас не работает, тот не ест».

Выпили, выпили, еще раз налили.

Отец, пьяненький, горестно бормотал:

— Что же происходит? Что же на свете делается? Помню, сорок лет назад «Красный курс» в «Правде» печатали — утром первым делом бежали к почтовому ящику, прочитать быстрее, ждали как откровения. Развернешь лист — как к чистому источнику прильнешь. А сейчас дети не хотят нашей мудрости. Как же это? Ведь возьми любую веру — что еврейскую, что мусульманскую, что христианство — на тысячелетие старше. А ведь стоят! А у нас — и века не прошло — разброд, ересь, шатания, раскол, предательство. Как же заставить?

Подвыпившая Эва засмеялась:

— Захар Антоныч, заставить можно в зону на работу выйти, а верить — заставить нельзя. Это штука добровольная...

— Ты-то уж помолчи! — махнул на нее рукой отец.

А Эва ему со злостью, с пьяным скребущим выкриком ожесточения:

— Это почему же мне помолчать? Вы только что рюни разливали, что ничего не понимаете. Так я вам могу объяснить, коли не понимаете. А вы со своим наследничком, славным продолжателем, послушайте...

Севка взял ее за руку:

— Угомонись, Эва, успокойся...

Она вырвала руку, пронзительно, как ножом по стеклу, сказала-плюнула:

— Коли вам веры жалко нашей, приходите ко мне в психушку, послушайте, что мои больные толкуют. Я-то знаю, что они нормальные, это вы — сумасшедшие. И я нормальная, только я такая же бандитка, как и вы, и всем объясняю, будто они не в своем уме. А они — в своем, и говорят, что вера ваша похилилась от вашей слабости — коли бы могли убивать, как раньше, миллионы, может быть, и стояла бы ваша кровожадная вера, а поскольку сейчас хватает сил только на выборочный террор, то страх остался, а вера — пшик! Нет больше вашего алтаря, залило его давно дерьмом и кровью...

Спазм удавкой перетянул ей горло, и она по-бабьи расплакалась.

Рита вскочила, стала гладить ее по плечам, успокаивать, что-то тихонько шептала ей на ухо.

Севка растерянно катал по скатерти хлебный мякиш. Отец грузно встал и, волгло топая, ушел из-за стола. Яростным глазом испепеляла меня мать. Антон молча качал своей огромной башкой, досадливо вскряхтывая — и-е-э-эх! Ирка и Вилена перепуганно глазели на Эву. А Гайдуков заметил:

— Вот и повеселились! Как говорится, семьей отдохнули...

14. УЛА. СПОР

— Ула! Это я — твой унылый барбос... — По легкой хрипловатости голоса в телефонной трубке, по некоторой замедленности речи я поняла, что Алешка прилично поднабрался. — Чего делаешь?

— Сидим с Эйнгольцем на кухне, готовим жаркое...

— И наверняка — многомудрствуете?

— Пытаемся. — И подумала о том, что все сказанное мною Шурику неубедительно, умозрительно, голо, похоже на плохо пересказанный сон, на мелодию, напетую человеком без слуха. Я оправдывалась перед собой.

Алешка помолчал, задумчиво заметил:

— Не люблю я его...

— Я знаю. По-моему, зря.

— Может быть, я ревную?

Через раскрытую дверь я посмотрела на Шурика, его выпуклые глаза за толстыми бифокальными линзами, пухлые щеки, конопатые руки в рыжих волосиках, засмеялась:

— Пока нет оснований...

— Ты, наверное, не хочешь, чтобы я пришел?

— Хочу. Всегда.

— Совестно — я опять напился. Со своими разругался вдрызг.

— Это ничего — вы помиритесь. Ты ведь их любишь, помиришься.

— Я их ненавижу. Видеть не могу!

— Это когда вы вместе. А врозь с ними — не можешь. Ты их любишь. Наверное, это хорошо.

— Ула, можно я тебе скажу кое-что по секрету? Я тебя очень люблю.

— Спасибо. Только больше не говори никому. Пусть это будет моя тайна.

— Я еду? Можно?

— Жду. Жаркое скоро будет готово.

Но он уже бросил трубку — помчался. Я боюсь, когда он пьяный гоняет по городу на машине. Но здесь уж ничего мне не поделать. Вообще, наверное, никого ничему нельзя научить. И пытаться глупо.

Я вернулась на кухню, и Шурик спросил меня:

— Это Алексей тебе звонил?

— Да.

Он помолчал, потом бессильно развел руками:

— Это ведь надо, как все в нашей жизни запуталось! Нарочно не придумаешь.

— Да, не придумать, — кивнула я, мне не хотелось сейчас снова говорить об этом, я ведь уже знала все наверняка.

— Ула, я чувствую себя очень виноватым, — потерянно сказал Эйнгольц. — Я не имел в виду сплетничать, я не хотел повредить Алешке в твоих глазах. Я ведь и про твоего отца ничего не знал. Я не мог предвидеть, что все так совпадет... В конце концов — руководил-то всем делом генерал Крутованов. Отсюда, из Москвы...

Я подошла к нему, обняла и поцеловала в жесткую рыжую макушку:

— Не оправдывайся, Шурик, тебе не в чем винить себя. Спасибо, что ты мне рассказал — мне так проще жить. Яснее вижу. Алешка ни при чем, он был ребенком. А отца не прощу им никогда...

Я ощутила, как тугой комок подступает к горлу. Отвернулась к плите, скинула с чугунка крышку, стала быстро перемешивать жаркое. Нехорошо делать людей свидетелями твоих слез — они от этого чувствуют себя виновато-несчастными.

Шурик неуверенно сказал:

— Может быть, все это ошибка? Что-нибудь перепуталось, не о тех людях сказали... Ведь сейчас уже ничего выяснить нельзя...

— Нет, это не ошибка, Шурик. Ты сказал все правильно. Я кое-кого расспрашивала — все сходится. Я себе так все это и представляла... И Крутованова мне называли.

Шурик сидел в неподвижной напряженной позе, было очень тихо. Ровно гудела газовая конфорка, аппетитно шкварчало жаркое в чугунке. Даже паралитик за стеной сегодня не бушевал. Может быть, его повезли на трехколесном кресле за город, и он закаляется там как сталь.

Вечерней зеленью медленно заливалось небо, теплый ветерок бессильно колыхал тюлевую занавеску, на дне дворового колодца тонкий женский голос старательно-пьяно выводил слова: «Милый мой уехал, позабыл меня...» Звериная тоска заброшенности и обреченности переполняла меня, выплескиваясь брызгами злых и беспомощных слез.

Господи! Зачем Ты взыскал меня, не дав завтрашнего дня?

Зови — не дозовешься, жалуйся — никто не слышит. Мы никому не нужны, никому не интересны. Как жить дальше? Строим на песке. Сеем на камне. Кричим на ветер. И слезы — дешевле воды.

Все со всем согласны. Я устала со всем всегда соглашаться. Я больше не могу бояться. Мой организм отравлен страхом. Мы мутанты ужаса третьего поколения. Мы наследуем его в клеточках, в генах.

Все со всем всегда согласны. Все довольны.

— Шурик, а может быть, уехать отсюда к чертовой матери?

102

Эйнгольц скованно пошевелился на диванчике, его силуэт на фоне окна начал наливаться сумраком.

— Для меня это не выход, Ула...

— Почему?

— Вера христианина только укрепляется от насилия.

Наверное, он почувствовал, что его слова прозвучали как-то неубедительно-книжно, и добавил торопливо:

— Да и вообще — я боюсь, что нам поздно менять свою жизнь...

— Но ведь мы же еще не старые люди — нам по тридцать! Можно много успеть...

— Но за эти тридцать лет мы окончательно сформировались здесь. Мы люди русской культуры, а наша культура и там никому не нужна, наши страдания безразличны, а опыт нашей жизни они не могут и не захотят воспринять! Хорошо устраиваются на Западе зубные врачи и ремесленники — они хотят и могут забыть всю свою жизнь здесь. А мы разве можем перечеркнуть нашу жизнь? Мы и туда повезем печать своей неустроенности, неумения приспосабливаться, мы на всю жизнь отравлены неверием в людские обещания и намерения. Нет, мне кажется, не имеет смысла — поменяем шило на швайку.

В его горячности, приготовленности слов, в окончательной уверенности мне чудилась недостоверность. А разве можно примириться — прожить всю жизнь в неволе? И не решиться на побег — ни разу — только потому, что там, за стеной, живут другие люди, с другим укладом, с другими представлениями?

Они и должны быть другие. Наверное, наша культура им действительно не нужна. Но она и здесь не нужна, ее надо скрывать, ибо она отрицает официальную культуру.

Я бы там смогла быть уборщицей. Нянькой. Мойщицей машин. Приходящей домработницей, если никому не нужно то, что я знаю. Мы ведь очень плохо представляем тот мир. Как другую планету.

Но в одном я уверена — не может быть там этого постоянного замораживающего страха повседневных унижений, боязни сиюминутного насилия, ужаса смерти.

Я сказала медленно Шурику:

— Мне кажется, что ты очень боишься. Не того, что там будет. А здесь.

Он сразу же согласился:

— Да. Я боюсь дойти до ОВИРа. Меня тошнит от страха...

Да, это ведь и неудивительно. Как болезнь. Она стала наследственной. Такой громадный террор — он ведь уже и не акция устрашения, и даже не политический метод, он давно стал постоянным стихийным бедствием. Вирусы подозрений, инфекции доносов, нелепость бытового заражения, постоянное ожидание первых симптомов своей обреченности. Террор — как эпидемия, кого и не покарает впрямую — смертельно, но и его, и всех окружающих захватит. Проверки, анализы, рентген души, этого — пока отпустить, этого — на карантин, этого — в барак.

Но ведь в бараке — все больные, а я...

И ты больной. А может, не больной, не важно!..

Дезинфекция! Дезинфекция!

Этого — в барак, этого — в крематорий.

Подождите, я здоровый!

Дезинфекция!

В барак, в крематорий...

Дезинфекция!

Я здоровяк с дооктябрьским стажем!

В крематорий, в барак.

Сила эпидемии, ее громадная устрашающая суть в хаотичности, в видимости бессмысленности — никто не знает, кого завтра увезут на черных дрогах.

Надо забиться поглубже, подальше, стать незаметнее, неслышнее, совсем бесплотным — может быть, волну заразы пронесет на этот раз...

Во дворе загудел мотор Алешкиного «Москвича», ревнуло железное эхо в колодце, глухо булькнуло и стихло.

— Жаркое готово. — Я встала к плите.

— Да, — равнодушно кивнул Шурик, — от всех этих дел и разговоров есть не хочется. Кусок в горло не лезет...

Ввалился Алешка с большим бумажным пакетом в руках, протянул его мне.

— Мне Вилена с барского стола потихоньку отжалела. — Подошел к Шурику, ернически поклонился: — Брату моему во Христе — низкий поклон...

— Здравствуй, Алеша, — мирно сказал Шурик.

— Нуте-с, отец Александр, нельзя ли с вами договориться об отпущении моих бесчисленных грехов?

— Простой мирянин, не рукоположенный в сан, не вправе отпускать кому-либо грехи, — спокойно ответил Шурик. — Вот как ты, например, не можешь меня принять в ваш Союз писателей. Это, наверное, компетенция ваших иерархов...

Алешка ехидно засмеялся:

— Но ведь и с нашими, и с вашими иерархами можно легко договориться... — Потом махнул рукой: — Сто лет спорь — никто еще никому ничего не доказал. Накрывай, Ула, на стол, я-то сыт, а вы, наверное...

Я развернула пакет, который привез Алешка. В нем была большая бутылка водки с желтой латунной винтовой пробочкой, пакетики с красной рыбой, баночка икры, крабы, жестянка с паштетом из гусиной печенки. Это ему сестра дала. Нет, это все-таки чудо, что при таком питании они умудрились сохранить родственные чувства.

Застелила стол желтой, как закат, скатертью, расставила тарелки, приборы, хрустальные рюмки. Зачем в моем доме хрустальные рюмки? Глупо.

А мужики на кухне ожесточенно разорались. Слова пузырились, подпрыгивали над кипящим варевом из разговора, лопались, вздувались, разлетались брызгами, исчезали прочь. Слова.

Господи! Что делать?

Научи, надоумь, направь — все так перепуталось.

Ведь он их любит. Он их любит. Родные ссорятся — только тешатся. Родная кровь дороже.

Шурик говорил ломким высоким голосом:

— Как же ты, Алеша, не хочешь замечать очевидного — Антихрист приходил, и имя ему — Сталин. Еще святой Кирилл Иерусалимский определил его, сказавши — Антихрист покроет себя всеми преступлениями бесчеловчия, так что превзойдет всех бывших злодеев и нечестивцев, поскольку имеет ум крутой, кровожадный, безжалостный и изменчивый!

— Но Сталин давно сдох! Разве кончилось царство твоего Антихриста?

— Нет, конечно! Остается здесь вечный и страшный соблазн сатанизма! Трудно только впервые воздвигнуть антихристовы чертоги, а потом-то уж!.. Я просто ахнул, когда прочитал у святого Ефима Сирина: «Достигнув цели, Антихрист ко всем суров, жесток, непостоянен, грозен, неумолим, ужасен и отвратителен, бесчестен, горд, преступен и безрассуден». Это же фотографический портрет Великого вождя всех народов. Но сделан портрет за сто лет до воцарения...

Антихрист? Может быть. Но для меня в этом обличье он был слишком умозрительной фигурой. Он представлялся мне личностью более исторической, реальной, конкретно-земной, и звали его пратысячелетнее воплощение — Ирод Идумеянин.

Та же извращенная сладостность болезненного властолюбия, безумие всеобщего подозрения, выжженная пустыня нормальных человеческих чувств и отношений.

Как много подобий — круг за кругом они уничтожали вокруг себя все живое — друзей, единомышленников, сподвижников, родственников.

Любимая жена Идумеянина — Мириам, не воскликнула ли ты перед казнью: «Аллилуйя! Аллилуйя!»

Убитая супругом Аллилуева ползла по залитому ее кровью ковру, шептала застывающими губами: «Господи!.. Святая Мария!..»

Ирод великий пресек свое семя, задушив в темнице двух сыновей.

Великий Сталин убил руками Гитлера своего пленного сына Якова. Сын Василий умер в сумасшедшем доме. А дочь Светлана, сбежав из царства свободы, придала этому кровавому анекдоту какой-то особенно издевательский бесовский характер.

Ирод умер на переломе исторических эпох, по мертвой его плоти жизнь провела разрез, как неумолимый нож парасхита разваливает труп пополам, и люди стали считать свою память, определяя время как Старую эру и Новую эру, и мерить свои свершения счетом ДО и ПО нынешнему летосчислению, вбив пограничный столб в день Рождества Иисусова. Я не верю в мессианство Назарея, но я надеюсь, что незримо уже вбит еще один столп новой эпохи...

15. АЛЕШКА. ОБЕТ

Проспал, не заметил, как ушел Эйнгольц. Невелика потеря. Жаль лишь, что стал слабеть — сон наваливается неодолимо, нет сил бороться. Становлюсь алкашом. Или уже стал?

От выпивки засыпаю внезапно. Тревожно, но сладостно и обреченно, как вяжет путами сон замерзающего насмерть человека. И просыпаюсь в ужасе, с беспорядочно молотящим, захлебывающимся, глохнущим сердцем — как пойманный шпион. Глаз не открываю, боязно осматриваюсь из-под смеженных век.

В темном картоне комнаты настольная лампа вырубила красноватый круг света, и спросонья мне видится над головой Улы, сидящей у стола в центре круга, дымящийся золотистый нимб. Открыл глаза совсем — Ула пишет что-то на карточках. Она сидит в своей любимой позе — подложила под себя одну ногу. Белизна другой ноги исчезает в темноте, будто сидит она на краю проруби. Я почему-то вспомнил, как мы пошли с ней впервые в ресторан, кажется, в «Метрополь», чудовищный ресторан, похожий на перевернутый вверх дном бассейн, и все одинокие гуляки жадно глазели на Улу, я видел по их влажным глазкам, что они раздевают ее, прикидывают, примеряют, оценивают, что все они хотят по крайней мере потрогать ее, плотную, гибкую упругость ее спины, нечаянно скользнуть жадной ручонкой по талии, захватывая хоть пядь высокого крутого зада, а если выманить на округло-пошлые томные па завывающего в зале танго, то ведь можно прижать теснее ее твердую грудь к своему пиджаку, набитому сальными пятерками и командировочными предписаниями. Хватанув раз-другой для храбрости, они по очереди подходили к нашему столику и приглашали ее на танец, и я хотел всем им дать по роже, а Ула держала меня за руку, лучезарно улыбалась им всем, ласково говорила: «К сожалению, не могу — у меня протез ноги...» Они смущенно отходили и со своих мест все пытались рассмотреть под нашим столом — какая же из этих двух длинных прекрасных ног — протезная.

Ула подняла голову, посмотрела на меня, улыбнулась.

— Ну, как жил?

— Плохо, — буркнул я. — Змий попутал.

— Ох уж этот твой вечнозеленый змий, — покачала она головой. Но не сердито. И славу Богу — ссориться не будем. Я лежал, укрытый пледом на тахте, а Ула сидела за столом в другом конце комнаты, и мы разговаривали вполголоса, будто боялись среди ночи разбудить ее деда на портрете.

— Давай устроим пир, — предложил я.

— Давай, — улыбнулась Ула. Она тоже любила наши ночные пиры — нам было мало обычной отделенности, нам была необходима громадная уединенность ночи, когда все спят, когда город пуст, когда полмира замерло недвижно до утра. Мы останавливали время, оно заполняло комнату вокруг нас, оно поднималось над нами, как воды у запруды, мы плавали в ней — бесплотные и вечные, соединенные ощущением своей единичности и своей близости, и в эти часы время становилось для нас пространством, пока рассвет не промывал в плотине тусклые бельма серых окон, и время с неслышным плеском утекало прочь, и мы, испуганно озираясь, обнаруживали себя вновь на каменистом берегу общего бытия.

Робинзон, почему ты не оставил нам тайно координаты своего острова?

Ула прошла через комнату, накинула халат, отправилась на кухню, мне захотелось попросить ее не надевать халат, но я постеснялся. Кто знает — где похоть переходит в нежность, а сладострастие в застенчивость? Мне вожделенна каждая ее клеточка, у меня теснит в груди, когда я смотрю на ее спящее беззащитное лицо, и часто мне хочется ударить ее с размаху кулаком в грудь или сжать тонкую руку до багрового кровоподтека. От ужаса я закрываю глаза и становлюсь сразу крохотным, меня всего распирает пронзительный крик — чтобы скорее она взяла меня на руки и чтобы я весь целиком — от затылка до пяток — ощутил ее тепло, ее упругую грудь у себя на губах.

— Ула, помнишь, как мы ходили в планетарий? — крикнул я, а Ула с кухни ответила:

— Помню...

Жарким летним полднем, измученные жарой, людской толкотой, невозможностью выпить воды в автомате — уличные алкаши растаскали все стаканы, недовольные, усталые, чем-то обиженные друг на друга, мы шли по Садовой, и на Кудринке Ула вдруг сказала: «Пошли в планетарий?»

Внутри огромного блестящего яйца было тихо, прохладно и пусто. И лимонад в буфете. Электрические стены, цветные схемы. У входа билетерша с тяжелыми отечными ногами и онкологическим желтым лицом вязала из грубой деревенской шерсти толстую кофту — она утеплялась на зиму, она собиралась пережить холода. Она махнула нам — скорее, лекция уже началась!

Мы нырнули за портьеру — в темноту, текучий холодок, в отрешенность звездного неба. Ничего со света не различали глаза, только марево вокруг странного прибора в центре зала — исполинской двуглавой африканской тыквы, и сумеречный просверк бесчисленных звезд над головой.

Это был, наверное, детский сеанс — лектор бубниво рассказывал о нашей Солнечной системе, о нашей Галактике, о Млечном Пути, о Вселенной. Стрелочка света от его фонарика-указки металась среди звезд, перемахивая сквозь неподвижные пространства, скручивая в спираль время, она носила нас, двух заблудившихся путников, в бесконечности, из мира в мир, и меня переполняла печальная радость.

И в полумраке обвыкшимися в темноте звездной ночи глазами я видел на лице Улы задумчивое, напряженное выражение, будто она изо всех сил старалась вспомнить что-то очень важное. И для нее, и для меня, для всех.

И не могла.

Я целовал ее ледяные руки, тихонько обнимал за плечи, пытаясь унять ее внутренний озноб, но она не замечала меня. Пришла на миг шальная мысль, что я теряю ее. Корпускула света, космический кораблик — стрелочка указки — выхватит Улу из моих рук и унесет через бездну и темноту к Ганимеду.

Но уйти из придуманной ночи в свет и духоту летнего дня все равно не хотел. Я боялся, но встать не было сил. Мне было страшно, но еще сильнее хотелось узнать — что она вспоминает.

Потом зажегся свет — лицо ее было в слезах. Я спросил:

— Что с тобой, родная?

Она покачала головой:

— Так... Ничего... Помстилось...

Мы шли по раскаленной улице, но мне не было жарко — всем существом своим я ощущал холод космической мглы, ледяное мерцание недостижимых звезд, дрожь одиночества при расставании. Ула взяла меня под руку, прижалась теснее, неожиданно сказала:

— В нашей священной книге — Талмуде — сказано: «Никогда человек не живет так счастливо, как в чреве матери своей, потому что видит плод человеческий от одного конца мира до другого, и достижима ему тогда вся мудрость и суетность мира. Но в тот момент, когда он появляется на свет и криком своим хочет возвестить о великом знании, ангел Метатрон ударяет его по устам. И заставляет забыть все...»

— Иди сюда! — крикнула Ула. — Я сделала американские бутерброды...

Не знаю, почему они назывались у нас американскими, может быть, в Америке никто сроду и не видел таких бутербродов. Это я когда-то их назвал так, с тех пор и повелось. Возможно, была в этом подспудная идея об американском продуктовом изобилии.

Они еле помещались на тарелке — Ула срезала ломоть хлеба во всю длину буханки, чуть-чуть поджаривала на сковородке — до первого румянца, намазывала маслом, посоленным и поперченным, заливала томатом, клала сверху вареное мясо или колбасу и только потом устилала слоем ломтиков малосольных огурцов, поверху — майонез и только тогда перья зеленого лука и стружка редиски.

А из холодильника достала Ула недопитую бутылку «Пшеничной» — рюмки сразу запотели! Душа заныла от нетерпения.

— За тебя, Суламита, за тебя, Ульянушка моя дорогая!

Полыхнуло в глазах, теплая сумерь в башке разлилась, в груди что-то отмякло, тепло внутри, покойно. Все хорошо.

Даже есть расхотелось. Куснул пару раз от блюда-бутерброда — замечательно вроде бы вкусно, а есть уже нет охоты. Пьяниц спирт в крови кормит. Пока дотла не сжигает. Впрочем, и это не важно. Все пустое.

Ула сидела, подперев голову ладонью, молча, внимательно смотрела на меня. Мне не хотелось смотреть ей в глаза, я так и сказал, не поднимая век, уставившись на свой американский бутерброд:

— Давай, Ула, поженимся...

— Что? — удивленно переспросила она.

— Поженимся, говорю, давай. Пойдем в загс, распишемся или как там...

Если бы она бросилась ко мне в объятия, зарыдала от счастья или, наоборот, с презрением захохотала, или крикнула — «никогда!» — все было бы нормально. Обычно. Как у всех. В наше время писатели делают дамам предложения, как водопроводчики. Может, кто-то и умеет по-другому, но я их не знаю — не с кем посоветоваться.

Но Ула спросила тихо и ласково:

— Зачем? Зачем, Алеша, нам расписываться?

— Чтобы ты была моей женой!

— Ну, а так я чья жена?

— Мы же не вдвоем на земле живем. Люди кругом, пусть знают...

— Леша, ведь меня мнение людей вокруг не интересует. Ты это хочешь сделать назло своей родне.

— Допустим. Я им покажу, что мне на них плевать...

— Лешечка, когда на кого-то плевать, им ничего не доказывают! Но дело даже не в том. Мне интересно: какую ты мне роль отводишь в этом показе?

— Моей жены. В браке это довольно заметная роль.

Ула грустно покачала головой:

— Не надо, Лешенька, ничего менять. Пускай все будет по-старому...

— Тебя устраивает такая жизнь?

— Не очень. Но ничего изменить нельзя.

— Почему? — взялся я, хотя и понимал, что она права.

— Потому что невесты берут в таких ситуациях с жениха торжественную клятву бросить пить, а вместо этого купить польский шифоньер и цветной телевизор. Я ведь не стану брать с тебя никаких клятв...

— А отчего бы тебе не взять с меня клятву? Например, бросить пить?

Она пожала плечами:

— Мне это представляется жестоким и глупым...

— И не боишься, что я совсем сопьюсь?

— Уже не боюсь. Я знаю, что у тебя нет будущего. И у меня нет будущего. Нам очень повезло, когда мы встретились. Но вдвоем мы горим быстрее. И не хочу я, чтобы ты кому-то что-то показывал!

— Почему? Почему ты не хочешь? — тупо настаивал я.

Она тяжело вздохнула и сама налила нам в рюмки водку.

— Давай выпьем за нашу прошлую жизнь вместе, за ту жизнь вместе, что нам еще осталась! — Чокнулись, и я пальнул рюмкой в себя, и снова окреп, и уверенность стала тверже.

— Не знаю, не понимаю, почему ты не хочешь, чтобы мы как-то все успокоили, весь этот хаос маленько устаканили, зажили как все...

— Лешечка, мы уже никогда не заживем как все — и ты это сам знаешь. Мы не можем жить по-старому и не хватает духу зажить по-новому. А монета не стоит на ребре...

— Это не так, Ула...

— Это так. Собираясь жениться на мне, ты намерен сложить из меня громадный кукиш, дулю в человеческий размер и сунуть ее под нос своим родителям-антисемитам, своим братьям, своему прошлому, своей несложившейся писательской жизни. Я не чувствую себя готовой для такой роли...

— Что ты выдумываешь! Что ты стараешься усложнить и так все запутанное и перекрученное...

Ула пальцем крутила на столе пустую рюмку, грустно молчала, хотя я видел, что ей есть много чего сказать. Но не хотела. Не получался чего-то пир у нас сегодня. Ула взглянула быстро на меня и мягко сказала:

— Лешечка, давай не будем больше об этом говорить. Ты меня спрашиваешь, я толком не могу объяснить — получается бессмысленный разговор. Это — как моя мать из ссылки писала, что на нее сердится ее квартирная хозяйка: «Ишо вы усе моетесь и моетесь! Усе равно до вас никто из мужиков не ходит, только пол тесовый здря гноите!..»

Меня охватил сумасшедший истерический гнев — стало трудно дышать, захотелось ее удавить, унизить, заставить кричать, — вот так она меня доводит всегда, так мы расстались в прошлый раз. Кровь шибанула в виски, потемнело в глазах, и я преодолевал ярость, как обморок.

— Ты плохо говоришь со мной, — медленно сказал я. — Высокомерно, снисходительно, будто ты знаешь что-то такое, чего мне и в жизни не понять.

Ее синие продолговатые глаза зальдились холодным блеском, и голос подсох:

— Мы не все понимаем хотя бы потому, что не все знаем друг о друге...

Мне хотелось поддеть ее сильнее, и я сказал с удовольствием:

— Может быть, у тебя есть места в биографии, каких я не знаю, а обо мне ты знаешь все.

Она прикрыла глаза и сидела так несколько мгновений, и на лице ее была такая боль, что я сразу пожалел о ляпнутой мной бессмысленной злой глупости.

Ула открыла глаза и негромко сказала:

— У меня есть сомнительные места в биографии. Тебя это, правда, не касается. Но это может огорчить твоего папу...

— Почему? — удивился я.

Я смотрел на нее отчужденно и видел, как в ней бушуют слова пойманным разъяренным зверем, слишком большим и сильным для такого слабого вместилища. Я видел, что она хочет выкрикнуть мне в лицо нечто громадное, яростное, кипящее, — и сердце мое дрожало от ожидания и испуга, потому что горевшее в ней волнение было вполне по масштабу отступничеству от них Великой Тайны.

Она глубоко и судорожно вздыхала каждый раз, будто весь воздух вытек в окошко, за которым зрел рассвет, багрово-синий, как кровоподтек. У нее мелко трясся подбородок, я знал, что она сейчас заплачет. И скажет. Скажет!

Но обет молчания и сейчас оказался сильнее.

— Ничего... ничего... это я от досады... я не то хотела сказать... Не надо было тебе заводить этот разговор...

Мы молчали бесконечно долго, и эта страшная тайна, заполненная нашим напряжением, ее сиплым затрудненным дыханием, душной атмосферой задавленной внутри истерики, сокрушала нас окончательно.

— Никому ничего не надо доказывать, — старательно-спокойно сказала Ула. И от внутреннего клокотания, тщательно стянутого белыми нитками обнаженных нервов, она говорила звенящим трескающимся от перекала голосом: — Никто не хочет смотреть, никто ничего не хочет понимать. И не может.

— К нам это не имеет отношения, — упрямо сказал я.

— Имеет. Мы все, все, все — виноваты!..

— В чем же мы с тобой виноваты? Что мы плохого сделали?

— Мы с тобой — рабы! Жалкие, трусливые рабы. Ты говоришь, что не любишь своего отца и считаешь его сталинским сатрапом. А я почитаю память своего отца, которого я не видела, и помню его как безвинную жертву. Но тебе и в голову не приходило отказываться от своего отца, а я своего отца предала. Кому ты это сможешь объяснить?

— А в чем ты предала своего отца?

— А в том, что я знаю — его убили без вины, без следствия, без суда, и молчу. Молчу. Меня снедает животный страх перед этими бандитами, уголовниками, тонтон-макутами. И я молчу. Все молчат. Всегда молчат. И я молчу.

— Хорошо, а что ты можешь сделать? Прошло почти тридцать лет...

— Да, прошло почти тридцать лет. Ты знаешь, как его убили?

— Их, кажется, убили вместе с Михоэлсом... — неуверенно сказал я.

— А кто их убивал? — прищурясь, спросила тихо Ула.

— Этого никто не знает! Известно, что бериевские головорезы заманили Михоэлса в Минск и там убили. Но кто именно это сделал — не знает, наверное, никто...

— А разве так бывает, Алеша? Головорезы разве от себя работали?

— У нас все бывает! — махнул я рукой.

— Нет, Алешенька, не тешь себя иллюзиями. Так не бывает. Я ведь даже реабилитацию — как другие вдовы и сироты — на отца не получала. Ты это понимаешь?

— Но они не хотели...

— Да-да-да! — прорвалась Ула криком. — Не хотели! Они ведь сказали — моего отца и Михоэлса убили не головорезы из МГБ, а непойманные националисты! Государство к этому отношения не имеет! Не за что извиняться! Не в чем виниться! И не за что реабилитировать — его же ни в чем не обвиняли! Его просто убили... И я с этим согласилась...

Я рванул ее за руку:

— Что ты говоришь? Подумай, что ты несешь! Что ты могла сделать?

— Не дергай меня, у меня нет сил. Я не хотела тебе говорить... Но так уж вышло. Все равно мы заговорили бы об этом когда-то... Не сегодня, так в другой раз...

Меня постепенно заливало ощущение безотчетного ужаса, огромной, как горный обвал, тоски. Я не думал, а сердцем почувствовал, что беда, которую я ждал в томлении и тошнотном оцепенении все последние дни, пришла.

113

Вместе с судьями «ФЕМЕ». Безмолвными страшными вестниками судьбы.

Мы с Улой долго измученно молчали, и она была недвижима, закаменевшая, словно впавшая в ступор. Ее бы лучше не трогать, но и так вот — молча и отчужденно — сидеть было невмоготу.

— Ула, бессмысленно убиваться — ты ничего не могла сделать. И не можешь. Никто не может, — сказал я безнадежно, просто чтобы не молчать.

А она не ответила, глядя остановившимся взором в разжижающуюся ночь. Влажная духота, предвестник завтрашней палящей жары, упаривала нас в своем густом черном вареве.

Ула повернулась ко мне:

— Никто не может, — повторила она и судорожно, длинно вздохнула.

— Ула, ты не согласна со мной? Ты что-нибудь знаешь?

— Знаю, — сказала она тихо, почти шепнула, ее губы еле шевельнулись.

— Тогда скажи мне! Я имею право это знать...

— Зачем? — посмотрела мне в глаза бездонным взглядом Ула — она видела меня, мою жизнь насквозь, ее взгляду в этот миг было ведомо обо мне все: моя генетическая структура, мысли, память, все мои делишки, связи, ничтожность моих копеечных добродейств, бесчисленные навозные кучи повседневного жалкого существования, она видела час моего зачатия, возвышенную глупость моих намерений и пошлую пакость их воплощений. Она знала обо мне все.

— Зачем? — спросила она. — Что изменится? Ты имеешь право. Как и все остальные. Они тоже имеют право. Но ведь не знают. И не узнают никогда...

Я гладил ее заледенелые в нестерпимой духоте руки и шепотом испуганно бормотал:

— Ула, зачем ты говоришь со мной как с врагом?.. Ты — самый дорогой для меня человек... Дороже всех, всего, самого себя... Зачем ты отталкиваешь меня... Давай подумаем вместе... не надо так отталкивать друг друга... у нас больше никого нет.

Лицо ее было затуманено неестественной бледностью и расчеркнуто пополам полосой губ, закушенных, красных, как кошениль, как будто я полоснул по этому прозрачно-белому лицу ножом.

— Я устала от этой жизни, — сказала она шепотом и обессиленно-горько заплакала. По-детски всхлипывая, она приговаривала, давясь тяжелыми комьями слов: — Господи, почему же это все на меня?.. Всю жизнь я мучаюсь... Вот был ты у меня... и это все отравлено... Сколько же может быть потерь у человека... Сколько же мне еще суждено?..

Она оттолкнула мои руки, подошла к раковине и подставила лицо под струю холодной воды, а я метался по кухне, совершенно осумасшедшев, и сбивчиво, нудно, как нищий, повторял:

— Ула, что же можно поделать... Это ведь было как чума...

Ула подняла голову над краном и сказала с болью, но твердо:

— Почему — БЫЛО? Прошло?

— Сейчас хоть не убивают, — сказал я растерянно.

Закрыла Ула кран и, не отирая с лица струек и капель воды, села на свое место и взяла меня за руку:

— Я, видит Бог, не хотела этого разговора. Но коль он состоялся, то послушай меня. Нам нельзя жениться, потому что мы с тобой неполноценные люди. Ты видел монголоидов, детей с болезнью Дауна? Крошечных идиотов, с огромными сплюснутыми лицами, пускающих слюни?..

Я механически кивнул.

— Мы — мутанты, мы все выведены из этой породы. Из нас вышибли память и отняли понятие о достоинстве. Нас не интересует ничего, мы согласны со всем, всегда, только бы не отняли хлебово и не били бы палкой. Мы недоразвитые, плохо воспитанные дети. А детям нельзя жениться. Они нарожают социальных уродов, потомственных счастливых рабов...

— Ты меня ненавидишь? — спросил-ужаснулся я.

Она покачала головой.

— Нет, я тебя люблю. Но не уважаю... Я и себя не уважаю... Рабы не заслуживают уважения...

— Я не раб! — запальчиво, упрямо, глупо закричал я. — Ты меня нарочно топчешь, ты меня сознательно унижаешь!..

Ула скорбно, матерински-сочувственно усмехнулась.

— Зачем? — спросила она утомленно. — Зачем?..

— Затем... Затем... — захлебывался я, и вдруг меня ошеломило открытие, будто кто-то с размаху хлопнул меня доской по башке.

В этот тоскливый пустой рассветный час, когда я понял, что жизнь моя подошла к неодолимому рубежу, что больше не удастся юркнуть к боку, пронырнуть как-то снизу, обежать вокруг или вообще уклониться от решения — как это удавалось мне всю прошлую жизнь, я с ослепительной ясностью увидел для себя выход. Это было сродни возникшей писательской идее — еще неоформившейся, но все равно пронзительно яркой, неодолимо зовущей, как предчувствие весны или нужной строки. Вся

115

моя жизнь была полна трудностей и проблем. И не могу сказать, что она получилась. А если попробовать по-другому? Бог не выдаст — свинья не съест. Даже если меня начнут прижучивать — как-нибудь отобьюсь. Где-то прижмут, но ничего всерьез они мне сделать не могут. Да и как ни крути — все-таки тридцать годков с тех пор оттикало. Что ни говори, а времена сейчас другие.

— Хорошо, снимем сейчас с обсуждения этот вопрос... — сказал я.

— Забудем... — предложила она.

— Нет, не забудем. Пока снимем. И я тебе докажу, что я не раб!

Она ничего не ответила, но высоко поднятыми бровями спросила — каким образом?

— Я попробую раскрутить эту историю, — сказал я окрепшим голосом, в этот момент я себе нравился много больше.

— Ты же сам сказал, что этого никто не знает, — пожала она плечами.

— Я сказал — «наверное, никто не знает». И еще я сказал — попробую.

— Как же ты хочешь раскручивать эту историю?

— Не знаю, мне надо подумать. Что-то придумаю...

Мы снова недолго молчали, и я был маленько разочарован — все-таки я надеялся, что Ула сердечнее встретит мое решение. Но она просто молчала, о чем-то своем думала, потом сказала:

— Лучше бы ты в эту историю не лез...

— Ладно, посмотрим...

Скрипнула сзади дверь, я обернулся, и мне показалось — один крошечный миг — мелко трясется, еще раскачивается воткнутый в дверь огромный нож. Кинжал с черненой серебряной ручкой, весь в ржавчине и зелени.

Вздрогнул — все исчезло. Сумрак. Сквозняк гуляет...

ЧАСТЬ ВТОРАЯ

16. АЛЕШКА. ТРИЗНА

Ко мне пришла печаль. И я запил.

С утра спускался в магазин — на углу, рядом, покупал две бутылки водки, пару плавленых сырков, возвращался домой, походя шуганув от дверей ватного стукача Евстигнеева, запирался, с ненавистью сдирал с себя одежду и валился на диван. И утекали вместе с выпивкой еще одни сутки.

На стуле рядом с диваном стояли бутылки, валялись старые слоново-желтые сырки, сросшиеся с фольгой обертки. И страшный бивень буфетчицы Дуськи, кошмарный трофей, добытый мной из ее пышущей жаром пасти — в предощущении непонятного тайного смысла этого кошмарного амулета.

Выпивал полстакана, вяло кусал сырок, смотрел на устрашающие корни коричнево-серого зуба, потом засыпал тревожным мелким сном, сполошно спохватывался и опять дремал.

Ах, какая печаль навалилась на меня! Ее условились теперь называть депрессией. Господи, да разве это дребезжащее, присвистывающее, жестяное слово может вместить громадный черно-фиолетовый мир печали!

Разве можно назвать депрессией удрученность мира за минуту до начала грозы?

Депрессия, компрессия, экспрессия — тьфу, пропади ты пропадом!

Печаль, говорят, не уморит, а с ног собьет.

Тоска! Тоска! Ее незрячее пронзительно-зеленое око впивается тебе в душу, и мрачное небо скорби и сердечной сокрушенности медленно опускается на тебя, и свинцовая хмурь безрадостности обволакивает, палит сухота во рту от несказанных слов, и болит мозг, бессильный разродиться мыслью, которая принесла бы покой и утешение.

Скорбь о людях и отвращение к себе подступают тошнотой под горло, и все вокруг уныло, ненавистно и безнадежно, как выжженное поле.

Туга-забота сдавила кадык мертвыми пальцами безжалостного душегуба.

Горе. Понуро и обреченно прислушиваешься к чугунному бою похоронных колоколов.

Огорчаешься, что родился на свет. Корчишься в омерзении от прожитого. И в полном ужасе ждешь встречи с Костлявой.

Я — закуклился. Врос в хитинный панцирь своей печали.

Ее отвратительный символ — жуткий Дуськин зуб. Но это не главный смысл амулета. Я вырываю себя из челюсти. Может быть — это? Нет... За окном на Садовой жадно и зло ревут машины. От натужного усердия их моторов пронзительным взвизгом дребезжат стекла в рамах, и этот трясучий вой впивается бормашиной в уши. Зубная мука души. Шофер Гарнизонов повторял всегда — ржа железо проедает, печаль сердце сокрушает...

Шофер Гарнизонов — ведь он, наверное, жив еще, Пашка Гарнизонов. Он возил в Литве отца. Гладкий ладный парень с быстрыми глазами уголовника. Он научил меня ездить за рулем — я еще ногами до педалей еле доставал. Скорость меньше ста Гарнизонов не понимал. Пешком тогда дойти быстрее, говорил он своим лукавым убаюкивающим говорком. И ослепительно улыбался — я уверен, что наш Севка у него научился этой ласковой беззаботной улыбочке. Я один знал фортиссимо этой улыбки, когда он исключительно точно, миллиметровым доворотом баранки, неотвратимо сшибал бронированным бампером зазевавшихся на дороге крестьянских гусей и подсвинков.

Где он? Незадолго до отъезда в Москву отец дал ему звание лейтенанта, чтобы получал офицерскую пенсию, нас добрым словом поминал.

Наверное, ненавидит. Только выросши, я сообразил, что он был обычный бандит, личный телохранитель, он же гангстер, кого хочешь мгновенно застрелит. Сейчас отчетливо всплыло в памяти — между передними сиденьями у него всегда лежал немецкий автомат «шмайсер». Мне дотрагиваться не разрешал: «эта пукалка всегда на боевом взводе».

Чего мне дался этот Гарнизонов? Он разве имеет отношение к Дуськиному зубу? Или воспоминание о «шмайсере» вытолкнуло мысль — как патрон в ствол — об их ночных поездках с моим папенькой по сожженным литовским городишкам и разоренным хуторам? Как ослепительно улыбался, должно быть, Пашка Гарнизонов! Много раз я видел его, как он чистит и смазывает автомат. А может быть, это все мои выдумки.

Выдумки, рожденные моей громадной печалью. Господи, как худо! Солнце еле сочится, потом тоскливый серый дождь, прозрачные перышки облаков тяжелы, как могильная глина, грохочущая по деревянной крышке.

Взять бы бритву. По шее — от уха до уха — вжик! И всему конец. Покой.

...Я учился в первом классе, Гарнизонов возил меня утром в школу. Без четверти восемь, еще совсем темно, свет из кухонного окна отблескивает на коротком штыке солдата у входа в наш особняк. Мороз ужасный, заиндевел металлический щиток «мерседеса», в середине которого ярко горит нежная зеленая лампочка. Гудит истово прогревающийся на больших оборотах двигатель. Гарнизонов ругается сквозь зубы — замерзла в машине печка, батька сейчас даст прикурить! У меня зуб на зуб не попадает, меня от озноба сейчас вышвырнет из моей канадской кожанки — неслыханного и недостижимого шика, нашего трофея из заокеанского ленд-лиза. Гарнизонов хватает меня в охапку и засовывает под тулуп. От шубы пахнет деревней, ядреной овчиной, от него — горьким и приятным запахом зверя. «Погрейся, потерпи маленько, сейчас лампочка погаснет — значит, мотор согрелся, ветром домчимся». Гаснет лампочка, медленно замирает ее протяжный салатовый свет. Поехали. Теплеет в кабине. Только льдом обжигает нечаянное прикосновение к черному злому тельцу «шмайсера». Сон наплывает...

Открыл глаза, когда солнце лениво завалилось за острый гребень крыш. Аспидно-красные тона, горбатый хребет города — затравленный силуэт ихтиозавра.

Налил полстакана и быстро хлебнул, и пролетела водка, как вода, — без вкуса. Только затеплел через минуту туман в углах комнаты, возникла у вещей глубина, стерся вымысел расплющенного мира. Водка вернула еще одно измерение.

Она не может мне вернуть только одного чувства — целостности мира. Аккуратный моток времени с каким-то бесконечно далеким логическим Началом, тщательными неспешными витками Продолжения, приводящими в точное, ощутимое Настоящее, оставляющий в руках кончик пряжи, из которой совьется Будущее — вот этот волшебный моток попал в руки к сумасшедшим, и они долго рвали нити, путали, кромсали, вертели узлы, топтали и замачивали в крови, чтобы сейчас, подсохнув, он превратился в бессмысленный ком разрушенных связей и необъяснимых событий.

Почему убили Михоэлса?

Бессчетно задавал я этот вопрос себе и своим знакомым. К счастью, Ула никогда не узнает, и это не сможет оскорбить ее, но меньше всего я интересовался ее отцом. Из-за него — если так можно сказать — я затеял всю эту историю, но понять, разгадать, узнать что-либо о нем можно будет только в поисках ответа на причины гибели Михоэлса.

Дело в том, что Моисей Гинзбург был маленьким еврейским писателем и журналистом, завлитом ГОСЕТа. Литератор моего калибра. В бушевавшей тогда над страной грозе его смерть прошла просто незамеченной, а интересоваться его судьбой теперь можно было с тем же успехом, как если бы я надумал искать щепку, унесенную ураганом.

Но он погиб вместе с Михоэлсом. И это обстоятельство вдохновляло меня, когда я обещал Уле раскрутить всю историю.

В послевоенные годы не было среди евреев фигуры, равной Михоэлсу по международному авторитету, никто не мог сравниться в масштабе предпринятой им культурной и просветительской деятельности. Да и что говорить! Это была личность такого размера, что Берия не рискнул объявить его просто врагом народа, а приказал потихоньку убрать уголовными приемами.

И я был уверен, что остались люди, которые так или иначе были прикосновенны к его жизни, к его истории, к его гибели.

Но моток времени был уничтожен окончательно. Люди ничего не знали. Или не помнили. Или не хотели говорить... В комнате быстро смеркалось. В коридоре глухо топотал своими подшитыми валенками Евстигнеев, без отдыха бубнил, бурчал, ворчал, с пришедшими соседями неумолчно сварился.

В бутылке еще сумрачно мерцало больше половины. Наливать сил не было — прямо из горла хлебнул, два больших жадных глотка рванул. Ничего — и темный стаканчик в голову бьет. С дивана мне виден был сейчас за окном лишь ломаный краешек крыш и огромный скат неба, залитого темно-малиновым полусветом, а комнату заливали потемки густым тяжелым варом. Тепло шумела в крови водка, сквозь дребезг стекол и вой машин я слышал влажное чваканье клапанов тугого насосика в своей груди, который сразу же сбавил ритм, притормаживал и срывался в бешеный бой, как только я вспоминал лица людей, которых я расспрашивал о Михоэлсе.

Тут, конечно, надо принять в разумение, что совсем мало историй в богатом прошлом отчизны окружены такой смутной известностью, такой легендарной недостоверностью, столь плотной завесой лжи, нелепых выдумок и сознательно перепутанных клочков информации.

Смерть Михоэлса окутывает непроницаемая тайна. Официальное сообщение в три строки о том, что в Минске погиб Михоэлс — председатель Комитета по Сталинским премиям. Государственные похороны по первому разряду. На панихиде министр культуры Фадеев сказал: Михоэлс был художник, осиянный славой, величайшей славой, выпадающей на долю немногих избранных.

Но Фадеев, заметивший в надгробном слове, что имя Михоэлса будет долго, быть может, века, живо для всех, кому дорого искусство, уже тогда знал наверняка то, о чем вскоре стали шептаться немеющими от ужаса губами: Михоэлса убили не бандиты-националисты. И потому все его дела, свершения, замыслы, надежды, само его имя подлежало уничтожению, распылению, изглаживанию из людской памяти.

Очень скоро закрыли созданный и прославленный им ГОСЕТ, разогнали газету и издательство «Эмес», убили ближайших его соратников, арестовали друзей, родственников, глупо ошельмовали в газетах и приказали забыть.

Подвергнуть забвению. Михоэлса не было.

Людям велели забыть. И они забыли...

Мреют тени по стенам, на потолке прыгают отблески автомобильных фар, ревут на Садовой железные зверюги.

Еще глоток, мне необходим еще один короткий взрыв спирта в крови. Я замерзаю в духоте. Как разбивающиеся льдины, дребезжат стекла в окне.

Все забыли. Никто не уклоняется от предписанной линии поведения.

Они не виноваты. Это уже генетическая идея поведения. Миллионам людей целые десятилетия кричали: «Шаг в сторону считается за побег — конвой стреляет без предупреждения!» Никто больше и не делает шага в сторону. Никто и не думает на шаг в сторону. Это система мышления, это линия подчинения.

Шаг в сторону считается за побег.

Размышления о смерти Михоэлса считаются за побег.

В последние годы о нем вышли две книги. Там есть его избранные статьи, там есть о нем статьи, там есть его биография. Только о смерти его там ничего нет. Шаг в сторону. Да это и понятно — человека ведь не замели, не воткнули ему десятку без права переписки и потом не реабилитировали. Объясняй теперь про непонятную трагическую гибель, ищи виновных, рассказывай сейчас о том, что и бериевские ребята орудовали не хуже чикагской мафии. Это все не из нашей жизни, не для наших людей. Не их ума дело. Это шаг в сторону.

И все мои знакомые артисты, писатели, журналисты, которых я спрашивал о Михоэлсе, удивленно пожимали плечами: а зачем тебе это?

Шаг в сторону. Подконвойная манера мышления. Господи, я ведь их не сужу — я и сам такой же!

Кое-кто с воодушевлением говорил мне шепотом: «Я вам все расскажу об этой истории!» Оглядываясь по сторонам, вполголоса пересказывали мне библиографию прочитанных мною сборников о Михоэлсе, разбавленную парой сплетен о бабах, с которыми путался при жизни великий актер. А как умер? Его убили в Минске. Кто? При каких обстоятельствах?

Руки за спину, ни шагу из строя, зырк-зырк, налево-направо, одними глазами — туда, наверх:

— Говорят... они... эти... Но точно никто не знает...

Да, слишком долго стреляли без предупреждения. В их перепуганно прижатых ушах все еще гремит эхо беспорядочных залпов. Шаг в сторону считается за побег. И я их не сужу.

Жена и две дочери Михоэлса. Они не знали обстоятельств и убийц, так же как и все остальные. Но они знали наверняка бездну деталей, которые меня могли направить на нужный след, вывести на сведущих людей. Семья Михоэлса пережила такой смертный ужас, что конвойные команды и угроза стрельбы уже не имели над ними власти.

Только помочь они уже не могли, ибо шаг в сторону ими был сделан. Они уехали в Израиль три года назад.

Круг замкнулся. Ко мне пришла печаль. И я запил.

Тяжело, с трудом сполз с дивана и проковылял к окну. Тусклые огни светили в палатах института Склифосовского. Открылись боковые ворота этой бездонной больницы, и выехала длинная машина «скорой помощи».

В коридоре за дверью соседка Нинка обругала матом Евстигнеева. Он чего-то гугнил занудно, а она ему выкрикивала: «Ах ты, старый пидарас!»

Я вспомнил почему-то, что покойник Хрущев так же ругался на выставке художников в шестьдесят втором году. «Жулики вы, пидарасты!» — кричал он авангардистам, очень обидевшим его непонятностью видения мира.

Шаг в сторону.

Никогда и ничего не поймут про нас, про нашу жизнь люди, не ходившие в жизни ни разу строем, руки назад, шаг в сторону считается за побег. В окружении овчарок, надроченных рвать живых людей на мясо. Мы для них всегда искаженный образ. Или абстракция. Обычный человек не в силах представить себе бесконечность. Обычный западный человек не может представить, как Кеннеди, с багровой от ярости лысиной, топает нога-

122

ми на перепуганных художников, обкладывая их американской матерщиной. У них, наверное, и матерщины-то настоящей нет.

Все пустое. Стреляют без предупреждения.

Из ворот больницы выкатилась еще «скорая помощь», за ней другая, потом третья, потом сразу несколько. Они протяжно подвывали сиренами, разгоняя поток встречных машин, пока не переключили светофор, импульсные фонари беснoвались на крышах оранжевыми языками пламени. Куда они?

Все пустое.

Я уселся на теплый камень подоконника, глотнул из бутылки, и у меня в черепке будто фонарик просверкнул. И снова погас.

Выезжали и с пронзительным визгом уносились прочь по Садовой в сторону Красных ворот машины «скорой помощи» с пугающим просверком кричащих на крыше фонарей. Куда, на какое невиданное бедствие мчались они?

От ужаса прижмуривались светофоры, с истошным скрипом тормозили на перекрестках автомобили, пропуская мчащиеся кареты с красным крестом.

Наверное, разбился самолет. Или сгорел высотный дом. На Курском вокзале столкнулись электрички.

По улицам катился жаркий бензиновый ветер. Засмурнели, медленно разгораясь сиреневым пламенем, фонари.

Еще прокатили две машины с крестами.

Я глотнул остаток из бутылки. Натянул тренировочные брюки, мятую рубаху. Вдел ноги в сандалии, как в стремена, поскакал пьяный любопытный всадник — две ляжки в пристяжке, сам в корню.

Захлопнул дверь и еще слышал хриплое злое подвизгивание сирены. Мне надо было на улицу, мне обязательно надо было узнать — куда они все едут?

Где-то приключилась беда гораздо больше моей печали.

У подъезда скромно и оробело притулился запыленный «моська» — ему был страшен этот исход белых крикливо ревущих машин, перечеркнутых красными крестами.

Я шел поперек улицы, через перекресток к боковым воротам больницы, откуда выезжали санитарные машины, и вокруг меня вздымались клубы ругани тормозящих аварийно шоферов, с шипением скрежетали по асфальту баллоны, гремели завывающие моторы, в стеклах огибающих меня лимузинов мерцали сиренево-синие отсветы фонарей, красные дымящиеся бульбочки светофоров, полоснул этот гам скребущий прочерк далекого милицейского свистка...

Но я уже перекрыл выезд из ворот растопыренными руками и криком:

— Что случилось?

Шофер белой долгой машины удивленно шевельнул моржовыми усами:

— Ничего не случилось. Пройди с дороги, дай проезд...

— Куда вы все едете? Что произошло?

— Да сегодня квартал кончается. А талоны на бензин только к вечеру дали. Вот все и погнали заправляться. Да уйди ты с дороги!..

Рявкнул сиреной и умчался, шваркнув в меня мусор из-под колес. Зря я водку допил. Плюнул и пошел домой.

На двери нашей квартиры была прикреплена рисованная табличка: «Квартира № 5 борется за звание жилища коммунистического быта». В приступе бессмысленной злобы я стал срывать ее, но ничего не получилось, только пальцы искровенил — Евстигнеев прикрепил ее на совесть.

Оттуда — из бурлящих недр будущего быта — доносились звуки братоубийственной свалки. Соседи отворили дверь, и в лицо жарко пахнул суховей их ненависти. Ежевечернее кухонное Куликово поле.

Нинка была уже здорово под киром — я сразу ощутил это волшебной индукцией, возникающей между пьяными. Она сидела, развалясь, на перевернутом стиральном баке и держала на своих толстых коленях Кольку и Тольку, двух неотличимых ребят-погодков. Ее ребята были удивительно похожи друг на друга — по-настоящему удивительно, если учесть, что они были не похожи на нее, зато от разных отцов.

Нинка благодушно ругала матом Евстигнеева, а ее пацаны с хохотом повторяли ругательства своими толстыми неловкими языками.

— Шкура солдатская! — орал багровый от ярости Евстигнеев. — Пришел конец твоим бесчинствам! Завтра же! Завтра! Уконтропуплю тебя! Милиция меня знает! Они мне поверят! Посажу тебя! Шваль! Подстилка лагерная! Шалашовка!..

— Курва! Сука байстрючная! Мать у тебя была курва! И сама ты курва! И дети твои будут курводы! — вторила ему жена Агнесса Осиповна, черная, высохшая от злости ведьмачка.

Иван Людвигович Лубо, бросив на плите пригорающие котлеты, поочередно вытирал о брюки измазанные в фарше и жире руки и прижимал их к ушам:

— Господи! Что вы говорите при детях! Одумайтесь! Сами себя не стесняетесь, так хоть детей посовеститесь!..

124

— А ты, телигент хренов, не суйся, а то и тебе достанется! — лениво, со смешком отвечала Нинка.

— Вот! Слышите, гражданин Лубо? Слышите? Завтра свидетелем будете! Я ее посажу завтра! Мы с ней в другом месте поговорим!

— Нигде я вам ничего свидетельствовать не стану, почтеннейший, — бросил сухо Лубо и стал быстро переворачивать на сковородке котлеты.

А я стоял в дверях кухни и смотрел на них в тупом оцепенении.

Нинка стряхнула ребят с колен, как крошки, встала, накатила на Евстигнеева пышную грудь:

— Ой, напугал до смерти! Поговорит он со мной завтра! Так ты...

— Нина Степановна, умоляю вас — здесь дети, — с мукой завыл Лубо.

А она только махнула в его сторону рукой.

— Ты со мной сейчас поговори! — грозно сказала Нинка. — Я тебя слухаю...

Повернулась к Евстигнееву спиной, резко нагнулась и задрала юбку, выставив кругло-белую двойную подушку задницы. Евстигнеев замер, алчно вперившись в бездонный развал мучных ягодиц, очерченных алым кругом от донышка бака.

— Караул! — всполошно заорала Агнесса Осиповна. — Шлюха! Шланда вокзальная! Караул!

Евстигнеев онемел, жадно глядя на пухлое седалище, которого наверняка у Агнессы и в молодые-то годы не было, он буквально впитывал в себя глазами все рыхлые ямки Нинкиных окороков, и взор его изнеможенно прилип к плавной вмятинке над копчиком.

— Что глазеешь, кобеляка старый? — надрывалась Агнесса.

— Господи, непотребство какое! При малых детях! — бормотал Лубо, скидывая котлеты на тарелку.

И Евстигнеев, завороженный этой мясной гитарой, молвил наконец слово, и было оно озарено чувством, как молитва. Он сказал торжественно и тихо:

— Жопа...

А Нинка с хохотом распрямилась и сказала Агнессе с вызовом:

— А ты, саранча сушеная, чем меня лаять, отдала бы лучше своему пердуну облигации...

Это был безоговорочно точный удар. Сколько я живу в этой квартире, столько идет война у Евстигнеева с женой из-за облигаций. За годы службы в конвойных войсках на севере он накопил тысяч на пятьдесят облигаций — это по-нынешнему тысяч пять. И Агнесса их надежно упрятала от него. Каждый день они ругаются и дерутся. Евстигнеев грозит зарубить ее топором, потом стоит на коленях, потом просит отдать ему хоть часть, потом плачет. Агнесса несокрушима. Две огромные страсти владеют ее окаменевшей душой — любовь к этим накрепко заныканным облигациям и ненависть к евреям.

— Не твое собачье дело! — крикнула она и, завидев крадущуюся на кухню за чайником Ольгу Борисовну, переключила внимание уже изготовившегося к атаке супруга: — Вот жиды! Целый день шкварят-парят русские продукты, а сами ждут не дождутся, как Израилю продать нас за свою мацу...

Нинка засмеялась:

— Они хоть и евреи, но все равно вас, злыдней противных, приличней будут.

Ольга Борисовна, не оглядываясь по сторонам, вжав голову в плечи, юркнула к плите. Лубо горестно воскликнул:

— Стыдитесь! Вы же советские люди!

Я вышел на кухню и тихо приказал:

— Нинка — домой! Вы, скорпионы, — марш в нору! Больше чтобы я звука не слышал. Если ты меня, Евстигнеев, разбудишь своим квохтаньем, я тебя на улицу вышвырну. Понял?

И отправился к себе в комнату. Они доругивались шепотом.

А я лег на диван. За окном похрипывали возвращающиеся с заправки «скорые помощи». Сумасшедший дом. Чудовищные люди. Василиски. Нежить. Бездарная монстриада.

Ослепшие от постоянного ужаса Довбинштейны.

Кастрированный интеллигент Иван Людвигович. Его жена Люба, загнанная жизнью до состояния тягловой лошади. Зачем живут? Чего хотят дождаться? Увидеть, что их две дочки выросли и повторили их бессмысленный подвиг самоуничтожения? Иван Людвигович учит девочек музыке. В их тесноватой комнате стоит пианино. Покупали мучительно, расплачивались несъеденными обедами. Пианино одето в серый холщовый чехол, застегивающийся кальсонными пуговицами. Поиграв гаммы, девочки натягивают чехол. Пугающий символ бесцельных усилий и неоправданной бережливости.

— Облигации! Облига-аци-и-и! — пронесся в тишине страдающий заячий вопль Евстигнеева, и снова все смолкло.

Рявкнула за окном сирена «скорой помощи» — они все ехали, мерцая своими пульсирующими фонарями. Развозили по городу неизбывную беду общего идиотизма, всеобъемлющей бессмыслицы.

Потом прошаркала в уборную Агнесса, и глухая шаркотня ее тапок сливалась с бормотанием: «Жид... жиды... жид...»

Я ведь ничем не отличаюсь от своих соседей, от всех этих прохожих на улице. Безумных жителей розово-голубой земли счастья. Слипались глаза, наплыла сонная муть, баюкала, качала меня комната, как огромная грязная люлька, и прыгали по стенам пятна света, натужно-ровно гудели машины за окном, и бликовали в стекле мутные огни неоновой рекламы. Я почти спал. И вдруг вскочил — толчком, уколом возникло воспоминание о колонне мчащихся машин «скорой помощи».

...На исходе ночи 5 марта 1953 года озверевший от горя московский люд прощался с Великим Отцом. Я уже был большой мальчишка, я хорошо помню охватившее всех чувство растерянности. Умер Усатый Батька. Как обычный человек, как любой паршивый старик, вдруг окочурился Великий Идол, могучий и вездесущий, как бог, и злобно-лукавый, как дьявол.

Он же ведь бессмертен?!

Он возник раньше пределов памяти народа, победил всех врагов внешних, разгромил всех внутренних, осчастливил население, которое и должен был ввести в сияющие врата коммунизма. И пребывать с нами навеки. И вдруг какие-то странные неуместные слова — кровоизлияние, коллапс, в последние годы страдал...

Разве бог, а он был настоящим божеством новой религии, разве он мог страдать от каких-то плотских немочей? Разве у него была плоть, подверженная старению? Разве боги смертны? Ведь если думать об этом, можно дойти до кощунственной мысли, что он носил грыжный бандаж? Господи, прости и помилуй! И — клизмы?! Можно додуматься до такого вздора, чтобы назвать его — в неполные-то семьдесят четыре года — стариком?

Если бы за неделю до смерти кто-нибудь прилюдно назвал вождя стариком, ему бы даже десятку не навесили. В связи с очевидным сумасшествием посадили бы в желтый дом.

Но под апокалипсические раскаты «Итальянского каприччо» (часть первая), под грозные аккорды Бетховена и рыдания Шопена — никогда не ошибающееся радио устами своего еврейского дьякона Левитана обнесчастило весь наш героический и трудолюбивый народ, сообщив, что Чертов Батька подох.

Горе нам! Осиротели навек.

День павшей бесовщины. Сатанинский исход. Чертова тризна.

127

Освобожденные от работы и учебы люди в этот час растерянности, испуга, утраты надежды и веры в бессмертие зла повалили к Колонному залу, где возложили на курган из лент и венков маленького, рыжеватого, рябого старика, прижмурившего свои страшные желтые глаза людобоя.

В полдень перекрыли Садовое кольцо. Через час остановилось все движение.

Служащие, студенты, школьники, окраинные жители и обитатели пригородов рвались огромной неукротимой толпой в центр, чтобы одним глазком хотя бы взглянуть на смердящую кучку усатого праха, еще вчера безраздельно владевшего их жизнями.

Был мартовский серый день, оттепельно влажный, слепой от низких туч, расчерченный черными штрихами тяжелого вороньего пролета. Накануне пал обильный снег, и сотни тысяч мокрых ботинок, сапог, валенок, галош истоптали его в глубокое водяное месиво.

Ветер нес с юга пронзительный запах сырых деревьев, прошлогодней травы, оттаивающей земли. И крови.

Первые убитые появились к вечеру. По всем радиальным улицам — Горького, Петровке, Неглинке, Пречистенке, Остоженке, из-за Москворечья — накатывал в центр бушующий крикливый вал спрессованных, как в очереди за мясом, возбужденных, подвыпивших людей. Говорят, их собралось около трех миллионов. А в двери Колонного зала входило каждую минуту шестьдесят человек.

Милицейские заслоны толпа унесла мгновенно, растворив в себе их заградительные цепи. И пришла на помощь наша родная освободительница и защитница — армия.

Грузовики и бронетранспортеры перегородили улицы уже на последних рубежах перед Охотным рядом. Еще свежи были воспоминания о военной стойкости и подвигах на подступах к сердцу Родины, и сейчас они показали себя достойными мужества отцов.

Медленно, неотвратимо двинулись военные машины встречь хода толпы, чтобы выжать народ из примыкающих к правительственному центру улиц. Конец людских колонн во многих километрах от начинающегося противостояния, ничего не зная о нем, продолжал расти и яростно переть вперед.

Чудовищный раздирающий уши вопль несмолкаемо понесся над серым напуганным городом. Так кричат убиваемые вместе люди. Я слышал этот крик на Рождественском бульваре. Я видел, как стали давить людей.

На семи холмах стоит Москва. Под каждым из них брызнула струей кровь — с оголовков неостановимо катила вниз человечья лавина, с ревом и дикими ужасающими криками давя в фарш о борта армейских грузовиков стоящих впереди.

Все в ужасе отталкивались от страшного края — вынесенных вплотную к борту мгновенно давили в лепешку, и от этого самоспасительного стремления увернуться толпа кипела и кружилась на месте, раскачиваемая короткими отливными паузами, и в эти краткие миги, когда толпа перестала напирать сверху, люди у среза своей жизни начинали истерически бить руками, ногами, рваться всем телом, стремясь на метр, на два отпихнуться, отпереться, отодвинуться от залитых кровью автомобильных бортов. Солдаты в кузовах хватали стоящих под ними людей за руки, за волосы, как утопающих, и тянули наверх, но тут же наваливал следующий прижим — уже висящего в воздухе с треском вламывали в железо, и над Трубной площадью вздымался новый шквал криков, рыданий, стонов, звериного завывания.

Я с тремя семиклассниками оказался чуть ниже Рождественского монастыря. Обезумевшая от боли и ужаса орава граждан носила нас в себе, турсучила, душила, била, ломала, прессовала. Мольбы заглушались громким, ясно слышным всем хрустом костей.

Сначала мы старались держаться вместе, но скоро нас разбросало, и каждого понесло в свою сторону. Мы были утопающими в море страха и ненависти. Наверное, так ведут себя люди, старающиеся вырваться из трюмов уже торпедированного корабля. Кто-то сумел резко подпрыгнуть, подтянуться, вскочить соседям на плечи и побежать по плотному массиву голов, но не добежал немного до бульвара, рухнул, и его мгновенно с мокрым чваканьем затоптали.

Забыли о детях, о женщинах, стариках — накопленный за годы царения Идола инстинкт выживания в одиночку вырвался на просторы города, как чума.

Какой страшный рыдающий рев клубился над нами! Сзади стреляли холостыми патронами или в воздух — не знаю, впереди гудели сигналы военных грузовиков, истерически визжали убиваемые женщины, из уличного громкоговорителя гремела похоронная музыка, раздавался далекий жуткий утробный вой машин «скорой помощи», не могущих даже приблизиться к бедствующим, ожесточенный мат, проклятия, жалобный плач.

Оторванная голова мальчишки, затоптанные в грязной жиже тела, серые комья мозга на передке бронетранспортера, потеки крови на стенах.

На мне уже живого места не было, а толпа все кружила меня в своем рычащем чреве, и когда я повернулся в очередной раз вокруг себя, то увидел, что в шаге от меня, через два человека, — фонарный столб. И обозначал он мою смерть.

Через секунду или через минуту начнется новое сжатие — и меня расплющит о чугун столба вдребезги. И от меня ничего не зависело — я и шевельнуться не мог, сдавленный со всех сторон людьми.

Я закричал изо всех сил: не хочу! не хочу! И будто толпа — немая, глухая, безумная — послушалась меня. На одну секунду она разалась на волосок — я сбросил с себя пальто, взмыл выше, меня подхватил какой-то рослый моряк и передал в чьи-то руки в растворенном окне бельэтажа. Я ввалился в кухню и только тут заметил, что я босой — ботинки потерял в толчее и, промокший до пояса, не замечал холода. И тут облегченно заплакал.

Домой я попал ночью и до утра стоял у окна, глядя, как мчатся бесчисленные машины «скорой помощи».

Потом пришел отец, и я слышал, как он тихо сказал матери:
— В городе ужас. Около двух тысяч убитых. Жалко. Синилова, наверное, снимут.

Приятель отца, одутловатый генерал Синилов был комендантом Москвы...

А на улице сыто похрипывали, круто вскрикивали сиренами — мчались «скорые помощи»...

Я снова стал погружаться в дремоту, и последняя мысль была отчетлива — меня сохранил тогда Бог на прощальной тризне людореза для важного свершения.

И снились мне в первые мгновения сна кусочки моего романа — герцог Альба принимает ванны из детской крови, надеясь продлить свою жизнь.

И великий Сатрап в посмертной кровавой купели...

И горестно качающий головой отец:
— Эх-ма! Какой великий человек был! Видать, правду говорят — и всяк умрет, как смерть придет...

17. УЛА. ПУСТЫРЬ

«Когда тебе невыносимо, не говори — мне плохо. Говори — мне горько, ибо и горьким лекарством лечат человека».

Я часто слышала эти слова от тети Перл, которая запомнила их как любимое присловье нашего деда. А дед слышал их от старого цадика рабби Зуси.

Умерла тетя Перл, задолго до моего рождения немцы повесили нашего деда. Исчезла память о жизни и мудрости старого рабби с ласковым именем маленькой девочки — Зуся.

Я хожу по домам, подъездам, квартирам и на пыльных лестницах, перед бесчисленными дверями нажимая кнопки звонков, теснясь сердцем, утешаю себя мудростью пропавшего в омуте времени цадика Зуси — я говорю себе: мне горько.

Участвую в важнейшем политическом мероприятии — избирательной кампании. Я — агитатор. Мой участок — три длинных пятиэтажных барака, заселенных рабочими семьями с одного большого завода.

Где вы, добрые и простовато-мудрые Платоны Каратаевы? Где вы — ласковые Арины Родионовны? Куда вы попрятались, буколические дедушки и бабушки, благодушные пасторальные люди?

Зачем вы кричите на меня:

— Ботинки сыми! Куда на паркет поперла!

Я ведь вам не желаю зла — я просто боюсь Педуса.

Я только хочу вам отдать приглашения в агитпункт...

— Ходють и ходють цельный день, пропада на вас нет, дармоеды, — с чувством говорит мне рубчато-складчатая крепкая бабка. Глаза у нее — тыквенные семечки.

— Бабушка, я не дармоедка, — зачем-то оправдываюсь я. — Я после работы пришла.

— К мужикам бы шла, коли делов после работы нету...

Эх, бабушка Яга, дорогая старушечка, не объяснить мне тебе, какая бездна дел у меня, и не понять тебе, что, направляясь сюда, я и думать боюсь о мужиках, ибо стоит за их спиной страшной тенью главный мужик, истязатель, стращатель и насильник — Пантелеймон Карпович...

А в соседней квартире жилистый мужичок с впалыми висками говорит мне душевно: чё ж ты торопися, голубка, присядь, побалакаем, лясы поточим, про политическую положению в мире все обсудим, время есть у нас — мы-то, пенсионеры, люди неспешные, свое отбегали, времечко отторопили...

Угощает меня чаем, я отказываюсь, он беседует про политическую положению, объясняет мне важность агитации и пропаганды на современном этапе, подчеркивает, что в отличие от буржуазной машины голосования с ее продажностью, грязной погоней за голосами, уголовными аферами претендентов и лживыми заигрываниями с избирателями у нас все наоборот. Во-первых, все по-честному...

131

Он прав — все по-честному. И я только не могу понять, сознательно он издевается надо мной, верит ли действительно в идиотизм своего пустословия или он меня провоцирует. Дурман плотного абсурда заволакивает мозг. Дурь, шаль, блажь затопили низкие берега реальности.

— И-э-эх! — протяжно горюет он. — Времена чегой-то переменились! Раньше выборы как праздник были. Помню, при Сталине еще, соревнования между избирательными участками были — у кого раньше полностью весь народ отголосует. Бывалоче — зима, мороз разламывает, шесть часов утра — темнота еще на улице, карточки хлебные не отоварены, а уже трудящиеся дожидаются у дверей — первыми бюллетень опустить. Дисциплина, понятное дело, — кто часов до десяти-одиннадцати не проголосовал, тех на бумажечку, и список — куда надо...

Забыли все хорошее слово — нисенитница. Дичь, чушь, вздор, нелепица. Вкус белены на губах. Шум в ушах. Все плывет в глазах. Его впалые виски ублюдка превращаются в ямы. Это уже не голова. Голый череп. С сивым оскалом железных зубов.

Щелкают железные зубы черепа, вяло шевелится за ними толстая тряпка языка:

— У нас народ хороший, но дисциплины не знает. Оттого — вор. Я-то знаю — почитай всю жизнь в вохре прослужил. Я те на улице любого человека взглядом обыщу, сразу скажу — вот этот ворованное прет! Опыт имеется. Щас труднее стало — срам потеряли совсем. Несет ворованное, нет в нем острастки, и совесть его не гнет — шагает как полноправный. Так эть и не диво — все щас чего-нибудь воруют!

В пустых глазницах тлеют мутные огоньки — мусор догорает.

— Не помнят старых заслуг нам! Эх, доченька дорогая, знала бы ты, сколько у меня грамот да поощрений! А кому это интересно? Кто щас вспомнит мои подвиги? Я в прошлые годы сам-один, наверное, целый лагерь укомплектовал расхитителями с производства! Как огня боялись — пусть он хоть в толпе хоронится или через забор нацелится, на задние ворота метнется, я его везде глазом высеку — подь сюды! Догола раздену, а краденое сыщу! Не повадься воровать — вот те семь лет на учебу! А щас что? И-э-эх!

И стал он сразу сморщенный, маленький. Досадный промах творения. У него было высокое предназначение гончего пса, сухого злобного выжлеца, а досталась ему доля мерзкого, всем противного сторожевого человечишки.

— У нас народ хороший, но дисциплины не знает... — горько повторил он.

Воспитателями героев были кентавры — могучие и мудрые люди-кони. Образцом мудрости и героизма для подрастающих наших героев стал собакочеловек — слившиеся в пугающее единство пограничник Карацупа и его пес. Кентавр Хирон взрастил бесстрашного Ахилла, хитроумного Ясона, Эскулапа. Погранпес Индокарацупа вскормил собачьим выменем Павликов Морозовых.

У нас хороший народ, а дисциплину он знает лучше всякого другого. Только этим можно объяснить, что никто из этих здоровых ребят-работяг, которых он истово и неукротимо ловил на проходной, за заборами, у задних ворот, не ударил его отнятым наганом во впалый висок, не сжал эту веревочно-жилистую шею, а послушно уходил в каторгу на семь лет. Они были согласны, они боялись. Как боюсь его я.

Я мечтаю встать и уйти, но боюсь шевельнуться, чтобы в нем не полыхнул дремлющий инстинкт выжлеца, чтобы не помчался за мной с хриплым яростным лаем, не вцепился сизыми железными зубами, не начал рвать меня и злобно ужевывать мое тело, распустив на лохмотья, спустив с меня платье, догола раздевши — а-а-а, краденое нашел!

Ах, черт возьми! Исповедуем ерунду, слушаем вздор, верим вымыслу, видим нелепость, говорим дребедень, разбираем чепуху, вдыхаем дурноту, выдыхаем тошноту.

Дичь. Чушь. Гиль. Нисенитница.

А тут телефон зазвонил, бросился выжлец к аппарату кривой иноходью, вдавил трубку в яму на виске, повис на шнуре, голос дал, повел гон пронзительно, на визге взлаял, слюной кислой брызнул. Обо мне забыл. С придыханием, неутомимо гнал кого-то по следу — «общественность не потерпит... мы, домком, их породу знаем... выселять будем... по милициям загоняем...»

Бочком, тихонько, на цыпочках пошла я к двери, благополучно выбралась. И в соседнюю квартиру. Как они похожи, эти квартиры! Нигде не вкладывается столько страсти в жилье — нигде оно не достается такой чудовищной ценой. На получение квартиры уходит вся жизнь, и ее обретение — главная веха нашего бытия. Квартиры неудобные, перенаселенные, очень тесные — в нее нельзя внести шкаф и нельзя вынести гроб. Я видела однажды, как припеленывали к гробу полотенцем покойника и несли его стоя по лестницам. Это было впечатляющее зрелище — стоящий и слегка покачивающийся, будто пьяный, покойник.

И лакированный паркет. Обычный буковый или сосновый паркет циклюют, шпаклюют, морят, лакируют, полируют. И больше никогда по нему не ходят в обуви. Ни хозяева, ни тем более гости. Ходят в носках или босиком.

Гости рьяно, с остервенением сдирают с себя в прихожей обувь. Если не спешат — хозяева твердо предлагают. Этот ортопедический нудизм приводит меня в ужас. Но все согласны. И гости согласны. Поскольку завтра в качестве хозяев будут принимать у себя босых, разутых гостей. Разутые гости, босяки хозяева. Все согласны. А может быть, я преувеличиваю? Может быть, я сгущаю краски и нарочно раскаляю свои чувства? Может быть, во всем мире все люди согласны ходить в гостях, при детях и дамах, в носках? Может быть, нетронутость лакированного паркета дороже? Может быть, в его зеркальной ясности, в желто-медовом ровном отсвете таится какой-то непостижимый мне культовый смысл?

Или это все тот же яростный отблеск абсурда? Может быть, это его законченный сияющий лик? Может быть, это икона абсурда, которая по законам бессмыслицы не висит в красном углу, а лежит под ногами, ласкаемая мозолистыми пятками и ношеными носками? Не знаю. Устала. Не могу больше...

18. АЛЕШКА. ЗАТОПЛЕННЫЙ ХРАМ

— Вставай, вставай, просыпайся, лентяй, поднимайся, лежебок! — тряс меня за плечо, срывал с меня одеяло Антон.

А я отбивался, глубже зарываясь в постель, потому что я помнил со сна — я закуклился. Даже Антона я не хотел видеть, потому что меня покрывал сласительный, хранящий меня от полного разрушения хитиновый панцирь одиночества и ненавистнической ко всему миру печали.

Я хотел бы видеть только Улу. Но этого позволить я себе не мог.

Если бы можно было лежать с ней здесь или у нее дома — молча, не открывая глаз, не глядя ей в лицо, а только слыша ее рядом! Главное — не видеть лица. Не видеть себя в ее глазах.

Я не могу смотреть на себя в зеркало во время бритья. Он — тот за стеклом, на серебристой пленке амальгамы, — мне противен. Мне хочется харкнуть ему в худую злобную рожу с опухшими глазами. Этот тип мне надоел до смерти. Он — не я, маленький, добрый, смешной человечек, мечтающий спать на руках у Улы, прижавшись к ее теплой мягкой груди.

Сволочь, трус и хвастун. Вечно кривляющаяся, что-то изображающая обезьяна. Прихлебатель, говно и бездарный завистник. Как он мне надоел, Господи!

Я не могу прийти к Уле — к ней сейчас может возвратиться только он. Он, гадина, останется в ее памяти, а не я.

Оставь меня в покое, я хочу жить в своем жестком гремящем панцире. Не скребитесь по его непрочному хитину. Дай, Антон, поспать, иди к черту, отстань от меня. Я — коренной зуб в Дуськиной челюсти, не рви меня клещами наружу, я хочу болеть — в тепле, в тишине, в темноте.

А он волок меня за ноги с дивана, тормошил грубо:

— Поднимайся, просыпайся, алкаш несчастный, я сейчас повезу тебя прекрасно жить!..

Отстань, Антошка, не тряси меня, гад, я закуклился. Я куколка, из которой не вылетит бабочка, а выползет гусеница. Я — контрамот, я двигаюсь по времени в обратном направлении, я вживаюсь в прошлое, я знаю, что нет никакого будущего, я хочу развиваться до вечера.

Оставь меня. Я — уродливый зуб на четырех корнях.

По веселому голосу Антона, по крепкой упругости его горячих огромных ладоней я чувствовал, что у него очень хорошее настроение, что на улице — солнце, что он приготовился жить действительно прекрасно.

Он сдирал хитин моего панциря, как присохший струп на поджившей ране, и мне было это болезненно, щекотно и все-таки приятно.

Я открыл глаза и сказал ясно:

— Прекрати меня трясти! Иди в жопу! Я уже проснулся...

— Вот так бы давно. Быстрее одевайся, мы едем.

— Куда?

— В баню. Я сегодня вечером уезжаю. Провожать меня будем...

Да, я совсем забыл — сегодня Антошка уезжает в отпуск, он ведь мне говорил на днях. Он был весел и готовился к заслуженному отдыху в правительственном санатории в Сочи. Миновал испуг и душевное смятение, его остолоп Димка, видимо, был в порядке, трахнутый папка Гнездилов со своей засранкой-дщерью получил кооператив и три с половиной тысячи — все довольны. Интересно, где все-таки Антон достал деньги? Красный нашел вариант?

Меня это не касается. А вариант — судя по настроению Антона — очень хороший. Ведь у меня есть паскудная привычка раздумывать о чужих делах. И мне эта история не нравится. Не нравится неведомый мне хороший вариант Красного.

Я боюсь. Но сегодня Антон уезжает на курорт. Все прекрасно.

— А почему ты дверь в комнату не запираешь? — спросил Антон.

— Зачем? Что у меня тут воровать? — засмеялся я.

Антон, озираясь по сторонам, задумчиво покачал головой.

— Н-да-тес, скажу вам, обстановочка здесь не буржуазная...

— Антоша, скажу тебе по-честному, хрусталь и старинную мебель со времен родительского дома я возненавидел на всю жизнь...

Антон недоверчиво прищурился:

— Это у тебя от недостатка заработков. Придут деньги — снова полюбишь. — Подумал и уверенно добавил: — Жить надо красиво.

Я натягивал ботинки, а Антошка тихо засмеялся:

— Ты меня, паршивец, все уесть сильнее стараешься, а я тебе подарок приготовил...

— Какой еще подарок?

Антон встал с кресла, хрустко потянулся, прищурил глаз, небрежно кинул:

— Через три месяца дам тебе отдельную квартиру...

Я просто оцепенел. Жить без Евстигнеева? Без Нинки? Без замораживающего меня ужаса Довбинштейнов, без душераздирающей обреченной бережливости приличных нищих Лубо? Жить со своей ванной? И уборной, которой буду пользоваться один, а не в здоровом коллективе жилища коммунистического быта? Господи, так не бывает!

— Врешь, наверное? — спросил я неуверенно.

— Ах ты, свинюга! — захохотал Антон. — А эту комнату кто тебе дал?

Это правда — и эту комнату мне дал Антон, и она годы была спасением, и пришла она как спасение в последний миг, когда я понял, что больше ни одного дня не могу жить со своими стариками под одним кровом. Тогда и пришел Антон, невзначай со смехом бросил мне ордер на эту комнату в этом необозримом людском муравейнике в самом центре города. Боже мой, как я был ему безмерно благодарен — доброму и щедрому спасителю! К тому времени я попал в неразрешимую ситуацию — кажется, в шахматах она называется пат. У меня не было выхода. Денег на кооператив — при моих-то заработках — не собрать ни в жисть. Ни в один список распределения жилья меня не принимали как избыточно обеспеченного жилплощадью — в пределах квартиры моего папаньки. Я жил у друзей, ночевал у любимых, но недорогих девок, снимал углы. И тут явился с ордером Антон. Дело в том, что его управление имеет какой-то обменный фонд, куда заселили людей на время капитального ремонта, и часть квартир и комнат находилась в его постоянном владении и пользовании. Каким-то образом он мне и отжухал эту комнатею.

Но квартиру? Отдельную квартиру?

— Не верю, — помотал я головой.

— Поверь, уж сделай одолжение, — хмыкнул Антон. — Но молчок — ни одному человеку ни полслова. Я вчера подписал приказ — в четвертом квартале ставим ваш дом на капиталку...

— Но ведь после ремонта надо будет возвращаться!

— Не надо. Ваш дом переделают под министерство — еще одну ораву паразитов соберут. Это ведь придумать надо — я и запомнить названия не могу: Министерство средств механизации, коммунального, бытового, дорожного и еще какого-то там машиностроения! Вот жлобы!

— Ну, Антошка, удружил...

— Удружил, удружил! Посмотрел предложение — там несколько домов, на выбор, вижу твой адрес, ага, думаю — это и есть самое подходящее здание для этих дармоедов. Хоть братану хата обломится с вакханалии бюрократии. Но не забудь, что сказал, — никому ни слова...

— Что ж, есть повод выпить, — сказал я.

— У тебя, я заметил, и без повода получается, — сказал Антон.

— Стыдишь? — разозлился я.

— Не-а, — покачал башкой Антон. — Жизнь такая стала, что, кабы не мое дело, я бы давно спился к чертям. Этот газ сейчас нужнее кислорода. Ладно, поехали...

Мы вышли в коридор — разметались по стенам в сером пыльном сумраке тени-силуэты соседей, как атомные отпечатки на стенах Хиросимы, полутемные факсимиле испарившихся душ. Мгновение они были неподвижны, будто хотели, чтобы я лучше их запомнил, а Антон лучше рассмотрел перед тем, как он поставит наше сгнившее жилище на капитальный ремонт для нового вместилища министерства с названием из сумасшедшего кроссворда и разбросает нас всех по своим отдельным норкам.

И сразу же ожившим стоп-кадром задвигались, засуетились, отправились по текущим квартирно-хозяйственным делишкам. Они снова были слепы, как люди во все времена, — им и в голову не приходило, что стоящий рядом со мной человек — посланец судьбы, ибо в наших условиях новая квартира становится новой судьбой.

Мимо нас промчалась в уборную Нинка — с ночным горшком, как с футбольным кубком, растрепанная и похмельно-злая. Потом из кухни двинулся к себе в комнату своей приседающей от вежливости походкой Лубо, балансируя сковородкой с оладьями и горячим кофейником, и, согнувшись еще круче, будто скачком рвануло его к земле усилившееся внезапно притяжение, кивнул нам — «доброго вам утречка», и мы ответили ему под аккомпанемент нестройных гамм, разыгрываемых его девчонками, уже расстегнувшими кальсонные пуговицы на склеенном из осины пиандросе, и эти звуки были похожи на вялое мочеиспускание старика, которого они высаживали по утрам на больничные утки наших ушных раковин. У дверей стоял Михаил Маркович Довбинштейн, покорно глядя на меня отвисшими красными веками больной собаки, — он каждый час ходит к почтовому ящику смотреть, не пришло ли разрешение из ОВИРа. «Ничего нет?» — спросил я. И он помотал головой и тяжело вздохнул, как всхлипнул.

Тяжело прошлепал, как грузовик на спущенных колесах, Евстигнеев, и на губах его булькало и пузырилось слово «об-ли-га-ции». Следом шаркала Агнесса, зло косилась на Довбинштейна, и оттого, что она неумолчно жужжала при этом — «жи-жи-жи-жид-жиды-жи», казалось, что она не человек, а безобразная кукла, работающая от старого электромотора.

Нежить. Морготина. Нелюдь. Омрачение ума. Припадочное воспоминание.

Из этого пропащего дома — на воздух! В баню, в пивную, на помойку — куда угодно. Благо, уже подрагивает от нетерпения умчать нас в край тайных, запретных для всех этих людей наслаждений Антошкин автомобиль — рвущий глаз своей ослепительной, сияющей чернотой, весь дымящийся этим темным блеском, как наведенное на солнце затемненное стекло.

Шофер Лешка открыл заднюю дверцу, Антон подтолкнул меня — двигайся. И сел рядом. Это что-то новенькое, раньше он, как наш папенька, всегда садился с шофером. Я усмехнулся. Антон заметил, понял, подмигнул:

— Влияние Запада — не так демократично, зато можно сосредоточиться. И вообще — солиднее...

Солиднее, так солиднее. Раньше в цене была идейная одержимость, теперь выше и надежнее добродетель солидности. Это какой-то малоисследованный феномен революционного сознания — в кратчайший срок все наши горлопаны-ниспровергатели становятся самыми замшелыми несокрушимыми консерваторами, перед которыми английские тори выглядят легкомысленными прожектерами, разгильдяями и шалопутами.

— Как с книжкой твоей? — спросил Антон.

— Никак. Врут все время что-то, мозги пудрят. Волынят. Теперь, говорят, бумаги нет...

— С бумагой, действительно, трудно сейчас. Финны нам не хотят продавать...

— Ну конечно! У нас же — в отличие от финнов — страна безлесная! Где нам свою бумагу иметь!..

— Это не вопрос, — засмеялся Антон. — Есть такой анекдот про то, как помер один руководитель. Ему в чистилище говорят: у нас два ада — капиталистический и социалистический. Куда хочешь? Он без размышлений — в социалистический. Те удивились, а он поясняет — дурачье, раз ад социалистический, значит, там с котлами да сковородками обязательно перебои будут — то уголек не подвезут, то смола кончится, то черти запьют...

Шофер Алешка только заржал, восхищенно замотал головой:

— Это точно, запьют у нас черти... У нас без того нельзя!..

Антон кивнул на него:

— Слышь глас народа?

— Распустили вас, — сказал я папанькиным голосом. — Хрущевские дети!

Раскаленным черным камнем пролетела машина через город, выскочила на набережную против серой ячеистой громады Допра и свернула в ворота бассейна.

Я подтолкнул локтем Антона и, показав глазами на Допр, спросил:

— Купаясь тут, вы никогда не думаете о судьбе жильцов этого дома?

Антон оценивающе прищурился на вломленный в останки замоскворецких церквей конструктивистский изыск на четыреста квартир, поцокал с сомнением языком и круто отрубил:

— Этого больше никогда не будет...

— Да-а? — ехидно протянул я. — Это тебе где такую гарантию выдали?

139

— Нынешняя жизнь такую гарантию дает, никто из начальства больше рисковать не захочет. Уж больно карающий меч шустрым оказался. Как косилка...

Этот огромный дом построили в тридцатые годы и заселили элитой, он так и назывался — Дом правительства, сокращенно Допр. По жуткой иронии судьбы так же именовались тюрьмы — Допр — Дом предварительного заключения, и во всем этом бездонном муравейнике власти не оказалось ни одной-единой квартиры, из которой бы не замели хозяев. Пересажали всех, быстро заселили новыми и стали поспешно сажать этих новоселов — и так несколько кругов. Некоторые жильцы не успели распаковать вещи. Из одних квартир вывозили, а в другие — вселяли. Но я не слышал хоть бы об одном человеке, отказавшемся от ордера на квартиру в этом доме.

У них всех была чистая совесть. И короткая память.

И Антон точно знает, что больше этого никогда не будет.

Машина меж тем, описав полный круг по пешеходной дорожке вокруг бассейна, рявкнула сигналом на зазевавшихся прохожих, подкатила к дверям бани — знаменитой «избы», знаменитой в том смысле, что она служит закрытым клубом для среднего городского начальства и четко свидетельствует о твоем социальном достижении, а для всех недостигших она — не знаменитая, потому что она просто не существует для них. Пока не существует. «Изба» Андрея Гайдукова — мечта прицелившегося в генералы бюрократа, манна для гуляки и обжоры, греза жулика и продвигающегося честолюбца.

Чуть в стороне стояли несколько черных «волг» с начальскими номерами. Шоферы на перевернутом ящике играли в домино.

Внутрь «избы» — просторного ясно-желтого сруба — вели настоящие сени, мастерски изукрашенные деревянной решеточкой, с резными балясинами и петушком над притолокой. И деревянным точеным молотком у входа. Антон постучал, распахнулась дверь, и в глубине сеней возник Степан Макуха — Андреев управитель, прислужник и, наверное, исполнитель приговоров. Со дна глубоких дырок в черепе посверкивали две лужицы крепкой марганцовки — странно замерзшие фиолетово-красные шарики. Он приглашающе замахал цепкими жилистыми ручищами, смял в жесткую гримасу сухое костистое лицо крепко пьющего человека — это означало улыбку. И все — совершенно беззвучно. Я никогда от Макухи слова не слышал. У него работа своеобразная. Наверное, Гайдуков, нанимая Макуху на работу, вырезал ему язык. А письменной грамоте Макуха не разумел наверняка. Нет, он, конечно, был специалистом очень узкого профиля.

Макуха захлопнул за нами дверь, проводил в горницу, шикарно стилизованную «а-ля рюс». Сермяга эластик. Лапти на платформе. Онучи из кримплена. Роскошный бар. Магнитофон-стереофоник. И какая же простая русская баня без бара и поп-музыки?

Степан показал рукой на широкий ореховый гардероб, другой — на стол, обильно уставленный выпивкой и закуской. Раздеваясь, я с интересом посматривал на серебряное ведерко с битым льдом — оттуда завлекающе высовывалось покрытое инеем горлышко «Пшеничной». Мне надо было срочно выпить.

А немой Макуха уже ловко разливал по хрустальным рюмкам водку, и стекло мгновенно зарастало серой патиной испарины. Поднес нам на деревянном подносике, мигнул страшными марганцовыми глазами — прошу! Я смотрел на мосластые пальцы, толстые суставы немого кравчего и думал о том, что сделал бы со мной этот беззвучный виночерпий, прикажи ему Андрей Гайдуков задушить меня.

— С Богом, — степенно сказал Антон и одним махом выплеснул из рюмки в рот, не обронив ни капли. И я принял свою — как на жаркий песок пролил. Зажевал корочкой. Услышал, как на скобленый пол упал, с хрустом рассыпался еще кусочек хитина, зачесался струп.

Антон обозрел стол, как полководец с командного пункта, удовлетворенно помотал головой — все резервы подтянуты и надлежаще развернуты. Спросил, а по интонации и ответил:

— Кто баню нынче ставит? Як-як небось постарался?

Макуха осклабился, кивнул.

Як-як — это Яков Яковлевич Ворохобов, директор крупной торговой продовольственной базы. Я его тут видел — пышнотелый, с огромной женской задницей, краснощекий голубоглазый нежный жулик, доведший меня до истерики чудовищными выдумками о своем партизанском прошлом. Его и еще нескольких высокопоставленных воров привадил сюда милицейский генерал Васька Точилин — друг Гайдукова. Не знаю, связывают ли их какие-нибудь темные делишки — наверное, связывают, — но, во всяком случае, Точилин по очереди водит их в аристократическую парилку, и за честь и пользу общения с крупным начальством они «ставят» баню, то есть привозят великолепную жратву и выпивку. За право участия в мире процессов делает свой взнос мир вещей.

Наш папанька им бы сроду руки не подал. Сталинская школа, бериевская закалка. Нынче все проще. Начальники сообразили, что все можно иметь и не «мокрушничая». Что-то дает власть, остальное доберем жульничеством...

— Айда? — спросил Антон.

— Иди, сейчас догоню. — Мне хотелось докурить сигарету, сладкую после первой рюмки.

Антон нырнул в парилку, а я стоял и смотрел через оконце на Допр. Отсюда он был виден весь — чудовищное капище социального благополучия. Это был дом-символ. Наверное, ни в один дом архитекторы не вложили столько заботы о будущих обитателях. Этот дом был ответом на разудалый клич революции или гражданской войны — «За что боролись?»

Вот за что вы боролись, дорогие товарищи наркомы, управляющие, генералы и директора: огромные квартиры, ковровые дорожки на лестницах, уютно гудящие в шахтах лифты, гаражи для собственных «эмок» под домом, в первом этаже — закрытый продовольственный распределитель с кухней готовых яств, концертный зал, магазин с лучшим снабжением в Москве. А в торец встроен самый большой кинотеатр «Ударник», которому горячечная фантазия творцов придала по силуэту абрис значка «Ударник СССР». С двух сторон дом омывался реками, по голубым водам которых бежали белоснежные пароходики. Из южных окон ласкала глаз зелень парка Горького, а из северных — азиатская величавость Кремля. Даже воздух здесь был не такой, как везде — с недалеких корпусов кондитерской фабрики «Красный Октябрь» ветер непрерывно нес тропические ароматы какао, корицы, ликеров — волнующий дух сладкой жизни.

Вот за что вы боролись, дорогие товарищи. Мы рождены, чтоб сказку сделать былью. Экспериментальное сооружение. Первый удачный опыт перемещения во времени — откуда-то из неведомых светлых далей в наше убогое пространство был принесен этот островок счастья для отдельных, наиболее заслуженных бойцов за всеобщее равенство.

Они стояли в своих новых необжитых квартирах у высоких окон — прямо напротив меня и смотрели на то место, где сейчас стою я. Не могли не смотреть — я это знаю наверняка десятилетия спустя, ибо на том месте, где стою я сейчас, высилось удивительное сооружение, много выше их жалких этажей.

Я стоял на дне храма Христа Спасителя.

Самый большой русский православный собор воздымал здесь, над бассейном, баней, над Допром, над Кремлем свой гигантский златоглавый купол, который за много километров до Москвы указывал путникам своей сияющей солнечной звездой знак прихода в центр христианской Руси.

Обитатели Допра стояли у окон и смотрели, как режут автогеном купол, как подрывники рушат многометровые, казалось бы, несокрушимые стены, поставленные на яичной извести. Как велик был запал этой бессмысленной злобы — им удалось сделать то, с чем не справились оккупанты.

В Нюрнберге были предъявлены фашистам обвинения за намерение разрушить центры славянской культуры, стереть с лица земли памятники их истории, религии, архитектуры.

А кто ответит за это? И кому спрашивать? И кого?

Еще работая в газете, я написал как-то статью о том, что ученые направленными взрывами перегородили ущелье, предотвратив затопление селем Алма-Аты. Редактор Фалелеев, толстоголовый кабан в железных очках, прочитал ее, помотал своими сине-зелеными лохмами, усмехнулся:

— Это забавно. Но ерунда. Когда я комсомольцем еще был — взрывали мы храм Христа Спасителя. Вот это работенка была!

Он уже на пенсии. Конечно — персональной. Скоро помрет, наверное. С кого спрашивать? И как за это можно спросить?

Дьявольская работенка оказалась работничкам по плечу. Никакие трудности их не смутили — в бесовском азарте сокрушили храм, которому стоять бы тысячелетия. Я думаю, в них всегда жила подсознательная тревога о краткости и зыбкости их религии. Они не могли допустить идейной конкуренции и взрывали храмы, но взрывы эти окончательно расшатали их собственные некрепкие устои.

На месте разрушенного храма Христа Спасителя было решено возвести храм их собственному мессии — Дворец Советов, увенчанный стометровой статуей Ленина. Существовала бездна сумасшедших прожектов. Самой перспективной была идея сооружения в голове у их Спасителя ресторана с крутящимся полом. Наверное, это было предметным торжеством материализма над бесплотным идеализмом. Но вдруг бесплотный антинаучный идеализм заупрямился — площадку фундамента, державшего некогда громадный храм, стало заливать подпочвенными водами. Тысячи тонн бетона не могли перекрыть бьющую со всех сторон воду.

Расстреляли архитекторов, несколько комплектов строителей. А вода все шла.

И научным материалистам пришлось отступить.

143

Но новоселы Допра этого не увидели — их уже самих давно побрали, перебили, сгноили в лагерях. Они платили дьявольскую дань, ибо радость от разрушения любого храма никогда не проходит безнаказанно.

Безвинных давным-давно убили не ведающие, что творят, и ставшие виноватыми. А их убили знавшие, что творят, и потому еще более виноватые. И этих убили новые, те, кто перестал считать убийство виной. Последующие твердо знали, что надо просто убивать. Послушники заповеди — «убий».

Что-то так незаметно и необратимо изменилось в нашей жизни, что никто и не удивился, и не возмутился, а просто все обрадовались, когда созрела идея построить на месте разрушенного храма христианского Спасителя и непостроенного храма Советов — большой плавательный бассейн.

И при нем баню Андрея Гайдукова.

В общем-то это разумно и справедливо. Прихожане маленькой молельни мира вещей, который они искренне переносят в мир процессов.

Я затянулся последний раз, выкинул окурок и пошел в парилку.

В сауне полыхал хлебный жар — горячий ржаной ветер с еле заметной примесью мяты и эвкалиптового масла даже шибал в лицо, обжигал кожу до ознобного вздрога. На верхней полке широко развалил свое крепкое мясо Варламов, чуть ниже душевно собеседовали Васька Точилин с неизгладимым выражением генеральства на лице и Серафим Валявин, директор ресторана Дома журналистов. Под ними полулежал на полке, опершись на локоть, Як-як — наивным светом голубых глаз и позой изображая того развеселого простоватого дурака, который на всех групповых снимках в санаториях укладывается в ногах выстроившихся перед аппаратом курортников.

— Привет, — буркнул я, и парильщики вразброд замахали мне грабками.

— Ба, никак сам Алексей Захарыч соизволили к нам пожаловать! — лениво завел Варламов, замминистра, обжора, пьяница и плут. — Большая честь для нас! Такая редкость! Волки в лесу передохнут...

Я молча полез на полку, Антон, уже разомлевший, довольный, заметил:

— Не передохнут. Егеря не дадут. Должно быть экологическое равновесие...

144

— Как в сауне, — сказал Варламов и подбородком показал на Точилина и его компаньонов. — Полицейские и воры. Итальянское кино.

Замурлыкал довольно партизан Як-як, выпью закатился в хохоте Серафим. Точилин отмахнулся.

Я сказал Антону через их голову:

— Цинизм сейчас считается самым прогрессивным качеством. Трезвый реализм и широкое государственное видение...

Варламов шлепнул меня по спине тяжелой ручищей:

— Наши отцы еще говорили: торговая баня всех моет, да сама в грязи...

Я улегся на горячей махровой простыне, закрыл глаза и отключился от них. Пропадите вы хоть в преисподнюю. Мы на дне. В глубоком подвале разрушенного храма. Контрамоция. Обратное стремительное движение во времени. Уходим в катакомбы.

Горячий пар. Волна жара накрыла меня, поволокла бесчувственного по гладким доскам, как утекающая вода. Надо так и лежать, не открывать глаз. Не видно рож моих собанщиков, не видно отчетливых автографов на деревянной стенке — кого тут только нет! И модные поэты, и эстрадные дивы, и космонавты, сиюминутные светила-академики, лауреаты, и заслуженные, и народные, и главные, и старшие, и первые, и...

Интересно, Андрей разрешает расписываться на стене таким, как Як-як? Или они сами не стремятся к паблисити?

Если не разрешает — то несправедливо! Они — угловые венцы этого храма, воздвигнутого на дне прошлой разоренной цивилизации. Соль нынешней жизни, завтрашние ее хозяева. Их дети более жизнеспособны, чем потомство сегодняшних командиров.

А снизу гудит, докладывает непрерывно Серафим:

— Привозим их в номер, обоих, конечно...

— Обеих, — перебил грамотей Точилин. — Если две девки — надо говорить обеих.

— Да ты слушай, — обиделся Серафим. — Какая тебе разница! Одна телка такая мурмулеточка — просто слюни текут. У вас, говорит, записи Бетховена найдутся? Умереть можно! А у самой грудочки ма-аленькие, первый номер...

— А другая? — с досадой спросил генерал.

— Срамотушечка — два метра, специальный лифчик носит, вместе с трусами. Но морда — классная!.. — И от приятного воспоминания зачмокал со вкусом.

145

Все время, свободное от ресторанных махинаций, Серафим посвятил бабам. Андрей Гайдуков сказал про него: «Серафим, шкура, трахаться любит больше, чем по земле ходить». Никогда не попадаясь на жульничествах, он регулярно горел из-за своих мурмулеточек и срамотушечек. Андрей с хохотом рассказывал, что последний раз погорел Серафим в ресторане «Бега», где завел себе целый гарем из официанток. Когда он смертельно надоел им не только своей любовью, но и поборами с чаевых, одна из срамотушечек сперла у него дома партбилет и прямо на нем написала жалобу, которую охотно подписали остальные срамотушечки и мурмулеточки, а оскверненный партдокумент отправили наверх. Серафим со скандалом загремел, да, видно, большой смысл в поговорке — «баня смоет, а шайка сполоснет». Не дали друзья пропасть — устроили к журналистам.

— Ты о чем думаешь? — толкнул меня в бок Варламов.

— О пакостях, о глупостях, о всякой ерунде...

— Ты бы лучше о серьезных вещах подумал. Я тут краешком уха о книжке твоей слышал...

— Что ты слышал? — приподнялся я.

— Жалобу твою обсуждали насчет повести.

— Романа, — почему-то поправил я.

— Какая разница, — отмахнулся Варламов. — Товарищи говорят — непонятно, чего он выжучивается? Писал бы как все. Подковырочки какие-то, шпильки, мелкотемье, ничего радостного в нашей жизни не видит. Ни одного, мол, положительного героя нет. Действительно, Алеха, как это может быть — без положительного героя? А молодежь как будем воспитывать?

— Личным примером, — буркнул я. — А резюме?

— Резюме? Ишь какой ты прыткий! — рассудительно молвил Варламов. — Тут, может быть, правильнее не спешить с решениями...

— Скот ты, Володя.

А Варламов не обиделся, расхохотался, сказал со значением:

— И вышестоящих уважать!.. — И обнял меня за плечи.

Я вырвался, стал слезать с полки, Варламов искоса глянул, тихо сказал:

— Еще одну рецензию затребовали. Из Союза писателей...

Вот это понятно — задушат руками коллег-друзей. Они ведь объективные и беспристрастные. Профессионально замусолят, заласкают до смерти, безболезненно. Напоследок еще за талантливость похвалят. Ну ладно, мы теперь посмотрим...

Я толкнул подремывающего, разомлевшего Антона:

— Будет, братан, для первого раза. Пойдем передохнем...

Антошка вынырнул из глубины, печально посмотрел на меня, лениво поднялся.

Серафим сказал торопливо:

— Идите, ребята, водка стынет. Счас доскажу — и мы...

И Варламов слез с полки, за нами отправился в холодный душ.

Потоки ледяной воды заливали меня — я чувствовал в ней земляной глубокий холод плывунов, утопивших их Китеж, их нелепый храм с куполом-рестораном. Мы на дне...

В горнице нас уже ждал Андрей — гладко выбритый, благоухающий французским одеколоном, чудовищно здоровый, еле вмещающийся в лазоревый костюм «адидас». Он и на человека-то мало похож, а напоминает ловко скроенный, прочно связанный, туго набитый мешок мышц, костей и связок с залихватски нахлобученной головой порочного ангела.

Андрей посасывал апельсиновый сок, развернув на коленях «Правду», и поглядывал цветную передачу «Жизнь животных».

Вот он — наш каноник. Настоятель затопленного храма.

Увидел нас и не мигнул, не приподнялся, просто пальчиком шевельнул, и Макуха с проворством опытного министранта завернул нас в горячие махровые простыни. И отошел неслышно Макуха к стене, сложив на груди страшные громадные руки, смотрел внимательно чернильно-фиолетовыми каплями глаз. От него наносило на меня легким духом серы.

Андрей добро улыбнулся и внушительно сообщил:

— Все-таки римляне не дураки были, с этими термами ихними. Скажи, Алеха?

— Дураки, — ответил я не задумываясь.

— Так считаешь? — удивился Гайдуков. — Это чем же?

— Варварам поддались. А те совсем не мылись. Никогда. Они жили в мире процессов.

— Все правильно, — радостно заржал Андрей. — Я всегда говорю — мир вещей и мир процессов надо соединить. Гармонически... — И почти незаметно шевельнул пальцами.

Пока Макуха наливал по рюмкам водку, вышли из парной остальные. Точилин сразу же подошел к телевизору, увеличил громкость. Какой-то иностранец — не то немец, не то француз — объяснял через переводчика-ведущего, как они снимали фильм о диких зверях в Африке.

Макуха подал мне из холодильника две красивые цветные баночки. Андрей подмигнул:

— Цени, Алешка, специально для тебя оставил датского пивца, ты же любишь.

Люблю. Люблю датское пиво. «Посольскую» водку, шотланд-
ское виски, финскую баню, бразильский кофе, американские
сигареты.

На дне разрушенного храма?

Люблю еврейскую женщину.

Люблю писать — без положительных героев.

В костях еще ныла стужа плывунов, затопивших Китеж.

Одной задницей на двух стульях не усядешься.

Разве тебе жалко мира вещей? Ты уже зажился в нем. Тебе
осталось совсем мало — скоро тебя окончательно поглотит стоячая ледяная вода затопленной молельни. Человек тонет, когда
легкие заливает водой. У тебя осталось дыхания на один большой вдох.

Этот вдох тебе дарован миром процессов и трансформиро-
ван в виде истории смерти пожилого еврейского комедианта.
Вдохни глубже — есть надежда вынырнуть. Там — Ула. Далеко
наверху, на зыбкой кромке затопления, на последней грани человеческого бытия.

Водка пролетела без вкуса, без горечи. И запаха у нее не
было. Стоячая вода в легких.

— ...Ну-ка, Алеха, оцени эту красноперочку, — толкнул меня
в бок Серафим, протягивая мне кусок светящейся янтарем копченой рыбины. — Не казенная, настоящий самосол. Из Ростова
пригнали. Глянь, прямо сало капает...

Мы — пирующие на дне утопленники. Утопленники едят
копченую рыбу. Нет, рыба ест утопленников. Невидимый ры-
болов, неведомый ловец душ наживляет крючки копченой крас-
ноперкой. Дешевыми бабами. Черными «волгами».

Бесконечная молитва. На дне разрушенного, затопленного
храма.

Утопленники пируют, закусывают, спорят.

Сухоногий, раздувшийся от заглоченной обманки власти генерал Васька красноглазо ярится:

— Житья нет — заворовали! Среди бела дня чистят квартиры. Наладилось ворье — ложится на площадку, ногами по низу
двери — бах! — и дверь вылетает, как не было.

— Двери нынче жидкие! — понимающе комментирует Як-
як. — Я свою в железную раму вставил...

Наливной, нежный, как выдранный из створок моллюск,
придонный житель Як-як, что ты нахватал в свой необъятный
зоб за дверью в железной раме? Неустрашимый партизан наших
хозяйственных тылов, какие несметные сокровища отбил ты с
хитрого крючка советской власти?

— А тут новое чепе — с Пироговки трамвай угнали! — жаловался Точилин, разжевывая кусок свежей севрюги и хрустко закусывая маринованным огурчиком.

— Во, молодцы! — захохотал Антон. — Переправят в Тбилиси, загонят черножопым по тройной цене. Вась, сколько трамвай стоит?

— Хрен его знает, — пожал острыми плечами генерал. — Тысяч двадцать. Или десять. Да не в этом дело — его ж наверняка из хулиганства угнали. Теперь его хер найдешь, нигде же ни порядка, ни учета не существует...

— В том-то и беда наша, — глубокомысленно раззявил сомовью пасть Серафим. — Ленин еще говорил: социализм — это учет!

Ах ты, мой дорогой теоретик, вздувшийся утоня. Где, на какой политучебе объяснял ты это проглоченным срамотушеч-кам и мурмулеточкам?

— Социализм — это учет похищенного! — пошутил Як-як и сразу испугался — не рано ли болтать начал, да все захохотали. И он улыбнулся вялым оскалом топляка — вышло не рано, коли закуска вкусна и шутка остра.

Бесовский наш игумен Андрей допил свой оранжевый сочок и сообщил:

— Мне тут один адвокат крупный доказывал, что поголовное воровство среди советских граждан есть выражение политэкономического закона стихийного перераспределения ценностей...

— Ну, это ты брось! — отрезал Точилин.

— А чего бросать? — лениво ответил Андрей. — Этот еврей все правильно разобъяснил — нищета людская, на бутылку всегда не хватает. Вот и тащат, кто чего может.

— Это-то верно, — смягчился Точилин. — Уж как на производстве воруют — не приведи Господь! Просто все подряд тащат, как муравьи...

— Погляди, чего у него за пазухой, — узнаешь, где он работает, — заржал Серафим.

Антон встал, сменил намокшую простыню на свежую, горяченькую, сказал задумчиво:

— Мы людям пишем в характеристиках — «вносит в работу то да се». А правильно было бы писать — «выносит с работы...»

Еще посмеялись, я выпил большую стопку и с тоской посмотрел на Антона.

Антошка, братан мой дорогой, и ты уже давно подвсплыл вверх брюхом. И судьба у нас одна — утопленников и пропойц на меже хоронят.

149

Давай выпьем, Антон. Зачем ты согласился на вариант Левки Красного? Ты мне ничего не сказал, но я знаю точно — ты эти деньги достал, нырнув до самого дна.

А! Все пропало! Все пустое.

А Як-як сокрушался, дожевывая бутерброд, и черные икринки обметали его сочный, как влагалище, рот:

— Ни чести, ни совести у людей не стало! Воруют неимоверно, изощряются. Никому верить нельзя — все самому проверять надо...

Андрей гадко заухмылялся, но Як-як искренне, со слезой в голубом ясном глазу продолжал:

— Вы вот, Андрей, правильно заметили — воруют в первую голову на бутылку. И пьянство у нас развилось чрезмерно, раньше такого не было. Строгость была, но порядок...

Из своей норы, с мягкого дивана, в тишке под корягой, вынырнул с полудремья Варламов, зычно крякнул — хорошо сохранился для такого старого утопленника.

— Да-а, пьет население, — вздохнул он. — Как никогда. И пресса об этом пишет, и постановление правительство приняло, а пьют все равно...

— Главное — бабы пить вовсю стали! — душевно взволновался, озаботился Серафим. — Раньше нальешь ей, срамотушечке, рюмку кагора, она его и лижет целый вечер. А счас хлобысть стаканище коньяку — и сразу за новым тянется. Была тут у меня одна на днях...

Антон перебил его:

— Вообще-то, если вдуматься, прямо катастрофа для производства. Куда ни ткнись, рабочего дня только начало — а один уже соображает, как бы выпить, другой — пьяный, третий — с опохмелюги. И работать некому... — Сплюнул сердито и залпом выпил свою рюмку, запил пивом.

— Я бы предложил сухой закон, — сказал Як-як деловито. — Вернее, полусухой — ударникам производства выдавать талон на две бутылки в месяц. И конец пьянству!

— А зарплату ударникам тоже будешь талонами платить? — спросил я его. — У нас половина бюджета на водке держится. Водка государству рубль тонна обходится, а у рабочих за нее все деньги отмывают. На периферии в дни зарплаты деньги на заводы прямо из магазинов возят...

Варламов насмешливо улыбнулся, и Антон покачал головой:

— Этого ты не понимаешь, дурачок! Водочные деньги для зарплаты — это пустяки. Ущерб нашей экономике от пьянства всеобщего в тысячу раз больше дохода. От пьянства — прогулы в миллиарды рабочих часов, самый высокий травматизм, самая низкая производительность труда, чудовищное воровство — всего не перечислишь...

Серафим упрямо бубнил, покачивая воздетым пальцем с длинным серым ногтем:

— Нет, сухой закон — это неправильно. Несправедливо. Народу тоже радость нужна. Отними у него выпивку — что у него в жизни останется? Нет, несправедливо...

Варламов со змеиной улыбочкой тонким голосом сказал мне:

— Вот, Серафим — простой человек, а в отличие от тебя сразу берет быка за рога. Народу радость нужна тоже — понятно? И с этим фактором люди поумнее нас с тобой считаются всерьез...

Точилин согласно покивал, и уставший от этих сложностей участковый надзиратель выпрыгнул из него:

— А главное, пьяный человек — он шумный, но послушный. В крайнем случае — дал ему между глаз, он же у тебя потом прощения просит...

Все правильно. Я тоже послушный человек, утонувший в тайной молельне мира вещей. Никто и не найдет от меня ни следа. И искать некому будет. Залило развалины храма черной мертвой водой безвременья.

Мне не хотелось, чтобы хмель брал меня сегодня сильно. Нет смысла. У меня есть крохотный пузырек воздуха — один вдох. Надо попробовать всплыть.

Точилин повернул ручку громкости, и телевизор оглашенно заорал картавым голосом зоолога-кинорежиссера и гугнивым переводом ведущего:

— «...Когда вы столкнулись лицом к лицу с диким животным, главное — не смотреть ему прямо в глаза... Звери не выносят прямого человеческого взгляда и становятся сразу агрессивными... Наоборот, опущенные глаза и полная неподвижность служат для зверя признанием миролюбия...»

— Вишь ты! — удивился Серафим. — Прямо как начальство!

Я встал, спросил Антона:

— Давай собираться?

— Ох, неохота! Когда-то снова париться будем? Но пора...

Мне стало легче: в этом тоже есть большая радость — выбрасывать что-то из своей жизни навсегда. Я здесь уже никогда не буду. Ула, я еще не утонул. Есть еще воздух — на один вдох. Я попробую всплыть.

Антон сорвал утром с меня хитиновый панцирь печали и размочил в бане подсохшие чешущиеся струпья.

Я не знал, не представлял даже, как мне нужна была сегодня баня.

Они стали дряблыми. Они не держат удара.

Мой ход. Завтра утром. За мной несокрушимость разрушенных храмов. А у них тайная молельня.

Только спокойно. Малозаметно. Опущенные глаза и неподвижность служат для зверя признаком миролюбия.

Соломон Михоэлс, старый комедиант — я напишу последнюю страничку в обещанной тебе судьбе бессмертной славы. Я назначил тебе свидание на развалинах храма Христа Спасителя.

— Что? — переспросил Антон.

— Ничего, это я про себя бормочу.

— Ну-ну. — Антон помолчал, кряхтя сказал: — Ты, Алеха, знай на всякий случай — я не в санатории, а в гостинице «Жемчужина» жить буду. Если что понадобится, на всякий случай. Я с бабой — сам понимаешь...

— Хорошо, — кивнул я. Это он со своей секретаршей Зинкой намылился.

— Не одобряешь? — спросил он несколько смущенно. — Не нравится она тебе?

— Баба как баба. Мое какое дело?

— А-а! — махнул он рукой. — Табак да кабак, баня да баба — одна забава!

Булькнул и утонул. Я видел печать тревоги на его лице, озабоченности и усталости. На кой хрен ему туда Зинка? Но топиться стало уже неотвратимым обычаем. Океан незаметно залил наш Китеж. Не желающим топиться нет места.

Главное — не смотреть зверю прямо в глаза.

19. УЛА. КРАХ

Открыла дверь, не успела поздороваться и увидела на лице Марии Андреевны Васильчиковой выражение несчастности. Какое-то горе окаменило ее сухонькую фигурку, усушило морщинистые коричневые щеки, затуманило болью устремленный на меня взгляд подслеповатых старых глаз.

И сердце у меня лохматым гулким мячиком скакнуло в груди. Замерло.

Посмотрела на остальных — увидела суетливую копошню за столом Светки Грызловой, равнодушно-безучастную сек-

ретаршу Галю, пулеметящую на «ундервуде», Люсю Лососи-
нову, прочувствованно жующую бутербродик с форшмаком,
погруженного в папки со старыми бумагами Эйнгольца, от-
влеченную сторонними размышлениями Надю Аляпкину. И
жадно вперившегося в меня Бербасова, приподнятого какой-
то яркой, злой радостью.

Пока шла эти кратких пять шагов к столу Васильчиковой,
просчитала напуганным сердцем тысячу вариантов, которые могли бы зримо соединить несчастность Бабушки и злобный восторг Бербасова, но ничего не придумала, лишь ощутила тош-
нотным сиротливым чувством — касается меня.

Присела к столу Васильчиковой, старый скрипучий стул спас
от немощи ног, которые вмиг стали как рентгеновский снимок —
тонкие темные кости на сером едком молоке пленки, растворив-
шей живую, теплую плоть.

Бабушка погладила сухой холодной ручкой мою ладонь, сказала еле слышно:

— Ула... вам... завалили... диссертацию...

Какая оглушительная тишина! Я улыбалась. В стеклянной
створке книжного шкафа я видела свою растерянную, жалоб-
ную улыбку.

Мне было стыдно.

Этого нельзя понять, но это так. Меня переполнял стыд. Я
не думала о пропавшей диссертации — огромной, уже никому
не нужной работе, не думала о том, что этот отказ не только
черта под прошлым, но и маршрутная линия в будущее, я не
думала об утере почти заработанного богатства — еще пятьдесят
рублей в месяц минус налоги. Ах, какие грандиозные финансо-
вые свершения мгновенно испарились с уже недостижимыми
пятьюдесятью рублями! Но я и об этом не думала.

Я не думала о Хаиме-Нахмане Бялике, великом поэте, чье
творчество я исследовала много лет с такой любовью и интересом. Не вспоминала мгновенно рухнувшую надежду, что хоть
несколько человек узнают о поэтике удивительного художника,
подвергнутого забвению и распылению.

Этот стыд был каким-то сложным двойным чувством. Меня
снедал простой стыд неудачливого соискателя. Я ведь советский
человек и, наверное, до конца жизни не смогу отрешиться от
наших вздорных представлений о том, что хорошо и что плохо.
Обитающая в ледяном выдуманном мире Высшая аттестационная комиссия признала мою работу — научный труд жительни-
цы жалкого горестного теплого мира реальности — ненаучной и
неинтересной. И за официальное свидетельство моей ничтож-

ности было мне мучительно стыдно, и стыд этот никак не могло успокоить сознание, что мир, где эта диссертация писалась, и мир, в котором она оценивалась, соединены только яростно пульсирующей живой артерией абсурда.

Но мысль о том, что я никак не могу преодолеть этот стыд, являющийся частью нашего Абсолютного Абсурда, повергал меня в еще больший стыд.

Мне было очень стыдно за мой простой стыд.

Я ведь написала хорошую работу. В самом конце, когда я оформляла ее как диссертационное исследование, я ее, конечно, немного попортила. Но она получилась хорошей почти случайно — я стала писать ее, нисколько не надеясь, не планируя, мысли не допуская, что ее кто-то захочет напечатать. Я читала Бялика, грозноязыкового, как пророк, и нежноматеринского необъятным еврейским сердцем, раздумывала о системе его пророческого и поэтического видения и делала для себя дневниковые заметки. Я читала Бялика и думала о себе. Я думала об окружающем мире. Мне хотелось вывести для себя и для людей какие-то внешние незаметные закономерности малопонятной системы «человек — культура — нация — мир», вместившейся в судьбу неизвестного на родине и всемирно признанного поэта.

Поэтика Хаима-Нахмана Бялика.

Мне было мало прекрасного перевода Владислава Ходасевича. Какие прихоти судьбы! Я снова и снова с нежностью поминала тетю Перл, заставлявшую меня с каменным упорством разбирать после школьных уроков иератические письмена еврейской грамоты. Тогда мне это было неинтересно, я хотела гулять с девочками во дворе и кататься на санках на пруду, я скулила, и дядя Лева, добросерд, говорил жене: «Лоз зи уп, зи из нох а кинд»*, а тетя Перл коротко отвечала: «Шваг, их фрейг дих ныт»**, а мне давала легкую затрещину, приговаривая: «Ты еще меня поблагодаришь за эти клэп, когда я буду на том свете»...

Спасибо тебе, дорогая тетя Перл! Спасибо за мудрость твою и терпение!

Как легко, как быстро всплыл в моей памяти забытый, умерший здесь язык, который тетя Перл закрепила своими легкими затрещинами — «клэп». Я быстро собирала буквы в слоги, слова складывались в брызжущие светом, силой, гневом строки Бялика.

Может быть, открылись глубокие тайники моей генетической памяти, унаследованной по нашему бесконечному древу жизни, возросшему из корней Иакова, Исаака, Авраама?

---

* Оставь ее, она еще ребенок.
** Молчи, я тебя не спрашиваю.

Я рассматривала письмена, и в подсохших пластичных буквах, похожих в листе на неземной лес, свистел жаркий ветер вавилонского плетения, и больно отзывался крик страдания распятого, шептали сухие губы спасителя религии и культуры Иоханана бен Закаи, взрывали кровью сердца, ужасными муками совести великого предателя Иосифа Флавия, гремели яростью Ездры и тосковали огромной скорбью Иезекииля, печально-устало выводили прекрасной рукой Соломона «Все проходит!», и в псалмах Давида неслась пращой в черного Голиафа людской жестокости, их принес на скрижалях народу своему Моисей, и благословил ими Иаков своего четвертого сына Иегуду-Льва, Исаак отринул Исава, любителя чечевичной похлебки, Авраам говорил с тем, чье сокровенное имя Ягве — «Тот, Который Жив»...

Ах, разве переводы Жаботинского могли передать свободу, радость и силу, которыми дышала живая строка Бялика?

Спасибо тебе, тетя Перл.

Конечно, он был поэт удивительный. Громадного лирического диапазона. Его гнала та же мучительная, радостная страсть, что и Иегуду Галеви.

Я никому не показывала своих записок, выполняя завет Бялика — «...и враг не прознает, и друг пусть не знает про то, что в душе вы храните упорно...» Но однажды мне случилось разговориться с замечательным переводчиком и очень глубоким поэтом Семеном Израйлевичем Липкиным — он переводил для Всемирной библиотеки стихи Бялика на русский. Он переводил их с идиш, потому что включать в этот том переводы с иврита было запрещено — иврит не является языком народов СССР, это мертвый язык мирового сионизма.

Не знаю, почему я это сделала — впервые я дала прочитать свои заметки постороннему человеку. А вообще-то можно объяснить. Липкин — крупнейший знаток, человек огромной культуры, замкнутая, но родная душа. Мне не нужна была оценка работы, мне нужен был разговор на этом уровне, мне нужно было понимание хоть одного такого человека. И я отдала ему красную картонную папку.

Он позвонил через день и своим чуть хрипловатым теплым голосом сказал:

— Спасибо тебе, девочка. Все-таки мы еще живы...

Я растерянно молчала, и слезы волнения сопели у меня в горле, а он заявил:

— Это надо опубликовать...

Я засмеялась, он заметил:

— Понятно, мы живем в такое время, когда не нужны и поэты — нобелевские лауреаты, если они евреи, но надо попробовать оформить работу как диссертацию.

— Зачем? — вяло отозвалась я.

Он был терпелив, настойчив, ласков:

— Затем, что диссертацию прочтут человек пятьдесят, а в нашу догутенберговскую эру не так уж это мало...

— Ее никто не станет включать в план...

— Есть зацепка: наш литературный Магомет — Горький — назвал Бялика великим поэтом, редким и совершенным, воплощением духа своего народа. А нынешние хозяева литературы просто не слышали о Бялике...

И я незаметно для себя втянулась в диссертационное безумие. Конечно, я никогда в жизни не смогла бы добиться включения моей темы в план, если бы Липкин не мобилизовал самых авторитетных литературоведов и поэтов. Он уговорил, доказал, заставил их поддержать эту идею. Потом началось мое самокалечение — я вырезала из работы куски, дописывала, что-то замалчивала, что-то недоговаривала, на что-то намекала. О последнем периоде жизни Бялика, когда он уехал из России в Палестину, я вообще не упоминала. Я старалась поменьше говорить о его жизни, сосредоточившись в основном на его стихах. Хотя применительно к Бялику это было особенно неправильно, ибо его поэзия была очень органичным продолжением его жизни.

Сколько раз я была близка к тому, чтобы бросить это извращенческое занятие мира Абсурда — сознательное уродование идеи, целеустремленное ваяние лжи, ожесточенную маскировку правды.

Я знала это давно, но впервые столкнулась лично с феноменом нашего литературного творчества — человек садится за стол не для того, чтобы изложить несколько волнующих его мыслишек, а для того, чтобы написать только РАЗРЕШЕННЫЕ и поэтому уже обязательно известные соображения.

И все-таки не бросила. Со всеми потерями, недомолвками и умолчаниями я надеялась приобщить еще несколько человек к большому знанию, на постижение которого у меня ушли годы. Я хотела дать тем, кто мог понять, кто нуждался в этом, замечательного поэта. Меня гнала мысль о позорной покорности, с которой мы все обрекали себя, свою историю и культуру на полное забвение. Нас уже почти совсем замели серые пески безвременья...

Я черпала утешение в текстах Бялика. Даже шрифт вселял надежду — ведь это сейчас самая старая живая письменность на Земле. За минувшие тысячелетия она сохранила в неприкосновенности свою форму. Еврейские буквы — нежно-растяжимые, мягко-пластичные, округло-согбенные, как рок, как бесконечность, — они заполнили ровными, величественными рядами свитки священных писаний. Где-то далеко, на дне пропасти времени, особыми чернилами, тупыми гусиными перьями на желтоватых пергаментных свитках раз и навсегда принятым уставом их вывели мастера-переписчики — сойферы, и возникло нерушимое вовек великое сооружение Библии.

Навсегда. Никакие новшества не допускались в нашей письменности. Это не было приметой косности — это был знак отмеченности, это был знак вечности, неотменимый, как причащение к Тому, Кто нас прислал сюда. Пришедшие сюда первыми и те, кто увидит наших братьев из другой цивилизации, пославшей нас сюда, они будут соединены одной системой общения.

У нас нет разделения на письменный и печатный шрифт — свинцовые литеры наборных касс, блестящие фишки линотипов, приложенные к бумаге, сохраняют свою душевность, интимность, искренность живого письма, начертанного теплой человеческой рукой.

Вечность нашей прописи не зависит от капризов книгопечатания.

Господи! Я все еще оправдываюсь!

Мы странный народ, нам нравится слизывать мед с бритвы. Я была готова отрезать себе язык. Я ни о чем не жалею...

И мой простой стыд перед людьми в комнате, сотрудниками отдела — нормальная реакция среднего человека. Со всем своим воображением я пока еще маленький человечек в толпе.

А комната по-прежнему была полна отвратительной напуганной тишиной приемного покоя, где сию минуту сообщили родственникам, что больной не перенес операции. Экзитус. Сами понимаете, врачи бессильны, болезнь слишком запущена... Очень тяжелый пациент... Существуют пределы возможностей... Может быть, если бы обратились раньше... Вещи покойного заберете сейчас?..

Все тонуло в ватной глухоте, просоночной неслышности, немота бритвой полоснула по связкам, приглушенный шепоток, ступор испуганного молчания, невесомость обморока.

Немая сцена. Меняются персонажи, меняются подмостки, но редко кому приходит в голову, что Гоголь зафиксировал не сценическое действо, а традиционное состояние российского общества.

Здесь задобрить можно только самозванца.

Ошарашенно таращился на меня Эйнгольц, часто мигая своими красноватыми выпученными глазами. Бессмысленно перекладывала с места на место бумажки Светка Грызлова, добрая душа. Захлебнулся последней очередью и замолк «ундервуд» Гали. Накипела толстая мутная слеза на веке у Нади Аляпкиной. Без удовольствия дожевывала бутерброд Люся Лососинова. Оцепенело замерла Бабушка, только сухая коричневая щека подергивалась и в пальцах тряслась погасшая папироса «Беломор».

От возбуждения подпрыгивал на стуле Бербасов, он морщился в сладкой муке отмщения.

— Как же так? — потерянно спросила Надя Аляпкина. — Уж если у Улы плохая диссертация, то у кого хорошая?

— Надо скандал поднять! — рванулась Светка. — Что они там понимают? Диссертацию рецензировали два академика — там понимают? А «черное» рецензирование сейчас запрещено! У них должны быть серьезные основания!

— У них найдутся основания, — тяжело вздохнул Эйнгольц. — У них есть право, а это и есть лучшее основание.

— Я отказываюсь все это понимать, — скрипуче произнесла Мария Андреевна. — Это ведь какое-то сознательное вредительство. Зачем все это нужно? Не понимаю. Я, видимо, выжила из ума. Я слишком многого не понимаю...

— А может быть, это недоразумение? — выдала, сглотнув остаток бутерброда, Люся Лососинова. — Может быть, перепутали диссертации?

— Ты лучше молчи и ешь, — заметила сердито Светка.

— Почему? — возмутилась Люся. — Я не меньше твоего понимаю. И знаю, что Ула написала прекрасную работу. Если бы не про еврея, ее массовым тиражом, может быть, выпустили...

— Дура ты, Люська, — от души выпалила Светка.

— И ничего она не дура, — вступилась секретарша Галя. — Она правильно говорит, в ВАКе полно антисемитов. Да как везде...

— Я бы вас, уважаемая Галочка, попросил воздержаться от необдуманных заявлений, — подскочил на стуле надувным шариком Бербасов. Он подтянул еще выше свои вечно короткие мятые брючата и понес значительно: — Может быть, в оценке работы Суламифь Моисеевны допущена некоторая невдумчивость — это можно будет обжаловать. Но чернить такую инстанцию, как ВАК, нам никто не позволит.

158

— Да пошел ты, — загнула Галя, глядя в упор пронзительно-черными татарскими глазами. Он боится ее — не захочет она печатать его бумажонки, так он и с Педусом на нее управу не найдет.

Светопреставление — это не конец света. Не смерть мира. Не взрыв. Не Армагеддон. Это незаметный переход жизни в мир абсурда.

Широко, шумно, начальственно-уверенно распахнулась дверь, и всех в комнате закружил вихрь уважения и сердечной привязанности к гостю, который и был нашим хозяином. На пороге стоял директор института Колбасов. На всех посмотрел строго, а на меня — снисходительно. Снисходительностью своей он обозначал мне сочувствие.

Подошел ко мне, ободряюще похлопал по плечу:

— Не придавайте серьезного значения, все перемелется...

За ним втекла в комнату, всочилась, расползлась густая лужа его свиты — безглазые немые рыбки-прилипалы, изъясняющиеся в его присутствии только восхищенными междометиями или возмущенным мычанием. Каприччос. Светопреставление.

Сейчас у свиты не было повода возмущаться, а восхищаться можно было только философичностью директора и твердостью его перед лицом беды. Чужой.

Поэтому они помалкивали, издавая лишь какое-то слабое гудение, их вялые души ленивых подхалимов исторгали неопределенные звуки огорчения, скрашенного здоровым служивым оптимизмом.

Колбасов заверил:

— Не стоит огорчаться, чего-нибудь мы скумекаем...

И свита облегченно заулыбалась — раз шеф сказал, значит, он чего-нибудь скумекает. Уж он-то наверняка скумекает, раз сказал! Главное, что сказал — не стоит огорчаться! Только Педус Пантелеймон Карпович, оставшийся в дверях — неизгладимая привычка камерного вертухая, — только он не улыбался и не радовался, а равнодушно, не глядя на меня, жевал своими тяжелыми жвалами. Он-то знал свое!

А Колбасов еще раз уверил:

— Нет причин сильно расстраиваться! У вас неплохая работа...

Я верила в искренность Колбасова, уговаривающего меня не расстраиваться из-за незащищенной диссертации. Колбасов мне не сочувствовал — он просто не способен на такое сердечное чувство, он искренне призывал меня наплевать на служебные невзгоды. Без лишних слов, только своим видом бесконечно преуспевшего и любимого хозяевами животного, он демонстрировал мне огромное преимущество наплевательства на любое дело. Конечно, жалко полсотни доплаты за ученую степень, но, если хорошо покумекать, можно их восполнить. А на остальное — наплевать...

Я смотрела на Колбасова — рослого, гладко-розового кабана сорока лет, которого Люся Лососинова называла интересным мужчиной, ощущая в этом шестипудовом хряке предметное воплощение своих неразвитых половых влечений деревенской свинки.

Колбасов что-то говорил, двигались сухие губы на его мясистом, наливном лице, редко помаргивали белые ресницы и значительно приподнимались на скошенном лбу бесцветные бровки.

Но я не слышала его. Я оглохла.

А он положил мне руку на плечо, и губы его продолжали двигаться, и руку он задержал на мне дольше на секунду, чем нужно для выражения начальнического и коллегиального сопереживания. И передал мне беззвучно этим прикосновением — мне нравятся такие брюнетистые женщины, мне надоела моя костистая баба, не будь дурочкой, веди себя со мной как следует, и я что-то скумекаю — будет тебе твоя жалкая степень и твою копеечную полсотню накинем, и сам я мужик в полной силе, в самом расцвете, я каждый день езжу в бассейн и через день на теннис...

Тоху и Боху! Начало начал нашей жизни! Разве может понять этот налитой янтарным жирком кнур, что я каждый день утрачиваю свое женское естество от неостановимого потока мыслей, с грохотом проносящегося через мою голову, и что женщина не должна столько думать, столько волноваться, что она выгорает от этого дотла.

Что-то говорил Колбасов, радостно кивали и щерились вокруг подхалимы, оцепенело-неподвижно сидела Бабушка Васильчикова, неспешно шевелил роговыми жвалами Педус, преграждая у дверей путь всякому, кто надумал бы сбежать без команды из камеры, а я досадливо разглядывала на крыльях короткого носа Колбасова рыжеватые веснушки.

Я знаю, почему меня так сердили эти веснушки — они подрывали мое предположение о том, что он не был никогда ребенком, а был выведен в натуральную величину в каком-то тайном инкубаторе ледяного мира. Этот мрачный зажранный кнороз принадлежит к особой породе современных командиров, странных человекоподобных особей, которых плодят, формируют и воспитывают где-то наверху и выпускают сюда управлять нами, жалобными обитателями горестного реального мира.

Ни в чем не участвовавшие, никого не любящие, они задают тон во всем. Не воевавшие генералы — они сейчас главные герои и стратеги. Нищие хозяйственники распоряжаются чужими миллионами, не зная страха банкротства и разорения. Писатели магистральной трудовой темы, с детства не бывавшие в деревне и знакомые с пролетариатом через водопроводчика на их даче. Ничего не открывшие сами моложавые руководители науки.

Все со всем всегда согласны. Нельзя замечать реальности. Мы не живем, мы проживаем, переживаем, пережидаем. Только бы не отняли кусок хлеба. Только бы выжить. Дожить. До чего? До чего мы можем дожить? Время выродилось в безвременье. Несгода. Застой — глухая пора.

Колбасов замолчал — перестали змеиться ненасосавшиеся пиявки губ в тугих комьях его мясистого рыла. Он, наверное, заметил, что я не слушаю, и лицо его стало как пустырь — оно ничего не выражало, не проросло на нем ни единого чувства, и припорошило его пылью безразличия.

Они уже собрались уходить, и я неожиданно тонким голосом спросила:

— А почему же все-таки ВАК отказал в утверждении?

Колбасов снова обернулся ко мне и удивленно развел руками — он ведь столько времени потратил на меня!

— Они считают проблему вашей диссертации неактуальной...

— В моей диссертации нет никакой проблемы, — произнесла я срывающимся голосом. — А поэтика великого поэта не может быть актуальной или неактуальной!

Колбасов чуть откинулся назад, пристально взглянул на меня, медленно сообщил:

— Не нам расклеивать бирки на литераторов — кто великий или не великий! Время покажет...

И вдруг меня охватило чувство, которое должен испытывать летчик в момент, когда колеса самолета оторвались от земли и он всем существом своим слышит — летит! Не знаю, что со мной произошло, но я внезапно почувствовала — я не боюсь этого клыкастого желто-промытого борова, поросшего золотистой чистой щетинкой.

Боясь только, чтобы он не перебил меня, я выкрикнула:

— Но вы же не стесняетесь расклеивать эти бирки Софронову или Грибачеву?

Сдавленно хрипнул из угла Бербасов:

— Да как вы смеете!..

Но Колбасов испепелил его коротким скользящим взглядом и зловеще проронил:

— О-о-очень интересно! Ну-ну?

— И еще я хотела бы узнать, кто это — таинственные Они из ВАКа? Кто эти люди? Каков их научный авторитет? Или, может быть, это решает машина. — Я чувствовала неземную легкость огромной злости, невесомость от сброшенного балласта постоянного ужаса, вдохновенный запал на грани истерики.

Колбасов наклонил голову вперед, он уже шаркал нетерпеливо ногами, чтобы броситься в атаку и растоптать меня в прах. Но пока сдерживался, распаляя в себе ярость на мою еврейскую неблагодарность, жидовскую наглость, иудейскую приставучесть.

— ВАК не обязан сообщать нам имена закрытых рецензентов, — довел он до сведения.

— Почему же я, наш ученый совет, весь институт должны больше доверять мнению какого-то анонимного рецензента, чем оценке наших ведущих ученых и поэтов? — спросила я, и голос мой был жесток и скрипуч, как наждак.

— Потому что рецензент ВАКа объективен! — топнул свирепо ногой Колбасов.

Он уже не собирался со мной кумекать насчет диссертации. И я к тебе не пойду, зря сигналил ты мне липкими сардельками своей пятерни о возможных вариантах. Ты мне противен, кадавр из начальнического инкубатора.

И вся сопровождавшая его толпа не улыбалась больше, не радовалась, а гудела обиженно, сердито, возбужденно, в их недовольстве был слышен металлический лязг перегревшегося трансформатора. А Педус с пониманием качал головой — ему мое грязное нутро было давно подозрительно.

В дверях Колбасов обернулся и крикнул на прощание:

— Вам с таким характером будет трудно. У нас коллектив хороший, склочники не уживаются...

Вышел, вытекла за ним свита. Бербасов на одной ножке вслед поскакал. Тоска и страх стали вновь сочиться в меня ядовитой смолой.

Чего это меня понесло? Все ведь согласны.

Мария Андреевна отрешенно сказала:

— Не дай Бог мужику барство, а свинье — рога!

Светка буркнула мне — зря ты с ним связалась! Эйнгольц неподвижным взглядом уперся в стену, Люся Лососинова встревоженно достала из сумки ватрушку, Надя Аляпкина ввернула, что идет в библиотеку. Галя сделала новую закладку и пустила над нашими головами длинную очередь из «ундервуда».

Ничего не происходит. Все согласны. Безвременье. Большое непроточное время.

20. АЛЕШКА. ОБЛЕЗЛЫЙ ГРИФ

В это утро ангел, пролетая над нашим домом, решил заглянуть в свой мешок с добрыми вестями — не завалялось ли там чего-нибудь для нас, да нечаянно упустил завязочку, и они все разом рухнули в нашу квартиру.

Нинку, уже несколько лет не имевшую каких-то определенных занятий, приняли на работу мороженщицей и дали лоток около метро «Красносельская».

— Приходи, Алеха, забесплатно мороженым накормлю! — приглашала она радушно, а ее Колька и Толька ерзали от нетерпения, негромко скулили, поторапливая ее, возбужденно слизывали сопли красными кошачьими язычками.

Евстигнеев собирал в дорогу Агнессу, которая отправлялась на лето к своей сестре в Елец, и жалобно выпрашивал у нее хоть еще один червончик — «мало ли чего может случиться!».

— Ничего не может случиться! — железно пресекала его грязные имущественные поползновения Агнесса. — Не сдохнешь...

А он был так счастлив избавиться от нее хоть на месяц, что даже про спрятанные облигации не помнил. Он боялся, что она может передумать ехать к сестре. Евстигнеев наверняка наметил широкую следственно-розыскную программу поисков заныканных облигаций, хотя я думаю, что Агнесса их как раз у сестры в Ельце и держит — подальше от его липких, цапучих лап.

Михаил Маркович Довбинштейн в полуобморочном состоянии совал мне в руки — «взгляните сами, убедитесь лично, Лешенька» — стандартную почтовую открытку, на которой было написано, что его приглашают в отдел виз и регистрации иностранцев Главного управления внутренних дел. Бедный старик. Дай тебе Бог. Может быть, ты уже не жидовская морда, не изменник, может быть, ты уже иностранец?

В сомнамбулическом оцепенении он бормотал: «...они ведь не могут нам отказать... у нас там дети, внуки... мы так намучились... мы столько вытерпели... я ничего против советской власти не имею... я просто хочу быть с детьми... я никогда ничего себе не позволял... я отвоевал всю войну... я два раза был ранен и один раз контужен... если надо, то я могу свои медали отдать...»

Я заверил его, что все будет в порядке, с такой твердостью, будто я был начальником ОВИРа. Хотя знал, что они могут отказать. Они все могут. Это я знаю. Да только что ему толку от моего знания!

В конце коридора меня перехватил Иван Людвигович Лубо — он изгибался, клонился, скручивался от вежливости, взволнованно потирал руки о штаны.

— Алексей Захарович, меня пригласил на переговоры человек, которому вы меня рекомендовали...

— Ну и прекрасно! Он мне сказал, что возьмет вас. Там, правда, зарплата небольшая...

— Да Бог с ней, с зарплатой! Мне бы только штатное место досталось! Господи, я бы так работал!.. Я бы показал, на что я способен!..

Ни на что ты уже не способен, Иван Людвигович! Хотя, к счастью, не знаешь этого. Все твои силы ушли на бесконечную войну с негласной анафемой, которой предали тебя четверть века назад. Лубо знает пять или семь иностранных языков, но всю жизнь просидел дома, вел домашнее хозяйство, воспитывал девочек, перебивался случайными — и всегда анонимными — переводами. Лингвист, знаток старонемецкой поэзии, интеллигент, вытирая руки о штаны, пережарил на нашей смрадной кухне пульманы картошки, горы котлет, сварил цистерны щей, слабо отбиваясь от наседающей Агнессы, зажимая уши от матерщины подгулявшей Нинки.

Он был наказанный. Несильно, но без срока.

Тридцать лет назад Иван Лубо, приехавший переводчиком посольства в Стокгольм, подпил где-то в кабачке, подрался с местными хулиганами, попал в полицию, где разобрались и оштрафовали хулиганов. Я думаю, что бывшие хулиганские парни — сейчас осанистые шведские господа — на второй день забыли эту историю раз и навсегда. А Лубо отозвали в Москву, исключили из комсомола за поступок, позорящий звание советского человека, и выгнали с волчьим билетом на улицу. При Сталине он просто боялся скрыть факт бывшей работы в МИДе — за это можно было загреметь в лагерь как шпиону. А потом это стало невозможным — ему никак было не объяснить в отделах кадров, где он мог болтаться несколько лет без дела. И все снова возвращалось в управление кадров МИДа, откуда коллеги-кадровики сообщали на запросы о Лубо: «Уволен за поведе-

164

ние, несовместимое со званием советского дипломата, и утрату доверия».

Он утратил доверие. Простоял целую жизнь у плиты, вытирая ладони о брюки. Осталась только бессмысленная мечта попасть на работу — «зачислиться в штат». Его обещал взять к себе в маленькое издательство один мой приятель...

— Правда — от Бога, а Истина — от ума, — доказывал мне что-то с вежливым жаром Иван Людвигович. — Все будет хорошо, только бы мне — в штат. Я буду всем доволен.

Ты прав, дорогой Иван Людвигович. Правда — от Бога. Но где же сыскать Истину, коли ума нет? Чем ты, старый дуралей, будешь доволен?

Лучше бы тебе тогда десятку сунули как шпиону, отмучился несколько лет, потом бы реабилитировали. Начал бы жить со всеми на равных. А так отбарабанил тридцать. Под домашним арестом. Аббат Фариа с пианино на кальсоновых пуговицах. Э, все пустое...

Может быть, я такой же дуралей, как Иван Людвигович, но все-таки я сейчас попробую хитростью копнуть землю, снять хотя бы дерн с того наглухо засыпанного колодца, где на дне остались со своей тайной Михоэлс и отец Улы. Они тоже ушли как жертвы вечной молодости — они не умерли, они погибли.

Как у нас говорят — на боевом посту. Выполняя, так сказать, свой долг. Дав себя убить без лишних осложнений, без ненужного шума и придушенного крика, они, по замыслу сумасшедших сценаристов, получили право даже на официальные похороны. А не то что на помойку выкинули...

Я и ехал сейчас к одному из сценаристов. На улицу имени 1905 года, дом два, квартира 7. Может быть, Петр Степанович Воловодов и не был автором именно этого сценария, но он множество лет входил в бесовскую сценарную коллегию, превратившую жизнь людей в полупрозрачную рвущуюся пленочку бессвязного фильма небывалых ужасов.

Если существуют законы драматургии сумасшествия — он их должен знать.

Дядя Петрик — частное лицо, собесовский пенсионер, тихий старичок. Разжалованный генерал-лейтенант, осужденный на пятнадцать лет заместитель министра, отбывший полный срок арестант, бывший друг моего папаньки. Он уже десять лет на свободе. А всего ему — 67 годков.

Несколько лет назад он приходил к отцу в гости, но дружба между ними не возобновилась. Он говорил тогда с горестной слезой: «За что? За что меня? Мы все одно дело делали...»

165

История с Воловодовым поразительна. Я верю, что его осудили незаконно. Я вовсе не хочу сказать, что он не заслужил свой пятиалтынник так же, как его наверняка заработал мой папанька, которому никаких претензий вообще не предъявили. Но после смерти Сталина, когда посадили дядьку Петрика, не было времени, да и особого желания копаться в действительно совершенных им преступлениях.

Надо было «разогнать бериевскую шатию». Не осудить публично преступную машину и ее команду, а отогнать от кормила и перебить прежних рулевых. Никогда дворцовые путчи не ставят задач правосудия.

Петрика подстегнули быстренько к делу Абакумова, и сколько Воловодов ни орал, что никогда не имел ни малейшего отношения к разгрому ленинградского начальства, за что официально привлекался бывший министр — других грехов Абакумову не сыскалось! — ему воткнули пятнадцать и отправили в лагерь.

Не наказанный за действительное зло, о котором Воловодов, естественно, забыл, а покаранный за преступление, которого он не совершал, в условиях, когда вся их деятельность не была названа преступной, а туманно именовалась «отдельными перегибами», дядька Петрик совершил забавную эволюцию — он стал диссидентом справа.

Это был род добровольного безумия — он сознательно, горячо, искренне считал, что все происходящее у нас до 1953 года было справедливо, мудро и прекрасно. И все эти достижения были смыты мутной водой предательства идеалов, беззакония и постылого раболепия перед Западом. Он позволяет себе не скрываясь, говорить вслух такое, за что обычный инженер как минимум вылетел бы с работы, если не угодил бы в психушку. Но на Воловодова власти не обижались — он был по идее «свой» человек. Он был борец не «ПРОТИВ», а «ЗА».

Я представляю, как начальник райаппарата сидит — почитывает сводку осведомителей, доходит до рапорта об очередном злобном высказывании дядьки Петрика, не может сдержать добродушной усмешки, качает головой, бормочет: «Вот чертяка!.. не унимается... крепкий мужик... наша косточка... душой болеет за правду...»

Я долго терзал звонок, пока он открыл мне дверь, сухо похлопал по плечу — проходи на кухню, а сам вернулся в уборную. Запущенная грязноватая квартира, обшарпанная мебель, все пропитано кислым запахом одинокой неопрятной старости. На подоконниках, на шкафу, на полочках, на полу, на кривом табурете — кактусы. В горшочках, в проржавленных кастрюлях, в фанерных ящиках от посылок, в старой синей кружечке с облупившейся эмалью. Крошечные — с мизинец, огромные — с собаку ростом, круглые, длинные, саблелистые, коричневые, ярко-зеленые, в розовых цветах и с рыжеватой небритой щетиной, растения заполняли всю квартиру, и, хоть я знал, что они не пахнут, все равно казалось, что это они испускают неприятный кислый запах одиночества, злой тоски и ненужности.

Дожидаясь, пока Воловодов убедит в сортире свой старчески несговорчивый кишечник, я подошел к окну. Слева тяжело клубилась пыльная усталая зелень Ваганьковского кладбища, справа железно грохотали, мучительно толкались, перебираясь с места на место, грузовые вагоны на сортировочных путях Белорусской железной дороги. В раскаленном синеватом мареве мчались с злым фырчанием через путепровод машины, в своем радужном разноцветье похожие на прижатые ветром к асфальту воздушные шарики.

Я озирался в комнате, заросшей кактусами, будто брошенная в джунглях вырубка, и не мог сообразить, что меня отвлекает. Здесь не хватало чего-то привычного, но чего именно — я не мог никак зацепить.

От легкого ветерка пошевелились страшные ножи огромного кактуса, потихоньку раскачивались его зловещие шипы. Бурые круглые головы, истыканные иглами, будто поворачивались за мной, стоило сделать шаг. Со всех сторон торчали бесчисленные острые шилья. Кактусы были мне противны — они и на растения были мало похожи, они скорее смахивали на какие-то внеземные полуживые существа. Враждебные.

На стене висела грамота общества кактусоводов за большие успехи. Наверное, последняя награда дядьки Петрика в этой жизни.

С гневным завыванием взревел унитаз, щелкнул выключатель, и появился Воловодов. Он прошел к раковине, заставленной синюшными пустыми бутылками из-под кефира, долго, задумчиво мыл руки с мылом, утирал их сальным кухонным полотенцем, потом спросил безразлично:

— Как, Алешка, поживаешь?

— Скучно поживаю, дядя Петрик.

— Это уж как все. Время сейчас такое. Люди ничтожные, мысли убогие...

Он стоял опершись задом на раковину, высокий, худой, крючконосый, лысовато-седой, в коричнево-фиолетовой полосатой пижаме, прижав к груди когтистые пальцы, и очень напо-

167

минал мне в своем кактусовом диком интерьере грифа-стервятника.

Облезший завонюченный гриф судорожно двигал шеей, крутил сухой острой башкой, натягивая у горла дряблые веревки вен.

— Смешные времена, — сказал он, кивнув на радиоприемник. — Слышал я по чужому голосу, какие-то американские молокососы приехали сюда протестовать против арестов. Один из них приковал себя цепью в ГУМе к перилам, а остальные швыряли листовки. Два часа наши говноеды ковырялись, пока их угомонили! Умора, да и только.

— А что надо было сделать? — спросил я с интересом.

— Что сделать? — удивился он. — В мои времена послали бы Леньку Райхмана...

— А он бы что?..

— Ленька? Отрезал бы этому пилой руку — и конец беспорядку! При нас такого быть не могло...

Я засмеялся — при них действительно такого быть не могло. «И что характерно!» — как говорит мой папанька.

И что характерно — Ленька Райхман состоял не в должности налетчика с Молдаванки. Он тоже бывший генерал-лейтенант.

Интересно, английский генерал-лейтенант может отрезать пилой руку демонстранту?

Я засмеялся. Мне надо было подпустить осторожно снасть.

Как он, кстати говоря, живет? Давно он у нас не был...

— Женился, дурень. Но понять можно, — клюнул носом воздух гриф, растрепались над ушами редкие седастые перья, картофельными оладьями висели его сиреневые уши. — Такого лихого парня зашельмовали, посадили, не у дел оставили. В самом расцвете, как говорится. Тоскует Ленька...

— Да, я по рассказам помню — человек он штучный. Это ведь он тогда с Михоэлсом обтяпал дело?

Гриф-стервятник покачал из стороны в сторону своим желто-коричневым от запоров лицом:

— Это ты все перепутал. Мы к этому делу не имели отношения. Этим занимались крутовановские люди...

У меня замерло сердце. Господи всеблагостный! Если Ты есть на небесах, помоги мне! Боже правый, если мне суждено процарапаться по этому тусклому коридору к давно свершенному злодейству, то вот она — первая щелочка в монолитной стене. Это вход в намертво замурованный лаз.

168

Нестерпимо захотелось выпить. Мне остро недоставало сейчас первого хмельного вдохновения, той необычной легкости мысли и непредугадываемой верности слов и поступков, что возникает от первого, второго прижившегося в тебе с утра стакана.

Осторожно спросил его:

— Дядя Петрик, а не путаешь ты? Отец говорил как-то, что как раз в это время Крутованова посадили. А через год выпустили...

— У твоего батьки от сытой, спокойной жизни склероз развился, — сердито сказал Воловодов и с интересом взглянул на меня. — А должен был бы помнить...

— Почему?

Гриф помолчал, помотал костистой острой головкой, вздохнул, еще раз на меня глянул:

— Дело было знаменитое. А кокнули Михоэлса крутовановские ребята, да грязно сделали, наследили, насрали повсюду, за ними еще год подбирать пришлось... Туда же выезжал с официальным расследованием Шейнин. Ну, конечно, этот еврей-грамотей, стрикулист паршивый, сразу же почти все разнюхал. Эх, не послушал меня тогда Виктор Семеныч...

Он и сейчас произносил имя Абакумова с взволнованным колебанием заизвесткованной грудины.

— А разве Абакумов симпатизировал Крутованову? — лениво осведомился я.

— Как собака кошке! Но ничего сделать не мог. Знал он, что погибель его в этом предателе, да бессилен был. Крутованов с Маленковым на сестрах были женаты, вот тот его и поддерживал перед Сталиным. Понимаешь, Сталин через Маленкова — Крутованова держал под надзором Берию, а Лаврентий через Крутованова контролировал Абакумова. Этот подлюга, Крутованов, и свалил Виктор Семеныча, думал сам стать министром, да ему Лавруха хрен задвинул — матерьяльчики у него были, ну, он Сталину доложил, и Крутованов в подвал ухнул. Маленков понимал — остался теперь Берия на свободном поле, конец теперь. На уши встал, а отмазал Крутованова у Сталина, его и выпустили через год, на прежнее место вернули. У нас с ним кабинеты на одном этаже были...

Господи, только бы не сбить его с настроения неуместным словом. В нем прорвалась тоска вынужденной немоты. Кроме своих кактусов, ему некому рассказать перипетии борьбы в этом небывалом террариуме — все были чужие. А своим это все неинтересно. Они и сами знают.

Я был гибрид — почти «свой», наверняка воспитанный с младенчества, что чужим нельзя говорить ни слова из услышанного в доме, и мне, как постороннему, ни в чем этом не принимавшему участия, практически не заставшему звездную пору этого обгаженного грифа-стервятника, рассказать о том, что не всегда он был хреном собачьим, тоже было соблазнительно. Через несколько минут или через несколько часов в нем перегорит запал униженного тщеславия, и он будет жалеть о выскочившем и непойманном воробье сказанного слова. Сейчас его еще разгоняла ярость огромной зависти к удачливому прохвосту.

— Отец всегда говорил, что Крутованов очень хитрый человек...

— Хитрый? — удивился дядька Петрик. — Да это исчадие ада! Умный. Ну, умный! Хитрец, врун, вероломный, как скорпион. Гадина — одно слово. Он и сейчас в полном порядке. Генерал-полковник в отставке, полная пенсия, все ордена. И пятьсот зарплаты.

— А он что — работает еще?

— Работает! — в гневе взмахнул когтистыми лапами. — Он заместитель министра внешней торговли! Вон в газете недавно интервью с ним: «Мы — за разрядку, мы — за торговлю, мы — за сближение, мы — за социализм, а вы будьте за капитализм, только мир пускай будет да чтоб за границу почаще ездить...» Сука, оборотень проклятый! Дождется, паразит, его евреи за границей, как Эйхмана, споймают еще!

Я захохотал:

— Дядька Петро, а ведь ему было бы им чего там рассказать, а?

— Он бы рассказал, можешь быть уверен! Ему на все наплевать, только бы харчи чтоб были хорошие!

— Повстречался бы с семьей Михоэлса, было бы им о чем вместе вспомнить...

— А семья что — в Израиль уехала?

— Давно.

Гриф повозил сухую складчатую кожу на жестком подбородке, покачал головой:

— Все-таки неуживчивый народ...

— Дело не в неуживчивости, а во въедливости, — заметил я. — Ты же сам говоришь — Шейнина послали тогда в Минск марафет навести, а он всю срань раскопал...

— Так это тоже Крутованов виноват! — возопил гриф. — Ведь предполагалось все сделать чисто, чтобы не ставить никого в известность. И прокуратуре нечего знать наши дела! Планировали специально послать потом Шейнина, чтобы этот писака там крупно обделался. Понимаешь, ему ведь роль была придумана — он там ничего не должен был найти, а признаться в этом не захотел бы. Ну, он и подыскал бы каких-нибудь посторонних ослов, чтобы, как в его детективных рассказах, все концы с концами сошлись. Тех бы шлепнули, и все — концы в воду...

Вот, оказывается, какую ему незавидную роль отвели, великому детективу Льву Романовичу Шейнину! Он был прославлен своими детективными рассказами, которые пек на раскаленной сковородке правосудия, и особое уважение и доверие к его россказням вызывало то обстоятельство, что он был не какой-нибудь писателишка-любитель, а самый взаправдашний следователь. Правда, совсем немногие его читатели знали, что детективный писатель Лев Романович был не простой следователь-беллетрист, а прокурорский генерал, начальник следственного управления прокуратуры Союза...

Что же ты, умник, не рассмотрел железные пружины хитрого капкана еще в Москве? Почему не сказался больным? Чего не отвертелся от поездки в Минск? И там уже, увидев воочию белые нитки наспех сшитого убийства, чего не сыскал каких-нибудь посторонних ослов? Не сообразил? Посовестился? Или решил сам в игру включиться — козырного короля в рукав спрятать?

Сейчас этого уже не узнаешь. Все равно получилось по их плану — ничего и никогда Шейнин никому не сказал. Концы — в воду.

— А Шейнин действительно нашел кого-нибудь? — спросил я.

— Нашел, — усмехнулся гриф, и от этой запавшей улыбки, от полуприкрытых, как у покойника, глаз мне стало не по себе. — Толковый он был еврей. Да в те времена нас ведь было не объехать...

— А что?

— Да ничего — отозвали его в Москву срочно и посадили.

— В чем же его обвинили?

— Ну, этого я не знаю — меня это не касалось. Да и не вопрос это. Всегда что-то есть. А уж когда окунули — он подписал все, что сказали. И на всех...

Ах, еще бы немного поговорил бы он, мне нужно еще одно...

— Дядя Петрик, а Шейнин что — отыскал ребят, которые выполняли задание?

Гриф хищно оскалился, подобрал выше костистые плечи, тряхнул облезшими перьями:

— Это уж хрен ему. — И непристойным жестом выставил до локтя худую пупырчатую руку. — В те времена мы своих на сторону не выдавали!..

— Ты их знал, этих ребят? — как можно небрежнее обронил я, и в тишине расплывшейся паузы мгновенно уловил возникшее, как силовое поле, противостояние.

— Нет, — медленно, не сразу ответил гриф, внимательно вперившись в меня желтыми пронзительными глазами. — Не знал. А ты почему меня об этом спрашиваешь? Тебе к чему это?

— Просто так, — пожал я плечами. — Вы ведь последние могикане. Уйдете, некому и вспомнить будет...

— И не надо, — отрезал Воловодов. — Не надо об этом вспоминать. И так вспоминателей больше, чем дел...

— Раз не надо, значит, не надо, — засмеялся я. — Мне ведь это ни к чему, просто к слову пришлось. А живешь ты, дядька Петрик, скучновато. Тебе бы развлечься, настроение бы улучшилось. А то сидишь здесь со своими кактусами...

Я огляделся и неожиданно понял, что мне не хватало в этой комнате, — в ней не было ни одной книжки. Нигде. Никакой. Только кактусы.

— А как же мне прикажешь развлекаться? — скрипуче спросил Воловодов.

— Ну, это я не знаю! Сходи в кино или куда-нибудь в парк культуры и отдыха.

Гриф зло усмехнулся и с той же резкостью, как давеча в непристойном жесте, выкинул тощую жилистую руку в сторону окна:

— Вон мой парк культуры и отдыха...

Из церкви на Ваганьковском кладбище донесся первый неспешный удар колокола, и медленный полнозвучный густой звон потек над нами.

21. УЛА. РАСПРОДАЖА

Действительно, нет причин расстраиваться, незачем огорчаться. Однажды, еще до того, как все затопила матерая едкая вода безвременья, мы все согласились с тем, что жизнь есть способ существования белковых тел плюс обмен веществ. Это удивительное откровение стало фундаментальной научной основой всеобщего бытия. Научным его делал упомянутый плюс, а фундаментальным — не включенный в формулу минус. Минус духовность.

И нечего расстраиваться, незачем горевать — в рамках отдельного случая существования белкового тела надо думать об обмене веществ. Главное — сосредоточиться на плюсе. А минус — это пустяки. Бог с ним, с минусом.

Мы все согласились быть просто белковыми телами плюс тридцать один рубль в получку — вот цена моему обмену веществ.

Сотрудники задолго до обеда разбрелись из комнаты, только Эйнгольц сидел за столом и внимательно-грустно смотрел на меня.

Остальным было невыносимо зрелище моей униженности и собственной трусости. Им было совестно смотреть на меня и боязно сидеть со мной — а вдруг вернется Колбасов и подумает, что они со мной заодно, что они против него.

А может быть, я в сердцах наговариваю на них.

Просто с младенчества мне запомнился урок коллективного ужаса — испуга невиновных людей, которых очень легко можно было объявить виноватыми. В мае 1953 года мы ехали с тетей Перл на троллейбусе. Был теплый весенний полдень, мне — пять лет, и ощущение счастья завершилось местом у открытого окна в полупустом салоне. Перед самой Пушкинской площадью в проезде Скворцова-Степанова возникла автомобильная пробка, троллейбус остановился, а я высунулась из окна, чтобы лучше рассмотреть — какая-то машина продиралась сквозь пробку, издавая пронзительные ревуще-квакающие звуки. Огромный черный «ЗИС-110», беспрерывно мигая желтыми фарами, угрожающе орал сиреной, ограниченные толкучкой, шарахались с его пути малолитражки, но дать ему дорогу не могли физически — впереди было все забито. Около нашего троллейбуса лимузин замер, и через опущенное окошко передней двери я увидела в упор пассажира.

В распахнутый ворот белой рубашки свисали два подбородка, маленький рот, похожий на смеженное веко, бородавка на щеке, влажная лысина, утепленная светлым подшерстком. Опрятная кисточка усиков под носом, будто сморкнулся чернилами и забыл утереться. И вымоченные светло-голубые глаза за ледяными стеклышками пенсне. Он смотрел прямо перед собой, не замечая пробки, нашего застрявшего троллейбуса, моего удивления.

— Тетя, посмотри, какой страшный дядька! — крикнула я громко.

Он повернулся ко мне — его потное лицо было на расстоянии метра от меня, медленно рассмотрел и коротко улыбнулся, как сморгнул. Я успела увидеть в щели между тонкими губами-веками проблеск золотых зубов.

И вздох-всхлип ужаса пронесся еле слышно за моей спиной в салоне. Водитель троллейбуса почему-то открыл дверь — наверное, от растерянности, и люди, давясь, ожесточенно толкаясь у выхода, рванули наружу, как вода из треснувшей бочки.

Впереди оглашенно засвистели милиционеры-регулировщики, машины задвигались, вновь взревела сирена «ЗИСа», блеснуло солнце в золотой дужке пенсне, и лимузин, фыркнув, рявкнув, желто вспыхнув фарами, умчался.

В троллейбусе мы сидели одни. Я смотрела на оцепеневшую тетю Перл, синюшно-белую, потом спросила ее:

— Что такое?

Она с размаху влепила мне пощечину и заплакала:

— Она спрашивает: «Что такое?»! Идиотка! Это же был Берия...

Белковые тела.

Люди генетически усвоили раз и навсегда: ничего нет проще, чем изменить их способ существования и прекратить обмен веществ. Не надо огорчаться. Надо быть жизнерадостными и скромными тружениками. Строителями сказочного города Хелма, населенного дураками.

Я смотрела на глубоко задумавшегося Эйнгольца и была благодарна ему за то, что он не говорит мне сейчас бессмысленных слов утешения. Эйнгольцу тоже не нравится предписанный ему способ существования, но его скорбная фигура выражала тоску по минусу. Его старенькая замшевая курточка из свиной выворотки была ему тесна, в плечах она расползлась на швах, на локтях и на животе залоснилась до черноты, вытерлась до гладкости кожи на лацканах. «Надо бы зашить ему куртку», — механически подумала я, глядя, как он нешироко и методично, с точностью механизма покачивается над своим столом.

Сейчас, в миг глубокой тоски над убиваемым минусом, он забыл о том, что он христианин, а оставался по-прежнему евреем, необозримо древним, раскачивающимся вперед-назад, как тысячи поколений его предков на молитве, в скорби и трудном размышлении.

Извечно раскачиваются евреи вперед-назад — они слышат ход незримых часов. Мы маленькие маятники их. В переставшем раскачиваться еврее остановились часы нашего Бога.

Эйнгольц неслышно раскачивался на стуле, с бессмысленной аккуратностью раскладывая и меняя местами листы копирки, блокнотики, стопки черновиков, остро отточенные карандаши, в специальном конвертике шариковые ручки и отдельно — обычную чернильную с золотистым пером № 86, и в движениях его была отчетливо видна бессознательная любовь ко всем этим предметам, хрупким инструментам человеческой культуры, которая сама давно объявлена минусом.

Эйнгольц оторвался от своего стола, и замерло его раскачивание, когда он посмотрел мне в глаза.

— Что будешь делать? — спросил он.

— Ничего.

— Хочешь, вместе напишем апелляцию в президиум ВАКа? — сказал он просящим голосом.

— Не хочу.

— Почему? Давай я пойду к профессору Бонди — он может подать в президиум протест.

— Не надо, Шурик. Я не буду подавать апелляцию. Мне это не нужно.

— Как же быть?

— Никак. Ты помнишь, в Библейских хрониках, Паралипоменоне, есть слова: «Потом вошел к жене своей, она зачала и родила ему сына, и он нарек ему имя Берия, потому что несчастье постигло дом его»...

Эйнгольц смотрел на меня вопросительно своими красноватыми выпуклыми глазами, и я закончила свою мысль:

— Понимаешь, имя всему этому — Берия, что значит «несчастье постигло дом его». В этом доме — огромное, необъятное несчастье. И здешний способ существования белковых тел несовместим с поэтикой Бялика. Ты ведь знаешь о несовместимости белковых тел? Они отторгают меня, им непереносим мой обмен веществ...

— Что ты говоришь, Ула? — крикнул Эйнгольц. — Ты ведь по своей культуре — русская интеллигентка, ты...

А я решительно помотала головой:

— Нет, Шурик. Я хочу с этим покончить. Мои белковые тела устали приживаться. У меня больше нет сил...

Распахнулась дверь, и в комнату ворвался Володька Федорук, бросился с порога ко мне, обнял, стал целовать в лоб, в темя, в затылок.

— Ула, ласточка моя, голубонька, подружка моя бедная! Вот вражины проклятые! Все им неймется, заразам проклятым! Такую девку обидеть! Диссертацию завалить такого ученого человека! Ни дна чтоб им, ни покрышки, сукам казенным!

Я высвободилась из его объятий — посмотрела в его круглое распаренное лицо, которому так не соответствовало выражение досады и огорченности. Володька, веселый неграмотный шалопут, попал к нам в институт по блату, быстро перессорился с начальством, подружился со всеми приличными людьми, пошумел, попьянствовал, всех раскритиковал, года два назад женился на дочке какого-то важного туза из Киева и уехал жить туда. Он там быстро продвинулся, часто приезжал в Москву и всегда заходил к нам в институт. Как я понимаю, его тормозит в продвижении к еще большим верхам только отсутствие ученой степени — он жалуется всегда, что нет времени «присесть, диссертацию махнуть».

За розовое безбородо-гладкое лицо мы называли его Вымя.

— Ну, Шурик, ты хоть скажи — не хулиганство ли это? — кипятился Володька. — Враги! Одно слово — враги рода человеческого! Такую работу спалить!

— Спасибо, что хоть не на площади, — заметил Эйнгольц.

— Ха! На площади! На кой черт нам эта оперетта! У нас есть котельные, кочегарки! Костров всей Европы не хватит на их растопку — сколько туда мудрости людской загрузили...

— Что же будет? — невпопад безлично спросил Эйнгольц.

— Плохо будет, — весело заверил Вымя. — Ты ведь знаешь, Шурик, что я ненавижу антисемитов. И скажу тебе откровенно и объективно — плохо будет. Евреям в особенности...

— А почему евреям в особенности? — упрямо спрашивал Эйнгольц.

— Это долгий разговор: У нас шутят, что уезжающим евреям дают медаль «За освобождение Киева». Только я все чаще вспоминаю слова моего батьки...

— И что же тебе сказал твой батька? — спросила я равнодушно.

— Он пацанчиком был еще, так стоял у них в хате какой-то петлюровский командир. Вызвал он богатых евреев из местечка — собирать контрибуцию вместо погрома и заявил им: «Слухайтэ, жидки. Чи Троцкому будэ, чи нэ — нэ знаю. Но вам, троценятам, будэм маму мордоваты!» Вот чего мне батька сказывал. Вопросы есть?

— Нет, — ответили мы в один голос с Эйнгольцем.

176

— Я Марию Андреевну встретил сейчас, она пошла к Колбасову, — сообщил Вымя. — Она его хочет уговорить... Только, по-моему, это разговор для бедных...

— И я так думаю, — сказала я.

— А что будешь делать?

— Ничего. Выкину и позабуду.

— Бро-ось, — недоверчиво протянул Вымя. — Такую работу классную — бросить? Что-то мне не верится...

— А ты поверь, сделай милость. Я больше не буду этим заниматься.

Вымя переводил недоуменный взгляд с меня на Шурика, потом снова смотрел на меня, и от красных его щек веяло жарким паром. Еще раз переспросил:

— Ты это твердо решила?

— Да.

Он глубоко вздохнул и быстро сказал:

— Продай мне.

— Что продать? — не поняла я.

— Диссертацию. Твою диссертацию.

Даже усталость у меня прошла. Я удивленно спросила:

— А зачем она тебе? Что ты с ней будешь делать?

Я рассмеялась. Трагедия плавно перетекала в фарс. Я только спросила:

— А что, в Киеве больше понравится поэтика Хаима-Нахмана Бялика, чем в Москве?

— Да не будь дурочкой, Ула! Какой там Бялик! У нас есть сейчас поэт один, ну просто огневой парень, на ходу подметки режет, к власти рвется. Да ты знаешь его — Васька Кривенко! Я его стишки вставлю вместо бяликовских в твою работу — она как по маслу во всех инстанциях за полгода пролетит! На стихи-то всем наплевать — их ведь никто и не читает! Важен как раз сопроводительный текст...

Я взглянула на Эйнгольца — у него был вид человека, которого залила с ног до головы ассенизационная цистерна и умчалась прочь. А он остался сидеть за своим письменным столом с аккуратно разложенными инструментами как назло не умирающей письменности.

Потом посмотрела на Володьку. Вымя. Его лицо окатывали быстрые короткие волны возбуждения, алчности, неудобства перед Эйнгольцем, сочувствия ко мне. Но самыми чистыми были волны страха — сейчас придет кто-нибудь посторонний, и уже наполовину сладившаяся сделка может расстроиться.

Ах, бедная старая Мария Андреевна! Дорогая Бабушка! Зачем ты пошла унижаться к тому мрачному тяжелому кнуру? Твое унижение будет бесполезным. Ты не умеешь просить и уговаривать. Ты же мне сама не раз повторяла — интеллигентность несовместима с деловитостью, ибо деловитость принижает достоинство.

— А сколько ты мне дашь за диссертацию? — спросила я Вымя.

— Ула! Ула! — задушевно крикнул Эйнгольц, но я резко хлопнула ладонью по столу.

— Сколько?

— Ула, я и сам не знаю, — смутился неожиданно Володька. — Я ведь не каждый день покупаю диссертации...

Тонко, неуверенно засмеялся и быстро предложил:

— Две тысячи сразу. — Подумал немного и накинул: — И тысячу после защиты.

Он торопился, он боялся, что кто-нибудь придет.

Я засмеялась. Мне было действительно смешно. Ведь если вырвать из нашей жизни боль, то останется только смешное. Смешное и жалкое. Декорации Абсурда! Господи, ну взгляни, как это смешно! Поэтика Бялика на примере стихов огневого парня, который на ходу подметки режет! Это же невероятно смешно — это же просто обмен веществ! Какая разница! На стихи-то всем наплевать!..

Я неостановимо смеялась, я хотела замолчать и не могла, я хохотала до слез, и меня разрывал на куски этот неподвластный мне смех, мучительный, как рвота.

Все прыгало перед глазами, и Шурик зачем-то совал мне в рот стакан с водой — он думал, что у меня истерика. Я оттолкнула его, раскрыла ящик стола и вытащила оттуда красную картонную папку с экземпляром диссертации.

И наконец сладила со смехом. Володька испуганно молчал, и я спросила его:

— Сколько стоит шикарный обед в ресторане?

— А что?

— Ничего, мне интересно. Я ни разу в жизни не была еще в ресторане.

— На сколько персон? — деловито осведомился Вымя.

— На двоих. Пятьдесят рублей хватит?

— Если шикарный обед, то стольник...

Вот и прекрасно — моя зарплата. За месяц плюс обмен веществ, минус налоги.

Я протянула Володьке папку:

— Давай сто рублей.

Он начал надуваться принципиальностью:

— Нет, так я не могу, так я не согласен. Я ведь не ограбить тебя хочу, а хоть как-то, по-своему помочь... Компенсировать твой труд...

Вот, он уже и помогает мне. Это и неудивительно. Наша торгашеская сущность евреев! Мы ведь — за деньги-то! Отца родного не пожалеем! Ничего нет святого...

— Давай сотню — или передумаю! — крикнула я.

Зазвонил телефон, я сорвала трубку и услышала голос Алешки:

— Ула?

— Да, Алешенька, это я. Давай сейчас увидимся?

— Давай... — неуверенно сказал он. — А где?

— На Арбате. У старого метро. Через полчаса.

— Хорошо. Еду, — сказал он испуганно. — Ничего не случилось?

— Нет-нет. Все в порядке. Я просто соскучилась! Я хочу тебя видеть!

— Целую тебя, Ула! — обрадовался Алешка. — Я помчался...

Положила трубку и сказала Володьке:

— Ты берешь диссертацию?

— Ула... пойми... я так не могу... ты столько... сидела...

Пришлось сделать вид, что прячу папку обратно в стол.

— Последний раз спрашиваю — берешь?

Вымя выхватил из кармана бумажник, очень толстый, коричнево-засаленный, жирный, на нем можно было картошку жарить. Из его сморщенных створок торчали многочисленные бумажки, неуживчиво вылезали наружу квитанции, выскакивали глянцевые квадратики визиток, засиженных мухами званий и должностей... Из особого отделения вытащил пачку купюр, похожую на грустный осенний букет — небольшой, но ярко насыщенный красными, зелеными, фиолетовыми цветами. Володька считал десятки, от волнения сбился, помусолил указательный палец, снова стал считать. Он был нежадный парень, ему было просто неловко особой застенчивостью вкусно обедающего человека под взглядами двух голодных оборванцев.

Он расплачивался десятками, чтобы было побольше бумажек в пачечке — возникала иллюзия суммы значительной.

— А у тебя нет целой сторублевки? — спросила я.

Вымя перестал считать десятки и протянул мне хрусткую коричнево-серую купюру. Я положила ее в сумку, подумала о том, что впервые в жизни держу такую бумажку в руках. Глупо.

179

Как ужасно глупо! Мне ни разу не полагался платеж, в который бы могла уместиться такая купюра. Драма непреодоленной бедности...

— Ула... если хочешь... это будет как аванс... в любой момент я готов... — заикался Володька, но взгляд его уже был прикован к красной папке на моем столе.

Я направилась к двери, и сокрушенно молчавший Эйнгольц спросил:

— Если будут тебя спрашивать, что сказать?

— Скажи, Шурик, что хочешь. Все равно... — И захлопнула за собой дверь.

Прошла по коридорам, в которых шатались праздные, мимо столовой, зловонящей щами и людским азартом — длинная очередь выстроилась за развесным палтусом, мимо закрытой на учет библиотеки, спустилась по лестнице в запыленный сумрачный вестибюль, миновала гардероб, где болтался, как висельник, чей-то одинокий брезентовый плащ, взглянула на плакат «Уважайте труд уборщиц!» и впервые поняла, что это призыв не понарошечный, что это незашифрованная инструкция. Это программа нашего способа существования белковых тел.

В этой дурости огромный смысл. От меня никто не требует уважения к уборщице. По-своему даже не разрешается уважать уборщицу. Мне велено уважать труд уборщицы.

Прости меня, Алешенька, может быть, я предаю тебя, но я так больше не могу жить. Я не могу заставить себя уважать труд уборщиц. Громадный организм не принимает моего белкового тела. Я устала поддерживать свой обмен веществ минус духовные потребности и осенние сапоги на тридцать рублей в получку. Я не могу выдержать накала плохо затаенной враждебности ко мне. Я не могу привыкнуть к тому, что, когда на улице кто-то произносит слово «евреи», я непроизвольно вжимаю голову в плечи. Я замучена необходимостью проживать одновременно в двух измерениях — в мире абсурдных свершений и в мире живых горестных потерь. Я не хочу ходить по квартирам агитировать за одного кандидата на одно место. Я не понимаю, как анализ поэтики и личности Хаима-Нахмана Бялика можно иллюстрировать бурсацкими виршами какого-то прохвоста, выкинув стихи и имя замечательного поэта.

Прости меня, Алешенька, я устала так жить. И я думаю, что однажды нас всех здесь убьют.

Отторжение. Все естественные связи прерваны. Люди соединены только бурно пульсирующей пуповиной абсурда.

И ты. Еще ты меня соединяешь с этим миром, Алешенька, — моя любовь, моя боль, последняя и невосполнимая потеря здесь.

— Здравствуй, Алешка!

— Здравствуй, Ула! Почему ты плачешь, любимая?

— Я не плачу, Лешенька. Это просто так. От волнения. Я испугалась, что больше не увижу тебя...

— Куда же я денусь? Я не звонил, я не хотел идти к тебе с пустыми руками, мне было стыдно. Я думал, сойду с ума без тебя...

Мы стояли обнявшись на Арбатской площади, и ко мне вдруг пришел покой пустоты и отрешенности. Я знала, что ничего мне от Алешки не нужно, что ничего он не может узнать и найти в этом бездонном морящем болоте. Я знала, что мы обречены, что мы уже не очень молоды — ему под сорок, а мне под тридцать, что наша совместная жизнь прожита, что наша встреча — как расставание перед отправкой на фронт, потому что я здесь больше жить не могу, а он больше нигде жить не захочет, он по-настоящему глубоко русский человек, и нам остаются теперь лишь горечь и разочарование чувств, сиротство разлуки, непроходящая боль потери единственного нужного на земле человека.

Алешка, как много я тебе не сказала! Меня всегда сдерживало, замораживало неподвластное мне целомудрие еврейских женщин, чья стыдливая холодность — проклятие отринутой их праотцами прекрасно-распутной, властно-похотливой богини Астарты.

Я не сказала тебе, что люблю тебя на всю жизнь. Неведомо, что ждет впереди. Ты будешь далеко, невозвратно далеко, будто мы умерли, и в другой жизни может возникнуть какой-то мужчина. Не ты! Он никогда не займет твоего места.

Ибо любовь к тебе мне и самой совсем не понятна. Это морок, мана, сладкий блазн, долгое наваждение, радостное омрачение ума, истекающий мираж.

Спасибо тебе, любимый! Спасибо за все. Я не плачу...

— Ула, любимая, что с тобой? Что случилось? — Я видела перед собой его испуганные глаза, хотела успокоить его и — не могла, потому что сердцем чувствовала — мы обрушились в бездну.

— Ничего, Алешенька, все в порядке. Я очень по тебе соскучилась. А мне сегодня неожиданно повезло — я заработала за пустяковую работенку сотню. Давай пропьем?

Алешка захохотал:

— Это ведь надо! Сегодня день сплошных удач! Поехали кутить!

Гнал Алешка свой старенький «москвичок» — «моську» на большой скорости. А я опустила стекло, высунула наружу голову, и жаркий плотный ветер дня сплошных удач заботливо-незаметно промокал на моем лице слезы.

Я душила их в себе, но они не слушались и текли быстро, безостановочно, и это были слезы о моем убитом отце и замученной матери, о всем нашем изрубленном и засохшем древе, это были слезы о никчемной, пропавшей жизни Алешки, я плакала о нашей обреченной любви, я плакала об отданном на поругание Бялике, я плакала об уходящей молодости и от предчувствия беды.

Я плакала по себе. Господи! Не оставляй меня!

22. АЛЕШКА. ДОРОГА В КАЗЕННЫЙ ДОМ

Первого сентября я решил поехать в Минск. Почти месяц прошел с того жаркого денька, когда мы с Улой пропивали ее случайный заработок. И весь этот месяц меня не покидало странное ощущение осажденного в крепости, приготовившегося к бою и все-таки с мучительным томлением ждущего решительного штурма.

В этом душном грозном августе все изменилось. Старая жизнь сломалась незаметно и необратимо — в ней появилась цель, и бремя достижения этой цели было мне тягостно и в то же время вожделенно.

Целыми ночами я лежал рядом с Улой, смотрел в ее тонкое и резкое лицо, и сердце мое разрывала небывалая нежность, и душила меня острая горечь злого предчувствия.

Немые зарницы, как вспышки ослепительного страха, полосовали в окне квадратный лоскут неба, пролетели с шорохом короткие дожди, тяжело вздыхали на улице старые тополя, и я слышал, как нервные рывки ветра сдирали с них листья и гнали по асфальту с бумажным шуршанием.

На переломе ночи становилось холодно, я заползал под одеяло, прижимался теснее к Уле и начинал тонко, прозрачно дремать, угревшись от прикосновения к ее теплой спине, округлой мягкой попке, к гладким длинным ногам ее, которые она подворачивала под себя. Она даже спросонья не отталкивала меня — ледяного уличного утопленника, покрытого гусиной кожей озноба. Поворачивалась ко мне не просыпаясь, клала свои ласковые ладони на мое лицо, а ноги зажимала шелковистыми бедрами, и сквозь текучую просинь неверного колышущегося сна мне казалось, что круглая неглубокая дырочка ее пупка соединена со мной живой пуповиной, что ее тепло ощутимо перетекает в меня, что мы — одно существо, мне продолжал сниться давний сон обо мне — еще неродившемся.

Во сне я надеялся, что не будет утра, что не настанет света, я не хотел думать ни о Михоэлсе, ни о Крутованове, ни о всей нашей мерзкой жизни. Мне мнилось, что мы с Улой где-то в избушке, в глухом заброшенном лесу, вокруг на сотни верст — ни живой души.

Мне не нужна больше литература, не интересны книги, мне противны люди. Я не хочу всего этого.

Мне нужно, чтобы мы были одни.

И это была ловушка в тайной заданности моего дремотного оцепенения, потому что короткая небывалая радость покоя обрывалась ужасом — Ула пропадала. Я всхрапывал, удушенный каждый раз этим кошмаром, открывал глаза, и никогда, за все годы наши, не бывала она мне желаннее и слаже.

Я дотрагивался до тебя, и руки мои тряслись от твоей близости и моего огромного напряжения. Я погружался в твой жаркий сладостный мир, как в омут.

Микрокосм.

Что толок я своим пестом в горячей бархатности твоего лона? Себя? Время? Или свою жизнь?

...ревел на форсаже мотор обезумевшего от скорости «моськи», взвизгивали испуганно на поворотах баллоны — я и сейчас мчался по Минскому шоссе, ничего не видя перед собой...

Что-то случилось с Улой. Не знаю что — не могу объяснить. Но что-то с ней произошло. Как будто у нее появился другой мужчина, и она жалеет меня, не решаясь бросить. Но это не мужчина, я уверен, я знаю наверняка.

...на обочине торчал огромный плакат «Скорость ограничена и контролируется вертолетами и радарами». Я нажал сильнее акселератор и обогнал тяжелый трейлер. Все вранье, и это вранье. Никакие вертолеты здесь не летают, и радары не работают. Неподалеку от городков прячутся хитрые гаишники на обочинах и вымогают трешки у зазевавшихся шоферов. Вот тебе и все радары.

А мне надо быстрее в Минск...

183

В этот сумасшедший август в Уле вдруг заметно обозначились черты, которые я никогда не замечал раньше. Невероятная возбудимость, которая вдруг сменялась почти обморочным равнодушием ко всему. Как человек, собиравшийся на вокзал и обнаруживший вдруг, что его часы давно стоят.

Нежная, любимая, близкая — я вижу, что ты незаметно уходишь от меня.

...перед поворотом на Рузу заправил на бензоколонке машину и рванул дальше по пустынному шоссе. Справа и слева мелькали занесенные на каменные постаменты самолеты и танки — одинаковые равнодушные памятники чужим страданиям. Те, кто ставил эти фабричные памятники, не убивались сердцем о тех, кто лежал под ними. Они выполняли мероприятие по увековечению памяти павших героев.

Павшие герои — вы такие же безымянные и забытые, как те, кого убили в Минске и чьи зыбкие несуществующие следы я надеюсь разыскать. Я корыстный следопыт. Я хочу умом сыскать Истину, чтобы сердцем вернуть себе Правду...

Ула попросила меня пойти с ней в синагогу. Я очень удивился, но согласился. «Зачем это тебе?» — спросил я только. «Мне нужно», — коротко ответила Ула. Не было праздника, и службы никакой не было. Несколько старых евреев бесшумно сновали в полутемном храме, здесь было прохладно и неторжественно. Ула строго сказала: «Подожди меня здесь», — и пошла куда-то. Я стоял, привалившись к гладкой каменной стене, рассеянно рассматривал аскетически суровое убранство синагоги, воздетое к небу семисвечье их священного светильника, тяжелые деревянные лавки, похожие в неверных квадратах верхнего серого света на таинственные лари, согбенные ряды букв на стенных надписях, сомкнутые треугольники Давидовых щитов.

Откуда-то сбоку появился цивильного вида человек — он был разительно не похож своей осанкой, роговыми очками, начальственным экстерьером на тихих, старых, замшелых, с опущенными головами людей, обитавших в синагоге. Негромко, но очень резко, со скрипучей твердостью командирского голоса он гаркнул что-то по-еврейски, и все находившиеся в его поле зрения изменили свой первоначальный, зачем-то намеченный маршрут и, суетливо семеня непослушными старыми ногами, побежали по углам, как тусклые бурые мыши. Синагогальный командир пожевал строго губами, повернулся ко мне вполоборота, и я увидел в неярком отсвете косого луча на его щеке круглую коричневую родинку, из которой рос пучок рыжеватых волос, длинных, словно хиповый ус.

184

И по этой родинке с длинным пучком волос, похожих на ненормальный ус, неуместно проросший из середины щеки, я сразу вспомнил его.

Эх, жалко, что я не пошел по папанькиным стопам — из меня со временем получился бы подходящий шпион. Я ведь могу узнать в синагоге человека, которого видел незапамятно давно — я был еще ребенком.

Я видел его у папаньки в кабинете. И домой он пару раз к нам приходил — еще в Вильнюсе. Мое детское воображение так поразил этот сумасшедший ус на щеке, что я запомнил даже его фамилию — Михайлов. Он давал мне несильно подергать за ус на щеке и на папанькины насмешки смущенно отвечал: «Это мой талисман, его нельзя сбривать — удача пропадет». Наверное, моему папаньке была зачем-то очень нужна удача Михайлова, иначе — я-то хорошо знаю его нрав — обязательно приказал бы сбрить этот удивительный ус на щеке.

Михайлов был старшим лейтенантом. Это я помню наверняка — разбирать звездочки на погонах я умел еще до школы.

Видно, странная удача вела хозяина удивительного бородавочного уса на щеке, коли он столько лет спустя командует старыми евреями в синагоге.

Он шел вдоль стены — мимо меня, и, пропустив его на шаг вперед, я из озорства сказал тихо и отчетливо:

— Старший лейтенант Михайлов!

Он не вздрогнул, его просто понесло чуть в сторону, как автомобиль с неисправными тормозами, но плавно остановился и голову поворачивал медленно налево, чтобы успеть рассмотреть мое отражение в полированной мраморной стене. Потом взглянул на меня в упор и твердо сказал:

— Моя фамилия Михайлович. Кто вы такой?

— Я Алексей Епанчин. Помните, я вас дергал за ус? Давно это было...

За стеклами очков вокруг глаз у него была темная морщинистая кожа, будто опалившаяся от долгого яростного полыхания буравивших меня зрачков. Глазницы были велики для раскаленных глаз, подозрительно рассматривавших меня из глубоких нор в этом крепком сухом черепе.

— Не знаю никакого Епанчина, — влепил он, как резолюцию отпечатал. — И никогда усов не носил. Ни давно, ни сейчас...

И в яростном блеске притаившихся в провале коричнево-черных его зрачков мелькнуло торжество и презрение.

Он носил свой бородавочный ус как приманку для дураков — все рассматривали это диковинное украшение, а он тем временем из бездонных колодцев выгоревших глазниц успевал разглядеть тебя всего.

Он был уже не Михайлов, а Михайлович, и, наверное, не старший лейтенант. Он был на службе. И всем своим видом демонстрировал мне, что я своими дурацкими шутками и нелепыми воспоминаниями чуть не расколол его в нелегалке.

Он повернулся, чтобы уходить, но все-таки задержался и сказал мне:

— А вам здесь, молодой человек, явно нечего делать. Это все-таки храм Божий, надо уважать чувства верующих... — И пошел.

Ула похлопала меня сзади по плечу, спросила встревоженно:

— Ты о чем с ним говорил?

— Ни о чем, — засмеялся я.

— Это габе — староста синагоги. Его здесь все боятся...

— Неплохого выбрали себе старосту евреи! — захохотал я откровенно.

— Его не выбирают. Его назначает совет по религии...

— Ну, это крепкий религиозный боец! Он раньше у моего папаньки служил.

Ула скривилась, как от мучительной боли, пробормотала сквозь зубы:

— Как метастазы — всюду проросли...

Мы вышли на улицу, сели в «моську», я потихоньку тронулся с места, взглянув в обзорное зеркальце, и увидел наведенную мне в затылок двустволку выжженных глазниц в черном чехле роговых очков.

...я мчался по шоссе, и железно-масляный гул мотора, упругое бухтенье резиновых колес по серой ленте асфальта, свист ветра в боковом окне убаюкивали меня. Мне не хотелось спать, это дрема в отчетливой яви. Я чувствовал свое движение.

Этот бешеный гон по узкому шоссе требовал такого внимания, что я невольно отключался от всех тех дум, событий и волнений, что перетурсучили мою жизнь в минувший грозовой душный август.

Я резал носы попутным грузовикам, встречная воздушная волна отшатывала мой валкий «Москвич» от беззвучно и страшно надвигающихся грузовиков международных перевозок. Я проскакивал в узкие щели, обгонял, и в этом бесцельном ралли, где на финише меня ждали только тени умерших, я надеялся найти успокоение и отдых от неутомимого мучителя, неустанного моего погонщика — страха.

Во мне зрела уверенность, что я теряю Улу. Как я могу удержать ее? Что я могу предложить ей!

Я хотел, чтобы скорость вырвала меня из воспоминаний. Мелькали, изматывали душу своей безнадежной красновато-глинистой пустотой сиротские поля.

На этой трассе нет жилья, на сотни километров нет буфета, лишь машинный разор, шоферская суета и мат, горклый бензиновый смрад на редких колонках.

Нет жилья, нет людей. Только стрелки боковых указателей — до деревни столько-то, до города столько-то. Они все в стороне.

Я мчался по стратегической магистрали. На ней нет городов, деревень, людей. Они в стороне. Люди вообще в стороне от стратегических путей.

Всех своих людей я оставил позади. Обычные неведомые мне люди, почему-то навек застрявшие в своих деревнях в стороне от магистрали, — они побоку. Впереди — тени...

Я уехал из своей квартиры, объятой счастьем, огромным и пугающим, как пожар. В этом разлагающемся жилище, уже отмеченном печатью распада и разрухи, обреченном на расплыв и расплев, где все было тлен, гниль, прель — в нем пышно заполыхал мираж душевного успокоения и надежды.

Нинка на третий день работы загуляла, загудела, пропила всю выручку за проданные эскимо и вафельные стаканчики и больше уже на работу не выходила. И была довольна. «Раньше жила, и сейчас проживу», — весело сказала она мне.

Иван Людвигович Лубо ходит на службу. Как всякая революция, это событие повергло их семью в голод, хаос и внутреннюю вражду — его жена Соня не успевает купить продуктов, не умеет жарить котлет, некому следить за тем, чтобы девочки вовремя расстегивали кальсонные пуговицы и вышибали гаммы из рассохшегося пиандроса, все недовольны, но, как при каждой революции, они надеются на временность этих трудностей, которые, я не сомневаюсь, не кончатся никогда.

Довбинштейнам разрешили выезд. Измученные старческими немощами, ошалевшие от волнения, бесконечных хлопот, неисчислимых запретов, они с животной методичностью выполняли все строжайшие предписания по оформлению отъезда, и вид у них был людей задерганных и замученных насмерть, и не радовались они вслух не только из опасений проявить свою нелояльность к бывшей строгой родине. Михаил Маркович шеп-

187

нул мне в коридоре — коротко, тихо, затравленно: «Алешенька, у меня нет сил больше жить...»

Когда я уходил из дома, приехал грузовик — забирать на таможню вещи Довбинштейнов. К ним привязался с ножом к горлу Евстигнеев, он требовал, чтобы они по пути захватили в комиссионный магазин его ореховый сервант. Довбинштейны испуганно отказывались, слабо возражая, что мебельный комиссионный магазин совсем не по пути, а грузчики и так матерятся, сердятся и грозятся уехать. Но главным образом они боялись, что Агнесса вернется от своей сестры раньше, чем они покинут пределы нашей Отчизны, и объявит их сообщниками Евстигнеева. Дело в том, что за время отдыха Агнессы наш стукач-общественник сорвался с постромков. Загулял и запил.

Если бы в этот тягостно душный август я был занят не своими делами, а писал полицейский роман, то передо мной была бы готовая модель поведения ждущего возмездия растратчика. Не найдя спрятанных облигаций, Евстигнеев пропил оставленные ему женой деньги. Потом он стал выносить из дома и продавать вещи. Сердце его теснил ужас неминуемой страшной расправы, но хмельной боевитый ум склерозно подскрипывал — за восемь бед один ответ. Теперь он дошел до распродажи мебели. Он кричал на испуганных Довбинштейнов, он требовал отгрузки своего серванта, доказывая, что они не подохнут, если переплатят грузчикам за доставку в магазин его серванта лишнюю десятку. «Вам все равно здесь уже деньги ни к чему», — доказывал он трясущимся от страха старикам, которые находили в себе силы сопротивляться только в предвидении еще большего страха перед Агнессой.

Увидев меня, он притих немного, но все-таки сказал искренне:

— Жаль, конечно, что вас выпускают. В лагеря бы вас лучше, изменников! — И мне назидательно сказал: — Запомни, Алексей Захарыч, все они — предатели! Жид крещеный, что конь леченый, что вор прощеный...

...я мчался по шоссе, пустынной военной магистрали какой-то удивительной стратегии, вслушивался в яростный клекот поршней, дробный гул клапанов, смотрел на стрелки указателей съездов к далеким деревням живущих побоку людей, и в памяти отслаивались грустные названия поселений безрадостно живущих обитателей — Осинторф, Шеменаиха, Новоэкономическое, Застенки...

Через двадцать километров — Минск. Там — тени.

188

23. УЛА. ЗВОНОК

Господи, как все мы разъединены, как непроницаемо разобщены мы в этой жизни! Как ничего не знаем о происходящем вокруг!

Я знала, что многие евреи в последние годы поехали отсюда на Родину. Но все это было от меня далеко, отчужденно и страшно. Кому-то разрешили, кого-то держали по нескольку лет. Но никаких подробностей я не знала, потому что неуезжающему еврею общаться с уезжающим нельзя — за это могут отнять тридцать один рубль в получку, принципиально изменить способ существования белковых тел и разрушить дотла твой жалкий обмен веществ. Уезжающий еврей — сионист, изменник, прокаженный.

В бесконечно давние поры антисемиты Манефон, Лисимах, Апион, Аполоний Молон — историки, риторы, писатели античного мира — утверждали, что исход из Египта был не бегством от рабства к свободе и достоинству, а изгнанием прокаженных из счастливой и благополучной земли Аль-Кеме.

Ничего не изменилось. Все повторяется. По-прежнему каждый уезжающий — прокаженный, и только за общение с ними можно угодить в лепрозорий, благо наши иммунологи совершили неслыханное открытие о психиатрической природе возникновения проказы несогласия и стремления к воле.

Наши прокаженные знают, что они вне закона, что они на полулегальном положении, что никто не защитит их от произвола и насилия, и потому сидят они по норам тихо, стараясь не появляться на людях, вожделенно дожидаясь заветного письма с сообщением, что Черное море расступилось для них.

Никто еще не опроверг закона сохранения энергии. Не исчезает энергия света, тепла и электричества — она лишь превращается в новые формы. А куда же делась неисчислимая энергия боли, стыда и страха миллионов людей? Пропала? Исчезла? Ее похоронили?

Но ведь она сохраняется количественно? Она же вечна? Она же неуничтожима?

Она превратилась.

Ее не измеришь в ваттах, джоулях, люксах.

Она растворена в людях. Безграничная энергия зла и безверия.

Никто не в силах подсчитать ее запасы, она не программируется для компьютера, да и какая счетная машина смогла бы дать ответ по формуле высшей математики страдания, где десятки лет надо было перемножить на миллионы замученных, прибавить многие миллионы потерпевших, разделить на бессильный гнев, возвести в куб непреходящего ужаса, взять интеграл в пределе от разоренного неграмотного крестьянина до убитого академика, снова возвести в квадрат бесконечной нищеты, вычесть все права и возможности, извлечь корень смысла жизни, продифференцировать по униженности, покорности, смирению, еще раз разделить на состояние всеобщего похмелья, вывести постоянную миллиардов пролитых слез и представить весь народ стройными логарифмическими рядами бессмысленных цифр статистики.

Высшая математика страдания.

Бесчеловечная энергия ненависти. Ее испепеляющее ужасное пламя пока под спудом. Тоненькие струйки дыма от нее прорываются яростными перебранками в автобусе, осатанелой грызней в очередях, бесцельными мрачными интригами на службе, всеобщим усталым озлоблением, беспричинной, необъяснимой себе самим неприязнью ко всем другим народам, никогда не сходящим с лица выражением озабоченности, подозрительности, досады.

Люди измучены растворенной в них энергией ненависти, ее тяжкое бремя обессилило их. Они неосознанно мечтают освободиться от нее. И однажды пламя этой ненависти вспыхнет, затмив солнце своим неистовым полыханием. Придет умытая кровью злоба и с криком кинется на людей. История людской жестокости померкнет, ибо энергия ненависти не переходит в другие формы, пока не выжжет все дотла. Обиталище этой неслыханной энергии станет пустыней.

Конец света. Наверное, это и будет Армагеддон.

Этот великий ужас всеобщего уничтожения дал мне силы и решимость стать прокаженной.

Еще ни один человек не знал, что я прокаженная, но мои пальцы были сведены судорогой ужаса — первым симптомом начавшейся болезни, когда я набирала номер междугородней телефонной станции и дрогнувшим голосом попросила телефонистку заказать мне разговор с городом Реховот, государство Израиль, абонент 436-512.

«Да, господина Симона Гинзбурга. Да, девушка, пожалуйста, на двадцать часов. По московскому времени? Спасибо»...

Я сидела у телефона, механически разглаживая письмо, уже старое, истершееся, от моего двоюродного брата Семена, слесаря с золотыми руками, сына расстрелянного в Биробиджане дяди Мордухая.

Несколько лет назад мы стояли, обнявшись, с Семеном в аэропорту, мы плакали, и этот незнакомый мне человек со стальными сизыми зубами говорил мне: «Приезжай, девочка, сестренка, для тебя всегда найдутся кров и кусок хлеба».

Спустя пару месяцев пришло от него письмо — он устроился механиком в университетскую лабораторию, был чем-то доволен, чем-то озабочен и снова звал к себе. Но тогда я не знала еще закона сохранения ненависти — страх перед проказой был больше предстоящей гекатомбы.

Я побоялась даже ответить — я понимала, что это глупость, что факт наличия родственников за границей уже зарегистрирован и осел в бездонных досье Пантелеймона Карповича Педуса до первого потребного случая. Но страх перед проказой был огромен, я боялась, что эпидемиологи в околышах могут отнять еще до появления пятен на лбу и бурых язв мое достояние — тридцать один рубль в получку, Хаима-Нахмана Бялика, разлучить с Алешкой и поместить в лепрозорий.

Я не писала тогда письма Семену — я еще не понимала фундаментальности двух основных законов нашей жизни — Всеобщего Абсурда и Сохранения Ненависти.

А теперь, превозмогши свой животный ужас, лимфатический страх, костномозговую боязнь, внутриклеточный страх перед проказой, я сидела перед телефоном и ждала звонка, прерывистого электрического сигнала по тоненькому проводку, уходящему куда-то далеко, через океанскую толщу над бездной моей зараженной проказой Атлантиды.

И потом я не могла понять, почему так ясно, так отчетливо я слышу в трубке голос Семена, когда нас разделяют и тысячи верст, и тысячи лет. Он — дома. А я?

Где я? Это чужбина? Работный дом? Вражеский полон? Концлагерь? Нищенский приют? Мне так страшно здесь быть одной... Через стену ломится паралитик, разрушая бетон шарами радиоволн... Растоптали Хаима Бялика... Алешка отправился на поиски теней... Мне страшно, я замурована на десятом этаже дома в городе Атлантиде, залитом мертвой водой безвременья... Кипит, как магма, под тонкой корочкой багровая энергия ненависти... Москва — Третий Рим, а четвертому — не бывать... Это разве вера? Это разве крик надежды?.. Это вопль — предупреждение об испепеляющей мощи вырвавшейся на свободу энергии ненависти, стыда и страха...

— Да-да! Семен! Я тебя хорошо слышу! Да! Я здорова! — быстро говорила я в микрофон, понимая, что за несколько лет он уже забыл симптомы проказы. — Да, я жду от тебя вестей... Да, правильно, да... Да, надумала, решила...

А-а, пропадите вы все пропадом! Все равно все разговоры с заграницей прослушиваются и записываются на магнитофон! Пускай знают — да, у меня проказа! Я не хочу больше жить!

— Сеня! Сеня! Мне нужно приглашение! Да-да! Вызов! Нет, без вызова не принимают заявление в ОВИР! Мне срочно нужен...

Тинь! Тинь! — и разговор оборвался. Лопнула ниточка, связывавшая меня с поверхностью. Я все держала в руках трубку — немую, мертвую, как деревяшка. И ее непривычная беззвучность тоже пугала. Утонула в мертвой воде. Прошло несколько минут, и в трубке всплыл тяжелый басовитый гудок зуммера, круги разошлись, вода безвременья сомкнулась.

Я сожгла за собой мосты. Проказа никогда не излечивается. Не забывается. И не прощается.

24. АЛЕШКА. ТЕАТР

Подарив администраторше гостиницы «Минск» десять рублей на память, я преодолел вычеканенную на латуни табличку «Мест нет» и получил маленький угловой номер на четвертом этаже.

Чемоданишко сунул в шкаф, пиджак бросил на пол и рухнул на кровать.

У меня не было сил шевельнуться. Окажись желтозубая гостиничная администраторша бескорыстнее или подозрительнее, не прими она моей взятки, я попросту улегся бы в вестибюле...

Правда — от Бога, а Истина — от ума, но постигается она только оборотнями — единственно действующими лицами нашего времени. Мне не случалось раньше сталкиваться с этим, но сегодня я понял, почему главным героем литературы стал перевертыш, оборотень, человек с чужим лицом. Любую задачу можно решить только обманом, только выдавая себя за кого-то другого и всячески маскируя действительную цель...

Я приехал утром в театр голодный и невыспавшийся: в мотеле ночью было очень холодно в фанерном домике, одеяло коротко, по очереди зябли то ноги, то плечи.

Начальница кадров — глиняная рыхлая баба с серой жестяной прической, будто сваренной из старого корыта, смотрела на меня безразлично, редко мигала набрякшими веками, которые смыкались с тяжелыми синеватыми мешками под глазами, и казалось, будто в тебя уперты два тупых слабых кулака. Наверное, больные почки.

Эта женщина могла поверить только грубой, наглой лжи. Я протянул ей свое старое тассовское удостоверение корреспондента отдела информации для заграницы. В нем была масса добродетелей. Золотой герб на красной обложке и надпись «ТАСС при Совете Министров СССР» делали меня сразу в ее глазах лицом очень официальным. Во-вторых, корреспондент отдела информации для заграницы наверняка приехал не за фельетоном и не критиканство в газете разводить, а обязательно хвалить — загранице сообщают только об успехах. В-третьих, там было указано, что постановлением СНК СССР от какого-то там числа 1938 года владелец этой книжки имеет право пользоваться телефонной и телеграфной связью по первой правительственной категории, что делало меня лицом, в какой-то мере присным правительству. Мое старое удостоверение — вычеркнутое, давно аннулированное в тайных книгах кадровиков ТАССа — здесь было действительным.

Кадровица вычитывала каждую букву в красной книжечке, она вперилась в нее своими синюшными буркалами, похожими на украинские сливы, она водила ею перед носом, словно нюхала и намеревалась лизнуть, чтобы попробовать на вкус. И хотя я был спокоен за книжку — она была проверенная, настоящая, — все равно под ложечкой пронзительно засосала пиявка страха. На том стоим.

Кадровица дочитала книжечку, лизать не стала, а улыбнулась бледными бескровными деснами.

— Ольга Афанасьевна, — протянула она мне сухую шершавую лодочку ладошки.

Спектакль притворщичества начался. Пролог прошел успешно.

Я объяснил, что приехал для сбора материала на большую корреспонденцию, а может быть, выйдет и несколько статей, но они все должны быть объединены общей темой — преемственность поколений, сохранение старых театральных традиций, их развитие современной творческой молодежью. Сейчас меня интересуют ветераны культурного фронта — в первую очередь. Разрешите, Ольга Афанасьевна, я для начала запишу вашу фамилию, имя, отчество...

Она смотрела, как я вывожу в блокноте ее имя, и таяла от предвкушения завтрашней славы, и скромно бормотала, что, может быть, ее и не надо упоминать, она ведь хоть и немало сил в театре оставила, но все-таки она не в полном смысле ветеран культурного фронта, поскольку в театре она три года, а до этого служила в жилищно-коммунальном управлении...

Ну что же — если все вокруг ложь, корысть и беспамятство, то мне больше не из чего строить правду.

Если прав старый дуралей Лубо, то путь к Правде, данной Богом, надо мостить Истиной злоумия и лжи. У меня других стройматериалов нет...

...Я открыл глаза и не смог сообразить сразу — спал ли я сейчас, неудобно лежа на жестком, буграми и ямами продавленном гостиничном матрасе?

В номере было полутемно — только потолок слегка подсвечивался сиренево-синими бликами из окон напротив. Моя комната окнами выходила во внутренний колодец здания, на дне которого был ресторан, откуда поднимались волны запаха жареного лука и лежалого, несвежего мяса. И грохотала музыка. Когда джаз ненадолго умолкал, ко мне взмывали клочья разорванных пьяных голосов, надрывно вопивших: «Дэ ж ты, дывчына?»... Обрывки песен снова сминал, укатывал, расплющивал джаз, бесшумно текли вверх луковые клубы, и в первой же паузе недобитые пьяные орали «Стою на росстанях»... Я хотел есть, но я слишком устал...

...Кадровица Ольга Афанасьевна, согреваемая мечтой о газетной известности, старалась на совесть. Она показывала мне старые афиши, альбомы с программками, личные дела творческих кадров. Мы пробирались сквозь время. Вспять. Меня интересовал спектакль, сыгранный 13 января 1948 года, — пьеса «Константин Заслонов». Героическая драма о белорусских партизанах, представленная на Сталинскую премию. Этот спектакль приехал принимать Михоэлс.

— В своем очерке я отведу вам, Ольга Афанасьевна, роль хранительницы творческого наследия прежних мастеров, — сказал я с чувством, заметив первые признаки усталости в отечном лице кадровицы. Она часто держалась за поясницу. Наверняка болеет почками.

Бездонный и бесконечный многоэтажный лабиринт лжи. Меня не интересовали достижения культурной жизни, мне наплевать на преемственность поколений, я прятался за недействительным удостоверением, в котором все написанное — чепуха, я был любезен и обаятелен с противной мне бабой, и все это происходило в выдуманном мире театра, в самом его абсурдном уголке — отделе кадров.

Но это полноводное море вранья, волны притворства, пена вымысла, брызги нелепых выдумок, плотный туман легенды скрывали единственно реальное — людей, которые могли знать, как убили тридцать лет назад двух евреев из Москвы.

И у самого края всей этой небыли стояла на тверди моей жизни Ула.

— ...всего в труппе было тогда пятьдесят восемь человек, вместе с оркестром, — объясняла мне кадровица. Ей бы не о газетах думать, а лечь в урологическую клинику. Но она хотела, чтобы в газетах прочли о ней как о хранительнице творческого наследия прежних мастеров сцены. Никто не видит себя со стороны; ей и в голову не приходило — будь я настоящим корреспондентом, я не заглянул бы в ее заплесневелую нору, а получил все интересующее меня у главного режиссера, который еще больше хочет сам быть в газете хранителем и продолжателем творческого наследия...

— ...четверо из ветеранов, которые были в театре после войны, работают и сейчас, — бубнила кадровица. Я ей нравился наверняка своей добросовестностью, я записывал все имена. — А остальные... Один Бог знает, как распорядилась ими судьба. Одни поразъехались, другие умерли, некоторые ушли в другие театры...

Она сделала паузу, посмотрела по сторонам, чтобы убедиться — никого постороннего при нашем разговоре допущенных, осведомленных, ответственных лиц не присутствует? И добавила значительно:

— А кое-кто и в заключении побывал... Я это по документам знаю...

Четыре человека живы! Четверо, которые видели Соломона за несколько часов или несколько минут до смерти.

Собственно, трое. Актриса Кругерская тяжело больна. Я сказал кадровице, что могу сходить к ветеранше сцены домой. Ольга Афанасьевна поерзала, потом затейливо объяснила, что Кругерская после инсульта своих не узнает.

Актер Стефаниди, капельдинер Анисимов, флейтист театрального оркестра Шик. Флейтиста я для себя выделил особо. Флейтист Наум Абрамович — советский гражданин еврейской национальности. Для него приезд великого еврейского комедианта был наверняка гораздо большим событием, чем для двух других ветеранов. Он должен был запомнить гораздо больше их, потому что, как говорят евреи, — «ему это болело». И решил говорить с Шиком напоследок...

Я снова вынырнул из своего сна-забытья, похожего на обморок. Сейчас я спал наверняка, все повторялось для меня во сне, как киносъемочный дубль. Я искал во сне новые решения, а может быть, другой подход. Я подумал о том, что Михоэлса, судя по сохранившимся обрывкам записных книжек, тоже всегда волновали таинства сна, удивительные процессы, текущие в дремотном подсознании. В одном месте у него написано: «Интуиция есть сокращенный прыжок познания».

Я встал с кровати, попил невкусной стоялой воды прямо из графина, есть захотелось мучительно, но не было сил спуститься в ресторан. А главное — не было сил смотреть на эти красные рожи, которые сейчас дружно подпевали оркестру:

Гелталах! Как я люблю вас,
Мои денежки...

Это был, видимо, модный здесь шлягер, потому что уж очень истово орали десятки здоровых глоток о своей нежной привязанности к денежкам.

Что же, нормально. Все нормально. Можно спеть и о денежках. Никто этого не формулировал, но все знают, что мы дожили до времен, когда ничего не стыдно.

Ничего не стыдно. Стыдно только не иметь денег.

Я достал из чемодана свой НЗ — бутылку водки и лимон. Ножа не было, я сковырнул зубами пробку, хватил длинный обжигающе-радостный глоток и откусил кусок лимона.

Внутри все согрелось, на пустой желудок спирт действовал быстро, хмель потек по каждой клетке, как огонь по бересте. Он добавил мне сил. Сейчас я усну, надо только раздеться.

Рухнул в койку, и вялые бесформенные мысли поползли — тяжелые, забитые, измученные, как цирковые звери. Я вспоминал все, что мне пришлось прочитать в статьях о Соломоне, и все, что написал он сам.

Интуиция — сокращенный прыжок познания.

Может быть, я избрал неправильную методику поиска? Я собираю частности, ищу детали, пытаюсь найти статистов этого спектакля крови и убийства. Надо найти центральную идею этой драмы, понять образующие силы этого кровавого представления.

Может быть, правильнее идти от личности Михоэлса?

Может быть, есть какое-то объяснение в нем самом?

За два года до смерти, выступая перед молодыми режиссерами, Соломон сказал очень точные слова: «Судьба человека — цепь событий, образующих линию борьбы, побед и поражений, — раскрывает идею данной жизни, ее урок».

ЕЕ УРОК.

Какой урок должен извлечь я из судьбы Михоэлса?

Комедиант огромного таланта, еврейский Чарли Чаплин, не получивший мирового признания. Его слова и признание внутри страны были абсолютными. Но страна была закрытой, и за границей его знали как общественного деятеля.

Громадного артиста убили как собаку. Но ведь он был им верен до конца?

Или я чего-то не знаю? А может быть, появились сомнения в его лояльности? С него ведь началось физическое избиенйе еврейской интеллигенции. Не понимаю я его урока!

Но понять это необходимо. Хранительная способность мозга забывать ненужное доведена у наших людей до биологической задачи. Нет памяти, и все!..

Я думал об этом еще днем, когда разговаривал в театральном буфете с актером Стефаниди и капельдинером Анисимовым. Я угощал их пивом, и они добросовестно напрягали память и сообщали мне палеонтологические анекдоты из сценической жизни, рассказывали о житейских трудностях, об отсутствии в городе мяса, об интригах бездарностей, о грязных махинациях в очереди на получение жилья — главреж дает квартиры только своим дружкам и любовницам. О Михоэлсе актер Стефаниди помнил мало и смутно. Он только помнил, что его убили, причем связывал это по времени со смертью Сталина и понижением цен на селедку. «Я тогда с горя запил, — грустно сообщил он и добавил: — Жалко было — такой мужик громадный, с генеральским басом».

Он его совсем не помнил и врал мне, чтобы поддержать интересную беседу. Михоэлс был невысок и говорил мягким баритоном.

И капельдинер Анисимов все забыл. Единственное, что запомнилось ему, — как фотографировали Соломона в фойе. Специально приехал фотограф, и Михоэлса уговорили сфотографироваться с труппой и сделать несколько портретных снимков. Анисимов помогал фотографу, расставлял стулья, таскал софиты, и потом фотограф подарил ему один не очень качественный отпечаток. «Это как раз в день смерти и было, за несколько часов до спектакля, — сказал Анисимов. — Потом-то уж не до фотографий было».

Никаких групповых фотографий у кадровицы Ольги Афанасьевны я не видел.

— Любопытно было бы посмотреть на эти снимки, — сказал я — Да где их сыщешь?

— Мой сохранился, — невозмутимо сказал Анисимов. — Я его как приколол кнопками в нашей раздевалочке служебной, так она до сих пор и висит там. Никому не мешает.

Мы выпили еще по нескольку стопок коньяка и подружились с Анисимовым на всю жизнь. И он подарил мне фотографию Михоэлса, отпечатанную за несколько часов до его смерти...

Я встал с кровати и вынул из чемодана папочку, раздернул молнию и добыл в туманный сумрак моего номера старый фотоснимок.

Внизу, в ресторане, оголтело ударил в тарелки оркестр, казалось, что не только посетители, но и лабухи уже напились до чертей. Залихватски вопил в микрофон певец, и дробно топотали каблуки.

Оц-тоц-перевертоц, бабушка здорова,
Оц-тоц-перевертоц, кушает компот,
Оц-тоц-перевертоц, и мечтает снова,
Оц-тоц-перевертоц, пережить налет...

Соломон, ты этого хотел? Ты ведь сам писал в газете «Правда»: «Народы России доказали всему миру превосходство над Библией и Богом». Ты так думаешь по-прежнему?

Блики света из окна скакали неяркими пятнами по тусклому пожелтевшему картону фотоснимка. Человек, приговоренный к смерти. Исполнение приговора — через семь часов. Но он еще не знает о приговоре.

Я смотрел внимательно на фотографию, и в меня холодом смерти вползала мысль, что я ошибаюсь.

Я смотрел на лицо Михоэлса, и мне все больше казалось, что он знает. Он знает о приговоре.

Неужели он знал?

Громадная голова. Роденовский размах. Возвышенный урод. Наклонная вертикаль лица увенчана тиарой высоченного лба и покоится на мощном фундаменте могучей и очень живой оттопыренной нижней губы. Крутой разлет бровей сходит в приплюснутый сильный нос борца. Но все это — только шелом, прикрытие, инженерные устройства для пары выпуклых, все понимающих, умно прищуренных глаз.

Они разные — глаза — на этом снимке. Левый смотрит вперед, он еще полон любопытства, надежды, вчерашней властности и силы. Правый утомленно прикрыт, в нем всеведение и отрешенность.

Соломон всегда повторял актерам: «Глаза — это единственный кусочек «открытого» мозга».

Пожелтевший кусочек картона с одним надорванным углом и ржавыми кружочками от старых кнопок. Что на нем — случайная гримаса комедианта? Или провидение своей судьбы? Или черта предела, за которой уже надо извлекать из этой судьбы урок?

Неужели ты уже все знал?

Осторожно положил фотографию на стол. Взял бутылку и сделал еще крепкий глоток из горлышка, пососал лимон. Надо понять Михоэлса в его последней части жизни, без этого не разобраться во всем произошедшем.

Надо заново продумать все, что известно о Михоэлсе.

Надо вновь прочесть то немногое, что написано. Там должны быть какие-то намеки, недосказанности, все написанное надо читать как шифровку.

Все металось и плыло перед глазами, мой утлый номерок раскачивали волны диких криков из ресторана, всплески музыки, косо просвеченный сумрак слоился облаками — как сегодня днем вздымались клубы некрепкого душистого дыма из длинной прокуренной трубки Наума Абрамовича Шика. Он держал ее, словно флейту, прижимая поочередно к мундштуку толстые белые пальцы, и все время казалось, что со следующей затяжкой он выпустит не струю ватного дыма, а тремоло чистых высоких звуков.

Но трубка только тихо потрескивала, не в силах разразиться волшебным звуком, и окутывала Шика клубами прозрачно-серой завесы, будто скрывая его от моих надоедливых расспросов.

Крупный, пышно-седой, насмешливо-ленивый, Шик говорил мне севшим стариковским голосом:

— Время сейчас такое, что никто ничем не дорожит. Если это только не наличные. В газете написано, что через могилу Иоганна Себастьяна Баха провели шоссе. А отвернуть немного в сторону им было кисло? Такь?

Он смешно говорил — выкидывая из слов или вставляя по своему усмотрению мягкие звуки. А твердых знаков он, видимо, вообще не признавал.

— А раньше были другие времена? — спросил я. — Сахар слаще, погода лучше?

— Украинский сахар фирмы Бродского был-таки слаще, — засмеялся Шик. — Я ведь его помню. А теперь мы едим кубинский. Но у меня диабет, а камни гремят в пузыре, как медьяки

199

в копилке, — меня лично это уже не гребьет. Такь? Хотя имею я в виду другое...

— Я вас так и понял, Наум Абрамович, — заверил я. — Вы говорили о войне...

— Ну да... Как я вам уже говорил, до войны я работал в еврейском театре в Харькове...

— Простите, — перебил я, — значит, я не понял. Вы сказали про работу в театре, но ведь еврейский театр был в Москве?

Шик выпустил дымовую завесу, грустно заперхал.

— Пхе! В Москве! В Москве был ГОСЕТ — главный еврейский театр страны. Нынешнее поколение уже не помнит, что до войны у нас было четырнадцать еврейских театров — в Белоруссии, на Украине, в больших русских городах. Их закрыли, наверное, в честь победы над фашизмом — другого объяснения у меня нет...

— Наверное, — кивнул я.

Шик не спеша продолжал:

— Сейчас мне шестьдесят пять лет, а летом сорок первого мне было двадцать семь, и в мае месяце меня взяли на военные сборы в лагеря. Так что на второй день войны я уже сидел в окопах, а вернее говоря, бежал с остальными от немцев. А мои все остались в Харькове, такь их всех там и убили. — Шик легко, по-стариковски вздохнул.

— А как вы в Минске оказались?

— Это уже после войны. Я ведь был совсем вольной птицей, ни кола, ни двора, ни семьи — ничего. Поехал в Москву — в ГОСЕТ, к Льву Михайловичу Пульверу. Он был у нас за главного — для евреев-музыкантов, я имею в виду. И композитор прекрасный, и аранжировщик, и дирижер замечательный. А главное — человек хороший. Выслушал он меня, повздыхал — рад бы, да сами еле держимся. И пристроил меня сюда. Так я здесь и застрял, вот до сих пор околачиваюсь...

— Женились, наверное? — подсказал я.

— Было, — засмеялся старик. — Дважды. Но первая жена пила. Вы слышали такое, чтобы еврейская женщина пила водку? И как пи-ла! Пришлось сбежать...

— А вторая? — полюбопытствовал я.

— Хорошая женщина. Светлая ей память. В прошлом году похоронил ее. И опять остался один. Вот такь...

Я искренне посочувствовал ему — у старика был стереотип одинокого человека. В его легкости, в мягкой насмешливости была печаль разъединенности с людьми. Не от гордыни — мне угадывалась в нем мучительно преодолеваемая с юности застенчивость, прозрачно замаскированная под снисходительность.

— Наум Абрамович, вы начали рассказывать о сдаче спектакля «Константин Заслонов»...

Шик махнул рукой, зажег спичку, закурил погасшую трубку.

— По-моему, это была полная ерунда. Но его представили на Сталинскую премию, и тут началось! Как в том анекдоте — сначала шумиха, потом неразбериха, потом поиски виновных, затем наказание невиновных и, наконец, награждение непричастных. Ну, награждение — ладно. А наказали так, что не приведи Господь...

— В каком смысле? — осторожно спросил я.

— Так ведь Михоэлс как раз возглавлял ту самую комиссию из Москвы. Можно сказать, я чуть ли не последний видел его на этом свете... — И будто застеснявшись своей нескромности, он жалобно усмехнулся извиняющимся смешком и ушел в уединенность своих воспоминаний. Он наверняка курил трубку, чтобы прятаться от собеседника в клубах дыма. Оттуда, из-за маскирующей его завесы, сказал он стесненным голосом: — Ах, какой добрый, хороший человек пропал... Я уже не говорю — какой артист... Великий таки артист был...

— А как это случилось?

— На них налетела машина... С ним был еще один человек. — Помолчал, покряхтел, недоверчиво покачал головой и добавил, словно себе объяснил: — Шли два человека по тротуару, и вдруг на них налетел грузовик. На тебе!

— Как же это вышло — такой дорогой гость, такой важный человек ходил пешком?

— Ах, что вы говорите! Его везде возила наша «эмка» — директорская. Но тут он решил погулять! Ему захотелось свежего воздуха! Он ведь шел в гости — это где-то рядом... Не захоти он свежего воздуха, может быть, ничего бы и не случилось! — Старик нервно пробежал пальцами по длинному мундштуку, и, если бы трубка имела голос, я бы, наверное, услышал голос тревоги, тонкий пронзительный сигнал беды, испуганный крик исчерпанной судьбы, потому что Шик неожиданно закончил: — А может, и «эмка» не увезла бы его от смерти...

Это был контрапункт. В зыбкости старых воспоминаний, в расплывчатости пересказа давних событий, мутной воде навсегда истаявшей драмы я ощутил твердое дно факта. Старик что-то знает. Может быть, я иду тем же пересохшим руслом, по которому еще свежим следом прошел тридцать лет назад Шейнин?

У писателей, даже если один из них работает в прокуратуре, сходная система пространственного воображения.

— Да-а... Ужасная история, — тягуче бормотал я. — Все понятно.

Шик вынырнул из табачного облака, как из укрытия, и в его голосе было полно твердых знаков:

— Вам понятно? А мне — нет! По-моему, там все было непонятно!

— Это и неудивительно! — вдруг жестко сказал я. — Вы знаете, но молчите, я молчу, потому что не знаю, как он погиб. А мои дети просто не будут знать, что он жил на свете!

Старик с интересом посмотрел на меня, я взял его большую теплую ладонь обеими руками и прижал к своей груди:

— Наум Абрамович! Поверьте мне — я честный человек. Я не стукач, я не провокатор. Мне просто надоело ничего не знать. Человеку, чтобы жить, надо хоть кое-что знать. Нельзя всю жизнь провести в завязанном мешке. Нельзя бояться стен — мы сами превращаемся в камень...

Старый театральный человек Наум Абрамович Шик не мог не оценить широкой артистичности моего жеста. Он ответил на мое пожатие. И, отогнав рукой серый слоистый дым, сказал мне с горечью, искренностью и болью:

— Мальчик мой! Те, кто знал правду об этой истории, давно превратились в прах и пепел! За несколько дней в театре посадили четверых самых любопытных, и остальные откусили языки. Все боялись друг друга, делали вид, будто ничего не случилось — никто не приезжал, не было премьеры, никого не убивали. Даже спектакль, представленный на Сталинскую премию, сразу же сняли с репертуара. Ничего не было...

— Но ведь в театре кто-то с кем-то дружил, кто-то что-то рассказывал...

— Ах, дорогой мой! Ви не пережили этого! Ви не в состоянии понять, что люди с тех времен навсегда перестали верить друг другу! Прошло, наверное, пятнадцать лет, уже Хрущев викинул Сталина из мавзолея, и только тогда мой сосед, можно сказать приятель, Ванька Гуринович рассказал мне, что его висадили из-за руля...

— Из-за какого руля? — удивился я.

— Я же вам говорил, что Михоэлса и его товарища возили на директорской «эмке», — нетерпеливо махнул рукой Шик. — Таскь шофером этой «эмки» был как раз Иван Гуринович, мы с ним жили в одной квартире. Он меня часто подкидывал в театр. Так в тот вечер он привез Михоэлса в театр, висадил у служеб-

202

ного входа, и сразу же к нему подошли милиционер и двое в штатском: «Почему ездите за рулем в нетрезвом виде?» А надо вам сказать, что у Ивана было вирезано две трети желудка и он в рот ничего не брал из выпивки. Он начал спорить, доказывать, но, как у нас говорят, обращайтесь до лампочки! Висадили его из-за руля, милиционер повел его в участок на проверку. Он кричит — мне народного артиста надо везти, а ему спокойно объясняют — без вас, пьяниц, справятся, отвезут и привезут куда надо...

— И что с Гуриновичем стало?

— Ничего. В два часа ночи отпустили. Михоэлс уже был мертв...

— А где сейчас Гуринович?

— Где Гуринович? Давно уже на том свете! Наверняка с Михоэлсом встретился. Я думаю, Иван сказал ему спасибо за двадцать лишних лет на этой земле...

— Почему? Какая связь?

— Потому что Михоэлс был великий актер и замечательный режиссер. Рассеянным он не был — нет! И не заметить, что за рулем сидит другой человек, не мог. Может быть, это мои видумки, но я думаю, что именно поэтому он решил лучше идти пешком. Все-таки улица, люди ходят, ведь било всего одиннадцать часов...

— И вы думаете, что Гуриновича... — медленно стал спрашивать я.

— Я ничего не думаю, — отрезал Шик. — Я фантазирую. Но положить Гуриновича в уже разбитую машину ничего не стоило. И виглядело бы лучше. Но Михоэлс пошел пешком...

Старые события захватили его, он утратил незаметно защитную скорлупу своей застенчивой отъединенности, он был во власти сильных воспоминаний, поднимавших его над собой.

— ...Мне говорили, что грузовик, который их раздавил, ехал очень медленно, — задумчиво, как четки, перебирал Шик потускневшие картиночки прошлого, черно-белые проекции, переводные отпечатки чьих-то рассказов. — Нет, грузовик не летел, знаете, как это бивает, сумасшедшим образом. Он медленно ехал и вдруг ни с того ни с сего завернул на тротуар и буквально впечатал их в стену дома...

— Это кто-нибудь видел? — нетерпеливо переспросил я.

— Конечно, видели! Люди всегда видят. Но их научили верить своим ушам больше, чем своим глазам. Видели, как «студебекер» дал потом задний ход, съехал на мостовую и вот тут уже помчался как пожарный...

203

— А номер? Номер никто не записал?

— Говорят, что записали, — мрачно усмехнулся Шик. — Кто-то видел, запомнил.

— А машину нашли?

— Нашли — не нашли. Иди проверь! Люди рассказывали, будто номер был накрашен фальшивый. Как это узнаешь? Люди шептали, в кулак бормотали... Один говорил, что их убили на улице Немига, другие — на углу Проточного переулка. Кто-то даже говорил, что Михоэлс и его товарищ видели этот грузовик, что они пытались убежать, спрятаться, укрыться, но он их догнал и вбил в стену...

М-да-те-с. История — первый сорт. Это тебе не любительские представления мафии. Госаппарат на подстраховке, тайная полиция на стреме.

— Наум Абрамович, а где эта улица — Немига?

— Да ведь это все здесь близко! Мы с вами — на Ленинском проспекте, тогда он назывался проспект Сталина, идете в сторону вокзала — туда, где было еврейское гетто, и справа — Немига. А на нее выходит Проточный переулок. Но там почти ничего не осталось — все дома сносят под новые кварталы...

— А что там делал Соломон? К кому он мог идти ночью в гости?

Шик ответил не сразу, он пожевал губами, снова раскурил погасшую трубку, и пальцы его медленно прошли по мундштуку — они играли отступление, они звали память в обратный поход, они скорбели о давнем убиении безвинных, они оплакивали встарь разрушенный храм.

— Такь... Он шел в гости, — тяжело вздохнул и уточнил. — Вернее, на минен. Вы не знаете, конечно, что такое минен?

Я покачал головой.

— Так я вам лучше расскажу по порядку. Когда закончился в театре спектакль, дали занавес, Михоэлс прошел за сцену. Мы, оркестранты, тоже поднялись — вы же понимаете, не каждый день удается вблизи увидеть такую звезду... Хорошо. Он стоял, разговаривал с режиссером, шутил с актерами, смеялся, расспрашивал знакомых актеров о житье-бытье. Я, вы сами понимаете, человек маленький, кто я такой — флейтист, пхе! Так я стоял себе в стороне и просто смотрел на него во все глаза. Хорошо. Ну, поговорили и стали расходиться...

Шик закашлялся, слезы выступили на его глазах. Он достал из кармана огромный носовой платок, утер глаза и неожиданно с отвращением бросил трубку на стол:

— Вы где-нибудь видели, чтобы человек таких лет, как я, курил, будто паровоз? Если человек в своем уме... — И он снова закашлялся.

Я терпеливо ждал. Шик сделал руками несколько дыхательных движений, кашель утих, но он еще долго расхаживал по комнате, глубоко дыша и утирая глаза платком. Я воспользовался паузой и спросил:

— А тот его спутник, о котором вы говорили, тоже был с ним на сцене?

Шик закивал головой, откашлялся, заговорил наконец:

— Да, такь вот... Стали расходиться, и тут я вижу — к нему подходит наш актер Орлов, был у нас такой, приличный человек и артист неплохой, хотя и на вторых ролях. Вместе с Орловым — его родственник, я его и раньше видел, несчастный парень: вместо обеих рук — культяпки, видно, на фронте потерял... Такь... И они отзывают Михоэлса немного в сторону и начинают с ним по-еврейски шушукаться. Я отошел — мало ли о чем людям надо поговорить? Но они проходили в это время как раз мимо меня, и я слышал, о чем они толковали. Только тут до меня дошло...

Шик подошел к столу, взял свою трубку, с сомнением посмотрел на нее. Я предложил:

— Не хотите сигарету, Наум Абрамович?

— Хочу, — кивнул Шик. — Но мало ли чего я хочу. Крепкий табак уже не по мне. Пусть будет это сено, по крайней мере я к нему привык.

И он начал набивать трубку. Я терпеливо ждал.

— Дело в том, что за неделю до того у Орлова родился ребенок, — сказал Шик, не раскуривая трубку. — По нашему обычаю полагается делать брис, обрезание...

— Да-да, я слышал. Значит, родился мальчик?

Шик задумался.

— Знаете, это я вам точно не скажу... Что-то забыл... Но это не важно, если рождается девочка, делают брисице — тот же самый обряд, только без обрезания...

— Понятно.

— Такь вот, для этого обряда требуется минен.

— Кажется, что-то вроде кворума?

— Абсолютно правильно, молодой человек, это молитвенное собрание из десяти мужчин. Но соль не в этом. После бриса устраивается праздник — выпивка, закусь, песни. Представляете, что для людей в те времена значил такой праздник, когда хлеб в каждой семье держали в отдельных мешочках и каждую крошку на весах взвешивали? Но ребенок — это благословение Господне, и родители ничего не жалели, лишь бы праздник получился как у людей.

Шик чиркнул спичкой, воспламенил свое сено.

— Такъ, Орлов и этот его родственник-калека пригласили Михоэлса на минен. Они очень просили его, можно сказать, на коленях стояли... Потом, я знаю, многие наши обижались на Орлова — евреев в театре не хватало, и все хотели попасть на праздник. Но он позвал только директора труппы... он уже тоже давно на том свете, царствие ему небесное, хороший был человек, хотя и тронутый немного... Да, такъ многие обиделись, но только не я, не-ет... Я понимал, что директор труппы — большой человек, податель хлеба, как его не позвать? Ну а про Михоэлса и говорить нечего, такую величину за своим столом иметь — раз в сто лет может случиться, и то не всякому...

Я поднялся с кресла, прошелся по комнате. Шик продолжал неспешно:

— Михоэлс посоветовался со своим товарищем, и они согласились. Орлов записал ему адрес, потом на словах стал объяснять, как к нему проехать... Потому что у Михоэлса были еще какие-то дела в театре, а Орлов торопился обеспечить дома, чтобы все было в порядке. Такъ, все попрощались и ушли. Я тоже попрощался с Михоэлсом за руку и ушел. Я не знал, что вижу его в последний раз. А на другое утро уже все знали, какое случилось несчастье.

Я решил уточнить на всякий случай:

— Значит, к Орлову они так и не пришли? Это случилось по дороге туда?

— Да, конечно, — грустно сказал Шик. — Видно, не было суждено... Потом было следствие, приезжали большие следователи из Москвы, но такъ все и осталось.

Мне пришла на ум одна догадка, и я спросил:

— Наум Абрамович, а вас по этому делу допрашивали?

Шик покачал головой:

— Бог миловал. История, скажу вам откровенно, была темная, времена, вы, наверное, и не знаете, ох какие тяжелые... Попасть к ним на зуб... И я подумал, что Михоэлсу уже все равно не помогу... Будет лучше никому не говорить, что я слышал тот разговор и что он согласился прийти на минен... Тем более что про это приглашение и без меня знали.

— Он ведь тоже ветеран, этот Орлов?

— В общем, конечно, он же работал в то время. Правда, его скоро уволили из театра по сокращению штатов.

— Может быть, поэтому я не встретил его фамилию в списке?

— Может быть, такь, — равнодушно пожал плечами Шик. — Какое это сейчас уже имеет значение! Я встречал его потом пару раз в городе, такь, мельком. У меня после той истории осталось к нему неважное чувство. Мне и говорить-то с ним не хотелось...

— А жив он вообще? — выпалил я испуганно.

— Понятия не имею. Он ведь должен быть еще не старый человек... — помедлил и нерешительно добавил: — Если он прошел через те передряги. Жизнь тогда стоила и в базарный день медный грош...

Я спросил на всякий случай:

— Вы не помните, как его звали?

— Алик. Его называли Алик, хотя, по-моему, он был Арон — если не ошибаюсь. У нас ведь считается стыдно носить такое еврейское местечковое имя. — Шик грустно улыбнулся: — Я тоже был Николаем. Абрамом тогда просто обзывали. В любой очереди или трамвае говорили: «Ну, ты, Абрам!» И будь ты сто раз Шлоймой, ты был все равно Абрам. Вот и я долго был «Николай Алексеевич»...

Я проснулся или очнулся от забытья, в котором прожил наново сегодняшний день. Умолкла грохочущая музыка внизу, осел в колодце ресторанный смрад, погас свет в окнах напротив, притухли голубые, сиреневые, синие сполохи на потолке. Но я отчетливо видел лицо гениального комедианта на старой фотографии, прислоненной к полупустой бутылке на столе. Мне и в сумраке были видны его разные глаза. Один еще пытался что-то рассмотреть впереди, другой был развернут вспять его жизни.

Он знал. Он просил нас извлечь урок из его судьбы.

Он безмолвно просил нас вспомнить его слова, он молча орал мне, немо бесновался, он молил нас догадаться о том, что уже говорил однажды: «Основное явление театра — приход и уход со сцены. Должна быть причина, толкнувшая актера «сзади», и обязательно — цель, манящая вперед».

Он знал.

25. УЛА. НЕКРОПОЛЬ

Мы, глухонемые и слепые донные жители, плохо представляем себе, что происходит в океанской толще, отделившей нас навсегда от мира, от поверхности жизни, от солнца.

Когда в телефоне что-то жалобно тинькнуло и разговор оборвался на полуслове, я уверилась окончательно, что последняя тоненькая ниточка лопнула навсегда. Но, по-видимому, из живой нормальной жизни спускаются в наши сумерки какие-то другие сигнальные веревочки и воздушные шланги, о существовании которых мы не догадываемся, — во всяком случае, я однажды вынула из почтового ящика необыкновенный конверт — длинный, синий, со слюдяным окошечком, в котором четко проступали буквы моего адреса и моего имени. И отправитель — Гинзбург Шимон, город Реховот.

И фиолетовыми чернилами поперек конверта надпись, сделанная на почте, — «Израиль».

Испуганно огляделась в пустом подъезде — проказа уже забушевала во мне, — спрятала конверт в сумку, бросилась в лифт, и скрипящая кабина мучительно медленно ползла вверх, бесконечно долго, словно я ехала в ней на Луну.

Жесткая посадка, грохот железной створки, темнота, ключ не попадает в скважину.

Захлопнула дверь квартиры, трясущимися руками достала из стола ножницы — сердце ледяной жабой замерло под горлом. Отрезала краешек конверта, вытащила пачку бумаг. Иврит, русский, английский. Гербы, красная шнурованная печать, штампы, подписи, резолюции. Министерство иностранных дел. Иерусалим. Израиль. Консульский отдел. Разрешение на въезд: «Вам разрешен въезд в Израиль в качестве иммигранта». Нотариальное свидетельство. Вызов «А».

«Настоящим обращаюсь к соответствующим компетентным Советским Властям с убедительной просьбой о выдаче моей родственнице разрешения на выезд ко мне в Израиль на постоянное жительство.

Я и моя семья хорошо обеспечены и обладаем всеми средствами для предоставления моей сестре всего необходимого со дня ее приезда к нам.

Учитывая гуманное отношение Советских Властей к вопросу объединения разрозненных семей, надеюсь на положительное решение моей просьбы и просьбы моей сестры, за что заранее благодарю. Шимон Гинзбург».

Звон в ушах, пот выступил на лбу, сердце ожило и с клекотом рванулось в работу, не считая ритма, вышибая дух. Алешке не надо сейчас говорить, скажу, когда понесу документы в ОВИР. Для него так будет легче. Пока это надо стерпеть самой. Я не имею права отравлять ему оставшиеся нам вместе дни, недели и месяцы. Господи, как я боюсь!

Я надеюсь на положительное решение моей просьбы и просьбы моего брата...

За что я заранее тоже благодарю...

Поскольку я тоже учитываю гуманное отношение советских властей...

Тихо было вокруг. Даже паралитик сегодня почему-то не радиобуйствовал. Может быть, его предупредили, что меня перевоспитывать уже бесполезно? Что я чужая, что еще один случай заболевания проказой установлен, зарегистрирован, и уже мчатся по вызову страшные санитары в синих околышах и партикулярном платье?

Придут, измордуют, убьют — никто голоса не подаст. Все попрятались в бетонные соты. Пустота. Тишина. Страх.

Я подошла к стеллажу с книгами — единственное мое богатство, все мое достояние. Вот моя компания, все мои друзья. Вас уже давно всех убили. И забыли. Я — смотритель вашего кладбища. Вас убивали поодиночке. Потом вас убили разом — как целую литературу.

Тоненькая книжка в моем самодельном переплете — «Бройт». Ей пятьдесят лет. Плохая газетная фотография — смеющийся молодой Изи Харик. Академик, редактор еврейского журнала «Штерн». Тебя убили первым, и твои стихи, сотканные из долгой пряжи еврейских песен и легенд, отзвучали, как песни, смолкли и были развеяны ветрами и беспамятством. Нст больше твоего журнала, нет твоих книжек, нет тебя. В литературной энциклопедии сообщают коротко: «Был незаконно репрессирован». Светятся в затухающем закате золоченые корешки нескольких томов «Еврейской энциклопедии». Я случайно купила четыре тома на барахолке Коптевского рынка — остальные двенадцать исчезли в вихре всеуничтожения, который не мог себе представить в пору разгула кровавой царской реакции ее составитель и редактор Израиль Цинберг, миллионер, ученый, меценат, просветитель. История еврейства, его культура, традиции и наследие при советской власти уже никого не интересовали, а позже стали вражеским сионистским инструментом. И вернувшегося из эмиграции Израиля Цинберга, еврейского грамотея, либерала и философа, — расстреляли.

Учитывая гуманизм властей...

Синяя книжечка — Осип Мандельштам. Первая и, наверное, последняя. Единственная. Великий поэт, провидец, мыслитель. Эту книжечку подарил мне на день рождения Алешка — она стоит на рынке сто номиналов государственной цены, потому что весь тираж продали через закрытые распределители и вывезли за границу. «Я — непризнанный брат, отщепенец в народной семье...» — с горькой усмешкой написал он. Знал ведь, что и после смерти не на что рассчитывать, он предвидел справочную запись: «В 1934 г. в условиях культа личности М. был репрессирован. Погиб после второго ареста 27/XII 1938 г.».

«Да, я лежу в земле, губами шевеля...»

Наверное, этого репрессировали законно? Там ведь и о реабилитации ни слова.

Вот Моисей Кульбак — того-то точно законно репрессировали! И тридцать лет спустя нигде нельзя найти упоминания о том, почему и как убили выдающегося трагического поэта! Его имя нигде и никогда не упоминается, память о нем изглажена. Серая пыль забвения запорошила большой, надрывно крикнувший людям талант:

> Везде, где человек стоял, там череп
> Валяется в пыли, забытый, неприметный.
> Бессмертны только боги.
> Люди — смертны!

Стопка перепечатанных мной на машинке стихов возвышается над низким могильным холмиком Моисея Кульбака.

За что заранее благодарю...

Две книжки Самуила Галкина — друга Михоэлса и моего отца. Лучший переводчик Шекспира на еврейский язык, прекрасный драматург и лирический поэт, дождался прижизненной реабилитации — он прожил четыре года после концлагеря. Но Шекспира никто больше не играет на еврейском языке, и память о потрясшей культурный мир постановке «Короля Лира» истлела вместе с костями Галкина и Михоэлса.

Дер Нистер не дожил. Модерниста, символиста, эстета, признанного в Европе, волновала судьба его народа в России, и он вернулся сюда из эмиграции, чтобы написать своим непостижимым языком, полным изысканности, стилистических находок и ритмических пассажей, роман «Семья Машбер». Он предвидел катастрофу, но, наверное, не представлял себе, что его приговорят к двадцати пяти годам каторги и бросят в угольные рудники.

Обессиленного, больного старика, почти безумного, из жалости уголовники убили лопатами.

Учитывая гуманизм властей...

Стремительно накатывала ночь, клубились над домами синесерые перины туч, тяжело и грустно погромыхивал вдалеке сентябрьский гром, будто смущенный своей неуместностью. Барабанили по балкону редкие крупные капли, где-то пронзительно закричала пожарная машина. Я стояла у окна, смотрела незряче в запылившееся стекло, ослепнув от ужаса, и только голоса умерших с кладбища на книжной полке взывали ко мне в отчаянии и тоске.

— Заранее благодарю! — вопил тонким напуганным голосом Ицик Фефер в камере смертников. Бывший любимый поэт, бывший крикун, бывший весельчак, бывший еврейский антифашист, бывший спутник Михоэлса в поездке по Америке, когда они собрали у своих заокеанских собратьев миллионы долларов пожертвований на борьбу с Гитлером. Измученный пытками «шпион», «организатор сионистского буржуазного подполья в СССР», пятидесятилетний древний старик, приговоренный к смертной казни, повторял мертвеющими губами:

> Как сладко жить! — кричу я снова. —
> На белом свете, где вовек
> Сокровищ бытия земного
> Один хозяин — человек!

Учитывая гуманное отношение властей к старейшине еврейской литературы Давиду Бергельсону — его убили во время допросов, — я хочу верить, что он сразу приобщился к нашей Божественной сущности, этической идее нашей религии — к Эн-Соф, Великой Бесконечности, чистой духовности наших верований.

Вас всех убили 12 августа 1952 года — расстреляли литературу целого народа, объявили преступлением принадлежность к этой культуре.

Волокли по заплеванным бетонным коридорам подземелий Давида Гофштейна, из хулиганства разбили очки, раздели догола — им было смешно, им было весело, они хохотали до колик, слыша, как полуслепой смертник бормочет про себя:

> Но вижу я снова
> Начало начал,
> Блестящее светлое Снова.
> И прялка, как прежде, вертясь и стуча,
> Прядет моей жизни основу...

Палачам неведомо понятие бесконечности, они не представляют Эн-Соф. Их жизнь всегда у конца.

Я боялась зажечь свет. Пусть санитары думают, что меня еще нет дома. Как шепчет своим теплым хрипловатым голосом Перец Маркиш:

> Я на глаза свои кладу
> Вечерний синий свет.

И все шепчу в ночном чаду:
— Тоска, меня здесь нет...
И в угол прячусь я пустой,
И руки прячу я...

Пробежал до стены тира, залп, и нырнул беззвучно в вечную реку по имени Эн-Соф.

— Заранее благодарю. За посмертную реабилитацию... — усмехнулся Лев Квитко. И сразу согласился на предложенную палачами роль руководителя сионистского подполья. Ударным отрядом подполья должна была стать еврейская секция украинского союза писателей. Лев Квитко весело признался, что им не удались задуманные преступления против советского народа только по одной причине: в первый день войны все шестьдесят еврейских писателей записались добровольцами на фронт. Вернулось четверо. Остальные в антисоветских вредительских целях погибли на войне.

Он и сейчас не то смеется, не то подсказывает, не то утешает меня, и голос его, заглушаемый залпами конвойного взвода, подбадривает, обещает:

Как сильная струя уносит камень,
Волна работы унесет усталость,
Печаль размоет, сделает сильней,
И дальше мчит, как водопад трубя!

Пустота. Ночь. Одиночество. Безмолвие. Только чуть слышный плеск волн на моем последнем берегу у бесконечной реки Эн-Соф.

Тает в бочке, словно соль, звезда,
И вода студеная чернее.
Чище смерть, соленее беда.
И земля правдивей и страшнее...

26. АЛЕШКА. ТРОПА В ОДИН КОНЕЦ

Наш человек пропасть не может. Пусть он хоть один день проработал в учреждении или на предприятии — на него заводится личное дело, сердцевиной которого является Анкета. Несколько листочков неважной бумаги, которые надо заполнить собственноручно, дабы впоследствии ты не мог отпереться от ответственности за сообщение неверных сведений о себе.

Купчую крепость заменили на Анкету. В кабалу шли сами. И бесплатно. В разлинованных пунктах, графах и параграфах надлежало сообщить имя, отчество, фамилию, место рождения, социальное происхождение, все сведения о родителях, ближайших родственниках, их занятиях, месте жительства.

Образование, место работы, где это место находится. Хронология трудовой деятельности — точные даты приема и увольнения, причины увольнения.

Партийность. Имел ли партийные взыскания, за что и кем наложены, если сняты — то когда и кем, были ли колебания в проведении линии партии? Участвовал ли в дискуссиях, внутрипартийных группировках и фракциях? Уточнить, на каких стоял позициях.

Лишался ли гражданских прав?

Выбирался ли на выборные государственные должности?

Находился ли во время войны на территории, захваченной немцами?

Имеешь ли родственников за границей?

Выезжал ли сам за границу? Если да — когда и зачем?

Привлекался ли к следствию и суду? Если был осужден — когда, за что и на сколько лет?

Привлекались ли члены семьи?

За сообщение неправильных сведений подлежишь уголовной ответственности.

Анкета называется «личный листок по учету кадров».

Крепостных стали называть кадрами. Когда рассматриваешь подушные листы этих крепостных кадров, вглядываешься в эти истерически испуганные ответы — нет, нет, нет, не был, не имею, нет, — возникает чувство, что замордованных людей томила мечта написать в графе «имя, отчество, фамилия» отречение от себя — НЕТ, НЕ БЫЛО, НЕ ИМЕЮ.

Анкета уволенных перекладывается в отдельную картотеку и хранится там вечно, чтобы в любой момент паучья армия кадровиков могла мгновенно снестись между собой и взять под микроскоп, сличить до точечки — все ли ты сообщил верно, нигде не слукавил, ничего не исказил? Не обманул ли в чем заботливую мать-кормилицу?

Поэтому я знал наверняка, что личное дело с анкетой актера Орлова по имени Алик, может быть, Арон, лежит на месте — под бдительным надзором кадровицы Ольги Афанасьевны. И не слишком взволновался, когда просмотрел первый раз картотеку и Орлова не нашел. Значит — проглядел, проскочил от нетерпения. И не спеша, очень внимательно, как это делал бы профессиональный кадровик, стал вновь перебирать строй запылившихся папок.

Но папки, надписанной «Орлов», не было. Деятельно помогавшая мне Ольга Афанасьевна спросила:

— Вы говорите, что зовут его Арон?

— Арон, а может быть, Абрам. Товарищи называли его Алик...

Кадровица авторитетно сказала:

— Так у него и фамилия может быть не Орлов. А какой-нибудь Рабинович. Вы даже представить не можете, как евреи любят брать чужие имена и фамилии. А уж в театре-то — спрятался за псевдоним, иди пойми в зале, кто он — Орлов или Хайкин. Есть у них это неприятное свойство — безродность.

Я снова стал листать картотеку, бормоча себе под нос:

— Что есть, то есть... Безродные они ребята... На весь христианский мир имен напридумывали, а свои почему-то стыдятся носить...

Пытаясь не заводиться, я методично разбирал архив.

Отобрал сначала мужчин. Папок стало вдвое меньше.

Вынул из стопки дела евреев.

Из евреев я отобрал работающих тридцать лет назад.

Из оставшихся попытался найти человека, которого звали бы Арон-Абрам-Алик-Александр или что-то в этом роде.

Александров было двое — скрипач Флейшман и декоратор Фазин. Не то.

Арона не оказалось ни одного.

Был один Арие — но ему тогда уже стукнуло пятьдесят шесть. Не тот.

Личного дела Орлова не было. И я понял, что его нет смысла искать.

Личное дело отсюда забрали. Давно и навсегда.

Имя, отчество, фамилия — НЕТ, НЕ ИМЕЕТ, НЕ БЫЛО.

Михоэлс пошел не в гости. Он отправился в никуда.

Ах, евреи, зачем вы так любите брать чужие имена и фамилии?

Я вышел из служебного подъезда театра и направился на Ленинский проспект. Этим маршрутом, из этого подъезда тридцать лет назад вышли в свой последний путь Соломон и отец Улы, только тогда назывался он проспектом Сталина. И пошли на улицу Немига, где еще совсем недавно было еврейское гетто. Незначительные перемены, цель осталась прежней. Старое гетто не отвечало современным архитектурным задачам, улицу Немига разнесли бульдозеры, там теперь новые кварталы. Граница гетто отбита в картотеках отделов кадров.

Вам не поможет любовь к перемене имен и фамилий. Ведь бьют не по паспорту, а по роже. Разве для меня есть во всем этом какая-то новость? Может быть, незаметно, исподволь стало новым мое отношение к этому нескончаемому мучительству?

Из-за Улы? Или это новая ступенька моего развития? Или я вошел в этот новый этап из-за Улы? Ведь я, по нашим стандартам, уже стал агентом сионизма. Может быть, люди и становятся агентами сионизма, когда огромная беда чужого народа входит в тебя, становится твоей болью и ты понимаешь, что не можешь решить своей судьбы, не получив урока из их жизни?

Может быть, моя судьба, которую я так накрепко завязал с Улой, и должна раскрыть идею моей жизни? И кто-то извлечет из нее свой урок?

Я ведь знаю, что теперь все это просто так не кончится. Да я и не хочу, чтобы это закончилось просто. Мне тоже надоело жить без имени, фамилии и отчества.

Шел я по шумному многолюдному проспекту, залитому неярким осенним солнцем — теплым, мягким, желто-ноздреватым, как топленое масло, шуршали под ногами листья, и я был очень доволен, что пошел пешком, а не промчался два километра на «моське», потому что в толчее и человеческой сумятице я еще острее ощутил одиночество прощания с этой жизнью, с этими незнакомыми мне людьми, с безликим разрушенным и перестроенным городом, с театром, в котором я никогда больше не буду, с разваленной бульдозером улицей Немига, где когда-то находилось гетто и где закончилась тропка Соломона, по которой я сейчас шагал след в след, поняв впервые, что это дорожка в одну сторону, что возврата по ней нет, и меня удивляло, пугало и радовало мое спокойствие. Мне нужна была правда, только правда, она была в конце этой дорожки. И меня совсем не трогало, что возврата по ней нет.

Мне понадобилось дожить до сегодняшнего дня, чтобы понять людей, сбросивших с себя иго омерты, великой клятвы молчания мафии.

Омерта. Бесконечное молчание. Всегда, везде.

Но однажды молчание становится таким же невыносимым, как смерть.

И с заведующей городским загсом я разговаривал уже более уверенно, чем с кадровицей в театре. Я вошел в игру. Вчера я пережил свое сыщицкое дилетантство, я играл в «своем интересе», но пропала внутренняя робость неопытного обманщика.

Я имею право! И если мне не хотят сказать правду, я сотворю ее из вашей же вечной лжи. Вы все — машина, а я — человек, а человек всегда обыгрывает машину. А легенда трусости и омерты — о бессилии человека перед машиной — родилась из-за того, что победитель всегда платил. За выигрыш у машины платили жизнью.

Заведующая загсом — равнодушное животное с бриллиантовыми серьгами — безучастно выслушала мою корреспондентскую легенду о поисках ветеранов, молча повертела в руках мое удостоверение, вызвала какую-то бесполую пыльную мышь и велела помочь мне в архиве.

Уже сидя в кладовой с душным прогорклым запахом — это и был архив загса, — я рассмотрел на картонных папках грифы «НКВД БССР» и вспомнил, что раньше загсы действительно относились к этому гуманному ведомству. Слава тебе, Господи! Черта с два меня бы допустили к архиву, если бы загсы по-прежнему относились к НКВД!

Я стал искать ребенка Орлова — того самого младенца, которому 13 января 1948 года сделали обрезание, или, как сказал Шик, «брисице», коли это была девочка, в честь чего Соломон согласился возглавить минен, был заманен в ловушку и убит.

Обрезание, к сожалению, не является актом гражданского состояния, и в книгах загса не регистрируется. Поэтому мне надлежало найти еврейского младенца, родившегося в первой декаде января сорок восьмого года и чье отчество скорее всего начиналось на букву «А».

Зачем мне нужен этот исчезнувший из театральных списков Орлов? Сам не знаю. Даже если он жив, рассчитывать на его искренность не приходится. Скорее всего он на эту тему вообще не станет разговаривать.

Я нисколько не сомневался, что он стукач и провокатор. Он — живец, приманка, на которую обязан был клюнуть Соломон. Ему было поручено подвести под толстую Соломонову губу смертельный крючок, смазанный сентиментальными слюнями еврейской многострадальной общности, лести и широко известной слабости Михоэлса — боязни показаться зазнавшимся еврейским барчуком, как он говорил, «столичным иностранщиком».

Не сомневаюсь, что в этой оперативной комбинации Орлов был надежным разыгрывающим на подхвате.

Единственно непонятно — почему Орлова сразу же не убрали? По тем временам его обязательно должны были кокнуть. Пускай он не хотел нарушать омерту. Но мог. И это должно было решить все остальное.

Я выписал за час девять имен и вернулся к гостинице, по дороге сдав в киоск адресного бюро запросы о нынешнем месте жительства этих давно выросших младенцев, для одного из которых минен превратился в небывалую тризну. Взял со стоянки «моську», неторопливо прогрел его — ему предстояла сегодня беготня немалая — и покатил потихоньку обратно к адресному бюро. Еще остановился около кафе-стекляшки, народу там было немного, сжевал два пирожка, попил газировки и подумал, что надо бы заехать в гостиницу — забрать свой чемоданчик. Как бы ни кончились сегодня поиски Орлова, надо ехать в Вильнюс. Там тоже есть следок, и не пустячный.

Девушка в бюро возвратила мне бланки. Из девяти имен моего списка шестеро проживающими не значились. Не были прописаны в Минске и их родители. Господи, какие же ветры дули над этим городом, над страной, над этим народом, если из девяти семей, выбранных произвольно, постоянно живших здесь тридцать лет назад, шесть исчезли бесследно?

Но трое оставались. Оставался Борис Александрович Залмансон, родившийся 2 января сорок восьмого года. Оставался Яков Арие-Хаимович Гроднер, рожденный 4 января. И оставался Моисей Абрамович Шварц, рожденный 6 января и официально сменивший через загс в 1960 году имя Моисей на имя Михаил.

Они жили в разных концах города. Я расспрашивал прохожих и пользовался маршрутной схемой Минска — о карте не может быть и речи, поскольку географическая карта любого советского города является военной тайной.

«Моська» вывез. Борис Александрович Залмансон встретил меня радушно, но помочь ничем не мог, ибо его отец всю жизнь был торговым работником, никакого отношения к театру не имел. «Не только не работал в театре, но и ходить туда не имел привычки!» — добро посмеялся Борис Александрович над культурной отсталостью папули, померешего два года назад.

Михаил Абрамович Шварц, подтвердивший представления театральной кадровицы о любви евреев к чужим именам, отдыхал с семьей на юге. Выяснять что-либо у соседей было бессмысленно — Михаил Абрамович жил в новеньком доме, заселенном в прошлом году.

Вот так и получилось, что остался мне один Яков Арие-Хаимович Гроднер, на чьей жилплощади были прописаны и его родители — Арие-Хаим Лейбович и Броха Шаевна Гроднер. Пятросова улица, дом семь, квартира двенадцать, третий этаж.

На косяке тяжелой, окрашенной ржавым суриком двери был прибит длинный список фамилий — кому сколько звонить. Все

217

в порядке — я у себя дома. Там такой же список — послушная дань коммунальной этике. Каждый жилец открывает дверь своим гостям. Уступка делается только почтальонам, милиционерам и нищим, которые дают длинный звонок — «общий». Все ждут благовеста, ареста и сумы.

Мне отворил дверь молодой пухлый еврей в·мешковатых джинсах, пузырящихся на коленях, суконных тапках и белой рубашке с галстуком в полоску. В руках у него была сковородка с жареной картошкой. Традиционная белорусская еда — бульба. Евреи, поменявшие имена, должны уж и кухню пользовать местную — все равно нет ничего другого.

— Я ищу Гроднера...

— Пожалуйста, — ответил невозмутимо парень, не трогаясь с места.

— Вы — Гроднер?

— Пока — да, — усмехнулся еврей.

— Я журналист, хотел бы поговорить с вами по одному делу... Гроднер равнодушно пожал плечами, сказал:

— Пожалуйста... — И мы пошли в глубь нескончаемого, плохо освещенного коридора, заставленного рухлядью, мимо длинного ряда полуприкрытых дверей, из-за которых высовывались любопытные носы соседей. Ах, коммунальное житье, круглосуточный надзор, скучающие соглядатаи, болтливые послушники нерушимого обета омерты! Вам дали муравейник, а вы его переделали в осиное гнездо.

Большая светлая комната плотно заставлена разношерстной мебелью. Дешевенький польский гарнитур втиснут в угол, как во время ремонта, и накрыт пластмассовой пленкой. Повсюду — запакованные ящики, картонные коробки, связанные веревкой чемоданы. Часть комнаты отгорожена китайской ширмой с полинявшими драконами. Из-за драконов вышла пожилая смуглая женщина, когда-то, видимо, замечательно красивая. Я вежливо поздоровался, она тревожно и неприязненно взглянула на меня из-под густых бровей, кивнула и вновь спряталась за своими китайскими страшилищами.

— Скорее всего вам нужен мой отец, — сказал Гроднер. — Вы же по поводу отъезда.

— Отъезда? — удивился я.

Гроднер неприятно засмеялся:

— Я ведь тоже читаю, как вы описываете муки евреев-эмигрантов в Израиле, как они из Вены обратно домой просятся...

— Но я не понимаю, почему...

— Что вы не понимаете? — перебил меня Гроднер, и я увидел, что он очень похож на хомяка. — Вы, наверное, хотите поговорить с моими стариками насчет их отъезда?

— В Израиль? — наконец уразумел я. — А они уезжают, что ли?

— А вы не знали? — удивился в свою очередь хомяк, у него набухла толстая переносица и покраснели маленькие глазки.

— Я совсем по другому вопросу, — растерянно сказал я.

У меня произошла ошибка. Слишком мал был мой стаж работы оборотнем, я медленно реагирую на неожиданные повороты придуманного мной сюжета. Если Гроднер — это Орлов, то непонятно, как он дожил. Если он Орлов — значит, он сексот, непонятно, зачем и почему он едет в Израиль. И как могло быть, чтобы его отпустили в Израиль?

Или не отпустили, а послали?

Но он ведь должен быть уже старый? Хотя Михайлович до сих пор на культурной службе!

Но если Гроднер — это Орлов, значит, я успел на уходящий в никуда поезд.

Я озирался в разоренном, загроможденном и все-таки полупустом жилище. С гвоздя на стене была снята и приставлена к ширме большая застекленная фотография. Ее, наверное, пересснимали и увеличивали с маленького снимка и потом уж заключили в простую ясеневую рамку. В объектив напряженно смотрел старик с седой бородой, рядом — тяжелая расплывшаяся старуха с беззащитным несчастным лицом, повязанная суровым платком, потом несколько мужчин и женщин с детьми на руках. Справа от старика стоял молодой человек без глаза, с вмятиной на лбу, прижимавший к груди молитвенно-слепо обрубки обеих рук.

Наум Абрамович Шик сказал: «...с Орловым был его родственник, несчастный парень, вместо обеих рук — культяпки...»

Дрогнуло сердце. Кажется, я нашел. По-моему, это они. Неужели я сотворил их в пустоте безвременья?

Я вздохнул глубже, чтобы утишить бешеный бой сердца, медленно и уверенно спросил:

— Сценическая фамилия вашего отца — Орлов? Он раньше работал в театре Янки Купалы? Он — артист?

— Арти-и-ист... — протянул неуверенно Яков Гроднер, теперь он окончательно не мог сообразить, что мне от него надо, и от напряженной работы мысли набрякло все лицо, отвердели хомячьи мешки на щеках. — Но он давно на пенсии. И... в чем дело наконец?

Вот я и нашел артиста Орлова. Нашел! Он жив — старый стукайло! Он жив, тихий подсадной! А передо мной — выросший провокаторский птенчик, на праздник рождения которого неосмотрительно направился великий комедиант.

Как все просто было придумано! Орлов должен был умолить Соломона прийти на событие, святое для всякого еврея, — минен, и для усиления, для большей жалобности взял с собой инвалида-родственника.

К этому времени уже высадили из машины шофера Гуриновича, и управлял ею оперативный работник.

Михоэлс согласился. После спектакля его должны усадить в «эмку» и провезти по незнакомому городу. Где-нибудь на дороге, в укромном месте, машина вроде бы глохнет. Шофер-опер выходит из машины — якобы чинить. Следующий по пятам «студебекер» разгоняется и на полном ходу врезается в заднюю тоненькую стенку салона «эмки» и дробит ее в клочья. И бесследно исчезает...

Но Соломон и отец Улы не захотели ехать на машине. И в сценарий пришлось по ходу спектакля вносить коррективы. Двух человек давили на улице, как зверей, их гнали, травили и впечатали в стену на углу Немиги и Проточного переулка...

— ...в чем дело наконец? — повторил Яков Гроднер.

Я хотел ему ответить бессмысленной поговорочкой, что дело в шляпе, давным-давно дело в шляпе, но он ведь все равно ничего про это не знает, и я ему быстро выдал свою идиотскую басню об интересе к традиционной культурной жизни республики, сборе ветеранов сцены и всю остальную ерунду.

— Вспомнили! — криво улыбнулся Гроднер. — Отец уже сто лет не работает на сцене, но главное, что он уезжает отсюда. Кто это будет про него статьи печатать?

— Никто не будет! — сразу же согласился я. — А вы тоже собираетесь в землю обетованную?

Яков тяжело вздохнул, задумчиво взъерошил на голове свой хомячий черно-бурый подшерсток, надул мешки на щеках:

— Нет. Не собираюсь. Мне там делать нечего.

— Почему? — поразился я. — У вас есть образование, специальность?

— Образование есть, — засмеялся пухлый хомяк. — А специальности нет...

— То есть как?

— Очень просто. После института я попал на хорошее место — конструктором в НИИ. Семь лет, как раз в прошлом месяце семь лет исполнилось. Получаю сто восемьдесят рэ. И ничего не делаю. То, что раньше знал, уже забыл.

— А зачем вам эта пенсия? Почему не делаете ничего?

— Потому, что все ничего не делают. Все просиживают штаны, и, видимо, это устраивает не только исполнителей, но и начальство. Если бы к нам в штат попал Эдисон или Кулибин, то через пару месяцев его бы вышибли как склочника, мешающего всему коллективу...

Я засмеялся и спросил серьезно:

— А не тянет поработать по-настоящему? Само собой, за настоящую зарплату?

— То есть там — в Израиле? Нет, не тянет, — грустно поджал худенькие полоски губ Яков. — Там нужны ловкие люди, хваткие, деловые, которые умеют поставить себя в жизни. Я не такой... И язык этот — иврит! Кто его может выучить...

На ширме зашевелились, заерзали драконы, там тяжело вздохнула хозяйка, пробормотала сквозь зубы: «Фармах дэм мойл». Яков пренебрежительно махнул рукой на оскаленных драконов:

— Мать боится, что я много разговариваю. Так ведь я лояльно...

Действительно, лояльно. Эх, евреи, боюсь, что вы не только имена поменяли, но и головы. Просидеть целую жизнь на стуле, бессмысленно бездельничая, как попугай в клетке, — это проще, чем выучить родной язык.

Все-таки крепко над вами здесь потрудились.

— А не жалко со стариками расставаться?

— Конечно, жалко. Так отца не переубедишь. Заладил свое — «эрец Исруэл» и «эрец Исруэл»! Да и то сказать — многие сейчас туда двинулись. Друзья его какие-то там уже...

Он помолчал, будто раздумывая о природе человеческой неуживчивости и погоне за журавлями в небе, когда в руках уже сидит ленивая стовосьмидесятирублевая синица, и сказал вдруг равнодушно:

— Пусть едут. Комнату освободят, я хоть жениться смогу...

И вывалил из сковородки картошку в глубокую тарелку. Пододвинул ко мне поближе другую тарелку с нарезанной маленькими ломтиками колбасой:

— Ешьте тоже...

Он набил полный рот картошкой, деликатно откусывал от ломтика колбасу, остаток возвращал на тарелку. Я смотрел, как он держит эти ломтики, как перекладывает вилку — у него были вялые руки дурака.

221

Посмотрел бы Соломон сейчас на своего крестничка. Или это тоже урок из его жизни? Как ни крути — смерть надо все равно отнести к его жизни.

— Яков Арьевич, у вас приличные перспективы по службе?

Он перестал жевать, проглотил ком, вытер губы какой-то тряпочкой, криво усмехнулся:

— Какие у еврея могут быть здесь перспективы? Да еще когда родители — там! Дотяну, возможно, до ведущего инженера. Еще десятка...

Драконы на ширме сразу же приглушенно охнули, сказали еле слышно: «Вер фаршвыгн» — и бессильно умолкли.

— И вас это не пугает?

— Извините, конечно, но вопросы вы задаете прямо-таки провокационные. — Впервые за время разговора у Гроднера остро блеснули глаза, он, видимо, прислушался к советам вылинявших драконов. Но махнул рукой: — Впрочем, чего мне бояться...

— Это вы меня извините, Яков Арьевич, за мои вопросы! Но интервью не получилось, и разговор у нас сложился неофициальный, потому что меня самого очень волнуют эти вопросы, можно сказать — лично касаются...

— Да-а? — недоверчиво протянул Яков. — Вы не похожи на еврея...

— Это неудивительно, если принять во внимание, что я русский, — засмеялся я. — У меня жена еврейка.

— Сейчас многие женятся на еврейках, чтобы уехать, — заметил Гроднер, а я протестующе поднял руки. — Нет, нет, я не вас имею в виду, а вообще, — заверил Гроднер. — У нас теперь незамужних евреек называют «транспортным средством».

Ну, Соломон, — ты этого хотел?

Мы обязаны за все содеянное в своей жизни заплатить. С тебя взяли дорогую плату за то, что ты своей рукой написал — «библейский бред тысячелетиями держался в умах еврейских масс и был разрушен в пух и прах революцией 1917 года». Урок твоей судьбы. Господи, как сообщить мне об этом уроке людям?

— ...Нет, что там ни говорите, нам жить по-ихнему тяжело. Они совсем другие люди, — объяснял мне Гроднер. — Мы ведь давно уже никакие не евреи, только по паспорту. Мы так же похожи на тех евреев, как эта бульба на фаршированную рыбу...

Он мне рассказывал какую-то фантастическую историю о том, что один белорус, подпольный миллионер, заплатил кучу денег пожилой еврейке за фиктивный брак с ней и возможность выехать на свободу.

Ну, скажите мне, что он там будет делать со своим умением воровать? Там воры не нужны, это здесь им привольно живется...

А я с горечью рассматривал уже сытого и успокоившегося хомяка — пухлого, благодушного, удовлетворенного своей досрочной нищенской пенсией, не стыдящегося своей никчемности, которую он называл «не хваткий», «не деловой», «не ловкий». Особая форма убогости. Он доволен.

Дверь широко распахнулась, и в комнату вошел, катя за собой продуктовую сумку на колесиках, краснолицый крепкий старик, похожий на сатира...

27. УЛА. ВЕЧНЫЙ ДВИГАТЕЛЬ

Превозмогая ватную слабость ног, я пошла к троллейбусной остановке. Кружилась голова, тонкий пронзительный звон от бессонной ночи переполнял меня. Но я поборола себя — я отправилась в дом, до которого семь минут езды. И вся выброшенная прошлая жизнь.

Как сказал Эйнгольц, я не боюсь уехать, я боюсь войти в этот дом. До порога ты еще вместе со всеми — униженный, нищий, немой, но все-таки тебя согревает иллюзия защищенности в толпе, мечта о незаметности в стаде, тщеславная надежда на силу оравы.

Переступив порог, ты сделал шаг в сторону из конвоируемой колонны. Ты один. И по закону караульная машина имеет право стрелять без предупреждения. Раньше шаг в сторону считался за побег. Сейчас изменился устав конвойной службы — нарушителя изымают из строя, колонна уходит дальше, шагнувший в сторону оказывается один на один с машиной.

Машина молчит. Нарушитель и сам знает, что надо делать — эту нехитрую науку выучивают с рождения. Сесть на снег! Руки за голову! Не переговариваться! Вещи бросить в сторону — на этап разрешается смена белья и сегодняшняя пайка!

Сидят на снегу смирно. Молчат. Ждут. Несколько месяцев. Год. Пять лет.

Молчать! Руки за голову! Молчать! В штрафной изолятор! В карцер! В БУР!

Со стороны кажется, что машина караульной службы задумалась. Привыкшая не рассуждать, а выполнять, она многого сейчас не понимает. Раньше за такое нарушение полагалось стрелять без предупреждения. Сейчас многим нарушителям вдруг приходит помилование, и их приходится почему-то выпускать за зону, за колючку — на волю! Машине это не понятно — что изменилось? Там — на воле? Или здесь — на этапе? Или — страшно подумать — в ней самой? В машине?

Но я уже переступила порог, прошла по серому безлюдному коридору и постучала в дверь с картонной табличкой «Инспектор ОВИР Г. Н. Сурова».

В небольшой комнате, уставленной картотечными шкафами, сидела за письменным столом молодая женщина. На ней был серый милицейский мундир с капитанскими погонами. От волнения я не могла рассмотреть ее лицо — оно слоилось, распадалось, бликовало, как разбившееся зеркало.

— Слушаю вас, — сказала она мягким негромким голосом.

— У меня вот приглашение, — протянула я конверт.

Она взяла конверт, ловко вынула из него бумаги, пробежала быстро глазами, обронила своим равнодушным негромким голосом:

— Это не приглашение. Приглашение бывает в гости. А у вас вызов. На постоянное место жительства в государство Израиль. Это совсем другое дело...

Она делала ударение на конце слова — Изра-Иль.

— Хорошо, — согласилась я. — Какие нужны документы?

— У вас паспорт с собой? Дайте-ка посмотреть...

Она взяла мой паспорт и так же ловко, как бумаги из конверта, опустила его в ящик стола.

— Для получения разрешения на выезд на постоянное место жительства в государство Изра-Иль нужно много документов, — вымолвила она значительно, но так же негромко.

А я наконец рассмотрела ее лицо. Инспектор Г. Н. Сурова получила его наверняка вместе со своей аккуратной формой на вещевом складе. В квитанции значились пуговицы, глаза, погоны, рот, отдельно звездочки, отдельно маленькие острые зубы, фуражка-каскетка, белесые, стянутые в пучок волосы.

Опытная медсестра приемного покоя лепрозория. Уже выступившие на мне бугры, пятна и язвы не вызывали в ней никаких чувств. Обычный случай проказы. Не ее дело решать — на это есть специалисты, они скажут. Нужно будет — отправим догнивать, понадобится — подлечим, способы имеются, если скажут — отпустим.

224

— Идите в коридор, подождите, я вас вызову, — сказала Сурова. Равнодушное лицо, слежавшееся по швам на интендантском складе. Ловкие пальцы. Пелена безразличной жестокости в бесцветных жестянках глаз. Паспорт в ящике, вызов на столе. И сама я уже не в сером коридоре, а в картотеке.

Как все находят себе место по душе!

Ни одной скамейки, ни одного стула. Сидение успокаивает человека, даже если он прокаженный. Пусть лучше ходят. И думают. И сколько я ни старалась переключиться, не думать о том, как инспектор Сурова заполняет на меня карточку, списывает с паспорта мои данные, звонит куда-то по телефону, проверяет меня, узнает — нет ли подвоха, достаточно ли глубоко я засунула палец в шестерни этой бесшумной устрашающей караульной машины, я не могла не думать! Не могла не представлять себе бесчеловечную громадность этой машины.

Я прошла до конца коридора, на серых стенах которого висели огромные плевки запрещающих распоряжений, повернула назад и промерила коридор шагами до тупиковой двери с табличкой «вход воспрещен», снова развернулась и пошла к выходу, назад — до запрещенного входа, поворот, снова по коридору, и по мере роста моего волнения темп ходьбы все возрастал. Машина уже захватила меня и поволокла... Она работала бесшумно и неотвратимо. Ровно и сильно питалась топливом нашего ужаса. Как давно ее построили — задолго до моего рождения! Мы и умрем много раньше ее. Все. Вечный двигатель.

Вот он — заветный двигатель, который пытались сделать возвышенные умы. Он уже уцепил кусок моей плоти и гоняет меня по серому коридору. Вечный двигатель. Его запустили и сделали движение вечным потому, что, в отличие от возвышенных умов, неслыханную энергию приложили не к дурацкой механической конструкции, а к людям — к каждому по отдельности и собранным в толпу.

Скрипнула дверь, Сурова вышла из кабинета, я вздрогнула и невольно подалась к ней, но она прошла мимо, глядя сквозь меня на пятна запрещающих и указующих распоряжений. Она отправилась в дальний конец коридора и скрылась за дверью с надписью «вход воспрещен». Может быть, там сидят не капитаны, а сержанты — санитары лепрозория?

Я сделала еще петлю по коридору — туда и обратно, затаив дыхание, остановилась у таблички «вход воспрещен», но там было тихо и голосов санитаров не слыхать. А может быть, не санитары? Может быть, там старший эпидемиолог — майор? Рассматривает направление в лепрозорий, прикидывает, какие мне нужно еще сдать справки-анализы для окончательной изоляции-госпитализации?

Кто вы — люди, обслуживающие вечный двигатель? Конструкторы небывалой машины допустили ошибку, поручив ее обслуживание вам, а не автоматам. Они думали, что ваша корыстная заинтересованность в существовании машины и есть порука вашей преданности и добросовестности в эксплуатации машины. Это было ошибкой.

Вы уже попортили вечный двигатель, он время от времени дает сбои. То, что я стою в этом коридоре, что я сама засунула руку в страшный зев машины, — это ее сбой.

Вы внесли в работу машины низменные страстишки вашего характера и обычные людские пороки. От огромной нагрузки в ней растянулись приводные ремни, поржавели от крови шестеренки, коррупция замаслила фрикционы, скрипит песок лени в буксах, упало давление поршней жестокости в цилиндрах несвободы, металл конструкции устал...

Из воспрещенного входа вышла Сурова и кинула мне негромко:

— За мной...

У меня взмокли ладони и сильно дергалось веко. Я хотела усмирить его, прижимая глаз рукой, но веко дергалось в горсти судорожно и затравленно, как пойманный воробей.

Сурова четко печатала шаги передо мной, и у меня останавливалось дыхание, когда я смотрела на ее искривленные тонкие колени и сухие длинные мешочки икр под серым обрезом форменной юбки.

Насколько от нее зависит, пощады она мне не даст.

Ах, как чудовищно сильна еще машина! Вечный, вечный двигатель. Больше моего века...

Равнодушным голосом без интонаций Сурова сообщила:

— Для надлежащего оформления вашей просьбы о выезде на постоянное место жительства в государство Изра-Иль вам необходимо представить следующие документы...

Господи, какая честь у нас всегда оказывается этой крошечной стране! Ведь ни про одно из десятков государств никогда не говорят и не пишут официально — «государство Монако», «государство Америка», «государство Китай». Только маленькой, почти забытой моей отчей земле оказана такая ненавистническая честь — Государство Изра-Иль...

— Записывайте, не отвлекайтесь, ничего не перепутайте, при малейшей ошибке или опечатке вам будут возвращены все документы для переоформления...

— Я записываю...

— Первое: вызов от родственников из государства Изра-Иль...

Земной тебе поклон, дорогой брат, господин Шимон Гинзбург, спасибо тебе, кровь моя, кровь наших умерших отцов, кровь
дедушки нашего Исроэла бен Аврума а Коэна Гинзбурга.

— Второе: заполнить две анкеты-заявления на машинке, оба
экземпляра первые, без единой помарки, никаких исправлений
не допускается...

Спасибо тебе, ремесло мое, последний раз ты мне приго-
дишься здесь, после тысяч напечатанных мной страниц на машинке.

— Третье: подробная автобиография. Указать практически
все. Отдельно сообщить, проживал ли родственник, к которому
вы хотите ехать в государство Изра-Иль, на территории СССР,
когда и при каких обстоятельствах выехал за границу...

Это мне легко сделать — у меня нет биографии, я еще и не
жила, вся моя жизнь уместилась в любви к Алешке и в каторж-
ной клетке трудовой книжки. Но об Алешке, слава Богу, писать
не надо.

— Четвертое: трудовую книжку...

Пожалуйста, там все сообщено о моем обмене веществ, как
я дожила до такого способа существования моих белковых тел.

— Пятое: фотографии, шесть штук, специально для выездного дела.

Для выездного дела, наверное, нужно фотографироваться в
фас, в профиль, с указанием особых примет прокаженного.

— Шестое: копии свидетельств о смерти родителей. Если
они живы, необходимо представить их заявление, официально
заверенное, что они не возражают против вашего отъезда.

Ах, они бы не возражали, если бы были живы! Но вы мне
облегчили сбор документов — вы их давно убили.

— Седьмое: свидетельство о рождении.

Хорошо, я принесу бумажку. Но это обман — я еще не родилась...

— Восьмое: свидетельство о браке.

Лешенька, любимый мой навсегда, мы так и не пожени-
лись...

— Девятое: копия свидетельства о расторжении ранее за-
ключенного брака.

А вот нас уже и развели...

— Десятое: копия диплома об образовании. Оригинал диплома надлежит сдать.

Ладно, я сдам свой диплом об образовании историка литературы, расстрелянной, замученной и забытой...

— Одиннадцатое: копии дипломов об ученых степенях и званиях.

И тут вы мне пошли навстречу — не о чем хлопотать. Мою ученую степень получит веселый жулик Вымя, накромсав и сметав на живую нитку из академической мантии Бялика поддевку и жупан для огневого парня Васьки Кривенко...

— Двенадцатое: копия свидетельства о рождении ребенка, если он выезжает с вами.

Мой ребенок не выезжает со мной, он не родился. Он умер до зачатия...

— Тринадцатое: справка с места работы по особой форме.

Вот он — день торжества Пантелеймона Карповича Педуса...

— Четырнадцатое: справка с места жительства о проживании.

Паралитик с радиостенобитной машиной может теперь легально проломить стену.

— Пятнадцатое: справка об отсутствии к вам материальных претензий.

Наверное, мне трудно будет получить такую справку — никто не захочет верить, что я ни перед кем материально не обязалась, укладываясь в тридцать один рубль в получку...

— Шестнадцатое: квитанция об уплате государственной пошлины в размере 20 рублей.

Ну, это-то совсем пустяки, вся наша жизнь здесь — беспрерывная пошлина покорности и страха...

— Семнадцатое: справка с междугородней телефонной станции об отсутствии претензий за неоплаченные переговоры.

Я оплатила все переговоры. Огромной ценой. Таких тарифов нигде на свете не существует. Спасибо тебе, старый мудрый Эдисон — ты размотал для меня с поверхности жизни длинную прерывистую ниточку в затопленную безвременьем Атлантиду...

— Восемнадцатое: паспорт.

Возьмите мою серпастую и молоткастую паспортину. Не надо мне зависти малых народов. Только не режьте своим серпом глотку, не ломайте череп молотком...

— Девятнадцатое: военный билет.

Господи, дай мне только дожить до дня...

— Двадцатое: почтовую открытку с указанием вашего адреса.

Я дописала и спросила Сурову:

— А зачем открытка?

— Вас известят о принятом в отношении вашей просьбы решении, — проинформировала она своим равнодушным голосом, глядя на меня понимающим и недобрым взглядом грамотной собаки. — Вы свободны...

О нет! Я не свободна. Теперь-то уж — как никогда не свободна. Я на карантине в предзоннике лепрозория.

Сесть на снег! Руки за голову! Не переговариваться!

Хорошо, я не буду переговариваться в колонне. Я буду молчать. Но думать не запрещается?

И я думаю, что ты, машина, не вечная. Ты не переживешь всех. Кто-то ведь доживет, когда тебя разнесут в прах. Пропади ты пропадом, проклятая выдумка!

28. АЛЕШКА. ВЕЧНЫЕ ЖИДЫ

— Обо мне вспоминают в театре? — переспросил старик с лицом сатира и захохотал, будто застучал в разбитый паркет козлиными копытами. — Хрен в сумку, вспоминают! Лет десять назад ко мне заходил лишь Нема Фридман — завтруппой, царствие ему небесное, доброму человеку! Да и то потому, что знал толк в хорошей беседе под рюмку водки. Да я и не обижаюсь на них — ни на кого! Я ведь и сам к ним не ходил, я имел, как говорится, друзей на стороне...

По лицу Арие-Хаима Лейбовича Гроднера-Орлова было и так видно, что он не дурак дернуть рюмку. Когда он уселся рядом со мной за стол, мой опытный нюх сразу уловил привычное амбре перегорающей в нем выпивки. Ах ты, мой дорогой старый живец, заслуженный стукайло Белорусской республики — кто же они, твои друзья на стороне?

Натренированным восприятием оборотня Гроднер мгновенно уловил направление моих мыслей и эпически сообщил:

— Вот, отправился сегодня за продуктами — у нас это всегда серьезная экспедиция — и встретил старого друга. Он мне говорит: «Алик, ты же больше не жидовская морда, а господин отъезжающий иностранец. Может быть, выпьем на прощание?» Ну, взяли мы, конечно, по бокальчику...

Это была артиллерийская вилка — сообщение для меня и объяснение для жены, охраняемой драконами. Неизвестно, что подсказали жене драконы, но я-то точно знал, что взял он со старым другом не по одному бокальчику.

Броха Шаевна покряхтела, как от сдерживаемой зубной боли, и что-то быстро пробурчала по-еврейски, и по полному отсутствию одобрения в ее тоне я понял, что драконы пояснили обстановку более или менее правильно. Они были старые — драконы, выцвели, выгорели. Они наверняка еще скалились в старом доме на улице Немига, в квартале еврейского гетто. Жаль, их не увидел Соломон. Может, он бы вставил их в сценический интерьер из послевоенного еврейского быта.

Нет гетто, нет Немиги, нет дома, нет еврейского быта, нет Соломона. Остались драконы, Орлов-Гроднер и его похожий на хомяка сын Яша.

А старик пружинисто поднялся, распахнул скрипучую дверцу пузатого серванта, достал бутылку «зубровки».

— Что ж ты не угощаешь гостя, Яшенька? — с наигранной укоризной спросил Гроднер. — Просто неудобно. Ты же знаешь — гость в дом, радость в дом...

— Я думал, что товарищ корреспондент не захочет в свое рабочее время... — без улыбки, не то шутя, не то всерьез ответил хомяк. Сейчас он был сыт, пухл, равнодушен.

— Вот какой у меня сынок образцово-показательный, — захохотал Гроднер. — Нет, все-таки, что ни говори, старая школа — она себя оказывает. Он у меня непьющий, негулящий, а на работе такой смирный, что тень от него не ложится. В кого он такой выдался — ума не приложу?

Гроднер расставил на столе рюмки, твердой рукой плеснул в них желтую водку и крикнул через головы драконов:

— Брохэлэ-серденько! Признайся мне как на духу, дело прошлое, уже все равно мы старые и должны все прощать друг другу! Ты ведь наверняка согрешила разок на сторону! А-а? Иначе откуда он взялся? Вы слышали такое, — он повернулся ко мне, — старые уезжают, а молодой остается?!

— «Фармах дэм мойл!» — рассердился один дракон, а другой добавил: — «Ди мисер шикер»!

— «Заткнись, пьяница!» — перевел, качая головой, Гроднер.

— Перестань, отец, — лениво сказал хомяк. — Нашему гостю это неинтересно...

— Ну почему же, Яков Арьевич? — возник я мгновенно. — Я вам уже докладывал, что меня все это лично волнует. Да и как писателю мне это надо осмыслить, понять.

— Писатель, — засмеялся Гроднер-Орлов. — Так скажи мне тогда, писатель, правильно делают евреи, что едут, или нет?

— К сожалению, я не готов к ответу, — уклончиво сказал я. — Что хорошо одним, плохо другим. Ведь вы знаете, что многие жалеют о выезде. Неустроенность, незнание языка, тоска по старым местам. Как-никак, здесь прожили многие поколения, это их родина...

— «Прожили многие поколения...» — передразнил Гроднер. — Промучались, отстрадали и потеряли себя! А не прожили! Унижения, нищету и погромы в черте оседлости им заменили на врагов народа в тридцать седьмом, космополитов в сорок восьмом, врачей-убийц в пятьдесят третьем и поголовных сионистов сегодня! Хорошо прожили, а?

— «Зол дир упнэмен дэс лушн, ди шикерер — елд! Эр из а штымп!» — сорвались со сворки, разом придушенно заголосили драконы.

— «Чтоб язык у тебя отвалился, пьяный мудак. Он стукач», — прилежно перевел мне Арие-Хаим Орлов. Укоризненно поцокал языком и неожиданно обратился к супруге: — Брохэлэ, тебе не стыдно? Или ты меня видела валяющимся в канаве? А молодой человек не штымп, он — писатель, пусть знает, что я уже никого не боюсь. За свою жизнь я выбоялся за десятерых. И еду в Израиль не красиво жить, а достойно умереть. Я не хочу здесь подохнуть. Вы меня поняли?

Брохэлэ не удостоила его ответом, а я искренне сказал:

— Пока нет, но понять вас очень стараюсь...

Молодой Гроднер прямо за столом подрезал себе ногти маникюрными ножницами. И я снова поразился дохлой вялости его рук.

А старик сказал:

— Ну-ка, выпейте рюмочку водочки, может быть, скорее поймете...

Мы выпили пахнущую травами настойку не чокаясь и без тоста, и Гроднер спросил с напором:

— Если вы порядочный русский человек, объясните — как получилось, что при первой возможности десятки тысяч евреев рванулись за границу?

— Я с вами не спорю — жить действительно тяжело...

— Дело не в трудностях! Эта жизнь изжила себя! Никто нигде не работает, никто ничем не интересуется, люди не подходят дома к телефону, они хотят смотреть телевизор, они перестали заводить серьезные романы, им насильно распределяют на службе билеты в театр, они их покупают, но в театр не идут. Для ребенка тетрадь ценна до первой кляксы, взрослый дорожит чистотой до первого обмана. Тетрадь нашей жизни залита враньем, нашей блевотиной и кровью!

Сынок Яша флегматично перебил Гроднера, разговор с которым становился мне все интереснее:

— Перестань, отец, ты всегда преувеличиваешь...

Он переобулся из суконных тапок в толстые туфли, явно собираясь уходить. Я готов был подать ему пиджак, только бы он сделал это побыстрее — в предстоящем разговоре он просто мешал.

А старый сатир затопал копытами, махнул на него рукой:

— Бык с цицьками! Пустое место, — и обернулся ко мне. — Не в трудностях дело! Посмотри, мальчик, какие едут люди — музыканты, ученые, писатели, артисты, художники! Им жизнь там будет труднее, чем здесь. Но жизнь! Жизнь! А не гниение! Уезжают остатки семей убитых. Уехали семьи Михоэлса, Переца Маркиша, Бергельсона. Да, такой боец, как Михоэлс, будь он жив, он бы сам первый уехал, голову даю на отсечение!

Я полоскал рот крепкой «Зубровкой», а сатир запальчиво кричал:

— И Эренбург бы уехал!

Я спросил ехидно:

— А Каганович не уехал бы?

— Каганович не уехал бы — он братоубийца, и все проклятия Моисея обрушены на этого мерзавца. Его бросят здесь в яму, как дохлую собаку, и он провалится прямо в ад. И Эренбург, может, не поехал бы, хотя утверждать не возьмусь. А Михоэлс поехал бы наверняка.

Я сказал, глядя в рюмку:

— Может быть, может быть... Сейчас трудно что-либо сказать точно. Это ведь какой талантище был! Как глупо погиб! Как глупо! Я не помню, в Киеве, не то в Вильнюсе...

Водораздел. Граница. Здесь тропа или иссякнет, или закружит на новую высоту.

— Черта с два — в Киеве! — заорал краснорожий коренастый сатир. — Он погиб тут — в Минске! Чуть ли не на моих глазах! И можно сказать — из-за меня! Или вот из-за него...

Он ткнул в меланхоличного Яшу, натягивающего пиджак и укоризненно качающего головой.

— Тебе, отец, с твоим языком и там будет плохо, — заметил он, прощаясь.

Гроднер тяжело вздохнул:

— Эх ты... Бурдя, — оскорбил он его каким-то непонятным мне ругательством.

Броха Шаевна проворно выскочила из-за ширмы, как дрессировщик на арену с группой обученных драконов, пошла в коридор вслед за сыном, мне были еще слышны их удаляющиеся голоса.

232

Сатир сгорбился за столом, краснота отступила немного от его мощного лица, он бессильно опирался локтями на столешницу, и я тут разглядел, что он стар и бесконечно утомлен. Он задумчиво катал хлебные крошки, и мне казалось, что в нем клокочет только одно чувство — безмерное отцовское разочарование. Прижизненное отрицание прожитого. Он поднял на меня свои замешоченные складками глаза зоопаркового медведя, уставшего от вечной неволи и ленивого любопытства зевак, и грустно сказал:

— Наверное, во всем есть свои положительные стороны. Если бы у нас была не изгаженная тетрадка, а настоящая история, была бы настоящая история театра, была бы театральная энциклопедия, я бы в ней занял место сразу после Джона Бута, убившего президента. Но у нас нет истории, нет Михоэлса, и, к счастью, никто не знает обо мне. Потому что Бут хотел убить Линкольна, а я почитал Михоэлса как бога, но выходит — тоже убил. Его бы, правда, и без меня убили, но мне от этого не легче!

Он налил нам по рюмке, мы их молча подняли и, как на поминках, не чокаясь, выпили. И сразу же Гроднер налил еще по одной.

— Что такое сорок восьмой год, ты, мальчик, наверное, можешь себе представить... — неспешно начал старик. — Город дотла разрушен, жить негде, голод, все время проверки по любому поводу, а с темнотой на улицу страшно выглянуть — бандиты людям, как курам, головы рвали...

— А вы из здешних мест?

— Конечно! Мы тут всю жизнь прожили, и Бог помиловал — даже войну пережили, хотя всех белорусских евреев Гитлер вырезал. Он же ведь через две недели после начала войны здесь был — никто не смог выбраться. А нашей семье повезло — у нас ведь всегда хлеб со слезами пополам... За месяц до войны сактировали моего брата Леву...

— Что значит «сактировали»?

— Его еще в тридцать седьмом подхватили как буржуазного националиста. А он был чистейший парень, комсомолец, дурачок. Дали десятку, он ее тянул в Заполярье. Отсидел три года, и ему в руднике взрывом оторвало обе руки, выбило глаз, пробило голову — стопроцентный инвалид стал. Плюнули они на него и отпустили перед самой войной. Я находился в Саратове на гастролях, так поехали за ним мои родители — крепкие еще старики были. А тут началась война, и они уж перемыкались где-то на Урале. Таки три раза меня доставало. Стал механиком-водителем танка. Такая специальность для еврея и актера на выходах!..

Вернулась Брохэлэ, принесла кипящий чайник. Молча поставила его на кафельную плитку, шваркнула на стол чашки с блюдцами, вазочку с леденцами, выразительно глянула на рюмки с водкой и сказала низким голосом:

— Мне не водки жалко. Мне жалко его. — И ушла за ширму.

Гроднер махнул ей вслед рукой, жестом показал мне — не обращай внимания.

— В общем, собрались мы тут после войны, кое-как обустроились, меня взяли в театр Янки Купалы, поставили на очередь за комнатой, я женился. И родился этот мой байстрюк. Он был после войны в семье первым, и мой отец сказал, что надо сделать все честь по чести, как полагается у приличных евреев, — обрезание, собрать почетных гостей, устроить минен. Я хоть и нерелигиозный, но я же еврей! Первенец родился как-никак!

Старик молча показал мне на рюмки, и, сделав крошечную паузу, мы неслышно выпили «Зубровку», но драконы были зрячие, они недовольно зашелестели, заворчали.

— Брохэлэ, за твое здоровье, серденько! — крикнул тогда за ширму сатир и спокойно продолжал: — Посоветовались мы с отцом, царствие ему небесное, где деньжонок одолжить, что на стол поставить. Простенькое дело — месяц назад отменили карточки, поменяли деньги! Ни у кого ни копейки, а в магазинах — без карточек, зато шаром покати!

Гроднер достал из серванта пачку чая, насыпал в заварной чайничек от души, залил кипятком, а нам пока что нацедил еще по рюмке.

— Как-нибудь бы вывернулись! Мы ведь всю жизнь привыкли выворачиваться и тогда что-нибудь придумали бы. Но пришел брат Лева, несчастный инвалид, и говорит: «Ты знаешь, что в городе великий человек — Михоэлс?» Я ему объясняю, что он будет принимать наш спектакль «Константин Заслонов», была такая парадная басня из жизни партизан, и тут наш тихий прибитый Лева вдруг заявляет, что надо камни грызть, но добиться, чтобы Михоэлс пришел к нам на минен. Я рассмеялся тогда — только и есть ему делов в городе, как ходить в гости к таким капцанам...

— А Лева с вами вместе жил или отдельно?

— Он был прописан здесь, а жил в общежитии артели инвалидов, где он работал. Там и то было просторнее, чем здесь — тринадцать душ, спали голова на голове. Да и в спецкомендатуру МГБ ему ближе было оттуда — он же каждую неделю ходил

234

туда отмечаться. Ну, короче, я ему говорю: «Ты сам такой умный или с кем-нибудь придумал?» А он меня убеждает — ему, мол, какой-то приятель это присоветовал, человек умный, знающий и не маленький. Этот знакомец Левин, мол, сам знает Михоэлса как человека доброго, простого и отзывчивого, а кроме того — Михоэлс любит опрокинуть пару стопок в хорошей компании. Надо попросить как следует, он придет на минен, а для нашей мышпохи* это память на всю жизнь. Ой, Боже мой, видишь Ты, что действительно память осталась на всю жизнь! — глухо воскликнул Гроднер и скрипнул крепкими еще зубами.

Нет, это не был рассказ оборотня, усложненная мистификация перевертыша, в обстоятельности его воспоминаний был размыслительный оттенок желания самому еще раз все понять, представить, увидеть вновь, не перепутать последовательности слов, поступков, событий, в его тоне было яростное стремление ничего не забыть.

— Я тогда еще рассердился на Леву — чем мы будем такую звезду угощать? Картошкой, квашеной капустой, редькой, самогоном? А Левка, бедный дурачок, говорит мне, что приятель обещал ему подкинуть продуктов из закрытого магазина. «Это будет, говорит, символическая встреча для всего еврейства». Господи, все как будто вчера было — так ясно перед глазами стоит!

Старик налил нам в чашки чай и, всматриваясь в его насыщенный красно-золотой цвет, печально вспомнил:

— Он таки принес еды. Полный рюкзак — чего там только не было! Две курицы, семга, копченая колбаса, сыр. Три поллитровки «Московской водки». А чая не было. Чай не был предусмотрен в их меню. Я еще сказал Левке — если у тебя приятель такой большой начальник, пусть он тебя лучше снимет с учета в спецкомендатуре. А Левка ответил — может быть, и снимут...

Сумерки сгустились. Чай на просвет был уже не рубиновый, а как застывший асфальт. Тяжело вздыхала за ширмой старая женщина. В носу у Гроднера гудели сдерживаемые стариковские слезы. Он досадливо отсморкался в большой клетчатый платок, сказал с досадой:

— А-а! Ничего уже не изменишь, никому не объяснишь! Я ведь тогда и не придал значения его словам! Так уж все решилось. Я взял Леву с собой в театр, он дожидался меня в гримуборной, и после спектакля мы припали к Михоэлсу, как поросята к матке. Мы стали просить его осчастливить нас, а он засмеялся — царствие ему небесное, настоящий человек был,

---

* Большая родня.

дай ему Бог райский покой. «Что вы меня уговариваете — одним еврейским бойцом на земле больше стало, дело святое!» — сказал он своему товарищу. С ним был какой-то еврейский писатель, не помню уже его фамилию. А тот ответил Михоэлсу по-еврейски: «Пойдем, пойдем, это вам, безбожнику, будет мицве, то есть благодеяние перед Богом!..»

Гроднер поднял рюмку и предложил:

— Давайте выпьем за их память, пусть им обоим земля будет пухом. Потому что они оба не дошли до моего дома. Мы их прождали долго, другие гости даже на меня обиделись — что такое, мол, почему все мы должны ждать? Да и я тоже, помню, сердился: мы хоть и простые люди, но слово держим твердо... Ну, выпили потом, развеселились, от сердца отлегло. Мне ведь и в голову не приходило, почему они не пришли. Кто мог подумать?

— Ваш брат Лева...

Гроднер не подскочил, не закричал, не заспорил. И не согласился. Он только устало помотал головой с боку на бок:

— Нет. Что он понимал, этот несчастный невезун! Он, как слепой баран, не знал, кто и с какого бока его стрижет. Они из него сделали наживку, живца...

Я чуть не охнул вслух, удержался и спросил лишь:

— А когда стало известно, что...

— Утром. В шесть утра приехали из «органов», усадили в машину и привезли в свою бэйсашхитэ...

— Куда?

— Это, по-нашему, место, где режут скот, бойня. Короче, в Большой дом. И сразу быка за рога. Что? Как? Почему? Что вы имели в виду, приглашая Михоэлса в дом? Я, конечно, сразу вспомнил того умника, который Левку надоумил, и продукты дал, и насчет спецучета обещал. Сам понимаешь, мальчик, слишком много совпадений для нашей будничной жизни. Я сообразил, что влип круто. Наделал полные штаны, но, пока не бьют, сижу с достоинством и тихо. Все же во мне кусочек актера есть, наверное...

За ширмой исчезнувшие в сумерках линялые драконы сказали мечтательным тоном:

— Вэн сэ нэмт уп ба дир дес лушейн...

Гроднер кивнул в сторону жены:

— Женщина говорит, лучше бы у меня отнялся язык! Вот житуха — про тридцатилетней давности безвинный арест боятся вспомнить. А гебарэтэ мелихэ! Держава наша траханая!..

— Вы остановились на первом допросе, — напомнил я.

236

— Ну да! Сижу и душой трясусь, чтобы они про Левку не вспомнили. Он и так по политической статье отсидел и сейчас на спецучете. Не дай Бог, вспомнят — ему с его здоровьем и месяца в тюрьме не выдержать. А голова от мыслей ломится — тут Брохэлэ одна, молодая, ничего не умеет еще, в жизни ничего не понимает, ребеночек на руках — стаж одна неделя ему! Ой, горе!..

Гроднер встал, подошел к стоящему на полу групповому семейному портрету, поднял его на стол, ткнул толстым сильным пальцем:

— Вот он, Левка! Несчастный страдалец. Я тогда на допросе и решил — возьму весь грех на себя! Я же видел Михоэлса в театре, надумал и пригласил — а что такое? Все в театре видели, как я приглашал, и все гости могут подтвердить, что мы весь вечер прождали, никто не отлучался никуда...

Старик потрогал рукой чайник, сердито крякнул — остыл совсем, взял его и пошел на кухню, но в дверях остановился и договорил:

— Представь себе, что они все записали, пальцем не тронули меня, только взяли подписку о неразглашении — а что мне было разглашать? — и отправили домой. И про Левку ни слова не спросили...

Он затворил за собой дверь, а я всматривался в старый снимок и думал, что сам Бог надоумил Гроднера ни словом, ни духом не упомянуть ни о брате Левке, ни о его умном советчике-приятеле. Расскажи он как все было, пришлось бы спуститься в подвалы.

Вернулся старик, зажег свет, и мне бросились в глаза драконы молчания. Вылинявшая омерта. Выгорающий старый испуг. Тихое дыхание старой женщины за ширмой.

— А потом приехал Лев Шейнин, — медленно раскручивал нить воспоминаний постаревший и побледневший за вечер сатир. — Это уже было через несколько дней. Он был знаменитым писателем и другом Михоэлса. Но оказалось, что он не только писатель, но и очень важный прокурор или следователь, не скажу точно. Но я это узнал немного погодя, когда с ним разговаривал. Вот так, как с тобой, мы сидели. Начальственный человек, толстый. Слушай, писатель, а ты, случайно, не прокурор по совместительству?

— Бог избавил! — искренне воскликнул я. — Могу показать писательский билет.

— Держи его при себе, — усмехнулся Гроднер. — Ведь у него тоже был, наверное, писательский билет?

237

— Наверное! — вынужден был признать я. — Но я хоть не начальник и не толстый.

— А-а, не важно! Мне теперь все равно — кто прокурор, кто писатель! И сам кем я уже только не был, я ведь старый артист. И королем, и железнодорожником, и майором...

— Так что с Шейниным? — напомнил я.

— Допрашивал он меня целый день...

— А про брата?

— Он про него в основном и расспрашивал.

— А Леву он допрашивал?

— Некого было расспрашивать. Лева уже умер.

— Как умер? — изумился я. — Через несколько дней?

— На третий день, — скрипнул вновь зубами старик. — Он утонул, несчастный. Ушел утром на работу из общежития, а в обед нашли в реке, около самого берега. Карманные часы еще ходили.

— Как же это могло случиться?

— Как? — зло хмыкнул Гроднер. — Они его утопили. Они же обещали снять со спецучета. Вот и сняли... Выдали нам справку — несчастный случай. Похоронили мы Леву, мир праху его, и все! Жаловаться пойдешь? К кому? На кого? Не помогло ему мое молчание...

— А что Шейнин спрашивал про Леву?

— Да он не то что спрашивал, он меня послушал, потом говорит — все понятно, это от вашего брата исходила идея насчет Михоэлса. Я тык, я мык, нет, он ничего вообще не знал. Шейнин махнул на меня рукой — мол, замолчи, я и так все понимаю. Следователь-то он был получше тех, из Большого дома... Отпустил меня и на прощание сказал как бы невзначай, как у нас на сцене — в сторону: «Вам будет плохо».

— И что вы сделали?

— Я рассказал все отцу. Он был простой, но мудрый человек. Отец заплакал и сказал мне: «Исчезни отсюда, иначе тебя убьют». И я в ту же ночь уехал...

— Как уехал? — не понял я.

— На поезде. В Москву, там перешел на Ярославский вокзал, доехал до Вологды, а там еще восемьдесят километров в глубинку — до Ветошкино. Там у меня приятель работал, друг по армии. Я ему только рассказал, что с семьей поссорился. Он меня пристроил в клуб текстильной фабрики, я там руководил самодеятельностью и жил в клубе без прописки. Так и откантовался шесть лет. Потом подох наш Стальной учитель, и всем стало не до меня, я потихоньку вернулся. И дожил в страхе и ничтожестве до сего дня...

Мы этим разговором выгрызли друг друга дотла. У меня от напряжения взмокла на спине рубаха и мелко тряслись ноги. Вот я и узнал через тридцать лет, как убили отца Улы и великого еврейского комедианта.

Теперь я должен узнать, КТО убил. Омерты больше не существует для меня. Не остановлюсь ни перед чем.

Я потолкал легонько в плечо начавшего дремать старика и спросил его:

— А чего вы хотите там, в Израиле?

— Ничего, — помотал он головой. — Ничего. Я хочу вернуться домой.

Я ему верил.

Он шел домой. Вечный жид завершает свой бесконечный марш. Две тысячи лет назад, тогда еще совсем молодой, стоял ты, Иудей Иоанн, у ворот претории в Иерусалиме и смотрел на изнемогающего Христа, влачащего на Голгофу свой крест. Озорство или предчувствие беды подтолкнуло тебя? Вышел вперед, заступил дорогу, ударил Назорея по щеке, крикнул зло: «Ступай! Ступай! Отправляйся на смерть!»

Посмотрел на него горестно Иисус, промолвил еле слышно: «Я пойду! Но ты дождешься моего возвращения» — и пошел дальше, согнутый древом мучительства своего.

Взял в руки лишь посох, прислоненный к воротам, отправился тотчас в свой тысячелетний путь Иоанн, нареченный в веках Буттадеем — Богобоем. Он идет через время, через страны, через неслыханные мучения, невиданные страдания, небывалые унижения, через терзания, пытки, казни, злодейство, он идет, идет, идет, и имя ему то Агасфер, то Картофил, то Малхус, то Лонгин, то Исаак Лакведем, то Мишроб Адер, но всегда первое его имя — иудей.

Господи Иисусе Христе! Прости его! По-моему, нет греха в мире, который бы он уже не искупил.

Пусть возвращается домой! А-а?

29. УЛА. СУД ТОВАРИЩЕЙ

Никто ко мне не приближался. Я сидела за своим рабочим столом, и хотя рядом было три свободных стула, запаздывающие громоздились на подоконниках, влезали на крышки столов, усаживались вдвоем на табурете, но эти стулья не трогали.

Ничего не поделаешь — это всегдашняя проблема нашей интеллигенции: хочется сохранить лицо перед истязуемым, никак не обнаруживая этого перед грозным ликом палача.

Люди собрались в нашей комнате из-за меня. В ряду бесконечных и бессмысленных сборищ это было нечто новое — собрание одновременно партийное, комсомольское, профсоюзное, производственное совещание и товарищеский суд. Главным образом — суд, ибо для товарищеского суда не нужен закон, процедура доказывания и сама вина. Нужны только товарищи.

За годы работы в институте только однажды собиралось из-за меня столько народа — во время защиты мною диссертации. Но тогда на их лицах не было такого любопытства, поскольку самых разных диссертантов они повидали вдоволь.

А прокаженную видели впервые.

Некоторые со мной уже не здоровались, кто-то смотрел с испугом, другие — с недоумением. Даже сострадание пробивалось через сосредоточенное безразличие у отдельных моих сотрудников. Все-таки проказа — пока еще редкое у нас заболевание.

Так и сидели мы, как в нелепой театральной мизансцене — в самом углу я, чуть поодаль за своим столом Эйнгольц, большой кусок пустого пространства и только потом — набившиеся тесно и беспорядочно мои вчерашние товарищи, которые сейчас уже были мне не сотрудники, коллеги, добрые знакомые, не товарищи, но товарищеский суд. Присяжные-статисты, знающие один вердикт — предписанное им решение начальства.

Мария Андреевна Васильчикова, не поднимая от бумаг головы, что-то писала. В пепельнице около нее росла гора окурков, я смотрела на ее худые коричневые руки, уже усыпанные старческой гречкой, и сердце мое сжималось от жалости к ней.

Еле заметно — в сантиметровой амплитуде — раскачивался Эйнгольц, слепо вперившись сквозь толстые бифокальные линзы очков в зарешеченный туманный мир за сводчатым окошком.

Светка Грызлова перепуганно таращилась на меня, и во взгляде ее была досада и сердитость. Она моего поведения не одобряла.

По-бабьи пригорюнившись, тяжело вздыхала Надя Аляпкина.

Торопливо дожевывала бутерброды Люся Лососинова, с сожалением посмотрела на холодный самовар — одно из огорчительных следствий сегодняшнего собрания.

Секретарша Галя накинула на машину чехол, с ненавистью оглядела собравшихся и сказала отчетливо, ни к кому не адресуясь: «Совести нет у людей...»

Три свободных стула заняли пришедшие последними Бербасов, Оська Гершзон и Пантелеймон Карпович Педус.

...Вчера Пантелеймон Карпович дождался своего звездного часа.

— Справку? — тихо переспросил он меня, и на лице его застыло недоверчивое ликование, он даже жвалами перестал шевелить.

— Да, справку по особой форме для представления в ОВИР...

Он отвел от меня взгляд, руки его бесцельно зашарили по столу, перекладывая с места на место ненужные бумажки, и по этим отведенным глазам и суете белых вздутых ладоней утопленника я оценила размер охватившего Педуса радостного волнения. Браконьер нашел в капкане соболька. Сам, глупый, влез в ловушку.

Педус глубоко и редко вздыхал, как ныряльщик перед прыжком. Он боялся от неожиданной радости не совладать с собой — закричать на меня, сказать что-то наспех — не самое больное, обидное и страшное, испортить первое блюдо долгожданного пиршества, расплескать в счастливом гневе переполненную чашу его гражданского торжества.

Ну, что же — радуйся, жестокое животное. Я сама вынула свой пур — священный еврейский жребий.

— Значит, хочешь получить справку? — раскатал Педус желваки на скулах.

Три тысячелетия на качелях истории. От беды — к несчастью. Нельзя показывать ему моего страха, нельзя дать распалиться от моей беззащитности.

— Вы мне не тычьте! Я с вами тут селедку из пайков не делила! Извольте вести себя прилично! — выкрикнула я тонким злым голосом.

Пережили ведь фараонов! Вавилонских сатрапов. Римских цезарей. Инквизицию.

— Прилично? — гаркнул Педус, наливаясь багровой синевой. — Вот соберем общее собрание сотрудников, пусть они дадут оценку предательнице! Изменнице Родины!

— Пусть дадут, — согласилась я, надо держаться, нельзя им поддаваться.

Ведь пережили Гитлера и Сталина! Переживем и тебя.

Надо держаться. Первыми зверье пожирает слабых...

За сутки подготовлены собрание, обсуждение, товарищеский суд. И трибунал — Педус, Бербасов, Гершзон — занял свои места. Палач, ничтожество и предатель — вот они, судьи-товарищи.

Они тесно уселись за стол и, несмотря на духоту, плотно вжались один в другого, чтобы не оказаться за креслами стола, который символизировал сейчас их особое положение. Над бесформенным комом перепуганных туловищ вздымались возбужденные предстоящей травлей лица. Трехглавый адский пес Цербер, сторож бесприютных душ у ворот нашего Аида.

— Товарищи, я хочу проинформировать вас о чрезвычайном происшествии, — задвигал желвами Педус. — Младший научный сотрудник Гинзбург осквернила нашу честь, опозорила доброе имя нашего института...

Все замороженно молчали, не дышали, не шевелились. Только ерзал беспокойно, пытаясь вырвать свои суставы из общей груды судебного тулова, Оська Гершзон — его томило нетерпение самому сказать слово, показать себя, блеснуть изысканностью речи и остротою мысли.

Картавый рыжий выкрест. Козырная шестерка на всех антисионистских мероприятиях, наглядный пример благополучия советских евреев. Доктор наук, член Союза писателей, трижды в год ездит за границу. Там рассказывает — как прекрасно живут евреи здесь, а тут рассказывает — как нечеловечески плохо они живут там.

Глупый сальный вертер-юде. Не понимаю, почему предатели-евреи так бросаются в глаза? В чем секрет их заметности, их памятности людям? Ведь и среди других народов предостаточно коллаборов?

... — она изменила присяге советского ученого... — вещал-внушал-обвинял Педус, — она предала Родину, которая ее вырастила и выкормила, выучила и спасла от гитлеровского уничтожения... Но для безродных холуев не существует привязанности и чувства благодарности... В погоне за длинным рублем, за легкой жизнью Гинзбург докатилась до последнего предела — она решила стать перебежчицей... Она подала заявление о выезде в государство Изра-Иль...

Он произносил, как инспекторша ОВИРа Сурова, — Изра-Иль, в два слова с ударением в конце. Разные поколения, школа одна.

Шепоток и движение пронеслись в куче собравшихся, но Педус пристукнул ладонью по столу, и все смолкло, все замерли. Только сильнее стал крутиться на стуле Гершзон и громко и

242

жарко дышал Бербасов, как калорифер в дверях магазина. Его и вытолкнул после себя Педус, видимо, опасаясь, что тот от волнения забудет все, чему он учил его со вчерашнего дня.

— Дорогие друзья, родные вы мои товарищи, — прочувственно начал Бербасов и провел рукой по воздуху линию, отсекающую меня от его дорогих друзей и родных его товарищей. С прокаженными он принципиально дела не имеет.

— Я всегда верил, что у человека вот здесь должна биться совесть, — показал он на свою впалую тощую грудь, чтобы мы наглядно убедились, как сильно бьется в этой костяной клетке его совесть, ненасытная и злая, как крыса. — Но выясняется при особых обстоятельствах, что у некоторых ее нет там и в помине. Они долго, годами, иногда десятилетиями искусно маскируются, делая вид, будто они такие же нормальные честные советские люди, как мы все. На какие только ухищрения они не идут! Они делают вид, что любят свою работу, участвуют в общественной жизни, изображают, что им нравится советская власть. И вдруг приходит момент, и мы убеждаемся, что никакой совести у них нет! Не наши это, оказывается, люди! И я всегда знал, что Гинзбург Суламифь Моисеевна — это не наш человек!

Он победно обвел взглядом собравшихся, гордый своей прозорливостью. Не знаю, сочувствовали ли мне собравшиеся, но то, что обвинял меня в бессовестности именно Бербасов — человечишка, которого у нас презирали даже уборщицы, качнуло всех в мою сторону.

Все опустили глаза и рассматривали пол так внимательно, будто там было начертано откровение.

— Навсегда по закону человек, замысливший преступление, уже считается преступником, — сообщил Бербасов. — И я утверждаю, что в наших рядах долго пряталась преступница...

— Вы не имеете права! — пронзительным срывающимся голосом выкрикнул Эйнгольц. — Вы не имеете права ее оскорблять! Советское правительство гарантирует свободу эмиграции! Вы не смеете называть Улу преступницей!

Все смотрели уже не в пол и не на меня. Все повернулись к Эйнгольцу.

— Интересно знать, из каких это побуждений вы мешаете дать товарищам правильную политическую оценку поведению Гинзбург? — рванулся, как с цепи, ржавый Гершзон.

— Потому что есть политика, нравственность и закон! — медвежонком вздыбился за столом Эйнгольц. — А то, что говорит Бербасов, дискредитирует внешнеполитическую линию советского правительства в вопросе гражданских прав. И я это буду доказывать где угодно...

— Рыбак рыбака видит издалека, — подал голос Педус. — Вы-то сами, товарищ Эйнгольц, еще ничего не надумали? В плане гражданских прав?

— Вашу реплику считаю провокационной, — отрезал Эйнгольц. — Время еще покажет, кто из нас больший патриот...

Бедный Шурик! Господи, его-то в какую беду я ввергла!

Но битый мерин Бербасов уже маленько струсил.

— Я, между прочим, хочу вам заметить, товарищ Эйнгольц, что не собираюсь ревизовать внешнеполитическую линию советского правительства. И ее намерение эмигрировать считаю преступлением...

— Это как это? — выкрикнула вдруг секретарша Галя.

— А так, что мы выпускаем заведомого врага, безусловного антисоветчика...

В комнате недовольно зашумели. Негромко, но ветерок неудовольствия пронесся отчетливо.

— Объясняю! — выкрикнул Бербасов. — Гинзбург С. М. — не зубной врач, не инженер-электронщик. Ей там жить припеваючи не с чего. Она — филолог, историк советской литературы. Кому там нужна такая профессия? Значит, один у нее путь — заняться очернительством нашей жизни вообще и литературы в частности! Вот из таких и вербуют в агентуру империализма...

— Агентуру вербуют не по профессиям, а по характерам, — громко заметила Галя.

Педус зыркнул косо и вытолкнул из-за стола Оську Гершзона.

— Сегодня трагический день в моей жизни, — сказал он актерским голосом с выжатой слезой. — Ничего нет горше, чем терять друзей. Сегодня для меня умерла Ула Гинзбург. Да-да, умерла — хотя вот она сидит рядом, дышит, двигается, но она уже умерла. Я предпочитаю думать так, нежели знать, что она изменила нашим общим идеалам. Я пойду на кладбище и зарою ее фотографию в могиле моей матери. Так будет легче... Так мне будет легче продолжать жить и отстаивать каждый день наши жизнеутверждающие принципы... И своим скромным трудом укреплять неразрывные братские узы, связывающие талантливый еврейский народ с трудолюбивыми народами Советского Союза...

Забавно, что этот картавый парх с местечковым акцентом не умеет говорить по-еврейски. Он еле-еле понимает идиш, и

244

этому, наверное, научился в какой-нибудь закрытой спецшколе. Пусть хоронит, живет, укрепляет, меня здесь нет.

— ...ничего нет хуже неблагодарности! — распинался Гершзон. — Мы всем в жизни обязаны нашей власти, и укусить руку, заботливо выкормившую нас, — нет хуже греха! И как выкормившую! Где еще в мире евреи достигли таких общественных высот, такого признания, такого имущественного благополучия, как у нас в стране!..

Я перехватила брошенный на него Светкой Грызловой взгляд и окончательно утвердилась в мысли, что евреев, подобных Гершзону, засылал к нам Гитлер для возбуждения массового антисемитизма среди русского народа.

Именно грязная болтовня Гершзона вызывала у меня наибольшее чувство униженности и боли. Меня почему-то совсем не трогали хулиганские выходки Педуса и Бербасова — я знала, что мне нужно только молчать и все запоминать. Они меня не могут ничем оскорбить, как не может человека оскорбить верблюд своим плевком. В моем спасительном безразличии к их нападкам открывалась мне великая тайна ненавистного издревле гонителям еврейского высокомерия. Гордость обретенного достоинства ничем не унизишь. Мне медленно, но ясно открывался спасительный смысл страдания и горечи, как обязательных ступеней восхождения души.

Восхождение! Алия! На иврите восхождение значит «алия»! Вот откуда возникло слово «алия», обозначающее сейчас воссоединение евреев на своей земле!

Алия — возвращение на свою землю, восхождение на нее!

И мне очень досаждал в моем восхождении Гершзон. Откуда вы беретесь? Как вы становитесь такими? За какую чечевичную похлебку продаете первородство? Что произошло в твоих куриных мозгах, когда ты перелицевал первосвященнический плащ нашего народа в шутовской наряд рыжего, чтобы смешнее и жальче кувыркаться в пыли и плевках перед равнодушными и жестокими глазами зевак?

— ...нигде и никогда еврейский народ не достигал такой культурной и духовной значительности, как в нашей свободной стране! — убеждал слушателей Гершзон, а они брезгливо улыбались, находя в нем подтверждение своим представлениям о евреях как о жалкой и безродной нации.

Господи, порази его немотой!

— ...нигде и никогда евреи не найдут себе более прекрасной и свободной отчизны, нигде их будущее не будет таким ясным и светлым, как здесь, нигде у них нет другой Родины...

Эх ты, глупый красный Исав! Если бы ты не сделал свое еврейство плохо оплачиваемой профессией, ты бы знал свою историю и знал бы, что не тебе первому принадлежат эти уверения и надежды. Мы, евреи, хорошо помним твоих предтеч. Не меняются только Педусы и Бербасовы, а твое место за трибунальным столом легко заменить Якобом Франком, кабы он не помер два века назад. Похотливый вероотступник, он устраивал под покровительством католических попов диспуты с раввинами о крахе Талмуда, о наступающем мире «эманации» и о Польше, ставшей для нас землей обетованной вместо Палестины. Он тоже всегда побеждал в этих диспутах — оппонентов сажали в тюрьму, Талмуд сжигали, а Франк в конце концов перешел в христианство и стал лютым гонителем своих вчерашних соплеменников. Не знаю, хоронил ли он их портреты в могиле своей почтенной мамы, но от таких глупостей был совсем свободен другой твой предшественник, открыватель святых земель в чужих нам отечествах — циник-просветитель Давид Фридлендер, который повелел всем евреям молиться только о благополучии Пруссии, где будущее евреев, ясное и светлое, сулило им успокоение от всех невзгод, утоление печалей и полную духовную и государственную свободу.

Спасибо вам, казенные евреи, спасибо вам, польские, немецкие, русские Исавы.

Дым печей Заксенхаузена и Освенцима оседает на льдах Магадана и Колымы.

— ...пусть уезжает в свой Израиль! — до драматического крика поднял голос Гершзон. — В страну оголтелого милитаризма и воинствующего шовинизма! Но там пусть знает — она для нас умерла!

Таких глупых, дурно воспитанных евреев тетя Перл называла «бэркут». Бэркут — одно слово!

И пока Гершзон горделиво усаживался и оглядывался по сторонам, оценивая впечатление, произведенное его неформальным, очень прочувствованным выступлением, Педус мрачно спросил:

— Кто еще хочет сказать?

Ерзали, перешептывались, отводили глаза в сторону, помалкивали. Мария Андреевна уже не писала, она смотрела в мою сторону, но не на меня, а куда-то поверх моей головы, и в ее подслеповатых старых глазах плыла бесконечная серая тоска. Она тоже не хотела выступить — то ли она не осуждала меня, то ли мои судьи ей были противны.

Вызвалась выступить Светка Грызлова.

— Мы много лет знали Улу Гинзбург. Она была очень хорошим работником, очень добросовестным сотрудником была она всегда. И как товарищ она себя проявляла хорошо...

— Вы что, ее на премию выдвигаете? — перебил Бербасов.

— Да нет, мы, конечно, осуждаем ее поступок. Это вроде она как бы изменила нам. Но человек она не потерянный... Зря так о ней говорили, будто она уже преступница. Может быть, ты, Бербасов, и знал чего-то раньше, только мы ничего плохого никогда не замечали. Нормальная она женщина. И человек приличный была, не то что некоторые. Сирота с малолетства, по чужим домам воспитывалась, со школы работала и училась заочно... Может быть, она подумает еще? Мы бы ее вроде как на поруки взяли...

Несколько человек засмеялись, Светка махнула рукой и села. Надя Аляпкина спросила:

— А может быть, действительно, Ула, взять тебе заявление назад? Ну подумай сама — как ты туда поедешь? Война с этими, с черножопыми, дороговизна, все там тебе чужие. Как ты там жить-то будешь?

Я молчала, и вместо меня взвился Педус:

— Ваше выступление, товарищ Аляпкина, политически безграмотное и либерально-мягкотелое. Мы не на базаре: захотел — продал Родину, раздумал — взял заявление назад. Это вам не в шашки играть! Да и сейчас посмотрите на Гинзбург — она еще сидит с нами, а сама всеми мыслями — уже там! Ответить своим товарищам считает зазорным!

Он напомнил всем, что я уже прокаженная, из лепрозория обратной дороги нет.

— А что бы вы хотели услышать от нее? — раздался вдруг сипловатый прокуренный голос Марии Андреевны Васильчиковой. — Что бы вы хотели услышать от нашего товарища Улы Гинзбург на этом позорном судилище?

Я вздрогнула. Оцепенел Педус. Отвисла губа у Гершзона. Запрыгала крыса в груди Бербасова. Все замерли, и пала оглушительная тишина. Было слышно, как бьется в углу окна паук-тенетник, бесцельно свивающий порванные нити.

— Я старая русская женщина. Я много чего повидала. И ответственно заявляю — Ула Гинзбург права. И я ее благословляю...

— Как вы... как вы... смеете? — стал пузырить ядом Педус, но Бабушка махнула на него рукой:

— Я смею. Потому что, слава Богу, я перестала вас бояться. Вы мне ничего уже не можете сделать. Сегодня я ухожу отсюда — мне противно дышать с вами одним воздухом. Мне невыносимо считаться сотрудником с вами — наемными истязателями и платными мучителями. Пусть уж лучше сидит на моем месте Бербасов — ему это более пристало...

— Вы за это ответите! — вяло пригрозил Бербасов.

— Я уже за все в своей жизни ответила, — горько усмехнулась Бабушка. — Такой ценой, какая вам и не снилась. Своим товарищам я хочу напомнить, когда они будут голосовать на этом недостойном сборище, об одном давно забытом факте — первыми обвиняемыми в кровавом навете были христиане. Припоминайте, друзья, иногда о том, как тщательно доказывали они римлянам, что не употребляют в ритуале кровь языческих младенцев...

— Вы это к чему? — спросил с вызовом Гершзон.

— Вы, Гершзон, просто отбившийся от своих, заблудший козел, вам не понять меня. — Взяла свой старомодный ридикюль и пошла к двери, на мгновение задержалась у порога и сказала: — Лабрюйер писал — у подданных тирана нет родины. — И захлопнула дверь.

30. АЛЕШКА. «ВАМ ОСТАЛОСЬ 30 СЕКУНД»

Осень начиналась легкая, полная теплого света и прозрачного паутинного лета. Сизое полотнище шоссе пружинило и прогибалось подо мной, как батут, и мглилось впереди струистым маревом. Воздух растекался по бокам машины густой водой, и кричащие в своей пронзительной прощальной красоте желто-багровые деревья казались всплывшими из миража.

И в дремотном оцепенении ума даже мысли не было, что через двести километров будет Вильнюс. Вообще никакого Вильнюса на свете не существует — это выдумка, блазн, наваждение, придуманное воспоминание из непрожитой жизни.

Только табличка на обочине: «Злобаево». И сразу плакат — «Добро пожаловать в населенный пункт высокой культуры!». И снова табличка — «До Вильнюса — 182 км».

Сумасшедший мираж. По единственной улочке населенного пункта высокой культуры ветер нес едкую желтую пыль и бурую листву, обрывки газет. Мальчишки с извечным восторгом гнали собаку с привязанной к хвосту консервной банкой. Сучий вой глохнул и гас в тяжелом рычании и рваной матерщине двух дерущихся около чайной мужиков. Каменисто-серые старухи, сидя на табуретках у дороги, продавали картошку и визжаще-зеленые яблоки — щедрый урожай крестьянской обильной осени. Пудовый замок на дверях магазина. Из открытого окна покосившегося домишки с вывеской «Злобаевская музыкальная школа» рвались металлические крякающие звуки трубы. Тут же худой пятнистый боров, похожий на бродячего пса, взгромоздился на свинью и с урчанием и хрюканьем воспроизводил свиное племя.

Промчался, истаял позади обморок населенного пункта высокой культуры. Еще 181 км — и там следующий мираж. Я хочу проверить свою способность запоминать миражи — ибо только миражом и можно считать мое воспоминание, зыбкое, текучее, парящее в бездне времени. Мара, призрак, обман чувств...

Но я ведь этого не выдумал! Я это вспомнил! Я помню это наверняка!

Я помню хорошо Михайловича — офицера культовой службы из синагоги. Рыжеватого еврея с черными горящими глазницами и длинным усом на щеке. Я висел на этом бородавочном усе, как на спасительной ложке, над пропастью забвения. Он давал мне гладить и несильно тянуть за этот шелковистый коричнево-золотистый пучок на щеке. В моих пальцах живо еще это ощущение.

Он водил меня в театр. Потом я с ним ходил за кулисы. Зачем? Какой спектакль? Ничего не помню. Мне было семь лет. По-моему, там пели. Может быть, опера? Не помню. Иссеклась ткань памяти, истлели нити воспоминаний. Не помню.

Но одно звенышко памяти зацепилось прочно. Это не мираж — я помню наверняка. Михайловича возили в папашкиной машине. Его возили в машине Моего Папашки. Я и запомнил этот пустяк, эта ерунда и всплыла в памяти спустя тридцать лет только потому, что тогда это меня поразило. Это было исключительное нарушение привычного: в папашкиной машине не возили никого. В черном «мерседесе» ездил он сам, иногда начальник его секретариата — веселый жуликоватый грузин Лежава. И я. Меня — меньшенького, любименького, мизинчика, — возил шофер Гарнизонов в школу. Всю остальную семью обслуживал на «фордике» или на «Победе» водитель Сыч — я до сих пор не знаю, прозвище это или фамилия. Его все так и звали — Сыч!

Вот так.

Я вспомнил, что Гарнизонов несколько раз возил Михайловича. Это было зимой, почти наверняка в январе — в зимние школьные каникулы. Мы с ним ходили в театр. Но в каком году — в 47-м? В 48-м? В 49-м? В 50-м?

Не помню. В 47-м театры в Вильнюсе еще, наверное, не были восстановлены после войны — всего полтора года прошло. В 48-м — может быть? В 49-м не может быть наверняка, — на все зимние каникулы отец отправил нас с Севкой и Виленой в своем салоне-вагоне к родителям Лежавы в Сухуми. В 50-м — вряд ли, потому что в эту пору уже вовсю гнали метлой всех евреев из органов. Наверняка не в 51-м — я уже был большой парень, наверняка запомнил бы.

В январе 1948 года Михайловича возили в папашкином «мерседесе». Это не могло быть случайностью. Таких случайностей в нашем мире не бывает. Сесть сам в эту машину он не мог — Гарнизонов его бы за ус выволок оттуда. Нельзя объяснить никакой срочностью: он бы и сам до посинения ждал свободную машину, а личный автомобиль министра ему бы не дали ни за что. Да и не могло быть такого — всегда в гараже стояло на всех парах штук двадцать оперативных машин.

Папашка разрешил ему носить сумасшедший ус и приказал возить в своей машине. Господи, Боже мой! Как я сразу не сообразил! Михайлович не был подчиненным моего отца! Он был лишь под его оперативным управлением!

Михайлович брал меня с собой в театр. В театр. Он ходил за кулисы. Наверное, не субреток там клеить! Он ходил в театр в Вильнюсе. В январе 1948 года.

Его возили в папанькином «мерседесе»...

Шевелитесь, мозги! Думайте, черт бы вас побрал! Напрягись, память! Дыши, живи, двигайся, цепляйся за обрывки, ползи из прорыва беспамятства!

Не помню. Больше ничего не помню.

Стоп! Стоп! Художник Тышлер в своих воспоминаниях пишет, что Михе, как члену Комитета по Сталинским премиям, предлагали ехать принимать выдвинутые на премии спектакли в Ленинград, Вильнюс и Минск. И Миха, несмотря на тышлеровские уговоры ехать в Питер, почему-то выбрал Минск. «Ах, если бы он послушал меня!» — вздыхает старый художник.

А если бы он послушал тебя — что, не случилось бы того же самого?

Михоэлс был обречен. И знал это.

Агент с чудовищным усом на щеке проверял вместе со мной в Вильнюсском театре резервный вариант. Если бы что-нибудь сорвалось в Минске, то Михе в приказном порядке предписали бы ехать в Вильнюс.

Он ездил на папашкиной машине. Ничего и никогда не скажет мне отец. Омерта старого мафиози. Но Михайловича возил Гарнизонов, и для него это наверняка было запоминающимся событием — возить в министерской машине какого-то рыжего еврейского шмендрика.

...Деревянная арка, линялые флаги. «Вы въезжаете на территорию Литовской ССР». Шоссе перекопано земляной полосой. Два ленивых, загорелых до черноты милиционера на мотоцикле. От перекопанной полосы чем-то пронзительно смердит. Что это такое? Неужто граница? Ай да республиканский суверенитет! Что-то новенькое!

Милиционер вяло отмахнул мне — остановиться. Я высунулся из окна:

— В чем дело?

— Выходи, ноги протри. Ветеринарный контроль. Борьба с сапом...

Вот тебе и весь суверенитет. Борьба с сапом. Протер ноги, в машину наполз смрад, култыхнулись баллоны по вонючей яме — когдатошней границе, и покатил дальше. Надо найти Гарнизонова. После нашего отъезда в Москву он остался жить в тех же местах — развеселый разбойный оккупант.

Целые десятилетия утекли, пока я вернулся в края моего детства, пересекши ненастоящую границу, с тайным умыслом, как ненастоящий шпион, разворошить прошлое, чтобы узнать хоть какую-то ненастоящую правду и разрушить ею радостные воспоминания о прошлом, ибо радость та была ненастоящей и прошлое ненастоящим, а лишь курилась дымная мана, прел давний морок, жарким туманом дышало омрачение ума. Все выдумка, затмение, беспамятство народа, припадок человечества.

Вкатил в Вильнюс, ничего не узнал, кроме старого города, — все наши города на одно лицо. И везде нет мест в гостиницах. До вечера носился — нигде не мог устроиться. У входа в фешенебельный отель «Вильнюс» встретил пьяненького поэта Альгимантаса Пранаса — мы с ним в Москве несколько раз встречались, выпивали.

— Здравствуй, Альешка, — невозмутимо поздоровался он, будто через день видит меня в Вильнюсе. — Выпьем по стаканчику?

Мы сели в полутемном прохладном баре, и я махнул рукой на ночлег — что-нибудь да выкрутится, а нет — переночую в «моське». В этом есть даже нечто логичное — мне негде переночевать в городе, где тридцать лет назад безраздельно царил мой папашка. Он его и разрушил — не дома, а людей. Он здесь всех побил со своими опричниками.

Ах, как давно я не пил! Водка с лимонным соком и льдом тускло мерцала в стакане. Кровь в жилах зашипела от нетерпения. Большой глоток — в груди стал таять камень. А, пропади все пропадом!

— Чего мальчишь, старший русский брат? — с равнодушной подначкой спросил Альгис. Он так тихо сидел со своим запотевшим стаканом, что я забыл о нем.

— А почему старший? — спросил я устало, мне не хотелось спорить.

— Так ведь во всех учебниках написано — русский народ является наиболее выдающейся нацией и заслюжил общее признание как руководящая нация. — Альгис смотрел на меня припухшими глазами пьющего третий день человека.

— А чего же вы к нам просились?

— Ми не просились, — покачал тяжелой головой Альгис. — Ми с вами воевали до последних сил...

— Ну как же! В тех же книжках, куда ты меня посылаешь, написано — в августе 40-го года Верховный Совет удовлетворил просьбу народных масс Литвы о приеме в состав СССР.

— Ми не просились. Просились предатели...

— Что же вы их, сук, не перебили? — спросил я со злостью и почувствовал, как меня стал раздирать хмелек, и еще раз крепко глотнул — до дна.

— Ми были тогда мирные люди, ми еще не умели убивать. Ми потом научились, но было уже поздно. Ви перебили и пересажали каждого восьмого литовца...

— Что ты говоришь, Альгис? Кто это вы? Я?

— Нет, не ты. — Он допил стакан, мотнул трудно головой. — Ваши отцы. И сейчас продолжается...

Официант принес еще стаканы, я быстро выпил, пар проступил на лбу, я неожиданно для самого себя перекрестился, поняв, что обозначает грех, наказанный детям. Страшный день, когда сыновья стыдятся имени своего. Наши отцы. Мой папашка.

А ведь он не знает, кем был мой папенька. Что он здесь делал в те годы. Я не то чтобы скрывал или врал — нет, просто к слову не пришлось. Да и пришлось бы — не сказал. Ведь как раз в те годы Альгиса и посадили. Ему было шестнадцать лет. Учитель на уроке заметил, что он пишет стихи, ласково пошутил с ним, предложил показать, обещал помочь советом. Мне Альгис читал эти смешные детские стишки — как злой усатый таракан, съев все литовское свиное сало и коровье масло, принялся за человеческое мясо.

Учитель тоже весело смеялся, а утром Альгиса взяли. С учетом малолетства дали великодушно — десять лет лагерей. Повезло, сдох усатый таракан — отбыл только четыре.

Я спросил его сейчас, не для спора, а из любопытства:

— А на кого ты сердитее — на русских палачей или на своего учителя-стукача?

Он клюнул свой стакан и медленно ответил:

— Я на русских вообще не сердитий. Ти меня не понимаешь, они сами несчастные нищие зеки. И нас всех делают такими. Это и есть русификация страны...

— В чем же она конкретно выражается — русификация?

— Вы у нас постепенно отнимаете язык, религию, культуру, традиции. У всех — татар, украинцев, грузинцев, у нас. У всех. Ми уже стали все пьяние, ленивие и вори — как в России...

— Врешь, дурак! — вскинулся я остервенело. — Подумай сам! Сначала язык, религию, культуру, традиции отняли у русского народа! И то, что происходит с вами, — это не русификация! Ваши оккупанты сами не знают русского языка — они растоптали православие, уничтожили великую культуру, похоронили традиции. Они воспитывают ваши народы по образцу своей нации, а из-за бескультурья и для простоты ввели единый язык — уродливый жаргон из русских слов!

— Перестань... — вяло махал неверными руками Альгис.

И во мне злость мгновенно иссякла. Хлебнул ледяной водочки с острым лимонным привкусом и подумал с отчаянием, что неведение и безмыслие — счастье. Блаженны нищие духом. Зачем мне все это понадобилось? Так хорошо было в плаценте растительной жизни, когда я еще был неродившимся на свет плодом. Когда ничего не знал. И не думал. Не хотел знать.

Какое прекрасное спокойное состояние — жить как все! Какая радость — ощущение своего ничтожества. Сознание своей молекулярности. Спасительный покров толпы. Хранительная теплота общей неответственности. Анабиоз совместного беспамятства.

Зачем я впутался в историю? Если верна моя догадка насчет Михайловича, то мне надо будет прийти к Уле и сказать ей, что МОЙ отец если и не принимал участия, то уж во всяком случае знал о готовящемся убийстве ЕЕ отца. Неплохая ситуация? Или, может быть, ничего не говорить? Приехать и развести руками — ничего не смог узнать! Это вполне естественно —

прошло тридцать лет, все концы упрятаны в воду. Она же мне сама говорила — не ищи, ничего не найдешь!

И вдруг колко, будто кусочек льда из стакана, булькнула прямо в сердце, полыхнула мысль — а вдруг Ула сама что-то знает? В ее словах была какая-то неясность, какая-то недоговоренность...

— Вспомнишь еще, Альешка, мои слова... — тяжело бубнил совсем пьяный Альгис. — Конец нашей жизни подходит... Размили ее на куски кровь и сльезы людские... Все умрьем под обломками...

— Тебе не стоит больше пить, Альгис, — пытался я остановить его. — Давай я тебя домой отвезу...

— Не-ет, не-т, — отбивался Альгис, говорил он мучительно, пузыри в углах рта выступали. — Я, Альешка, верующий человек. Я католик. Я знаю всье про ад. Ад — это наша жизнь, лишьенная водки и помноженная на вьечность.

Господи, как вырваться из этого ада? В Америке замораживают раковых больных, чтобы разморозить после открытия чудесных лекарств. Боже мой, как бы я хотел заморозиться лет на двести, чтобы проснуться и вспомнить эту жизнь, как минутный, бесследно исчезнувший кошмар!

Еще полстаканчика — и хватит. Меня и так уже стягивало вязкое оцепенение, безвольная отягощенность каждой клеточки. Магнитофон на стойке струил бесконечную нитку музыки, мурлычаще-теплой, мягко-привязчивой, как кошка. Двоились золотистые пятна бра на стенах, бессильно бушевал Альгис.

Господи, спасибо тебе, что подвигнул меня сделать первый шаг! Они все только бурчат, а я уже делаю. Я приподнялся с четверенек.

Соломон всю жизнь мечтал поставить «Гамлета». Эту целожизненную подготовку ему не дали завершить на сцене. Но остались его режиссерские экспликации, заметки о философской задаче придуманного спектакля. Он считал, что подвиг Гамлета — в раскрытии страшной правды. «Я отправляюсь на свой подвиг роковой...»

Соломон, в чем урок твоей жизни?

Ты нашел дурака, которого увлекла твоя идея. Давай я сыграю твой непоставленный спектакль через тридцать лет. Я — не Гамлет и не великий комедиант. Но я буду играть не в театре. Я попробую сыграть эту безнадежную роль в жизни.

И ты — уже не Гамлет, ты — Горацио, напрасно предупреждающий меня: «Не заглядывай в эту пропасть, она безумием грозит тебе». Ну что ж, значит, мы оба знаем конец спектакля.

Ты не убоялся пропасти истины злодеяния: себя-актера ты сделал больше себя-человека. А мне тяжелее. Из советского недоросля сделаться человеком.

Что-то я совсем захмелел. Или я сошел с ума? Это я — Гамлет? Что за выспренняя чушь! Но зачем же ты, Соломон, меня впутал в эту историю? Может быть, ты мне и прислал — оттуда, из высших сфер — Улу? Почему она плакала в планетарии? Это обычная для меня пьяная идея или урок твоей жизни? Зачем предлагаешь мне роль Гамлета? Незадолго до смерти ты говорил молодым московским режиссерам: «Гамлет в тылу врага — вот формула его поведения. Все зашифровано, и поэтому маска, и потому заметаются следы, и потому открываются крохотные дозы правды. И отсюда, наконец, «мышеловка».

Соломон, кому ты это говорил? Ошалевшим до идиотизма ослам, запуганным еженощными арестами, разгонами и угрозами? Или ты знал, что кто-нибудь запишет твою инструкцию тому дуралею, что явится тридцать лет спустя и подрядится на роль, взлелеянную твоей мечтой, увиденную в небывалом спектакле жизни?

Ладно, Соломон! Ударим по рукам! Я берусь!

Я тебе сыграю — как ты хотел. Я буду стараться. Пусть я сумасшедший, бредящий пошляк, пусть я самозванец — мы все живем в стране самозванцев. Я — госбезопасный принц московский, я пришел узнать страшную правду. Мне наплевать — кто что подумает. Мне важно, что я почувствовал себя Гамлетом. Это самое главное.

Соломон, ты же ведь сам написал — я помню, я способный и старательный ученик, я помню твои наставления: «Заучивание роли должно быть памятью о поведении, диктующем слово». Мое слово, мое ощущение диктуется мне сейчас памятью о поведении.

Судьба. Значит, судьба. Цепь событий, образующих линию борьбы, побед и поражений человека. Раскрывает идею данной жизни, ее урок.

Все глупости. Не надо уговаривать меня. Я уже все равно согласился.

— В сорок седьмом году за одни сутки депортировали сто пятьдесят тысяч поляков из Литвы, — натужно, с пьяной болью гудел Альгис. — А ми, глюпые, радовались! Надо било вместе...

Он и не заметил, наверное, как я ушел. Пусть дозревает. Пока человек говорит, он власти не опасен. Человек у нас способен что-то сделать, только надев маску, начав заметать следы и по крупице добывая дозы страшной правды.

255

В вестибюле заметил будку междугороднего автомата. Опустил монетку в серый сейф аппарата, вспыхнули багровые цифирки в электронном счетчике, нутряно загудело в трубке. Набрал код Москвы, запищал прерывистый зуммер, и палец сам, без усилия памяти стал накручивать номер телефона Улы. Носились долго по ее квартире звонки, разыскивая Улу во всех углах, пока пространство не треснуло и услышал я из-за тысячи километров ее родной голос.

— Где ты, Алеша?

— В Вильнюсе.

— Как тебя занесло туда? Что ты делаешь там?

— Подряжаюсь на должность Гамлета.

Она помолчала, спросила осторожно:

— Ты еще поедешь куда-нибудь на машине? — Это она выясняет, как крепко я нарезался сегодня.

Пульсировали кровяные ниточки счетчика в телефоне. Вспыхнуло табло мутными буквами: «осталось тридцать секунд». Мы живем, будто перед нами вечность, а всего-то и осталось тридцать секунд. Я бросил в щель еще пятиалтынник, глухо чвакнуло в брюхе автомата, прыгнула единичка на счетчике.

— Не знаю, Ула. У меня здесь много дел.

Она не стала спрашивать о делах, только длинно вздохнула, и у меня сердце остановилось от этого горестного вздоха.

— Приезжай скорее, Алешенька. Ты мне очень нужен.

— Ула, я скоро приеду. Мне еще надо пару дней здесь поболтаться...

Единичка в счетчике согнулась, прыгнула, скрутилась в ноль, и снова грозно задымилось мятым светом: «осталось тридцать секунд». Бросил еще монетку, чвакнуло резко в машине, а я уже шарил по карманам в поисках монет.

— Ты давно с работы? — спросил я ее, чтобы как-то отвлечь, я ведь чувствовал, что ей сегодня особенно одиноко.

Она будто не слышала. Шуршали электрические смерчики в телефоне, потрескивали далекие молнии на линии, ее молчание смолой натекло мне в ухо.

— Ула, ты меня слышишь?

— Да, слышу.

— Чего ты молчишь?

— Я не хожу больше на работу...

Ноль — снова ноль на счетчике, трясутся мелко раскаленные красные нервы в счетчике. Щелчок — горят перед глазами грозным предупреждением слова: «осталось тридцать секунд». Куда же монеты запропастились? Истекает тридцать секунд,

256

молчит, задерживая дыхание, Ула, потрескивает негромко трубка в руках — между нами тысяча километров. Сейчас оборвется линия. Трясущимися пальцами нашел монету, сунул в щель, и снова жадно щелкнула металлическим чревом эта нежная и тупая птица. Вот еще монетка, на, жри, робот.

— Ула, что случилось?

Она еще помолчала, и мне показалось, что она собирается с духом, и острое предчувствие выбило из меня хмель, решимость стать Гамлетом, промчалась даже короткая мыслишка — зря позвонил. Страх ударил под ложечку, как хороший файтер крюком снизу.

Ула сказала монотонно:

— Меня уволили. За поведение, несовместимое с моральным обликом советского ученого...

— Почему? — потерянно спросил я. Мне и спрашивать не хотелось, меня ведь никогда не обманывают мои страхи, никогда не подводят предчувствия. Она еще и рта не раскрыла, там, в тысяче километров отсюда, а я уже знал. Я это в Москве, до отъезда еще знал, но не хотел додумывать, мысль эту не хотел пускать в голову, я отворачивался в сторону — мне было не
воносимо больно и страшно видеть ее медленный уход от меня, от всего, чем жили.

— Я подала заявление, Алешенька, — сказала Ула еле слышно, и я видел отсюда, как в муке кривится, сжимается ее подбородок, твердеет нос, как она всеми силами пытается удержать уже тяжело катящиеся по щекам слезы, редкие и крупные, как у ребенка. — Прости меня, если можешь...

Оперся спиной о стеклянную стенку — ноги не держали. Господи, зачем же так? Зачем Ты меня так сердито?

И зеленый вымогатель впился подслеповатыми огоньками: «вам осталось тридцать секунд». Монет все равно больше не было. И времени не нужно. Для чего это все теперь?

— Прости меня, Алешенька! — крикнула вдруг Ула, и тысяча километров между нами, связанная телефонным проводком, смыла с ее голоса боль и страх, а остались в ее затравленном крике только буквы — «осталось тридцать секунд».

И трепещущий красный ноль объял и проглотил ее слова:

— Я тебя любила, люблю, всегда...

Оборвалось. Все замолчало. Даже шум в проводах. Трубка окоченела в руках. Я плыл долго в пустоте телефонной будки, все держа в руках черный трупик трубки. Потом аккуратно вставил ее в гнездо и вышел на улицу.

31. УЛА. МОЕ БОГАТСТВО

Какой темп набирает отторжение, ставши процессом явным! Больно, но очень быстро рвутся связи с этим миром.

Алешка бросил трубку, не дослушал. Любимый мой, прости — я уже навсегда прокаженная, мне нельзя навязываться тебе. Любила, люблю, буду любить. Но я совершила необратимый шаг — я объявила, что больше не советская гражданка еврейской национальности, а просто еврейка. Это не прощается.

И неудивительно: им еще Карл Маркс объяснил, что «химерическая национальность еврея — национальность купца и вообще денежного человека». И по законам мира абсурда я должна буду для подтверждения своей химерической национальности при оформлении выезда выплатить сумму, равную почти моему годовому заработку. А поскольку я по национальности купец и вообще денежный человек, то мои сбережения составляют семнадцать рублей сорок шесть копеек. Они взорвали мой обмен веществ, предоставив моим белковым телам обходиться без тридцати одного рубля в получку, и мудро поступили, твердо зная, что для еврея — существа низменного — не существует понятия верности родине, благодарности партии и правительству, бескорыстного трудового энтузиазма и самоотверженности. Только отняв деньги, можно как следует прижать такую корыстную жидовку.

Основоположник, который, как Бог, не мог ошибаться, сообщил категорически: «Иудаизм — это погоня за наживой, еврейский культ — это торгашество, еврейский Бог — это деньги». Какое еще учение в мире может предложить лучшую индульгенцию базарным погромщикам?

Наверное, ни одна из идей марксизма не проникла так глубоко в сознание миллионов. И теперь, погонявшись всю жизнь за наживой, сотворив себе торгашеский культ, поклонившись деньгам, сижу я с разложенными на столе семнадцатью рублями и сорока шестью копейками. Вот он, мой ревнивый Бог.

Ах, на это наплевать! Можно продать транзистор, старый ореховый гардероб, упаковать в ящики книги и продать освободившийся шкаф. Надо будет продать зимние сапоги — они почти неношеные, прохожу зиму в осенних. Еще есть тоненькое золотое колечко, оставшееся от тети Перл. Его продавать жалко — она надела его мне на палец за день до смерти. Есть серебряные запонки дяди Левы. Можно продать мою жакетку. Одну шерстяную кофточку — их у меня две. Снять шторы с окон. Стулья, наверное, никто не возьмет — уж больно они старые. А больше вроде и продавать нечего.

Восемьсот рублей за визу — вот вопрос! Таких денег я сроду не видела. Надо все распродать и жить на эти деньги из расчета рубль в день, ничего, с голоду не помру. И срочно устраиваться на работу. Меня могут взять дворником — если не говорить, что есть высшее образование, и сказать, что трудовую книжку потеряла. Можно пойти лифтершей, но там меньше платят, мне за несколько месяцев не собрать восемьсот рублей. Вот она — еврейская сущность, проступила в погоне за наживой!

Говорят, в голландском консульстве дают заимообразно какую-то сумму.

Ах, это я, наверное, от отчаяния сержусь. Не об этом мои мысли за столом, где разложены остатки моей целожизненной погони за наживой и нетронутой стоит еще с завтрака яичница. Мертвое око глазуньи, затянутое пугающей синевой, глядит мне в душу. Я думаю о том, что рабство и есть гнездилище страхов, что в его скользкой темной бездне рождаются все бесчисленные виды страхов и вяжут нас, как в кокон, своей влажной паутиной. Эти маленькие страхи отучают нас думать, они отучают нас от страха великих потерь — утраты свободы, погибели души, разлуки с любимым. Тысячи маленьких повседневных страхов парализуют волю, превращают нас в нормальных советских тягловых скотов. Боимся Педуса, соседей, участкового, что-то лишнее сказать, не так взглянуть, описаться, не вовремя поднять руку, только бы сохранить свой жалобный способ существования белковых тел.

Но может быть, ценой ужасной муки одного большого страха возможно отделаться от всей этой липкой гадости, опутавшей плесенью мозг?

Я согласилась на все, чтобы выжить. Я вместе со всеми согласилась подыгрывать в этой игре.

Если бы все просто закричали — две сотни миллионов обиженных, несчастных людей, — в один момент закричали — НЕТ! НЕТ! НЕТ! — то от одного этого крика рассыпалась проклятая вечная машина.

Но мы согласились играть в этом кошмарном представлении роль счастливых людей. Мы все согласны потерпеть отдельные временные недостатки и некоторые случайные перегибы, поскольку во всем остальном мы счастливы и всем довольны. Нам никто не может помочь, пока мы все с омерзением и пронзительным криком не сорвем с себя гадостную паутину страха, проросшую в нас, подобно второй кровеносной системе.

Они убили моего отца, свели в могилу мать, они измордовали мою жизнь и оторвали единственно любимого человека. Они сделали меня нищенкой, а мою работу оплевали и втоптали в грязь. Они превратили мое бытие в особо мучительный способ существования белкового тела.

И я продолжаю подыгрывать им — послушная участница слаженного дуэта нашего несчастья. Я помогаю им своим молчанием, своим согласием на роль изменницы и прокаженной, своим согласием с версией смерти отца от руки бандитов, молчаливым согласием с самопроизвольной, ни с чем не связанной смертью матери от инфаркта, согласием с тем, что у меня плохая диссертация, согласием с тем, что какой-то прохвост лучше Бялика, согласием с тем, что иудаизм — погоня за наживой, а еврейский культ — торгашество.

Почему? Почему? Почему я веду себя так позорно? Или я уже совсем потерялась?

Великий цирковой дрессировщик Дуров добился чудес от своих животных лаской и вниманием и систему свою строил на «вкусопоощрении» и «трусообмане». Но ведь наши дрессировщики добились гораздо больших результатов, применив к нам систему «трусопоощрения» и «вкусообмана». Вся моя жизнь — непрерывное трусопоощрение и вкусообман. Так нельзя жить человеку — это участь циркового животного.

Раньше трудопоощрением от меня добились согласия всегда молчать и за это поддерживали мой обмен веществ вкусообманом в тридцать один рубль и возможностью спать на своей тахте, а не на тюремных нарах.

Теперь во мне поощряют моего огромного труса надеждой беспрепятственно выехать отсюда через несколько месяцев.

А достаточная ли это цена, чтобы свыкнуться навек с мыслью, что ты не человек, а дрессированное животное? Что увезешь ты туда, кроме своего белкового тела? Память о своих мученически умерших родителях? Но ты ведь здесь согласилась с их почти естественной смертью? И на память претендовать не имеешь права.

Надежду на новую любовь? Но тебе тридцать лет по паспорту, восемьдесят — в душе и твердая уверенность, что никто никогда не заменит Алешку.

Возможность интересно работать? Но здесь пережито, увидено, перечувствовано такое, что литература уже не кажется самым главным и интересным делом на свете.

Что предстоит там? Мы ведь на чашках огромных незримых весов — равновесов. Там можно будет пожать только посеянное здесь. Возить через все кордоны дрессированных животных нет смысла.

За стеной у паралитика вдруг истошно заголосило радио — я вздрогнула от неожиданности и прислушалась. Передавали последние известия, мне было слышно каждое слово, будто динамик висел над моим ухом. Радио сообщало о постановлении правительства в области выравнивания цен: бензин дорожал вдвое, кофе — вчетверо, предметы роскоши — мебель, ковровые изделия, украшения, меховые вещи, машины — на четверть, на треть, наполовину, вдвое. На одиннадцать процентов подешевели нейлоновые рубашки. Спрос превышает производственные мощности — пока, временно, а также в порядке борьбы со спекуляцией — вот выровняли, полный баланс.

Господи, сколько же может безнаказанно продолжаться это трусопоощрение и вкусообман? Ну хоть один человек из миллионов возмутится вслух? Закричит: «Нет!»? Хоть кто-нибудь завопит однажды?

Нет, все глухо и безнадежно немы. Все согласны. Что же может заставить их разверзнуть уста? Или они все давно умерли?

И ты умерла? Это ведь не летаргия — любой сон когда-то кончается. И придуриваться немыми люди столько не могут. Значит, мы все умерли? Может, освободить инспекторшу ОВИРа Сурову от хлопот и попросить выслать меня моему брату Симону Гинзбургу в запаянном свинцовом ящике?

Незримо дрожат чашки весов — там никому трупная падаль не нужна.

Я не падаль. Я еще жива. Разум сильнее страха.

Надо пойти и посмотреть в глаза убийце моего отца.

32. АЛЕШКА. ВОДИТЕЛЬ

Значит, все это теперь бессмысленно?

Безусловно. Бессмысленно и не нужно.

Но разве есть какой-то смысл в жизни, если знаешь, что все равно умрешь?

А все-таки тянем эту линию борьбы, побед и поражений. Есть ли смысл в горящем в ночи огоньке? Мы — мгновенная вспышка света между двумя океанами тьмы.

Нет, смысл-то есть. Но теперь это все нецелесообразно. Не сообразно цели...

261

Из дежурной комнаты вышел милицейский лейтенант и смущенно сказал:

— Подождите еще немного, там наши товарищи наводят справки...

— Хорошо, я подожду.

Нецелесообразно. Вот-вот! Это же и есть одно из наших главнейших достижений — мерить нравственность целесообразностью. Сообразовать с целью добро, справедливость и правду. А поскольку это никогда не сообразуется с нашей целью, то любой нравственный поступок становится сразу нецелесообразным. И приличные-то люди постепенно уверились в нецелесообразности нравственности. Быть Гамлетом нецелесообразно. Но на роль Гамлета не нанимаются. Как в прошедшем безумии, человек им однажды становится, если он вдруг проникается идеей, что правда не может быть сообразна какой-то заведомо назначенной цели. Правда не имеет цели. Она просто — правда. Без нее мы превращаемся в то, чем мы все стали.

Милиционер вышел опять из дежурки и протянул мне линованный листок:

— Вот, нашли вашего героя...

На листочке детскими фиолетовыми буквами было написано: «Гарнизонов Павел Степанович, 1922 г. р., Каунасское шоссе, д. 56». Как радостно взялась милиция помочь мне — столичному тассовскому корреспонденту — найти героя моего очерка, славного чекиста, партизана, героя войны и борьбы с националистическими бандитами Павла Гарнизонова! Я не знал его отчества, года рождения, проживает ли он вообще в Вильнюсе, как собирался когда-то. Но они все трудности преодолели за полчаса. Ах, Пашка, веселый душегуб, знали бы они, зачем ты мне нужен!

Все давно похоронены, раскиданы по теплым пенсионным норам. Ула уезжает — она бросила меня. Искать тебя, Пашка, было нецелесообразно. Но если человеком овладело старательское сумасшествие, если он ощутил однажды тревожно-радостное теснение в сердце, промывая грохот жизни в поисках крупиц правды, когда под слитной гущей пустой породы уже мелькнули золотистые искорки истины и все внутри тебя трепещет и рвется от предчувствия близкой коренной жилы, — тогда он плюет на целесообразность.

«Это вам в сторону Элект ехать», — сказали мне в милиции. Я и ехал по Каунасскому шоссе, вспоминая, как Соломон растолковывал режиссерам сверхзадачу Гамлета: «Гамлет призван раскрыть правду. Но как ее раскрыть, когда человек окружен гнилостной атмосферой Датского королевства? Стоит повернуться — справа на него устремляется Полоний, слева — Розенкранц и Гильденстерн, впереди — Клавдий.

Удар в спину наносит Офелия.

За каждым углом грозит удар кинжалом.

Гамлет для раскрытия истины прибегает к комедиантам, к актерам, к представлению — он преподносит эту правду в виде произведения искусства».

Эх, Господи! Удар в спину наносит Офелия. Кому ты это объяснял, Соломон? Себе? Мне? Или им? Это же ведь все было в сорок седьмом году! Как он просил вас, дурачье, прислушаться и понять! Оглянуться окрест, нюхнуть эту гнилую атмосферу. Он уже знал, что не успеет прибегнуть для раскрытия истины к комедиантам, к актерам, к представлению — он знал про грозящий ему удар кинжалом. Он отдал вам свое понимание жизни и просил вас преподнести эту правду в виде произведения искусства. Других средств у него не было.

Ничто не меняется в Датском королевстве. Гнилостная атмосфера. Справа — Полоний, слева — Гильденстерн и Розенкранц, впереди — Клавдий.

Удар в спину наносит Офелия.

Миха, я надел маску, я заметаю следы, я доведу спектакль до конца...

— Здорово, Пашка! Принимай далекого гостя!

Когда-то он мне казался огромным — а оказался сейчас мне до плеча. Но широк в плечах, крепок в кости, ухватист в загребущедлинных руках. Поредели желтые кудри, нализались реденько с боку на бок толстой головы. И прозрачные бледно-голубые глазки, как литовское небо, смотрели на меня с презрением, но внимательно с красной ряшки обжоры и выпивохи.

Он стоял на пороге своего каменного двухэтажного нарядного дома в рубахе распояской, под которую будто подложил арбуз округлого и твердого пуза. Рекламная картинка для «Интуриста» — сладко живет на своей исконной земле литовец Пашка Гарнизонов.

Молча смотрел он на меня, и льдистость его взгляда дрогнула, потекла неуверенной нежностью, и сказал он медленно, как в раздумье:

— Неужто... Алешка?.. Леха!.. — И длинно, радостно матюгнулся.

Он сильно мял меня в своих мощных лапах, хлопал по спине, по плечам, сбивчиво расспрашивал обо всех моих.

— Жив, значит, батька! Слава Богу! Вот действительно радость! Святой человек! Всем я ему обязан! Как вы уехали, конечно, хотели меня эти суки тифозные уконтропупить — только хрен им в горло, чтоб голова не качалась! Гадкий народ! Вроде бы свой брат — чекист, а если литовец, все равно нас ненавидит. Националисты, бандиты — одно слово! Когда вашего батьку в Москву забрали, они тут удумали всех русских — кто в центральном аппарате министерства работал — ущучить. Мол, пусть национальные кадры разбираются, от русских много перегибов. Ну, мы им и дали просраться!

— А как?

— Да на министра-литовца компромат подобрали — и в Москву! Он и полетел, потом пердел и радовался, что жив остался. Назначили потом Ляудиса — тоже литовец, но такой — совершенно наш, и русских больше не трогал, понимал, что их кадры для понта держим. А решаем — мы! Мы здесь кровь проливали, мы и музыку заказывать будем...

Недоучел вождь, что в народном государстве к управлению привлекут не только кухарок, но и шоферов-телохранителей.

— А ты еще служишь, Паш?

— Окстись! Куда мне! У меня давно полная пенсия. Нам же ведь — офицерам — засчитали борьбу с бандитизмом, как фронт, — год за три. Нет, я уже давно гражданский человек...

— Дома сидишь, хозяйствуешь?

— Почему дома? Работаю. Я на киностудии — в отделе кадров. Непыльная работа, но ответственная.

— А чего там ответственного? — засмеялся я.

— Э, Леха, ты ведь не помнишь уже, пацанчик был. Ты и не представляешь, чего здесь творилось. Тяжелый народ, неприятный. Это у них у всех только вид такой дураковатый, а сами, гады, камень за пазухой держат. — И он поколотил себя по твердой глыбе живота. — Знал бы ты, сколько они тут кровушки пролили нашей. Такой занюханный дикий засранец, мужик мужиком, в избе пол земляной, блохи заедают, сам — в чем душа держится, а как ночь — так в лес, с заветной сосенки автомат снимает и у дороги караулит до утра, пока кого-нибудь не подшибет. Мы на них специально надроченных псов исковых пускали...

Он усаживал меня в большой белокафельной кухне за стол, объяснял, что жена Лидка скоро подойдет, обед нам подаст, а пока закусим салом и капустой, самогоночка сахарная собственного изготовления — как слеза.

— Мы здесь все самогонку гоним. Не в магазине же по таким диким деньгам покупать! А мы ее из сахара, рубль литр обходится, фильтруем, марганцовкой очищаем, на ягодах, на травках целебных настаиваем. Литр хлобыстнешь — как Христос в лапоточках прошел. А литовцы, дурачье, пьют магазинную, нефтяную, по четыре рубля. Боятся гнать говноеды — что такое тюрьма хорошо знают! Этому мы их до смерти научили, внуки помнить будут. Ну, давай, рванем по первой. За встречу долгожданную!

Рванули по толстому граненому стаканчику. Птицей самогон полетел, душистый, прозрачный, как слеза. Литовская.

Хрумкая розовым, толщиной в ладонь салом, Пашка сказал:

— Но пока научили — трудно было, пришлось нам с ними всерьез повозиться. Ты-то малой еще был, тебе, наверное, и не рассказывали, как на нас с твоим батькой под Алитусом бандиты напали. Может, случайно, а может, кто-то из наших же литовцев стукнул им, что поедет генерал. Это перед выборами в Верховный Совет в сорок шестом году было. Ну, и возложили тогда на нас обязанность обеспечить, чтобы не мешали бандиты народу голосовать за свою власть. Дело серьезное, сам понимаешь, — первые выборы после войны. А как тут обеспечишь, когда они, бандиты, и в лесу, и по хуторам, и в городишках, и активисты, и избиратели. Все прикидываются казанскими сиротами — ничего, мол, не понимаем, ничего не видели, ничего не знаем. Там, где избирательные участки, конечно, по взводу войск поставили, а к каждому литовцу солдата ведь не приставишь, чтобы он себя вел по-людски. Ну, и мотались мы с батькой по всей республике... Давай выпьем за Захара Антоныча, дай Бог здоровья, замечательный человек.

Выпили мы сахарного самогончика, который раз и навсегда отучил пить литовцев замечательный человек — мой батька Захар Антоныч.

— Вот они нас под Алитусом прихватили — деревьями дорогу завалили и давай жарить по нам из обрезов. Мы за машиной залегли — и по ним из автоматов. На счастье, догнал нас бронетранспортер из райотдела. Как врезал по ним из крупнокалиберного! Собаки след взяли и на хутор в шести километрах вывели. Сидят тифозники за столом, суп свой картофельный хлебают, делают вид, что они не имеют к этому отношения. Ну, мы взяли и тут же семь мужиков повесили. А всех остальных — в лагерь...

— И ты вешал? — спросил я с интересом.

265

— У них там турник был железный — вот мы их на нем, как тарань, и завесили. Да повешение — это легкая смерть. Как повис, так и дух вон. Это для остальных страшно, как он ногами скребет, пену из себя гонит. Да он-то все равно без сознания. Ну, а зрителям, конечно, страшновато: думают, он мучается так. А ему — уже все до феньки. Я тогда еще сказал твоему батьке — давайте загоним их в дом, сожжем сук этих дешевых к едренефене, запомнят тогда крепче. Но не разрешил батька — все, говорит, должно быть по закону...

— По какому же закону? Может быть, это и не они в вас стреляли? И повесили их вы без суда! Какой же здесь закон?

Изумленно вытаращил Пашка на меня свои блекло-голубые веселые глазки и от души захохотал:

— Закон! За-кон! Твой батька и был тогда закон! Закон, суд и Господня воля! А кроме того, если эти самые не стреляли, значит, стреляли их братья, сватья или сыновья! А эти бы ночью пошли стрелять! Да и вообще, Алеха, поверь мне: людишек чтобы правильно воспитывать, нужен не закон, а скорее наказание. Бей люто правого, виноватые сильней бояться будут. Ладно, черт с ними. Все это уже давно утекло, мы им тогда злостный их хребет переломали. Давай выпьем...

— Давай. Давай, Пашка, выпьем, чтобы все виноватые были когда-то наказаны!..

— С удовольствием, Леха! Пусть всем этим недобиткам еще икнется! Молодец, хорошо пьешь! Батькина выучка: тот литр мог заложить — и ни в одном глазу...

Ах, как пошел сахарный самогон — дым в глазах! Господи, накажи недобитков за безвинно пролитые моря крови, за погубленную, измордованную, изнасилованную жизнь. Прости меня, Альгис, за сломанный ваш хребет. Простите меня, семь повешенных литовских хуторян. Простите меня, убитые братья, сватья, сыновья.

Ой, Боже мой, как мне тяжело — лучше бы вы тогда попали из своих обрезов...

— Я, Алеха, человек уже немолодой и скажу тебе серьезно: береги ты своих стариков — всем ты им в жизни обязан, других таких не будет. Береги, ублажай, потакай глупостям каким от старости. Тяжело твоему батьке жить сейчас — никто его жизни нынче не оценит, никто не вспомнит, сколько он для советской власти сделал! При Хрущеве заплевали совсем было нашу работу, должность нашу чекистскую высокую, да вот видишь, — не выгорело у них ни хрена. Без нас власть дня не жила, сейчас не живет и в будущем не проживет. Как ни крути, а ты — соль этой земли. Так и будет во веки веков! А те, что нынче сидят на наших местах, — только злее да жаднее, а мастерства нашего да беззаветной преданности им не хватает, вот и не хотят признать нас снова, от хрущевского блуда отказаться. Да никуда не денешься — их жизнь заставит...

— Да, таких спецов, как ты, или там Михайлович рыжий, сейчас не сыщешь, — сказал я ему. Искренне, от души сказал — он понял наш исторический момент совершенно правильно.

— Михайлович? — прищурился он, вспоминая.

— Ну, помнишь, ты его возил, рыжеватый, с длинным усом на щеке, — напомнил я и скинул единственного козыря из жидкой колоды. — Насчет Минска он ездил...

— А-а-а! Конечно, помню! Ух, огневой еврей был! — Пашка, видимо, устав ждать жену, налил еще по стаканчику, а сам встал к плите, вышиб на сковородку дюжину яиц и, помешивая яичницу, тоненько напевал: — Огурчики — помидорчики, Сталин Кирова убил в коридорчике...

— Почему был, — заметил я равнодушно. — Михайлович по сей день жив-здоров. И сейчас работает...

— Во дает! — восхитился Пашка. — А чё делает?

— Евреями недовольными занимается, — усмехнулся я. — Он ведь по этому делу специалист...

— Он по любому мокрому делу специалист! — заржал Гарнизонов, снял с плиты яичницу и стал разбрасывать ее нам по тарелкам.

Я задержал дыхание, собрался, сказал как можно спокойнее, увереннее:

— Я уж мелочи всякие подзабыл, но, помнится, это он тогда лихо управился с Михоэлсом.

Гарнизонов набил рот яичницей, помотал башкой, круто сглотнул — так что слезы выступили, запальчиво сказал:

— Не он один! Да и задача у нас была пустяковая — прикрывали. Нам чужих подвигов не надо — свои имеются...

— Слушай, Пашка, а почему его возил ты?

— Ну, Леха, ты как был, так и остался пацан! Всесоюзная операция, руководил союзный замминистра Крутованов, тут главное, чтобы литовцы ничего не узнали — наши же сотрудники. Иначе все сразу же утекло бы на сторону. Нет, мы таких вещей не допускали!

— Эх, Пашка, какие книги о вас до сих пор не написаны! — заметил я.

— Вот тут, — он похлопал себя по толстой облезлой голове в шелковистом блондинистом пуху, — на сто романов товару имеется. Только пока рано...

— А я встретил Сергея Павловича Крутованова, он мне сказал, что пишет воспоминания, — уверенно-нагло соврал я.

Гарнизонов махнул рукой:

— Это будут книги для дураков — все равно самого главного, самого интересного нашему населению рассказывать пока не надо. Еще многие недопонимают. А рассказать чего у него имеется! Ух, орел мужик! Как взглянет бывало — ноги отнимаются! А ведь молодой парень был совсем — лет тридцати!

— Тридцати трех. Он — пятнадцатого года.

— Может быть. Он ведь еще моложе выглядел, стройный, подтянутый, в заграничном костюме! Как киноартист...

— А ты его нешто видел?

— А как же? — обиделся Пашка. — Вот тогда-то, в связи с Михоэлсом, он и приезжал...

— Из Москвы? — удивился я.

Гарнизонов на миг задумался, потом покачал башкой.

— Не! Думаю, что из Минска. Из Москвы начальство прилетело спецсамолетами, а этот приехал на «линкольне» — значит, откуда-то неподалеку.

Господи! Охрани мою маску — мой околоплодный пузырь родившегося среди «своих».

— Ох, как он бушевал тут! — продолжал Пашка. — Как он тут на всех холоду нагнал!

— Почему?

— Да понимаешь — дурость вышла! Анекдот, да с начальством таким шутки плохи...

— А кто это шутить надумал?

— Лежава. Помнишь его? Начальника батькиного секретариата?

— Конечно.

— Вот он и учудил. Крутованов как приехал, сразу — в зал на третий этаж, проводить совещание. А мы с Лежавой, как всегда, у батьки в приемной сидели. Раздается звонок — твой батька вызывает Лежаву с досье на совещание. Дверь в кабинет была открыта, я видел, как Лежава отомкнул сейф, потом вторым ключом отпер бронированный ящик для секретных документов и вынул досье. Запер и — бегом на совещание. Я еще заметил, что он пристегнул наручник досье...

— Это что такое?

268

— Понимаешь, это был такой стальной портфель для особо ценных бумаг. Его без ключа можно было только автогеном разрезать. А для верности его полагалось по инструкции носить пристегнутым к кисти наручником...

— Ну и что?

— Ничего. Проходит пять минут. Твой батька снова звонит — где Лежава? Я говорю: «Захар Антоныч, он уже вышел, сейчас будет». Через пять минут снова звонок — где Лежава? А ему идти — со второго на четвертый этаж и один коридор. Я тоже забеспокоился — я ведь видел, как он помчался. Говорю батьке — взял досье десять минут назад и побежал к вам. А через трубку слышно, как им там всех Крутованов кроет — мать вашу перемать, бардак, разгильдяи хреновы! У батьки прямо голос сел, он трубку забыл положить, я слышу, как он Крутованову докладывает — ушел десять минут назад со всеми документами, а тот орет — тревогу по министерству! Трах вашу мать! Отец бросил трубку, и тут же сирена как завоет на всех этажах! Перекрыть все подъезды, все входы-выходы! Коменданту с патрулями на этажи, проверить вахту — не вышел ли из здания! Узнать — все ли машины на месте!

— А куда же он делся?

Гарнизонов и сейчас — через тридцать лет — заливается, хохочет, вспоминая уморительность анекдота, того всесильного случая, который любых власть имущих сановных людей делает испуганными букашками.

— Через час его нашли. Он как выскочил от нас, так для быстроты решил на лифте подняться, открыл дверцу и в запарке не заметил, что кабины нет на месте, — и прямым ходом рванул в шахту. Лифт сломался! Раз в сто лет бывает — так пришлось как раз на такой случай. Ноги, ребра себе переломал, крикнуть не успел — потерял сознание. Ну мы и хохотали потом! Даже Крутованов отошел маленько — мы его по тревоге ищем, а он себе в шахте лежит, отдыхает...

— А Михайлович был с Крутовановым?

— Нет, он в это время в Минске кантовался. После совещания Крутованов улетел сразу в Москву, а отец вызвал меня к себе и приказывает — поедешь, Пашка, на молодеченскую развилку сегодня ночью и подберешь людей. Вдвоем, говорит, вам было бы сподручнее, да вот, видишь сам, этот осел Лежава выбыл, а больше никому знать это не нужно. Ну, я и покатил вечерком...

— Молодеченская развилка — где это?

269

— А это не доезжая Минска километров двадцать, если из Москвы едешь, — там поворот есть на Вильнюс, к нам сюда. Там сейчас насыпали Курган Славы — видел, наверное, когда сюда ехал. Огромный такой памятник — гора и на ней штык. Наверняка видел?

— Видел.

Да, я видел. Памятник Славы.

— Ну, короче, проверил я свой «шмайсер», заправил полный бак и покатил. Стал у развилки, пригасил свет и жду. Часов в двенадцать прет из Минска грузовик на всех парах — под радиатором синяя фара, значит, свои. Я им дал светом отмашку — включил фары, переключил, выключил. Три раза. Они подрулили, выскочили, а «студебекер» на первой скорости толкнули с откоса. Двое ребят — крепкие такие парни, мясные бычки. Сели в мой «мерседес», и мы домой ходу. Часа за полтора прикатили.

— А больше ты их не встречал?

— Не-а, — покачал головой Гарнизонов. — Как ввез их во двор министерства, один мне сказал — спасибо, бывай здоров, — вошли в подъезд, и концы. Я их больше не видел. Это же ведь не наши были бойцы — привозные, «чистоделы»...

— А почему ты решил, что они именно за михоэлсовой головой ездили? Может, по какому другому делу?

— Да что я — дурак, что ли? На другой день в газетах сообщение: трагически погиб от руки бандитов... Уж нам-то эти фокусы известны! Хотя убей меня Бог — по сей день не понимаю, почему такой понт из-за какого-то паршивого еврея давили! Такие люди занимались — Крутованов сам руководил, союзная операция! Взяли бы его в подвал, прижали как следует — и душа из него вон! Скончался от сердечного приступа...

— А тебе мой папанька не объяснил почему?

— Да что ты, Лешенька! Где же это слыхано было задавать ему вопросы? Я как-то в разговоре заикнулся, что вот, мол, когда я ездил в Минск... Он на меня как зыркнул — сам ведь знаешь, как он смотреть в глаза умел! И говорит: «Куда это ты ездил? Никуда никогда ни за кем ты не ездил — понял?» Так точно — понял...

Никто никуда ни за кем не ездил. Все это поняли и усвоили накрепко. Один я этого не знал и поехал.

Ну что, принц эмгебистский, накопал на папаньку материал?

33. УЛА. ДУШЕГУБ

За час, который я просидела в приемной, секретарша привыкла ко мне, как к предмету финского гарнитура, и перестала обращать внимание. Она лениво листала эфэргешный журнал «Куэлле», и чудеса мира потребления так потрясали ее, что время от времени она тихо, сладострастно постанывала. Мне казалось, что она бы и мне кое-что показала — видения этого фантастического мира были так прекрасны, что при погляде в одиночку они казались нереальными, как наваждение. Но мне нельзя было ничего показывать, потому что я была просительница — существо второсортное и недостаточно проверенное, можно ли мне смотреть разлагающие прекрасные предметы из враждебного мира.

Иногда звонили телефоны — их было несколько. Секретарша сообщала, что Сергей Павлович сейчас на завтраке в честь английской торговой делегации. Нет, он придет, но будет не больше двадцати минут. Потом он принимает японских промышленников. Нет, обедать он не будет — в пятнадцать часов у Сергея Павловича физиотерапия.

Потом, видимо, жене, секретарша сказала, что парикмахер уже был. А машину к ней домой послали — минут пятнадцать, скоро будет. И снова докучливые деловые звонки. Я же вам уже сказала, что десятого числа Сергей Павлович улетает в Австрию. Оттуда в Мюнхен. Раньше двадцатого не вернется. Завтра он не сможет, он открывает международную выставку в Сокольниках. Да, он сам будет открывать — министр в отпуске. Хорошо, я ему передам. Сегодня — если успеете. Сергей Павлович послал вам приглашение — это французские бизнесмены. Да, банкетный зал гостиницы «Советская», в восемнадцать.

И снова погружалась секретарша в волшебные грезы волчьего мира неоновых джунглей. Горели ее невыразительные подведенные глазки, трепетали ноздри, обоняющие сладостные миазмы разлагающегося мира грязной наживы и бесчеловечной эксплуатации. Когда она перелистнула страницу с хороводом манекенщиц, наряженных в дубленки и шубы, она ненавидяще-нежно сказала вслух:

— Вот сволочи!

Изредка в приемную заглядывали сотрудники — моложавые, крепко сбитые лощеные мужики с одинаковыми лицами, мучившие долго мою память непреходящим воспоминанием о своей похожести, пока один из них, игриво набычившись, не подтолкнул плечом секретаршу, и я сразу вспомнила — да ведь их братья меньшие всегда стоят в оцеплении, когда мы гостеприимно приветствуем на улицах очередного дорогого гостя столицы. Эти сами стояли лет десять назад, когда я только пришла на работу, но за выслугу лет их перевели на более ответственные должности.

Коммерсанты, наши бизнесмены. Раньше они говорили, что жиды продают родину. Теперь они от имени родины продают жидов. Режим максимального благоприятствования в торговле — это и есть сбывшаяся формула: товар — евреи — товар.

Глупая застенчивость мира — ведь именно здесь, во Внешторге, вместе с наиболее удачными образцами надо выставлять наших пейсатых подозрительных сограждан, снабженных торговой этикеткой.

Ах, как пророчески нарекли вы нас продажной нацией — кем еще можно так успешно торговать! Какие огромные прибыли могло бы приносить внешнеторговое объединение «Экспортжид»!

Я сидела в приемной, смотрела на плечистых и рукастых коммерсантов и старалась не думать о том, что достаточно будет моргнуть глазом хозяину кабинета, завтракающему сейчас с милыми английскими торговцами, и меня просто не станет.

Я сидела неподвижно, прикрыв глаза, будто в полудреме, и, чтобы подбодрить себя, повторяла строки Бялика:

> Ни судей, ни правды, ни права, ни чести!
> Зачем же молчать? Пусть пророчат немые!
> Пусть ноги вопят, чтобы о гневе и мести
> Узнали под вашей ступней мостовые!
> Пусть пляска безумья и мощи в кровавый
> Костер разгорится — до искристой пены.
> И в бешенстве смерти, но с воплями славы —
> Разбейте же головы ваши о стены!

Что я делаю? Я бегу, чтобы разбить себе голову. Но она мне не нужна больше — с того момента, как я смогла не думать больше о нас с Алешкой только вместе — только «мы». С того момента, как я решилась позвонить Симону — послать сигнал по тонкой ниточке в далекий город Реховот, а эта ниточка — не провиснув в пустоте, не оборвалась у моих дверей бессильным кончиком, а зацепившись где-то, набрала металлическую упругость, я ощутила ее далекую надежную протяженность, ее гибкую прочность — я отпустила Алешкину руку и намотала конец проволоки на свое сердце, и когда меня станут поднимать из моей бездонной глубины — проволока разорвет мое сердце по-полам.

Алеша, то, что я сделала, правильно. По уму.

Но мое глупое сердце не знает, что такое правильно или неправильно. Оно знает — хорошо и плохо. Господи, как ему плохо!

Я стараюсь не думать о тебе вообще, потому что любая мыслишка, первое пустячное воспоминание о тебе вышибает из меня дух, я не могу дышать, останавливается и в сумасшедший бой срывается сердце, подкатывает дурнота — мне плохо!

Алешенька, рабби Зуся учил: «Не говори — мне плохо, говори — мне горько». Алешенька, мне было горько, невыносимо горько — мой обмен веществ вырабатывал одну хину.

А теперь мне не горько. Мне плохо. Алеша, мне так плохо, как никогда не было еще в жизни. Я намотала провод на свое сердце, мне уже никто не поможет, он перервет нас с тобой пополам, потому что мы срослись с тобой.

Спасительный проводок с поверхности уже пережимает мне аорту — я не знала, что не смогу тебя оторвать от себя.

Ну и пусть! Нельзя есть хлеб из хины. Лучше умереть.

— Вы ко мне?

Вкрадчивый бархатный голос. Вот он — высокий, спортивно стройный, серо-седой, в толстых заграничных очках на пол-лица. Неуязвимый душегуб. Безнаказанный и красивый, как вся его жизнь.

У меня пропал голос. Спазм перехватил горло — я беззвучно разевала рот. Я ведь только что не боялась умереть. Мы не боимся смерти — мы только постового милиционера до смерти боимся.

— Мне доложил секретарь, что вы по какому-то литературному вопросу?

Конечно, по литературному. Как еще можно вас достигнуть — забаррикадированных вахтерами, секретаршами, рукастыми коммерсантами, — кроме как на лакомую подманку писчего вранья? Я не смогла вспомнить, как выглядел его кабинет, — я ослепла от страха, от ненависти, от бессилия. Зачем я пришла? Что я могу сказать?

Просто смотреть в лицо убийце. Вечному, как грех. Убийце моего отца. Надо что-то сказать ему — смогу тогда половину оторванного сердца оставить памяти об отце. Мне самой уже не надо — мне осталась дурнота воспоминаний и горечь отравленного хлеба.

273

— Я вас слушаю... — мягко, с улыбкой поощрил он меня. Ласково-нахрапистая въедливость неотразимого и не знающего отказов кавалера. Он до сих пор интересный мужчина, как сказала бы Надя Аляпкина. Они, наверное, продлевают свою жизнь ваннами из крови живых людей — как герцог Альба.

— Вы не помните такое имя — Моисей Гинзбург? — хрипло пролепетала я.

— Моисей Гинзбург? — удивился он и весело рассмеялся: — Мне надо знать, чем замечателен этот Гинзбург, чтобы вспомнить его из всех известных мне Гинзбургов.

И доброжелательно, мягко засмеялся снова. У него было хорошее настроение — видимо, завтрак с английскими торгашами прошел успешно. Вкусная еда, дружественная обстановка взаимопонимания крупных коммерсантов, любезное доверие в духе разрядки.

Интересно знать, как стоит жидова на мировом рынке?

— Этот Гинзбург замечателен тем, что вы его убили, — сказала я серым блеклым голосом.

Благодушие каплями, как пот, стекало с его лица, и от огромного удивления у него отвисла нижняя губа.

— Что-что? — переспросил он с недоверием — он не верил своим ушам, в его кабинете не могли родиться такие звуковые волны — это чепуха, он просто ослышался. — Девушка, что вы сказали? — спросил он снова после долгой паузы.

— Вы убили Моисея Гинзбурга, — повторила я тихо и твердо. Его худощавое лицо побелело от ярости — это накатившая на щеки едкая известь злобы смыла веснушки.

— Слушайте, почтеннейшая, вы в своем уме? Какой Гинзбург? Что вы несете? Кто вы такая?!.

— Я его дочь. Вы убили его тридцать лет назад. — Я слышала свой голос будто со стороны, и удивлялась его спокойствию, и вдруг с опозданием сообразила, что я не боюсь больше эту очкастую гадину.

Господи! Великий всемогущий Шаддаи! Спасибо тебе! Дал мне разорвать липкую паутину каждодневного страха...

— Это какое-то недоразумение, — твердо отсек Крутованов. — Вы не в своем уме, или это какое-то недоразумение. Я не знаю никакого Гинзбурга!

Я смотрела на его замкнувшееся лицо, ставшее похожим на топор, и готова была поверить ему — он не знает никакого Гинзбурга, он его просто забыл. Разве можно запомнить всех этих бесчисленных убитых безымянных Гинзбургов?

— Вы руководили в Минске убийством Соломона Михоэлса и моего отца. Михоэлса-то вы помните?

Он откинулся на спинку кресла и вперился в мое лицо, будто рассматривал меня в перевернутый бинокль, — такая я была маленькая, далекая, зародышевая, явившаяся из прорвы забвения полустершимся неприятным воспоминанием.

Мы оба молчали, потом Крутованов снял с переносья очки заграничные и стал их протирать неспешными движениями желтым замшевым лоскутом. Положил очки на стол и уставился мне прямо в глаза, и ушедший было страх снова залил меня ледяной водой ужаса перед этой волной еще не виданной мною спокойной жестокости.

Таких страшных глаз у людей не бывает. Это не человеческие глаза. Голубоватое мерцание стекол маскировало садистский накал этих мертвых глаз насильника и мучителя. Он снял с глаз очки, как бандит вынимает из кармана нож. И он эти ножи приближал ко мне, беззвучно струился, плавно вытягивая свое тренированное тело из кресла, он незаметно оказался рядом со мной, и я поняла, что сейчас он убьет меня.

Ватная тишина обнимала все вокруг, я хотела закричать от нестерпимого ужаса приближающейся смерти, но голос пропал, и я вся беспомощно оцепенела, как в просоночном бреду, в настигающем кошмаре. Отнялись ноги, и в горле булькал животный страх — я вздохнула во всю грудь, чтобы заорать на весь мир, но только сипло прошептала:

— Вас... еще будут... судить... Как уголовного... Убийцу... Бандит...

И в дверном проеме уже металась секретарша, и где-то рядом звучал мягко и сдержанно голос этого ненасытного кровососа:

— Проверьте документы и выведите вон эту психопатку!..

Я еще успела оглянуться и взглянуть ему в лицо, чтобы запомнить навсегда душегуба, и видела я его глазами праведного Иова — «сердце его твердо, как камень, и жестко, как нижний жернов...»

Шла домой пешком, через весь город. Ветер разогнал тучи, ушел за дымы окраин косой серый дождь. Испуг прошел, улеглась горечь. Жизнь моя прибилась к странному перекату, нечего делать, некуда пойти. Не с кем поговорить, ничего не хочется, ничего не нужно. Нет радостей, и горести во мне закаменели. Все выгорело внутри. Сухость, пустота, полынь.

Изгнание. Ох, какая долгая дорога! И начинается она в пустыне твоего сердца. Разве не пережившему это можно объяснить? И зачем?

А продолжающаяся жизнь смеялась надо мной незаметно подкравшимся вечером — фиолетово-синим, в темно-сиреневых отсветах, с осиново-зеленым небом, прочерченным золотыми кантами и алой подкладкой уже закатившегося солнца. И от печальной красоты этого вечера, остро пахнущего сырой землей, речной тиной и вянущими астрами, у меня накипали на глазах слезы. Я их сдерживала изо всех сил, потому что назойливо гудела в голове обидная поговорочка — убогого слеза хоть и жидка, а едка!

Дошла до своего дома, вошла во двор и увидела у подъезда заляпанную грязью Алешкину машину. И вот тут заплакала по-настоящему.

34. АЛЕШКА. ПЕРВЫЙ ЗВОНОК

Любимая моя! Жизнь наша рассыпалась. Ты уезжаешь, я остаюсь. Ты и не предложила мне ехать — ты знаешь, что мне там делать нечего, там мне только — умирать, а умирать лучше дома. Я не сержусь на тебя, нет в моем сердце обиды. Мы поквитались. Ведь началось это очень давно — когда мой папанька убивал твоего отца.

Если бы наши отцы были разодравшимися насмерть пьяными деревенскими мужиками!.. Может быть, мы бы и пережили эту давнюю кровавую историю. Но мой папашка был властью, был государством — не в запальчивости, не в багровом умопомрачении драки зашиб он твоего отца, а целесообразно и вдумчиво участвовал в его казни. И на нашу с тобой судьбу отпечатала свое предопределение беззаконная власть над отдельным человеком.

И за целый вечер, и за долгую ночь — с того момента, как бледная заплаканная Ула вбежала в свою квартиру, и до того мига, пока я не вышел в серое моросящее утро, шепнув: «Приду часов в шесть» — мы не сказали друг другу ни слова. Это не было обиженным напряженным молчанием отчужденности — была благодатная немота решенности. Все, о чем мы могли разговаривать, — пустяки, а говорить о серьезных вещах мы не имели права.

Моя долгая — почти сорок лет — жизнь беззаботного шалопута закончилась. Хорошо бы умереть. Только безболезненно — уснуть и не проснуться. Я устал играть навязанные мне неинтересные роли. Проекции судьбы, которой я не выбирал. Мне пришлась по душе одна роль — Гамлета. Безумный спектакль перед пустым залом.

Хорошо бы умереть. В этой жизни уже ничто меня не обрадует, а огорчить может все.

Дверь в мою запущенную страшную квартиру открыл мне Иван Людвигович Лубо — озабоченный, взволнованный и тайнорадостный. Из-за его спины метнулся навстречу опухший, страшный, похожий на загаженного вепря Евстигнеев, закричал сипло не то горестно, не то довольно:

— Умерла, Алешенька! Преставилась, Алексей Захарыч! Умерла верная моя супружница! Нету больше с нами драгоценной моей Агнессы Осиповны!..

И, не останавливаясь, побежал дальше к выходу, дребезжа в авоське пустыми бутылками. Я очумело посмотрел ему вслед, но он уже захлопнул за собой дверь.

— Он ее придушил из-за облигаций? — спросил я Ивана Людвиговича.

Лубо сокрушенно покачал головой:

— Вы помните, Алеша, он перед вашим отъездом продал ореховый сервант? Оказывается, в серванте была двойная стенка, за которой Агнесса прятала облигации. А Евстигнеев продал кому-то с рук — иди ищи ветра в поле!

— Агнесса повесилась?

— Нет, — тяжело вздохнул Лубо. — Приехала, увидела, что нет серванта, — и лишилась чувств. Инсульт. Я был дома, это была ужасная картина. Она пришла только один раз в сознание, сказала Евстигнееву — все деньги были в серванте, теперь подохнешь нищим под забором. Сутки она еще протянула — и все...

Я прошел к себе в комнату, и за мной следом вежливой тенью, дважды извинившись, просочился Лубо. Я механически двигался по комнате, поставил на плитку кофейник, достал из шкафа чистую рубаху, рвал и выкидывал приглашения и письма из Союза писателей — там проходили какие-то обсуждения, какие-то выставки, собрания, — меня все это уже не касалось.

Будто грипп во мне начинался — все горячо, серо, все безразлично. Гамлет заболел гриппом. Последний акт — без него.

Офелия наносит удар в спину.

У Ивана Людвиговича сегодня был неприсутственный день — он соскучился по мне, ему хотелось поговорить маленько.

— Какое счастье, что Довбинштейн отказался тогда взять этот ореховый сервант! — запоздало волновался-радовался Лубо. — Ведь Евстигнеев сгноил бы его! Он бы заявил, что эти бедные старики украли его облигации! А при наших порядках вера была бы ему, а не этим приличным людям...

Он испуганно закрутил головой, оглядываясь — никто не услышал его подрывных разговоров. Но некому было слушать его.

— А что с Довбинштейнами? — спросил я.

— Третьего дня уехали, слава Богу. Закончились их мытарства. К старухе дважды «скорую» вызывали — с сердцем плохо. Их комнату после отъезда опечатали — кого-то и подселят...

Никого нам не подселят, Иван Людвигович. У тебя же нет брата-начальника, который тебе сообщит по секрету, что дом наш идет на капитальный ремонт и реконструкцию. Скоро выселят нас отсюда, сбудется общая мечта — разъедемся мы навсегда по отдельным квартирам.

Обидно, что больному Гамлету не нужна отдельная квартира. Ему наплевать. У жуков в коллекции тоже отдельные квартиры — бумажные коробочки. Захотел хозяин — вынул посмотреть, захотел — переселил в другую коробочку, захотел — раздавил «студебекером» и выкинул. Нет смысла пыхтеть, домогаться отдельной коробочки. Ни от чего, ни от кого не отделяет. Гнилостная атмосфера Датского королевства.

— Хотите кофе? — предложил я Лубо.

— Спасибо, с превеликим удовольствием...

Он прихлебывал из чашки, ерзал на стуле, сновал глазами по комнате — я видел, что его распирает какая-то тайна. Что-то хотел мне сказать и — не решался. А я не хотел помогать ему. Мне его тайна была неинтересна. У нас с ним нет никаких интересных тайн. Тайны есть только у государства от нас...

— Алексей Захарович, я, мы, моя семья уезжает через несколько дней отсюда! — вдруг выпалил Лубо.

— В Израиль? — равнодушно поинтересовался я.

— Почему в Израиль? — удивился Лубо. — В Ясенево — это новый район по дороге в Домодедовский аэропорт! Вы можете представить, как мне повезло! Наше издательство построило там кооперативный дом, и неожиданно один пайщик отказался от двухкомнатной квартиры. Господи, какое счастье! Я уже сдал все бумаги — на этой неделе должно быть решение исполкома...

— А деньги?

— С деньгами трудновато, — поскучнел Лубо. — У нас было сэкономлено две тысячи на черный день, мы продали все, от чего можно отказаться. Я взял ссуду в кассе взаимопомощи, мне сестра одолжила. Как-нибудь выкрутимся! Но ведь будет отдельная квартира — там кухня девять метров, считайте третья комната, столовая. У девочек комната, у нас с Соней спальня. Я в спальне себе оборудую кабинетик — можно будет брать на ночь сверхурочную работу. Нет, это все будет прекрасно!..

Он с воодушевлением рассказывал мне, в какой громадный комфортабельный дворец он превратит свою роскошную тридцатиметровую квартиру, а я раздумывал, сказать ли мне ему, чтобы он забрал свои окровавленные копейки из кооператива и дождался, пока нас всех выселят и дадут бесплатные квартиры. Я не боялся, что он всем разболтает об этом. Я боялся лишить его радости. Я боялся вернуть его в бесконечное ожидание черного дня, в который незаметно превратилась вся его жизнь.

Но мне очень жаль было его денег — огромного каторжного труда, превращенного в сальные, ничего не стоящие бумажонки.

— Иван Людвигович, вы не берите пока ордер в исполкоме.

— Почему? Почему, Алешенька?

— В ближайшие недели наш дом поставят на реконструкцию и всем дадут казенные квартиры. Я это знаю наверняка...

Лубо долго обескураженно смотрел на меня, потом помотал головой и сказал:

— Нет...

— Что — «нет»?

— Мне не нужна казенная квартира...

— Почему? — удивился я.

— Мне это, Алешенька, трудно объяснить. Понимаете, нас приучили к мысли, что у нас ничего нет своего... Нам все дали: работу, жилье, даже еду в магазине не продают, а «дают». У нас сложилось мироощущение нищих, мы все попрошайки. Ничто в этой жизни не вызывает у нас достойного чувства — это мое! Мне, Соне, нашим девочкам будет трудно, но мы будем строить свой дом. Девочки будут жить в своем доме. Мне кажется это важным...

— Может быть, — пожал я плечами.

— Поверьте мне, Алешенька, это очень важно! Наш век — это эпоха потерянного достоинства, ведь у попрошаек не может быть достоинства! Нищий не может требовать: он может только просить...

Может быть, он прав. Спасибо тебе, строгая отчизна, воспитала своих детей мучителями и попрошайками. В коридоре пронзительно зазвенел телефонный звонок.

— Я подойду, — сказал я Лубо и направился к аппарату.

— Подождите, — придушенно бормотнул Иван Людвигович, я оглянулся и поразился внезапной сниклости его лица, раздавленного непривычной ему двойной силой тяготения, а каким-то сверхъестественным страхом, душившим его, будто приступ грудной жабы. А телефон в коридоре звенел.

— Что с вами, Иван Людвигович?

— Я должен вам сказать, Алешенька... Я не имею права... Но не сказать вам не могу... Это будет подлость... Но я надеюсь на вас — вы никогда... никому...

Оказывается, у него есть еще одна тайна. И ужас этой тайны, мучивший его, как боль, заинтересовал и меня.

Телефон истошно прозвонил еще раз и смолк. Булькнул и исчез, а я стоял посреди комнаты, на полпути к двери, и жаркий шепот Лубо не давал мне сдвинуться с места, я боялся неосторожным движением спугнуть его, неловким жестом согнать черную бабочку его страха, которая унесет откровенность навсегда.

— Алешенька, вы должны мне дать слово, что никто никогда не узнает... Я дал подписку... Вы неуместным словом погубите моих девочек, мою семью...

— Какую подписку? — мягко спросил я его. — Не волнуйтесь, Иван Людвигович...

— Я дал подписку о неразглашении... Позавчера приходили два человека и долго расспрашивали о вас...

Снова заверещал, словно с цепи сорвавшись, телефон. Прогремел один звонок, другой.

Я не успел испугаться, я только удивился. Испугался потом.

— Успокойтесь, Иван Людвигович. Кто эти люди?

— Они сказали, что из милиции, и даже показали удостоверение уголовного розыска. Но они не из милиции... я это сразу почувствовал... Милиция не берет никаких подписок о сохранении тайны...

— А что они спрашивали?

Оголтело звонил телефон в коридоре — он меня почему-то парализовал.

— Они спрашивали, как вы живете, на какие средства, бывают ли у вас иностранцы, часто ли устраиваете дома пьянки, ходят ли к вам женщины...

Телефон звонил неутомимо.

— Подождите, Иван Людвигович, я спрошу. — И быстро пошел к телефону. Я испугался — как всякий наш человек, узнавший, что о нем СПРАШИВАЮТ. Мне надо подумать,

280

мне надо вырваться из оцепенения ужаса, которым меня заражал Лубо.

— Слушаю! — сорвал я трубку с рычага.

— Алешка! Привет, братан, это я, Антон.

— Здорово! Где ты?

Он помолчал, уклончиво ответил:

— Неподалеку. Давай вместе пообедаем?

— Принято, — немедленно согласился я, мне было одному страшно, с Антошкой хоть и не посоветуешься по моим делам, но все-таки рядом с ним не так жутковато.

— Если можешь, езжай прямо сейчас к Серафиму, закажи. Только в «аджубеевку» не садись. Я минут через сорок подъеду...

Зачем меня так срочно вызывал Антон? Может быть, он знает, что ко мне приходили? Нет, чепуха это! Откуда ему знать.

Я медленно вернулся в комнату, уставился на бледного перепуганного Лубо, спросил зачем-то:

— А как они объяснили, что пришли именно к вам?

— Они, Алешенька, пришли, собственно, не ко мне, а к Евстигнееву, но его дома не было, он запил крепко. Тогда один из этих молодчиков говорит мне: «А ваша фамилия, если не ошибаюсь, Лубо?» Прошли ко мне в комнату, показали красную книжку, поговорили, потом дали расписаться на бумажке — там было написано, что я подлежу уголовной ответственности за разглашение государственной тайны, и на прощание второй, который помалкивал, сказал: «Не вздумайте болтать, мы о ваших похождениях в Швеции помним». И ушли...

Он сидел, сжав лицо худыми длинными ладонями, смотрел мне в лицо доверчиво и затравленно. Прошептал обессиленно:

— Господи, что же они с нами делают? Как мы все запуганы! Как мы всегда виноваты!

И пронзительно-больная мысль сокрушила меня: я мало чем отличаюсь от Лубо, я так же напуган, затравлен, беспомощен.

Почему Антон не велел садиться в «аджубеевку»?

А Лубо продолжал шептать мне, закутываясь в непроницаемо синие клубы ужаса:

— Я не знаю, что вы сделали, Алешенька, я не хочу вас спрашивать, я об этом знать не желаю, но умоляю вас — ложитесь на дно, не шевелитесь, будьте как мертвый, не злите их, может быть, они забудут о вас, с ними нельзя конфликтовать, они могут все...

Ну что, Гамлет, достукался? «За каждым углом грозит удар кинжала».

Я подкатил на чудовищно грязном «моське» к Дому журналистов, долго парковался, втискиваясь в узкую щелку между золотисто-шоколадным «жигулем» Серафима и надраенным разукрашенным «фордиком-кортино» директора спортмагазина Изи Ратца. Вылез на тротуар, подставил лицо частому холодному дождю, и от щекотного струения капель по лицу, прачечного шипения проносящихся по лужам машин, серых глыб низких медленных туч, от пугающей закукленности людей в плащи, их атакующей отгороженности зонтами охватило меня странное чувство, что больше я никогда не вернусь за письменный стол, я никогда ничего писать не стану, больше не быть мне писателем, поскольку никогда меня больше не посетит такое полное, острое и невыносимо страшное ощущение несущей меня жизни.

Проникала ледяная вода через куртку, слиплись волосы, текло за шиворот, и я не мог сдвинуться с места, будто втекала в меня парализующая громадная стужа конца всех дел, стремлений, неосознанных надежд. Я увидел конечность своей суетни. Я слышал визг стальных зубьев, подпиливающих подмостки. Соломон, как доиграть последний акт, если Гамлет болен?

Какой-то незнакомый человек крикнул: «Алешка, простудишься!», за локоть вволок меня в вестибюль и пропал. Улыбаясь, шла навстречу метрдотель Таня — красивая, большая, статная, когдатошняя моя любовница. У нее и сейчас в глазах было прежнее желание — взять меня на руки, закопать между грудей и баюкать.

Но она не стала брать меня в вестибюле на руки, а только поцеловала, спросила заботливо:

— Обедать будешь?

— Чего-нибудь на зуб кину...

Она повела меня в «аджубеевку», но я попросил:

— Посади где-нибудь в зале, я с Антоном вдвоем, в уголке...

В «аджубеевку», названную в честь некогда всесильного зятя Хрущева, принца-комсорга нашего гнилостного королевства, допускаются только привилегированные гости. Не потайной кабинет в глубине ресторана, куда можно пройти незамеченным, а выгородка, отделенная от зала тонкой деревянной ширмой — так, что можно и людей посмотреть, а главное — себя показать. У нас секретов нет, у нас все по-простому — кто начальник, кто хозяин, тому позволено все. Как однажды при мне милицейский генерал Колька Скорин кричал по телефону: «Выполняй без разговоров! Я начальник — ты дурак, ты начальник — я дурак!»

Аджубея никакого уже пятнадцать лет нет, а название сохраняется.

Таня подозвала официантку, и они вдвоем быстро очистили стол, накрыли его свежей скатертью. Таня скомандовала официантке:

— Я тебе заказ сама продиктую. Сейчас беги вниз — в бар, принеси кувшин бочкового пива. — Официантка умчалась, а Таня ласково улыбнулась мне: — Зашел бы когда ко мне, Алешенька? Я ведь новую квартиру получила...

Я посмотрел в ее выпуклые круглые глаза прекрасного животного, в них было прощение всего былого, было обещание тепла, ухода, мягкой кровати, чистых рубах по утрам, гарантированной выпивки — порционной — там была бездна. Беспамятство.

— Приду, — сказал я. — Когда-нибудь приду...

— Так ты не тяни, дурачок, — горячо бормотнула Таня. — Приходи скорее...

— Наверное, скоро, — кивнул я, — мне уже мало осталось. Из «аджубеевки» доносился чей-то жирный скользкий голос:

— Представляете, Беляев совсем из ума выжил! На прошлом секретариате говорит — у нас в туристских поездках ограничены возможности контактов с зарубежными писателями...

Официантка принесла кувшин с пивом, я жадно нырнул в твердую холодную пену, а голос за стеночкой волновался:

— ... Нет, он просто совсем обезумел! Контакты у него ограничены! Эдак и врачи захотят контактов! И инженеры! Пойди-ка уследи за ними, кто с кем там контактирует!

Не заметил, как исчезла куда-то Таня.

35. УЛА. КАТАСТРОФА

Захлопнулась дверь за Алешкой, и щелчком вырубилось ощущение защищенности, чувство укрытости, иллюзия нашей соединенности — надежда слабая на то, что ничего не произошло, приснился долгий, сложный сон в фиолетово-стальных цветах. Но хлопнувшая дверь не дала пробуждения от кошмара — он надвинулся со всех сторон неотвратимо, и лишь еле светила слабенькая цель: «Приду часов в шесть», — шепнул Алешка. Надо дождаться шести часов — придет Алешка, и с ним вернется мир утраченный, нереальный, спасительный.

283

Зазвонил телефон, я сняла трубку и услышала сырой насморочный голос:

— Мне нужна Суламифь Моисеевна Гинзбург.

— Слушаю.

— Здравствуйте, это говорит инспектор ОВИРа Сурова...

Сердце дернулось, подскочило, заткнуло глотку — нечем дышать. Я плохо слышала ее серые насморочные слова, скользкие, будто перемазанные соплями.

— Я собралась отправить ваши документы для рассмотрения по существу, но вы не представили справку о том, что не состоите на учете в психдиспансере...

— Но вы мне не говорили, что я должна представить такую справку!

— Это новое положение, без справки не будут рассматривать ваше дело.

— Что же делать? — Она помолчала, будто раздумывала, что мне делать без справки, или вычитывала из какого-то закрытого справочника, что надо делать, если у подготовленного к аукциону в торговой палате еврея нет справки из диспансера. Потом медленно сказала, и в ее сопливом гундосом голосе мне послышалось сочувствие: — Если вы сегодня не сдадите мне справку, рассмотрение вашего дела будет отложено на месяц...

На месяц! Еще месяц — руки за голову! Не переговариваться! Сесть на снег!

— Но мне же не дадут справку без запроса! — севшим голосом выдавила я.

Она снова помолчала, будто раздумывала над чем-то или на что-то решалась, потом все так же гундосо, но очень быстро приказала:

— Вот что! Бегите сейчас в диспансер, я позвоню туда. Возьмете справку — вы ведь не состоите на учете?

— Нет! Нет! Нет! — всполохнулась я.

— Привезите мне справку, я вам дам запрос, и вы его потом сдадите в диспансер. Поняли?

— Да! Да! Большое спасибо!

— Не за что. Это моя работа. Поторопитесь, там прием до одиннадцати...

И повесила трубку.

Я быстро одевалась, со стыдом раздумывая о той ненависти, которую вызывала во мне Сурова. Может быть, мундир, который надевают люди, делает их, как Каинова печать, проклятыми? На все добрые чувства людей надели мундир, и все-таки в прорехи его, в разошедшиеся швы прорывается огонек человеческой доброты и сочувствия. Не все милосердие к несчастным удалось вытоптать!

Позвонили в дверь. Кого это несет? Я бросилась в прихожую, отперла — Шурик Эйнгольц!

Шурик, дорогой, некогда! Пошли со мной, все объясню по дороге! Хорошо бы такси поймать, диспансер на улице 8 Марта — времени осталось меньше часа. Господи, только бы ничего не сломалось! Только бы поспеть! Вот и такси — в двух шагах от дома. Помчались, теперь-то уж поспею. Несутся по проводам электрические смерчики телефонных разговоров! Это Сурова уже звонит в диспансер, велит выдать мне справку без запроса.

Как дела, Шурик? Что слышно у нас? Как ты поживаешь, я соскучилась по тебе. Шурик улыбается — ему один знакомый баптист написал про свою лагерную жизнь: «а ла гер ком а ла гер» — в лагерях как в лагерях. Институтское начальство отказалось ходатайствовать о персональной пенсии Марии Андреевны Васильчиковой. Заведующим отделом утвержден Бербасов. Тему Шурика сняли из научного плана института. Секретарша Галя просила его передать мне привет и просьбу прислать для нее из-за границы какого-нибудь жениха — пускай самого завалящего, только бы можно было выйти за него замуж, плюнуть на все и уехать.

Шурик шепотом говорил мне о том, что в последнее время понял природу активного нежелания многих обеспеченных людей уезжать отсюда — неправильная социальная самооценка. В лагерях как в лагерях: самый почтенный, независимый и зажиточный человек в лагерной зоне — это хлеборез или повар. Но на воле нет места и должности хлебореза. Хлеборезам не нужна свобода — алагер кум алагер...

Мне Шурик завидовал только в одном — даст Бог, в ближайшее время смогу прочитать бездну замечательных книг, которые к нам или не попадают совсем, или достают неимоверными усилиями прочитать на одну ночь — с риском загреметь на три года в лагеря. В лагерях как в лагерях.

Там и встретимся — мы отсюда, вы оттуда. Почему, Шурик?

Он горячечно шептал — Запад ждет разорение, захват и неволя. Шагреневая кожа мира горит на глазах, багровая заря уже ползет по всем континентам. Пришествие всемирное Антихриста — от него не спрячешься за океаном, это кара всему человечеству.

Ревели за окнами грузовики, с жестяным грохотом исчезали трамваи, в машине воняло разогретым маслом, перегоревшим бензином, преющей резиной, ухали утробно баллоны в залитых водой колдобинах.

Хрупкость надежд. Грязный изнурительный дождь. Глинистые капли на стекле. Тяжелый затылок таксиста. Шепот Шурика. Справка для Суровой. Еще месяц. Пожизненное заключение. В лагерях как в лагерях. В Вавилонском пленении рассеялись одиннадцать колен израилевых. А ла гер ком а ла гер. Осталось совсем немного ждать — рассеется здесь и колено Иегуды.

— А я была у Крутованова, — сказала я Шурику.

— Зачем?

— Я хотела посмотреть ему в глаза. Я хотела посмотреть на убийцу.

— Зря ты это сделала, — ответил он горько.

— Ты боишься?

— Нет. Я устал бояться. Мне надоело.

— Почему же зря?

— Тебе это может повредить...

Таксист притормозил у диспансера. Унылый вонючий подъезд, серая сыплющаяся штукатурка, красная заплата кирпичей, пупырчатый муар разводов плесени, забухшая тяжелая дверь.

Регистратура. Тесная амбразура справочного окна...

— Мне нужно...

— Пройдите в шестой кабинет.

— Шурик, подожди меня здесь. Я надеюсь — это скоро...

Пустые серые коридоры, номера стеклянные на дверях. По сторонам — неосвещенные таблицы диапозитивов. Непонятно зачем висящий здесь плакат, безнадежный призыв: «Не вступайте в случайные половые связи!» В лагерях как в лагерях.

— Можно войти? — Толкнула дверь и увидела за столом здоровенного жилистого парня лет тридцати. В белой шапочке, в халате, с круглой, аккуратно вычесанной бородой.

— Конечно, можно, заходите. — И коротко, ярко хохотнул, и мне не по себе стало от желтого блеска его длинных острых зубов. — Ваша фамилия Гинзбург? Мне звонили...

И снова улыбнулся, страшно блеснул зубами, пугающе хохотнул.

— Присаживайтесь, я ваш врач, меня зовут Николай Сергеевич...

Перед ним был абсолютно пустой стол. Блестело чистое пластиковое покрытие.

Кисти рук врача лежали на столешнице, и от зеркального подсвета ее казалось, что у него много рук и неисчислимые пальцы. Мне неприятно было смотреть на его красногубый рот, плотно заросший крепкими длинными зубами, и я боялась смотреть на эти неисчислимые пальцы — чисто вымытые, с коротко подстриженными ногтями, сплюснутые в фаланги, наверняка ужасно сильные. Серая гладкая кожа рук, без волос, без морщинок — будто он надел для разговора со мной резиновые перчатки.

— Как вы себя чувствуете, Суламифь Моисеевна?

— Нормально, — быстро выдохнула я. — Я хорошо себя чувствую...

— Как сон? Хорошо ли почиваете? — И бешено, слепо улыбнулся.

— Хорошо. Как всегда.

— Кошмары не мучают? — Мелькнули зубы в бороде, как у лешего.

— Нет, мне никогда не снятся сны.

— Головка не болит? Мигреней не случается? — хрипнул своим противным хохотком.

— Нет.

— Энцефалитом не страдали? В детстве головкой не ударялись? — спросил он и отбил торопливую гамму по столешнице, будто спешил закончить занудный обязательный опрос.

— Не страдала. Не ударялась.

— К психоневрологам не обращались никогда?

— Нет. Я совершенно здорова и хорошо себя чувствую.

Полыхнул желтый, ненавистный мне блеск зубов — искренне развеселился врач:

— Ах, если бы все вот так! Менструации — нормально? В срок? Без осложнений?

— Да.

— А какое сегодня число, Суламифь Моисеевна? — И не смеялся, и пальцами рук не стучал.

— Семнадцатое сентября. А что? — удивилась я.

— Ничего. А день недели?

— Пятница. — Вдруг в сердце полыхнул ужас. Я вспомнила на двери в диспансере расписание приема, мимо которого промчалась в спешке, не задумавшись ни на миг, — в пятницу приема нет! В пятницу в психдиспансере нет приема!

Пустынные коридоры, выключенные коробки диапозитивов на стенах, тишина.

Мы здесь одни с похохатывающим врачом Николаем Сергеевичем. Может быть, он никакой не врач, а случайно забредший

287

в диспансер псих? И допрашивает меня сейчас, проверяя адекватность своей реакции?

Псих Николай Сергеевич снова подобрел, рванул на лицо устрашающую улыбку:

— Вас беспричинные страхи, тоска не мучают?

— Нет, ничего меня не мучает.

В коридоре остался Шурик — надо вскочить, выбежать из кабинета. Этот человек ненормальный, или я сошла с ума. Но нет сил шевельнуться. Тлеет надежда — ему звонила Сурова, сейчас вынет из ящика стола справку — вы свободны.

— Суламифь Моисеевна, вы, по-видимому, абсолютно здоровы, я вам выдам справку. — И снова перекал желтоватых длинных зубов в красной окантовке губ.

Слава Богу! Великий Шаддаи! Какие меня мучат страхи, какая ужасная томит меня тоска!

— Но вам надо будет проехать со мной в больничку, там вам сделают пару анализов, и пойдете домой...

Зачем в больницу? Что он хочет от меня?

Сзади отворилась дверь. Это Шурик. Я обернулась и увидела двух коренастых корявых мужиков в белых халатах. Один держал медицинский чемоданчик, а второй почему-то прятал руки за спиной.

Я вскочила со стула:

— Никуда я не поеду! Зачем? Зачем? Какие анализы? Что вы хотите?

Врач улыбался и негромко говорил мне:

— Ну-ну-ну-ну! Успокойтесь, не волнуйтесь, Суламифь Моисеевна! Ну-ка, ребята, давайте померяем давление и поедем. Ну-ну...

Он успокаивал-припугивал меня, как брыкающуюся лошадь.

— Оставьте меня в покое! — пропавшим голосом закричала я, чувствуя, как меня заливает ледяная тошнота обморока.

— Меряйте давление! — сказал врач, и непомерная тяжесть обрушилась мне на плечи, я просела на стуле, чьи-то железные руки прижимали меня к спинке, а через голову полезла петля. Толстая веревочная петля.

Они меня решили задушить. Бесшумно задавить в психдиспансере. И кошмарная животная сила убиваемого зверя взметнулась во мне.

Рванулась вверх и нечаянно — попала, с хрустом ударила головой в лицо санитара. Я тонула и рвалась к поверхности.

В мозгу все помутилось, но я не чувствовала боли, а только нечеловеческий испуг и остервенение. Невыносимый сиплый рев несся где-то надо мной:

— Шу-у-у-рик! Ал-е-е-еш-ка-аа! Они уу-уу-уби-ва-а-а-ют! Не хо-оо-чу! Шу-у-у-рик! Ал-е-е-еш-ка-аа! — И не понимала, что так жутко могу кричать я.

Тяжелым деревянным ударом по затылку бросили меня на пол, и я видела снизу, как перепрыгнул через пустой стол врач Николай Сергеевич, и он висел какое-то время в воздухе надо мной, и его желтый веселый оскал разыгравшегося беса падал на меня бесконечно долго. И рухнув, дал короткую, секундную передышку спасительной тьмы беспамятства, заслонившего, как черной шторкой, кошмар моего убийства.

Я слышала, как хрипло дышал доктор, как он зло сипел санитарам: «Ослы!.. что вы делаете!.. да не так!.. дай вязку!.. я сам!.. вяжите ее «ленинградкой»!..»

И снова пришел мучительный свет, я видела — они крутят меня не веревкой, а толстым фитилем от керосиновой лампы. И я еще не верила, что мое тело слабее лампового фитиля, — я бешено билась и рвалась у них в руках, и глохла от их сопения, приглушенного злого мата, от треска разлетающегося на куски платья, падающих стульев и собственного вопля. Где же Шурик? Алешенька, где ты? Почему вы все покинули меня в этот страшный час?

Господи Великий на Небесах! За что? Видишь Ты, что со мной делают? За что?

У меня вдруг сильно потекла кровь изо рта, и боль в плечах и лопатках стала как пламя. И силы ушли из меня. Они связали мне локти за спиной. Локоть к локтю. Это и есть, наверное, «ленинградка». Сейчас суставы сломаются. Дыба. Бандиты.

Запыхавшийся врач сказал над моей головой:

— Сделай ей аминазин, а ты гони сюда психовозку...

Я слышала, как мне задирают обрывки платья, стягивают трусики. Палящая яростная боль. Последним напряжением хотела ударить доктора ногой, но все тело ниже поясницы отнялось. Со мной покончено. Падаль для психовозки.

И сквозь клубящийся багровый туман доносился до меня сиплый задушенный крик Эйнгольца:

— У-ла-аа-а... Я... я-я... здесь...

Я лежала уткнувшись лицом в паркет, и подо мной натекала ровная маленькая лужица крови изо рта. Потом рядом грохнулись носилки, меня боком перекатили на них и понесли.

В коридоре я увидела Шурика — его прижимали к стулу, верхом сидели на нем милиционер и человек в таксистской форме. Качнуло носилки, я чуть приподняла глаза и по чугунной посадке головы таксиста вспомнила — это счастливо подвер

нувшийся шофер около моего дома. Он — для верности — и привез меня в западню. Спасибо тебе, добрая женщина Сурова: ты еще не знаешь, что за все в жизни надо будет заплатить.

Заплакал горько, бессильно забился в руках шпиков Шурик, пронзительно крикнул:

— У-л-аа-а-а! Лю-би-мая! Что они с тобой сделали!

Но меня уже быстро проволокли через серый подслеповатый коридор с негорящими диапозитивами, рекомендующими, как лучше сохранить нам психическое здоровье, мелькнул плакат «Не вступайте в случайные половые связи!», и уже — затхлый смрадный подъезд. Повернули направо — не на улицу, а через черный ход — во двор. Разверстое жерло санитарного автобуса, с хрустом колесики носилок вкатились по рельсам, заревел мотор, попрыгали по своим местам бандиты, сумасшедший врач оскалился мне:

— Ну, я же говорил вам, Суламифь Моисеевна, не надо волноваться, успокойтесь! — Повернулся к шоферу: — Все, поехали...

Закрашенные белилами окна, гудящий сумрак. Разламывающая на куски ужасная боль, все в голове путается, оцепенение. И доносится сквозь стеклянную вату в ушах голос зубастого вурдалака, докладывающего по радиотелефону:

— Скорая психиатрическая? Говорит шестая бригада. Да-да. Спецнаряд выполнен...

36. АЛЕШКА. РЕВИЗИЯ

В зале появился Серафим. Орлиным взором окинул ресторан, заметил меня, подошел.

— Здорово, Алешка. Ты чего тут?

— Жду Антона.

— А он уже прибыл с курорта?

— Нет, я у тебя тут поселюсь, пока он из Сочей приедет.

Коричневое, твердое, как кора, лицо Серафима пошло добрыми морщинками.

— Шутишь все, писатель. Обслуживают нормально?

— Да вроде.

Серафим позвал официантку:

— Дашь сюда две сметаны и «Охотничьих колбасок». Служебных.

«Служебными» у него называются особо изысканные или чрезвычайно высокого качества яства, которыми он потчует только избранных. И уж если он велел принести сметану, значит, это будет что-то неслыханное. А про охотничьи колбаски все уже начали забывать — так редко они появляются. Закусочка к пиву — объедение!

— Спасибо тебе, Серафим, за наше счастливое детство, — обронил я. — Как поживаешь?

— Да ничего вроде. Вчера вот пошел, рискнул на бегах.

— И что?

Серафим довольно ухмыльнулся:

— Угадал разок.

— Приличная выдача была?

— На мурмулеточку хватит.

Судя по его довольной роже, Серафим скромничает: хватит, наверное, и на пару срамотушечек тоже. Ему на бегах знакомые жучки подсказывают номер, и Серафим играет помаленьку, но наверняка.

— Присядешь, Серафим? — пригласил я.

— Не, у меня люди. Пообедаете, заходите ко мне, угощу, — сказал Серафим и понес свой громоздкий остов на выход.

Я налил себе пива, захрустел «Охотничьей», оглядел соседей. Красноносый хрен в мятом пиджаке рассказывал своим друзьям:

— ...так вот, заходит один еврей в кафе...

— Здорово, братишка! — На мое плечо опустилась теплая тяжелая ладонь Антона, который незаметно подошел сзади.

Я вскочил, мы обнялись, и я заметил, что лицо Антона, несмотря на загар, было бледное и какое-то непривычно растерянное. А он старался казаться веселым.

— Садись, Антоша. Рассказывай...

Я налил нам пива. Он прихватил губами плотную, белую, словно мороженое, пену, сделал несколько глотков, мощных, глубоких, окинул взглядом наш аппетитный стол, сказал рассеянно:

— Один фокусник, иллюзионист, гастролировал в Ялте. Только расположился на сцене со своими чудесами — глядь, билетерша вышибла из зала его ассистента, он, понятно, без билета был. Ну, и остался этот фокусник как без рук — ни один иллюзионист без ассистента в зале работать не может...

Антон налил водки, чокнулся со мной, выпил, без интереса закусил.

— Это ты к чему? — спросил я осторожно.

— Это к тому, что, пока я был в отпуске, Леву Красного отстранили от работы. Временно...

— За что? — удивился я.

— Не за что, а почему. Давай-ка выпьем еще по одной. — Антон снова разлил водку, и мы выпили. — Пока я отдыхал, в моем управлении назначили глубокую ревизию. Копают насквозь: как идут работы, выполнение плана, качество, количество. И между прочим, интересуются — почему именно эти дома, а не другие поставлены на капитальный ремонт и кому, в каком порядке даются квартиры...

— Так... Но ведь такие вещи, мне кажется, делают именно при участии начальника?

— Вот именно! И то, что они обошлись без меня, — плохой признак.

— Выходит, они в первую очередь под тебя копают?

— Выходит, — уныло кивнул Антон. Вяло пожевал миногу, запил пивом. Официантка принесла суп, мы выпили еще по одной перед солянкой, и соляночка эта, очень свежая, аппетитная, имела вкус горечи и страха.

— Чья же это работа? — поинтересовался я.

— Есть некий хмырь в горсовете, Ясенев, зампред. Он, я заметил, давно на меня косится. Я выгнал с работы одного проходимца, а оказалось — его человек.

— Может быть, имеет смысл, как говорится, выяснить отношения? — предложил я.

Антон снова улыбнулся:

— Понимаешь, Алешка, в нашем деле так: хорошие отношения выяснять нечего, а плохие не стоит.

— Понятно, — кивнул я. — Так почему же все-таки Красного отстранили?

— Ревизоры как-то очень четко вышли на несколько подозрительных случаев. Ну, в смысле предоставления квартир гражданам. И все их оформлял Красный. — Антон рывком отодвинул от себя тарелку, добавил хмуро: — Короче говоря, я эти случаи знаю и сам их санкционировал.

— Значит, не ты один их знаешь. Кто-то еще их знает и вывел на них ревизоров. Так, нет?

— Конечно, так. Гниломедов, мой местоблюститель, — падло! — их и вывел. Он мне признался. Я как приехал — сразу к нему. Он покрутился, потом мямлит: «Антон Захарович, я иначе не умею, я правду в глаза говорю». Я ему: «Не-ет, ты ее на ухо шепчешь. Это другое совсем...» — Антон сморщился как от зубной боли, махнул рукой. — Да что толку...

292

— А какой ему смысл — Гниломедову-то?

— Он, дурак, думает на мое место сесть. Пора бы при его стаже знать, что замы начальниками не становятся никогда, особенно такие интеллигенты, как он. По сю пору слово «грамотно» через два «м» пишет... — Антон в один глоток выпил рюмку, со злостью, хрустко перекусил редиску, будто попал под его крепкие зубы сам Гниломедов.

— Ну, а в чем эти случаи заключаются? Какой там криминал?

— Сложная история. — Антон отвернулся, долго молчал, потом накрыл мою ладонь своей лапищей, вперился в меня ястребиными, чуть навыкате зелеными глазами. Тяжело вздохнул: — Понимаешь, братишка, ты ведь у нас человек чистый, можно сказать — не от мира сего, не хотел я тебя без надобности посвящать.

— Давай без предисловий, — перебил я. — Я ведь не сомневаюсь, что ты сиротский приют поджигать не станешь.

— Не стану, — согласился Антон. — Но все же без предисловий мне не обойтись. Я оправдываться не собираюсь, весь я в дерьме по собственной милости.

— То есть?

— Понимаешь, Алешка, честность — как целка: отпустил один раз, успевай потом подмахивать! Честному человеку достаточно раз совершить преступление — и он уже непорядочный. Все! Конец! Такова жизнь... Давай выпьем? — По скулам Антона катались твердые желваки, лоб покрылся потом.

Я со страхом смотрел на него, водка казалась безвкусной, пресной. Да-а, видно, крутая там заварилась каша, если такого железного мужика, как мой брательник, корежит, словно в костре осиновую ветку.

Не закусывая, только прихлебнув пива, Антон перегнулся ко мне через стол:

— Помнишь, откупиться надо было от отца той сучонки, которую Димка мой трахнул?

Я кивнул. Я все время помнил про трахнутого папку, только приказал себе не думать, как Антон выкрутится. Для этого существовал Красный. Я вышел тогда на две минуты из кабинета, и Левка придумал вариант. Он им обоим так понравился, что не хотели мне говорить. Я ведь не от мира сего.

— Левка Красный взялся этот вопрос уладить, — сказал Антон. — И договорился: мы им устроим кооператив и три с половиной тысячи на первый взнос. Ну, кооператив организовать для меня не проблема. А вот где деньги взять?

293

— Так...

— Красный нашел одного дельца, я дал ему квартиру, он дал деньги. Собственно, я их и в глаза не видел.

— А как ты смог дать ему квартиру?

— Ты же знаешь, мы занимаемся капитальным ремонтом жилых домов. В пределах общего плана капремонта мы можем выбрать тот или иной объект по своему усмотрению. Мотивы всегда найдутся. Ну, а дальше просто: мы ставим дом на капитальный ремонт, а жильцов переселяем, у нас есть для этого специальный фонд жилой площади...

— Ага, значит, вы договорились с этим дельцом, поставили его дом на ремонт, а ему дали хорошую квартиру, — сообразил я.

— Ну!

— Так ведь в общем-то вся эта операция законная? Вы же и другим жильцам дали квартиры?

— Мы с них денег за это не брали, — мрачно сказал Антон. — Правда, и поехали они в малогабаритки у черта на куличках. А наш поселился в центре, по высшей категории.

— Слушай, а что про все это думает Красный? — спросил я. — Чего ты его с собой не взял?

— Я звал его, да он открутился. Как я понимаю, тебе не доверяет.

— А, ну да, лишний свидетель разговора.

Официантка принесла мясо с грибами, но кусок не лез в горло. Только жажда палила.

— А какие еще, ты говорил, случаи?

Вместо ответа Антон выпил рюмку, надолго задумался, смотрел в одну точку, катал желваки по скулам, вздыхал. И снова выпил, не приглашая меня.

— Напьешься, Антошка, — предостерег я.

С коротким смешком Антон налил новую рюмку, уставился на нее. На лице его застыла гримаса сардонического смеха, и я вспомнил вдруг прочитанное где-то, что такая гримаса — признак столбняка.

— Человек похож на птичье гнездо, — вдруг громко сказал он. — Целый выводок всяких желаний одновременно разевает ненасытные клювы: дай! еще! хочу! мне!

Я положил руку ему на плечо. Он дернулся, сказал злобно:

— Коготок увяз — всей птичке пропасть! Отпуск подкатывал, я хотел взять с собой Зину. А на это нужны деньги, и немалые. Тогда Красный продал одну комнату и притащил мне тысячу рублей. Вот и все мои «случаи».

— Я одного не понимаю, Антоша: ведь Красный — умный, хитрый. Как же он полез в такую авантюру?

Антон коротко, сухо засмеялся:

— Надо знать Красного! Ты что думаешь, он из любви ко мне все это соорудил?

Я буркнул:

— Н-ну, я так полагал, что тебе, как своему начальнику...

— Черта с два, — перебил Антон. — Он с этих дельцов тысяч пятнадцать слупил, как с миленьких. И мне уделил от щедрот своих... Я, знаешь, все-таки полагал, что лучше с умным потерять, чем с дураком найти, да как-то не так все повернулось. У тебя закурить есть?

Мы закурили, и после нескольких затяжек Антон сказал:

— В разговоре со мной Левка темнил что-то... Мне кажется, он и еще ряд таких же операций провернул... Уж очень он боится ОБХСС.

— А что, уже и до ОБХСС дошло?

— Думаю, да. Меня один случай насторожил.

— Да?

— В Сочи, в гостинице, я все как следует оформил — Зинку прописал в одноместный номер, а сам жил в «люксе». И ходила она уже ко мне не как «посторонняя», а на законном, так сказать, основании — как проживающая. И ночевала, само собой, у меня. Так вот, третьего дня среди ночи вдруг стучат в дверь. В чем дело, кто такие? Отвечают: «Откройте, милиция, проверка». Делать нечего, открываю. Действительно, милиция, и с ними — «Комсомольский прожектор». Почему женщина в номере, кто такая, где работает, ну и тому подобное — знаешь наши порядки. Отбрехался я вроде, но наши паспортные данные они тщательно записали. Короче, все настроение испортили. А приехал — узнаю: ревизия... Так вот, мне кажется, неспроста эта проверка...

Я попытался успокоить Антона:

— Ты же знаешь, у нас это дело обычное, любят в чужие постели нос совать.

Антон покачал головой:

— Обычное-то обычное, да только в «Жемчужине» полно блатных, таких как я, а проверку устроили только мне... Я узнавал потом...

— Да брось ты, не расстраивайся, Антон. Ты же знаешь, как оно в жизни бывает — полосами. Как говорится, после тучных коров идут тощие, а после тощих...

— А после тощих нет мяса, — горько улыбнулся Антон, поднялся. — Пойду позвоню в управление... Подожди меня, братишка...

Я проводил глазами его массивную внушительную фигуру, но обычно широко развернутые плечи показались мне недоуменно приподнятыми, спина как-то жалко ссутулилась, даже сзади Антон выглядел подавленным и сокрушенным. На моих глазах он погружался в мерзкую трясину страха. Я всегда знал его уверенным, сильным, веселым — настоящим старшим братом, и оттого, что сейчас он был унижен и раздавлен, острая боль когтила сердце, еще больше усиливала мою тоску и растерянность. Что же это будет? Чем кончится? Само собой, Антон не такой человек, чтобы бежать каяться перед ними, упрямства и твердости у него хватит. Да и перед кем каяться? Жулики, лихоимцы, в лучшем случае махровые бюрократы, которые мимо своего рта куска никогда не пронесут... Конечно, не надо было Антону в эту грязь соваться... А может быть, это не могло иначе кончиться? Что же теперь? Ведь если все откроется, это судебное дело. Правда, насколько я соображаю, случаи эти еще надо доказать по всем их юридическим правилам. Как это Андрей Гайдуков любит повторять: «Обожаю презумпцию невиновности, как маму родную»... Кстати, а что же мы об Андрее позабыли? С его связями...

Вернулся Антон.

— Ничего нового? — спросил я.

Антон покачал головой.

— Слушай, Антон, а почему нам не посоветоваться с Андреем? С его дружками можно горы своротить, да и сам он мужик деловой. Ты с ним еще не говорил?

— Нет, Алешка, ни с кем я не говорил. Неужели ты не понимаешь, как мне мучительно с ними толковать об этом? Ты — это совсем другое дело...

— И Севка тоже не знает? — словно по инерции подлезал я.

— Говорю тебе — никто не знает. А Севка — тем более. Я с ним ни в коем случае это обсуждать не хочу. Что ты — Севку не знаешь? Он в первую очередь за свою задницу перепугается, что его в загранку больше не пустят, начнет меня уму-разуму учить. Да еще бате доложит в лучшем виде!

Как несчастье туманит человеку мозги, даже самому умному! Бати испугался! Вот дурень — тебе сейчас о спасении думать надо!

— Так что насчет Андрея? Давай сейчас к нему поедем? — предложил я.

Антон задумался. Официантка принесла кофе, и мы сидели, прихлебывая его теплую душистую горечь и сердито посматривая друг на друга.

— Подумать надо, — сказал наконец Антон. — Видишь ли, Леша, сейчас самое главное — что эти дельцы скажут ревизорам или обэхээсэсникам — если их вызовут.

— Надо полагать, их вызовут обязательно, — выпалил я. — Может, есть смысл поговорить с ними?

— Нам — ни в коем случае, — категорически отрезал Антон. — Да и не знаю я их, в глаза не видел. Все переговоры с ними вел Красный.

— А Красный?

— Он сказал, что мужики надежные, ручается за них головой. И не в таких, мол, переделках бывали.

— Пусть Красный с ними обязательно поговорит. В конце концов он брал — они давали. В случае чего их первыми посадят, да еще квартиры отберут. Помнишь, ты сам рассказывал про дело Беловола, тогда всех этих дельцов из квартир купленных повышибали...

— Помню... — Антон допил кофе, сумрачно крутил в руках чашечку. — Помню. И Красному скажу, конечно, — пусть он с ними потолкует покруче. Но если их вызовут в ОБХСС... — И он обреченно махнул рукой, взял бутылку, в ней оставалось еще немного, разлил водку по рюмкам.

— А что будешь делать?

— Буду терпеть. — Антон неожиданно рассмеялся. — Я анекдот забавный вспомнил. Одному еврею в поезде все время не везло: каждый раз его кто-нибудь избивал — то на платформе в очереди за кипятком, то в тамбуре хулиганы, то пьяный официант в вагоне-ресторане. Попутчик ему говорит: «Слушайте, сколько можно такое терпеть и куда вы, собственно говоря, едете?» А тот: «Если морда выдержит — аж до самой Одессы!» Вот так и мне придется. Потому что долг, к сожалению, платежом красен...

Антон чокнулся со мной:

— Дай Бог, как говорится, чтоб обошлось.

Мы выпили, и я решительно взял его за руку:

— Поехали к Андрею!

Вот и получил я совет, поддержку и опору у несокрушимого старшего брата! Мы шли в проходе между столиками, и я отстраненно, будто глядя на другого человека, дивился охватившему меня душевному параличу: мне было не стыдно, что Антон стал взяточником, и не горько, что он безвозвратно теряет место командира и хозяина советской жизни, и не больно, что его могут завтра посадить в тюрьму, предварительно вываляв в смоле и перьях газетного позора.

Мне себя не жалко — чего ж его жалеть. Остро полыхнуло — не объяснением, не предчувствием — меня в тюрьму сажать не станут.

Проще убить.

ЧАСТЬ ТРЕТЬЯ

37. АЛЕШКА. МАСКА ОСЛА

Наш родственник, настоятель и художественный руководитель бани Андрей Гайдуков никак не обнадежил. Медленно пошевеливая комьями своего тугого мяса, он молча выслушал меня — Антон в это время мрачно пил водку. Подумав, Гайдуков выразительно сплюнул, с презрением и досадой сказал:

— Дурак ты, Антон. Какое место просрал! Да знал бы я, что у тебя плохо с деньгами, я бы вмиг дал людей — на вторую зарплату тебя посадили бы...

Антон дернулся лицом, и я видел, что он хочет сказать нашему банщику — я раньше с твоими людьми на одном поле не сел бы! Но ничего не сказал Антошка, он уже понял, что нечего гоношиться, ничем он не лучше уголовников Гайдукова, только глупее — они не попадаются.

А Андрей посмотрел на нас строго и засмеялся:

— Ну, чего раскисли? Уже полные штаны наделали! Бздуны несчастные!..

Мне захотелось дать ему для порядка по роже, но за его спиной уже стоял немой Макуха, страшно скалился, беззвучно и слепо, как череп. С чернильными провалами глазниц. С огромными железными руками.

Антошка безвольно вякнул в своем кресле:

— Свинья ты, Андрей! Ошибаешься — я не трус...

— Я и не говорю, что трус, — ухмыльнулся Андрей. — У тебя просто сфинктер слабый — чуть пуганули, и ты серанул в штаны. Бороться надо. Чего-нибудь придумаем — людишки пока кое-какие еще имеются...

У самого Андрея тоже были неприятности. Вчера его вызвали в Моссовет и сообщили, что готовится решение о закрытии бассейна. Академия художеств, важные ученые и главные писатели обратились с жалобой — испарения огромного открытого бассейна гноят и уничтожают картины в расположенном рядом Музее изобразительных искусств. Представили заключения экспертов и авторитетных комиссий: собрание живописи, третье в мире по ценности, находится под угрозой уничтожения.

Андрей неистовствовал, но сдаваться не собирался. И хотя он кричал: «Посмотрим еще, что важнее — здоровье и отдых трудящихся или их дерьмовые картинки!», но мне казалось, что банная песенка спета. Я не сомневался, что молельня утопленников на дне храма Христа Спасителя обречена — смоют ее миллионы долларов, которых стоят картины, а они могут завтра понадобиться для покупки хлеба.

Так и ушли мы, напутствуемые туманным обещанием Андрея пошерстить нужных людей — ему сейчас было не до нас, ему надо было строить эшелонированную оборону против вшивых культуртрегеров, пытающихся ради спасения каких-то паршивых ничьих картинок лишить его главного промысла, а трудящихся — физкультуры.

— Послезавтра приезжает Кекконен, обязательно заглянет ко мне — он только мой массаж признает, — сказал задумчиво-значительно Гайдуков на прощание.

— Какой Кекконен? — удивился я.

— Какой-какой! Обычный. Лысый. Финский. Президент.

— И чего?

— Хрен через плечо! Совсем вы, братья, без ума стали! Не один же он будет! Людишки с ним прибудут всякие полезные — в перерывах пошепчемся...

Антон подвез меня к Дому журналистов, я пересел в своего «моську», а он покатил к себе в управление — мрачный, черный, полупьяный. Сговорились утром созвониться. Я решил нарушить его приказ и поговорить с Севкой. Антошка не прав — дело не в том, хороший человек Севка или плохой, любит он нас или нет. Он все равно постарается сделать все возможное, чтобы замять скандал: больше всего на свете он озабочен своей карьерой и понимает, что ему самому может не поздоровиться, если эта история получит огласку. У нас только сын за отца якобы не отвечает, а брат из-за брата в два счета может вылететь с загранслужбы.

И, только прикатив к Севке, я понял, как правильно рассудил. Он открыл мне дверь, малозаметно удивился, очень показательно обрадовался, и по мелкому вздрогу век, по кипучему оживлению понял я — испугался.

Я ведь всего раз был в этой квартире. Несколько лет назад я зашел сюда, и меня мутило от кричащей демонстрации нищего богатства выездного служащего, от угнетающей показухи почти заграничного интерьера, от невероятного количества мебели, вещей, ковров, украшений, от скучной сытости нажравшегося каши побирушества. Подвыпившая Эва тогда спросила меня со смешком:

300

— Что, Лешка, не нравится тебе наше гнездышко? Это ведь вкус вашей мамы! Только здесь нет ни одного советского гвоздя...

С тех пор я и не бывал здесь никогда. И ничего здесь не изменилось — только все стало будто пыльнее и запущеннее. Как на даче весной, когда приезжаешь из города в послезимнюю нежиль и запустение.

И во всей этой брошенной, никому не нужной квартире светился солнечной улыбкой только Севка.

— А-ат-лична-а! — восклицал он и хлопал меня крепко по плечам. — Сейчас мы с тобой коньячку выпьем. Или джинцу тяпнешь? С тоником? Со льдом? Хорошо?

Он суетился чуть больше, чем от радости, которую ему мог доставить визит такого говноеда, как я.

— Водка есть? — спросил я.

— Найдется! — обрадовался Севка. — Со льдом? С лимонным соком?

— Без фокусов. Просто водки.

— А-азвереть от тебя можно, братан! — еще пуще развеселился Севка, а глаза чуть прищурены, напряжены, кожа на скулах натянута: соображает, для прыжка группируется.

Уселись на кухне, а когда проходил я по коридору, то краем глаза увидел в раскрытую дверь спальни два больших распахнутых кофра.

Севка достал из холодильника вареную курицу, колбасу, сардины. Налил мне стопарь, а себе плеснул маленько в большой стакан с соком. Он пьет помалу — бережет себя для будущих свершений.

Севка улыбался всем своим открытым простоватым лицом Иванушки-дурачка, который уже становился грозным добромолодцем, а вернее сказать — давно уже превратился в него, но об этом мало кто знает, и сам он не спешит кого-либо информировать об этом удивительном превращении.

Глядя на его добродушное бесхитростное лицо с затаенным стальным блеском глаз, я вспомнил одно наше семейное предание: когда Севке исполнилось семь лет, отец привез его в закрытый правительственный магазин и разрешил самому себе выбрать игрушку в подарок. Любую. Севка час простоял перед прилавком и наконец твердо и бесповоротно купил грубо склеенную из папье-маше маску осла. Все смеялись. Никому не приходило в голову, что мальчик выбрал судьбу — он до сих пор носит на лице маску, в прорезях которой еле заметно леденятся безжалостные глаза.

301

— Эва когда придет?

— Завтра, она на суточном дежурстве. — Он мотнул головой в сторону спальни: — А я пока сам потихоньку собираю вещички...

— Ты едешь куда-то?

— К себе, в Женеву. Вношу свой скромный вклад в мирное наступление на переговорах по разоружению. — И захохотал. — А-а-риги-нально? Ну, давай выпьем...

Мы чокнулись, выпили, и я спросил:

— Когда отправляешься?

— Пока сам не знаю — на той неделе, наверное. А что?

— Да ничего. Просто так спросил.

Севка сердечно покачал ослиной маской:

— Все-таки ты очень хороший парень, — взял и просто так забежал спросить, когда братан уезжает. Эт-та а-атлична!

Я засмеялся:

— Нет, я просто давно хотел у тебя узнать — что ты там делаешь на переговорах? У американцев шпионишь или за нашими следишь?

Севка просто закатился, я думал, у него колики начнутся от смеха, вытер под своей картонной маской слезы на глазах, ответил прочувствованно:

— Ну и ну! Ты сказанешь — хоть стой, хоть падай!

— Ну а что же? Может, ты мне станешь доказывать, что ты настоящий эксперт по разоружению?

Севка продолжал веселиться, нахлобучивая все глубже ослиную маску, она уже сидела на его голове, как рыцарский шлем.

— Чего велят, Алешенька, то и делаю — всего помаленьку! И для убедительности помахивал длинными ушами.

Он снова налил нам водочки. У меня уже шумело в голове, но очень хотелось выпить еще, чтобы не подкатывала под сердце острая ледышка страха, матереющая вместе с трезвостью. Хорошо бы всю жизнь прожить кирнувши — только опохмеляясь, и чтобы не покидал кураж, воздушная пустота нереальности, летучая легкость беззаботности.

Севка колдовал что-то со льдом, тоником, соком, и улыбка Иванушки-дурачка бродила по его маске, и весь он был — покой и праздность, пижонство и доброе легкомыслие — вплоть до костюма сафари, шикарных сабо и висящего на шее золотого амулета, крошечной медальки. Жутковатый зло-добро-молодец мимикрировал на глазах, мгновенно и незаметно трансформируясь в осла, Иванушку-дурачка, дерьмового плейбоя. Только глаза оставались те же — несмеющиеся, ждущие атаки, чтобы ударить на миг раньше. Эксперт по разоружению — одно слово.

— Ну, выпили?

— Давай!

Он свой стакан не выпил, а только прихлебнул, и я еще не вынырнул из горечи прокатившейся водки, из ее палящего дыхания, потери первого вздоха, вышибающего влагу на глазах, еще не видя Севки, поднырнувшего под мой стопарь, — я только услышал его голос:

— У Антона неприятности?

Я поставил стопку, продышался, закусил колбаской, медленно ответил:

— Да, неприятности. А ты откуда знаешь?

— Ну, ты даешь! — восхитился моей тупостью Севка. — Я хоть и не шпионю за американцами, но по службе соображать что-то обязан...

— И что же ты насоображал?

— Что из-за своих дел ты меня просить не приедешь — мы же, Епанчины, гордецы. На стариков тебе наплевать, да и случиться у них ничего не может. Гайдукова с Виленкой ты не любишь. Остается Антон...

Скукожившаяся старая маска, растрескавшаяся, с облезшей краской валялась на полу. Разоружение, ничего не скажешь, крепко готовит людишек.

Я молчал. Севка терпеливо улыбался, сидел положив ногу на ногу, покачивая на мыске расписным сабо.

— Антон взял две взятки на незаконное предоставление квартир. Сейчас идет проверка. Если можешь — помоги это дело как-то притушить...

Я говорил, и у меня было чувство, будто я катал языком раскаленный свинец во рту.

Севка ничего не отвечал, а занялся разливкой водки. Я больше не любил Антона, ненавидел Севку, презирал себя. Мне была противна эта кухня, противен этот дом, осень, город за окном. Мне было противно все. И водки больше не хотелось.

Севка думал. Заброшена в заграничный кофр маска осла, безвременно скончался, исчез Иванушка-дурачок, да и никакого добромолодца больше не было. Сухое, припаленное опасностью и злостью лицо нестарого Кащея. Я был ему неприятен как плохой вестник, я стал разрушителем этого импортного, слегка запылившегося уюта.

— Ничего не обещаю, — сказал он наконец. — Но подумаю. Я постараюсь...

И снова мы изнурительно молчали, и мне не верилось, что когда-то — незапамятно давно — мы долгие годы жили в одной комнате, я заползал к Севке в кровать, а он мне рассказывал страшные сказки, он оставлял мне пол-яблока, а я бегал с записками к его однокласснице, я очень гордился таким старшим братом. Сентиментальные слюни, глупости. Это было не с нами, это случилось в чьей-то чужой жизни.

— Меня интересует твое отношение к этой истории, — вдруг сказал Севка.

Я молчал — что я мог ему сказать?

— Нет, Алеша, ты уж, будь другом, не молчи, а ответь мне на вопрос. — Он встал со стула, подошел и положил мне руку на плечо, и мне было неприятно его прикосновение, но я не решался отодвинуть его. — Я спрашиваю тебя не из праздного резонерства...

— А из чего же еще? — угрюмо отбрехнулся я. — Я — ответчик за брата своего.

— Я хочу, Леша, лучше понять людей — вообще. И тебя хочу лучше понять — в частности...

— Чего же тебе непонятно?

— А непонятно мне многое. Как получается, что молодой писатель, человек принципов и твердых убеждений, взявший себе задачу разоблачить преступность нашего общества и с риском для всей своей жизни, для благосостояния и общественного положения всей своей семьи раскапывает историю убиения Михоэлса...

— Что-что? — поперхнулся я, и сердце остановилось.

— Да-да, историю убиения Михоэлса, я не оговорился. И вдруг этот же человек бежит с наскипидаренной жопой ко мне, чтобы с помощью того же преступного беззакония отвести угрозу справедливого уголовного наказания от своего взяточника-брата. Как прикажешь мне это выстроить в сознании? Как мне это глубже освоить и понять?

Я оглушенно молчал. Севка знает о моих делах. Значит, я уже давно под колпаком. Кто-то настучал. Где-то я засветился. Все это больше не секрет.

У меня стал дергаться глаз. Я зажимал его ладонью, но он испуганно трепетал, прыгал, будто хотел изо всех сил вырваться из надоевшей ему моей башки.

И про мое поведение Севка сказал все правильно. Не проходит, видимо, даром, когда человек столько десятилетий носит маску осла.

— Мы все вместе разрушили мораль, — сказал я. — Растоптали понятия о приличиях. Больше нет нравственности. Нет морали. Но немного любви еще осталось в этом мире. Я люблю Антона. Я его любил. И хотел ему помочь.

304

— Все правильно, — как резиновый, подскочил Севка и быстро, допросно спросил: — А отца своего ты не любил?

— При чем здесь — любил отца, не любил? — махнул я рукой.

— При том, что ты своими изысканиями хочешь закопать в могилу еще живого папаньку. Тебе не приходило это в голову?

Я молча, тупо смотрел на него, и все мое нутро сводило от тоски и боли, которая, как судорога, охватывает в море неосторожного пловца.

— Поясни мне свою мысль, — попросил Севка. — Чтобы избавить своего брата от позора и преследования, ты готов вместе со мной совершить преступление. Ты понимаешь, что это — преступление? И одновременно хочешь выкопать на всеобщее обозрение, на чужой злорадный погляд давно забытое преступление твоего папаньки? Как это следует понимать?

— Наш отец совершил преступление, имеющее общечеловеческое значение — за ним потоком хлынули бедствия целого народа, — вяло проронил я. — А от преступления Антона не пострадал ни один человек...

— Фи! Алеша! Что это за позиция для нравственного человека? Или должно быть по-нашему — все шито-крыто, или по-вашему — все пусть судит гласный суд! Разве не так?

— Так, — устало кивнул я.

— Но так не бывает и так не будет! — отрубил Севка.

— Почему?

— Потому что я понимаю не хуже тебя, что происходит вокруг. Поверь мне — ты не один уродился у нас такой умный. И хорошо, что ты пришел, потому что я все равно собирался с тобой поговорить. И предупредить тебя.

— О чем?

— Чтобы ты унялся. То, чем ты занялся, — блажь, благоглупость. Ты хочешь заглянуть мамке-родине под подол и рассказать всем, что ты там увидел. Тебе этого сделать не дадут, а растянут на колене и будут долго, с оттяжкой, очень больно стегать!

— А другие не знают, что там — под подолом?

— Кто-то знает, другие догадываются. Но все молчат. Они понимают бессмысленность твоей суетни. Пойми на примере с Антоном, что мы здесь сами уже никогда не разберемся — что хорошо, а что плохо! Мы единственная в истории страна, призвавшая добровольно на княжение иностранцев-варягов, поскольку сами не могли разобраться со своими делами. И теперь — через тысячу лет — мы не в силах этого сделать, мы все повязаны корыстью, родством, соучастием. Надо тихо сидеть и ждать новых варягов!

— Новые варяги и воздадут всем по заслугам? — поинтересовался я.

— Может быть. Не знаю. Но нам лезть не следует. Поверь мне, Алеша, не суйся ты в эту историю, — сказал Севка, и лицо у него было уже не залихватски-веселое, а серое, напуганное, огорченное.

Все кругом запыленное, заброшенное. Я встал, подошел к раковине и хотел завернуть кран, из которого с надоедливым острым шипением и клекотом била горячая вода. Севка перехватил меня за руку, покачал головой и одними губами прошептал:

— Не надо! Хуже прослушивается. — И показал пальцем на ухо, а потом куда-то на потолок.

— Ты не из-за меня и не из-за отца сейчас ломаешься, — сказал я ему устало. — Ты за себя, за свое место боишься...

— Эх, Леха, дуралей — ничего-то ты не понимаешь. Я сейчас и за себя, и за тебя, и за отца ломаюсь. Я не хочу, чтобы повторилась история с праведным Ноем и его сыновьями. Я не хочу, чтобы ты демонстрировал, как Хам, наготу своего выпившего отца, я не хочу, чтобы ты был проклят, а мы с Антоном благословлены. Поверь, Алеша, я ведь тебя люблю — ты мой младший брат...

— И, как старший брат, выполняешь поручение своей конторы? Это они велели тебе пугануть меня?

Севка грустно усмехнулся:

— Они просили меня поговорить с тобой. Если мне не удастся тебя убедить, пугать они станут сами...

И вдруг я с ужасом увидел, что из его глаз текут слезы, а сам он сжался над столом, и лицо его слепо. Я бросился к нему:

— Севка, ты что, с ума сошел? Перестань сейчас же! Ты что?..

Он долго ничего не отвечал, потом глухо уронил:

— К сожалению, Бог не до конца хранит простодушных. Тебе с рук это не сойдет...

Не знаю, что они сказали ему, — может быть, убьют меня? Отказаться от роли Гамлета? Ула уезжает — ей все равно. Отец доживает в тихом зловонии нашей родовой берлоги. Антон выкрутится из неприятностей, Севка отбудет разоружать мир далее. Я в ожидании варягов вернусь в кафе ЦДЛ, буду жить там в форме пограничника, напиваться с Таурином и спать за столиком.

Но ведь Соломон завещал мне эту небывалую роль. Кроме меня, больше никто не доиграет этот спектакль — только мы с ним знаем конец пьесы. Все остальные умерли или забыли.

Может быть, они сказали Севке, что убьют меня. Но Ула все равно уезжает. Разве мне теперь дороги оставшиеся унылые десять — пятнадцать лет жизни? Долгие пустые серые дни похмельного смурняка.

Но ничего этого не объяснишь Севке, он этого понять не сможет. Или не захочет — все равно. Я только сказал ему:

— Я должен выяснить всю правду...

Севка сморщился досадливо и брезгливо:

— Да не пичкай ты меня своими глупостями! Я это давно скушал! Ты хочешь набрать полный рот говна и заплевать им рожу. Вот чего ты добиваешься. Но ты силенок не рассчитал — они тебе это же дерьмо в глотку запихнут! Тоже мне Аника-воин!

Я ничего не ответил ему, и Севка спросил с надеждой:

— Если я смогу растоптать эту вонь — с Антоном, ты дашь мне слово угомониться?

Я покачал головой:

— Нет, Севка, я свою жизнь на эту историю поставил. Чего мне Антона жалеть? Пусть отбивается, как сможет. А не сможет — пусть под суд идет...

Севка смотрел на меня во все глаза:

— Леха, ты, по-моему, совсем с катушек соскочил...

— Может быть. Но мне все равно.

Пусто — без каких-либо чувств, без вражды и без сочувствия помолчали, потом Севка примирительно буркнул:

— Ладно, ты хоть эту неделю, до моего отъезда, посиди тихо, не высовывайся, я постараюсь что-нибудь сделать для Антона, может, удастся чего-нибудь словчить.

— Словчи, — кивнул я. — Ты у нас вообще ловкий, тебя толкачом в ступе не поймаешь...

Севка проводил меня в прихожую, попросил позвонить через пару дней.

Захлопнул дверь я за собой, вошел в кабину лифта и почувствовал себя тошнотворно плохо — наверное, как Лежава, летящий в шахту. Скрипел над головой трос, проржавевший, тонкий, изношенный. Скоро оборвется.

38. УЛА. ПОРОГ АДА

Одно окно было закрашено не доверху, и через прозрачную стеклянную щель я видела полосу неба — густо-серого, исчерненного дождем, как угольной пылью. Санитарный автобус вскрикивал иногда сиреной — пронзительно-остро, будто ему

307

было так же больно, как мне, и я вспомнила о том, что уже слышала этот крик — предостережение о нестерпимой боли. Когда-то давно так кричала милицейская машина на Ленинском проспекте — перед проездом дорогих гостей, которых мы приветствовали с Шуриком со всем московским гостеприимством.

Я тогда уже знала, что значит этот страшный крик, но еще не могла поверить, что кричит он мне.

Иногда автобус подкидывало на ухабах, и тогда мне казалось, что вязка вырывает мне руки. А ног я не чувствовала. Вязка — они называли мои путы вязкой. Из длинного лампового фитиля.

Керосиновая лампа — символ тишины, уюта, домашнего круга. Фитиль — сердцевина света. Больше нигде нет керосиновых ламп. Фитили ушли на вязки.

На мне горит сейчас фитиль — без света, только болью, ужасной мукой — на моих локтях, плечах, в груди.

Я сдалась, я попросила бандитов и сама еле расслышала свой голос:

— Отпустите вязку... пожалуйста... отпустите, я не буду вырываться...

— Лежи, лежи спокойно, — сказал надо мной сумасшедший врач Николай Сергеевич, сказал тускло, равнодушно, без злости. — Лежи, не вертись, будет не больно. Скоро приедем.

Санитар, сидевший на стульчике у меня в ногах, — с острым корявым лицом, вытянутым вперед, весь тяжело присаженный книзу, похожий на громадную крысу, предложил:

— Давайте остановимся...

Надежда колыхнула во мне боль и чуть притупила ее.

— Здесь за углом магазин, я сбегаю за пивком. А то вспрел прямо, пока с этой дурой возились...

Боль вскочила во мне и протяжно заголосила, завыла, она разбудила страх с новой силой, и я не могла его уговорить, что пока человек жив — еще есть надежда и страданиям приходит конец.

И шофер сказал:

— Это правильно — надо пивка хлебнуть...

Врач засмеялся:

— А пить за рулем не боишься?

Все дружно захохотали.

Второй санитар, отсмеявшись, заметил:

— В случае чего мы надоедливого мента самого сюда затащим — вон ей в компанию...

Машина остановилась, замолчал мотор, они гремели медяками, собирая на пиво, и врач сказал санитару:

— Ты, Вась, за меня одиннадцать копеек добавь, а то у меня только рубль на обед остался...

Захлопнулась дверь, я услышала, как отчетливо стучат по железной крыше капли дождя. Туки-туки-тук... Туки-туки-тук...

Я баюкала и успокаивала, уговаривая заснуть поскорее своих детей. Боль и страх. Они бесновались и ревели во мне. Я чувствовала, как непрерывно пухну, отекаю, непомерно расту — я уже была больше автобуса, больше города, я была размером с мир. И вся полна моими отвратительными детьми, которых звали Боль и Страх.

Господи! Приди мне на помощь. Мои дети вырвутся наружу, они больше и сильнее меня. Они поглотят все.

Может быть, это кара мне за то, что я догадываюсь о неисчезающей энергии ненависти? Или мои боль и страх бесследно утекут вместе со стучащим по крыше дождем? Туки-туки-тук...

Не говори — мне плохо, говори — мне горько...

Дождь стучит монотонно по крыше, молча курят бандиты. Тихо и пусто, будто мы одни в этом мире. Никто не знает, куда они заволокли меня. Шурик видел. Но что он может сделать?

Туки-туки-тук... Я осталась одна во всем мире. И мои страшные дети.

Ты — ниточка вечной пряжи, которой Господь соединяет жизнь прошлую и жизнь будущую...

Усните, угомонитесь, дайте мне минуту покоя!

...Так стучали капли дождя по крыше Алешкиного «Москвича», когда мы с ним ездили в Крым. Мы не могли устроиться в гостинице и спали в машине. В поле было очень холодно, дул острый ветер, и по крыше стучал дождь. А мы лежали обнявшись, нам было тепло и сладостно, и еще ничего не происходило — не было этого санитарного автобуса, сумасшедшего врача, у которого не хватает на пиво, я не хотела знать о лепрозориях и прокаженных, не было, в моей памяти не было лица убийцы, а только подсознательно обитал неясный грозный образ, не протянул мне Симон из города Реховот спасительную ниточку, которая разорвала мое сердце и превратилась в кошмарную вязку из лампового фитиля...

В моем скачущем помутившемся сознании всплывали воспоминания, как матрешки, — я открывала одну куколку памяти и в ней находила другую, но она сразу откупоривалась — в ней уже жила новая куколка событий, и все они сливались в какую-то бесконечную цепь, уходящую за горизонт моей жизни, заканчивающейся здесь — на носилках перевозки дурдома, избитой, скрученной вязкой, которую сделали для того, чтобы гореть в лампах, а вместо этого по законам абсурда жгут ею, мучают и душат людей...

Хлопнула дверь — вернулся санитар Вася, и по их оживлению, радостным возгласам, звону стекла я поняла, что он принес пиво.

— Стаканов нет... Из горла попьешь — не захлебнешься... А чем открывать?.. Возьми отвертку...

С дребезгом падали на пол жестяные пробочки, пиво булькало в их глотках, запахло солодом и хмелем. У меня все пересохло и горело во рту. Вкус ржавого железа от крови осел на языке и на нёбе.

Иешуа Г-Ноцри! Ты помнишь смоченную в уксусе губку?

— Может, дать бабе хлебнуть? — спросил шофер.

— Ей вредно, — засмеялся сумасшедший врач. — Ей нельзя ничего возбуждающего. Освободится лет через десять, пусть пьет сколько хочет. А пока — обойдется...

Рявкнул сердито мотор, покатилась машина. Снова закачало, забилась пронзительно боль, заревела над нами сирена. Оглядываются равнодушно прохожие на белый санитарный автобусик с надписью на борту — «Скорая медицинская помощь». Скорая, но очень долгая. «Освободится лет через десять»... Они меня уже и приговорили... Слава Господу Богу нашему — не даст Он мне такого мучительства, я умру гораздо раньше.

Раскупориваются матрешки воспоминаний, и в каждой — Алешка. Любимый мой, вот они нас и разлучили навсегда. Зимний автобус в Бескудниково... ты без пальто, и от твоей головы валит пар... букет из сто одной розы... первый раз пошли вместе в ресторан «Метрополь» — ты гонял всех желающих потанцевать со мной... а теперь я уже не твоя и не своя — я общая, я ничья...

Рассыпьтесь, матрешки, — не добивайте меня окончательно. Да куда же они денутся! Мы хранилище, кладовая своих матрешек, мы сами огромная матрешка, мы — банк своих поступков. Я не плакала — во мне все спеклось, сгорело, скукожилось. Просто судороги меня сводили. Судороги души. Истлела, разорвалась, разлетелась живая ткань мира.

Может быть — я действительно сошла с ума? Может быть — все это не происходит? Может быть — это только мое больное воспаленное воображение? Может быть — от многих дней и ночей страха меня посетил сонный кошмар? Мне все это снится?

Если сделать усилие, рвануться, щипнуть себя за руку — придет избавление пробуждения?

Алешка ушел рано, шепнул: «Приду в шесть», — я прилегла снова, заснула незаметно, и пришел этот жуткий сон. Сурова не звонила, не велела нести ей справку, не заходил ко мне Шурик, мы не мчались с бычьеголовым таксистом в не работающий по пятницам диспансер?

Надо рвануться, сделать усилие, щипнуть себя за руку.

Но не рванешься — я связана «ленинградкой», несожженным в керосиновых лампах фитилем. Локти стянуты за спиной, не щипнешь.

— Не дергайся, не ерзай, — сказал надо мной санитар. — Чем больше елозишь, тем больней — это завязка такая. Скажи спасибо, что не вязали тебя парашютным стропом — тот до мяса рвет...

Не щипнешь себя, не проснешься — но это все равно не явь, а безобразный больной сон, зловещая сказка. По улицам, замаскировавшись под санитаров, ездят в карете «скорой помощи» бандиты и хватают, вяжут, мучают людей...

Господи! Награди меня пробуждением!

Все мутится в голове, плывет перед глазами. Не могу больше! Не могу! А-а-а-а!

Остановилась машина.

— Все, приехали... — равнодушно бросил сумасшедший врач.

Хлопанье дверей, распахнулся задний люк, сквозанул резкий чистый ветер, и прямо надо мной развесил свой холодный пожар старый клен. Покатили наружу носилки, я успела только разглядеть нечто вроде парка, уставленного кирпичными бараками, и вход в одноэтажный дом.

Сумасшедший врач долго звонил в дверной звонок, дверь приоткрыли на цепочке, и он крикнул:

— Шестая бригада скорой психиатрической со спецнарядом!

Темнота тамбура, снова дверь, дребезг и щелчок замка, коридор, снова дверь, стук замка. Потеря времени, чувств, памяти, захлопнулись мои матрешки. Желтый свет, большая комната, тусклые оливковые стены. Люди в белых халатах что-то говорят, я не слышу ни слова. И голос пропал. Надо успеть крикнуть им, что вытворяли со мной эти бандиты! Они же люди! Не могут же все быть преступниками! Надо успеть сказать! Слова клубятся в горле сиплым слабым рычанием. Отнялась речь.

— Спецнаряд... Очень возбуждена... Аминазин... Потеря ориентации... — бубнит надо мной сумасшедший врач.

— Хорошо... Снимите с нее вязку... Ничего, ничего, мы разберемся... — слышу я из ваты и окутывающих меня клубов смрадного дыма женский голос.

Я иду по густым нефтяным облакам — дна не видно, и каждый раз проваливаюсь куда-то в пропасть, но не долетаю до дна, а снова выныриваю, жадно вздыхаю, делаю шаг, и снова падаю в бесконечность, и опять выбираюсь, задыхаясь и рыдая.

Свет, удушающая унылость тусклых стен. Страшная боль. Но можно ущипнуть себя — руки развязаны. А ногами пошевелить нет сил. Не надо щипать себя — пробуждения не будет. Бандитов нет в комнате. Тот же голос, сильный, грудной, что велел развязать меня, спрашивает:

— Милочка, как вы себя чувствуете?

Поднимаю голову — красивая женщина в огромных бриллиантовых серьгах сидит напротив меня за столом.

— Доктор... я... не... никак... они... бандиты...

И ничего не могу сказать — задыхаюсь и тону. Медсестра говорит ей:

— Эвелина Андреевна, я заполнила паспортные данные по путевке, она ведь неадекватна...

Я хочу закричать, что я адекватна, но они убили меня — только у меня пропал голос и кончились силы.

Кто-то раздевает меня — срывает обрывки платья, клочья белья. Красивая докторша щупает меня, слушает стетоскопом, считает пульс, берет манжет тонометра, и ужас взрывается во мне криком сумасшедшего доктора: «Ну-ка, ребята, померяем давление!» — я дергаюсь в сторону и падаю со стула, ныряю в черную пропасть и вылетаю на поверхность от больного укола, и крепкие бабки-санитарки крутят меня и вертят в руках, как большую тряпичную куклу с оторванной головой.

Цокает, железно стрекочет машинка, стрижет на мне волосы — пугающе холодит живот, стальным тараканом елозит у бедер. Я — ничья, со мной можно делать что угодно.

— Под мышками, Эвелина Андреевна, у нее брито! — кричит нянька. — А на лобке уже состригала...

— В ванную...

Течет по мне струями вода — или меня бьет в холод, или горячей не дали — меня трясет, зубы стучат — от озноба или от истерики.

— Вынай ее...

Вот оно — мое крещение в водах больничного Иордана. Я — ничья, меня уже никто ни о чем не спрашивает.

— На, одевайся, — бросила мне холщовую толстую рубаху санитарка. — После купанья враз застудисси...

Грязно-белая, заношенная твердая сорочка с чернильными штампами на спине и под воротом «Психиатрическая больница

312

номер 7 Мосгорздравотдела». Я не могу поднять еще скрученных судорогой рук, бабки засовывают меня в рубаху, как в мешок, суют мне мерзкий свекольно-хлорный байковый халат:

— Одевайсси, шевели руками, барыня сыскалась...

Волокут в первую комнату — кружится голова, прыгают пятна, гулко шумит в ушах. Больше я не вольна над способом существования своих белковых тел — меня проглотил вечный двигатель, я уже никогда не увижу конца его работы. Ах, как бесконечны запасы неволи! Как много ухищрений мучительства!

— Назовите свое имя, — слышу я сквозь тяжкий гул голос красивой докторши.

Разве у меня еще есть имя? Я — ничья, я приложилась к страданию моего народа и растворилась в нем. Меня нет...

— А как вас зовут ваши друзья? — спрашивает докторша, и мне мнится в ее голосе сочувствие и обещание помощи. Но я больше никому не верю — мы живем на земле, выжженной чудовищным взрывом энергии ненависти. Они не люди, это обман.

А загнанность, измученность и страх во мне так сильны, что я, не веря, все равно разлепляю губы, черные, гудящие и твердые, как автомобильные шины:

— Ула...

— Хорошо. Укладывайте на носилки, везите в наблюдательный корпус. Первый этаж.

Два молодых юрких парня-санитара везут меня на каталке из приемного покоя — три двери, коридор, темный тамбур, выход на цепи. Свежий ветерок и снова разверстое жерло санитарной машины. Санитары столкнули носилки в кузов, прыгнули следом и застучали кулаками в сплошную перегородку водительской кабины — поехали!

Парни о чем-то переговаривались, перетолкивались, посмеивались. Я закрыла глаза — меня тошнило от раскачивающегося перед глазами потолка.

Горячая потная рука за пазухой халата рванулась вверх и стиснула крепко мне грудь. Я подняла чугунные веки Вия, от страха зажмурилась, открыла снова — надо мной нависла прыщавая мокрогубая рожа санитара, он дышал мне в лицо табаком и луком, в углу его рта закипала белая слюна. Он уже навалился на меня всем телом, другой рукой полз по животу, гадюкой вползала она между ног, он жадно щипал меня, дергал, сочил слизью.

— Не бойся, не бойся, девочка... — горячечно бормотал он. — Побалую тебя... пока едем... Теперь не скоро... схлопочешь...

Ах ты, гадина! Проклятая гадина! Я же почти убитая! Гадина! И тебя убью! Вот тебе, упырь мерзкий! Трупоположцы ненасытные! На тебе, сволочь!

313

Второй навалился мне на плечи, потом перекатился и сел на голову, пока его слизистый напарник, сопя и оскверняя меня падающими с лица горячими слюнями и зловонным потом, старался раздвинуть мне колени.

Ах вы, черви могильные! Вы, видно, не знаете, падаль, что можно насиловать человека, который еще дорожит жизнью. Но не меня.

Вся умирающая энергия моей жизни перешла в энергию ненависти, никогда раньше не жившую в моих жалких белковых телах, измученных предписанным мне обменом веществ.

Я била ногами в живот — а они меня наотмашь в лицо.

Я рвала их зубами — они мне засовывали в рот мой вонючий халат.

Обломанными ногтями, скрюченными пальцами драла я их рожи.

Они всаживали мне кулаки в печень и старались попасть ногами в почки.

И все это — в звериной железной клетке санитарного автобуса.

И все это под мой ужасающий, разрывающий обшивку машины вой — кошмарный рев затравленного, обреченного на смерть животного.

Господи, как же весь город, весь мир не слышал моего крика: «По-о-мо-ог-ии-те!» Я кричала вам! Я кричала о вашей судьбе!

И только сопение, хрип, матерное бормотание разозленных и напуганных санитаров в ответ. И шум мотора едущего по больничной территории автобуса.

Сколько же он может ехать? Минуту? Час? Шестьдесят лет? Вечность?

Площадь психбольницы громадна, до конца территории у меня не хватит сил.

Психушка выползла из своей ограды, она захватила весь город, весь бескрайний мир — санитарный автобус никогда не доплывает до берега яви. Раньше они убьют меня.

Ослепительно яркие звезды вспыхивают у меня от ударов по голове — боли я не чувствовала уже, а только слепящий свет, затмевающий мир. Энергия ненависти выгорала, силы мои кончались, и усталость перед последним вздохом затапливала меня теплой водой равнодушия.

Какая разница — моя душа умерла.

Накинули они мне петлю на лодыжки и связали руки. Ослизлый мальчишка вздохнул облегченно и плюнул мне в лицо:

— Тьфу! Погань проклятая! Ей удовольствие хотели сделать, а она, сука сумасшедшая, еще брыкается...

314

И автобус остановился. Снаружи отворили люк — две толстые здоровенные няньки.

Женщины! Тетеньки дорогие! Спасите! Помогите мне...

Санитар поволок меня, крикнув на ходу нянькам:

— Подстраховывайте! Эта падаль нас чуть не задушила — возбуждена очень! Ее велели в наблюдательную палату для буйных...

Толстая нянька сказала мне незло-безразлично:

— Ну-ну! Не бушуй! Серы захотела? У нас это — мигом...

Приемный тамбур. Пост медсестры — молоденькая тоненькая девочка смотрит на меня равнодушным рыбьим глазом, берет у санитаров мои бумаги, смотрит их под желтым кругом настольной лампы. В зарешеченном окне уже темно.

— Ее Эва велела положить в наблюдательную, — говорит санитар и добавляет задумчиво: — Для буйных...

— Хорошо. В третьей палате есть место...

Санитар щупает пальцами ссадины и царапины на лице, просит у сестры:

— Вика, дай перекись водорода или йод. Смотри, как эта стерва меня отделала, — кто ее знает, еще заразишься...

Сумрак коридора. Тепло. Не бьют, но боль в ушибах и ударах начинает просыпаться, скулить тонкими голосами, набирая голос, силу и власть.

Катится куда-то моя каталка. Все равно. Я — ничья. Прощай, Алеша. Навсегда. Ты был мой радостный светлый сон, моя придумка, прихоть фантазии, ласковый сполох перед пробуждением в вечном кошмаре бескрайней психбольницы.

Я дралась с этими выродками не за себя. Мне — все равно. Я умерла. Я дралась — за тебя. Когда я была жива, я была только твоя. Прощай, любимый...

Остановка, поворот. Вкатили в палату. Одна койка пуста, на другой кто-то невидимый закопался под матрац с головой и тихо, зло воет. Нянька походя бьет по выпирающей спине — или животу — кулаком, беззлобно говорит:

— От, покою нет! Ляг как след, паскуда!

Потом перекидывает меня на пустую койку и, не снимая с рук и ног пут, вяжут меня к кровати поясами из сложенных по длине простынь. Хомут на шею, оттуда — под мышки, вокруг измученных изломанных плеч, каждую руку в отдельности прикручивают к железной раме. Связку на ноги, потом снимают мои дорожные путы и уходят.

Я распята. Раскинуты руки, задрана голова, стянуты ноги — не шевельнуться.

Воет под матрацем соседка.

315

И такой же неутешной болью воет во мне каждая избитая, замученная клеточка.

Я распята. Может быть, все справедливо? Может быть, это за твой суд, первосвященник Каиафа, вишу я сейчас на железной раме? За то, что ты ткнул пальцем в Назорея — «распни его!». Но ты хотел спасти брата нашего Варавву. Меня распяли в обмен на брата моего и прародителя Варавву.

Ты доволен?

Мне все равно. Я — ничья. Меня нет.

39. АЛЕШКА. ПОД КОЛПАКОМ

Я вышел из Севкиного подъезда и пошел не во двор, где оставил «моську», а свернул под арку, на улицу. В этом же доме — магазин, я решил здесь взять водки, чтобы больше не останавливаться по дороге.

Сумерки навалились темнотой, мазутом отсвечивал мокрый асфальт, донимал резкий ветер. Гудел во мне туман — серый, живой, шевелящийся, теснящий невыносимой тоской сердце.

Я — взятый под колпак, напуганный и больной Гамлет. Эта роль не по мне — тут нужно не только желание. Одного запала лицедея, ревущего актерского куража мало. Нужна огромная сила. А у меня внутри страх — горячий и тошнотный, как тюремная баланда. Никто не представляет себе так хорошо эту веселую компанию, с которой я завязался.

Вот так объяснял Соломон свой замечательный образ Уриэля Акосты: «Уриэль — изломанные руки, не способные действовать. Он еще способен понимать, сильно мыслить, но эти руки не действуют...»

У меня изломаны страхом руки.

У нас не боится только тот, кто не понимает, что ему грозит.

Ну ее — водку — к черту! Поеду к Уле.

Я круто развернулся и зашагал к арке.

И наткнулся на колющий, вперенный в меня взгляд.

Мы сразу же разминулись, но секунду или две я видел глаза, вцепившиеся в меня, как собачьи клыки. Прохожие так не смотрят — они погружены в себя, их глаза развернуты в свой мир.

Поворачивая в арку, я огляделся — человек с цепким взглядом медленно шел за мной. Он не прохожий. Его глаза работают. Они отрабатывают меня.

Я шел дальше, боясь обернуться, и незримый акселератор выбрасывал в мою кровь адреналин шипящей струей.

За мной шла ищейка. Человек-пес незаметно нюхал мой след. Один он или их здесь свора?

Наверное, не надо показывать, что я его видел. Чего он хочет? Неужели они решили арестовать меня? За что? Или они хотят проследить, куда я хожу?

Или человеко-пес ждет крика загонщика — ату его! — и вместе с другими сорвется, чтобы начать пугать меня? Ведь Севка сказал: «Они тебя пугать будут сами!»

Но пугать меня еще рано. Ультиматум только передан — они еще не могут знать ответ. И они не знают, что во мне шизофренически сожительствуют — в ужасе и смертельных сражениях — изломанные руки Уриэля и яростная запальчивость Гамлета.

Как выглядит ищейка? Коричневый берет и... и... и... Больше ничего не помню! Кажется, синтетическая куртка. Синяя. Или черная.

Нет, пугать меня рано. Они не знают ответа. Или Севка уже сообщил им? Нет, не станет он этого делать пока. Ему это самому невыгодно.

И арестовывать они меня не станут — пока еще не за что. Предъявить мне нечего. Хотя, как любил повторять наш папашка, — состав преступления не имеет значения, имеет значение состав суда.

Что им надо? Говорят, чтобы обнаружить слежку, нагибаются завязать шнурок на ботинке. Но у меня мокасины без шнурков. А главное — я боюсь останавливаться и нагибаться в полутемной арке. Хорошо, если он поставлен следить. А если проще — кирпичом по голове?

Я подошел к «моське» и в гаснущем вечернем свете бликующего лобового стекла увидел темное жерло выхода из арки и на его фоне — широкую фигуру, срубленную сверху беретом.

Сел в машину, посмотрел вперед — никого в арке не видно. Завел мотор и поехал. Повернул на улицу, глянул в зеркало — метрах в ста позади меня от тротуара медленно откатывала «Волга».

Дунул во всю мощь к зоопарку — впереди манил зеленой каплей светофор, обогнал грузовик, загромыхал по трамвайным рельсам, выскочил на левую сторону, дал рывок, подлетел к перекрестку, когда зеленая капля уже сорвалась со столба и на ней вспух желтый предупредительный мазок.

Нажал на газ до пола, с ревом на форсаже проскочил, а позади ведь еще грузовик. Выкинул мигалку направо — надо через Краснопресненский вал отрываться. Поднял глаза к зеркальцу — салатовая «Волга» плыла почти рядом. Я скинул скорость. Мне от них не отвязаться. Там форсированный мотор, и они имеют право ездить на красный свет. Надеюсь, «студебекер» они не прихватили.

Не спеша ехал в сторону Сокольников и думал о том, как теперь жить дальше. Они мне шагу ступить не дадут. А как доигрывать роль Гамлета с изломанными руками Уриэля — вот этого я не понимал пока.

Может быть, плюнуть на все и подать заявление вместе с Улой?

Но там — чужая земля, чужие люди, там все и всё чужое. И почему я должен бежать отсюда? Оттого, что у них сила? Но ведь не вечна же она?

Что же делать? Бросить спектакль недоигранным? Ну, это уж хрен вам!

И дело даже не в Уле. И не в Соломоне. А во мне. Эта история — единственный путь моего человеческого и писательского воскресения. Только дойдя до конца, я сохраню надежду не распылиться дотла, не исчезнуть, не раствориться в грязном месиве этого мрачно-фантасмагорического бытия.

Я не верю в загробную жизнь. А вдруг она есть? Или может быть — осмысленная жизнь за гранью животного растленного существования? Надо стать больше самого себя, больше своей страшной покорности.

Незадолго до смерти Соломон сказал своей жене: «Я много говорю о правде не потому, что так уж люблю ее, а потому, что она меня всегда, все время очень беспокоит».

И я не могу объяснить это чувство обеспокоенности правдой — это нельзя сказать, это можно только почувствовать.

В меня вселилось это чувство, как недуг, как сумасшедшая идея, меня беспокоит правда, и я ничего не могу поделать.

И когда приходит к человеку это чувство — как страсть, как ненависть, как стремление спастись, — за ним начинает ездить «Волга» с форсированным мотором, она ужасающе беззвучно плывет сзади, набитая человекопсами, она проскакивает беспрепятственно закрытые перекрестки, она может тебя отпустить и может обогнать, прижать на темной улице, обыскать, допросить, швырнуть к себе в багажник, она может бесследно поглотить тебя, как непроглядный омут громадной реки, и выкинуть через какое-то время на пустынной отмели городской окраины. Но обеспокоенность правдой вы отнять не можете. Пока не можете.

Я понимал, что уговариваю себя, успокаиваю, пытаюсь утишить рев адреналина в крови. Я объяснял себе, что мне нечего терять, что человеческий страх — это только лишние несколько миллиграммов адреналина в крови.

Я не стыдился своего страха. Мы не вольны над своим адреналином. Обеспокоенность правдой больше и сильнее адреналина.

Ничего вы мне не сделаете, проклятые исковые псы! Хоть разорвите и сожрите меня по кускам — я все равно вам не поддамся!

Притормозил около дома Улы, а «Волга» медленно проехала полквартала и остановилась на другой стороне улицы. Я вкатил во двор, аккуратно запер «моську» и пошел в подъезд. И хмелек-то из меня весь испарился!

В лифте подумал, что, возможно, я их зря сюда привез — не надо их наводить на Улу. Сам же и засмеялся своей глупости — а то эти сыскари мерзкие не знают!

Распахнул дверь лифта и увидел Эйнгольца. И вспышкой ощутил — случилось несчастье.

Он сидел около двери Улы на фанерном ящике, сгорбившись, сложившись в бесформенный куль, какой-то измочаленный, растерзанный — рубаха вылезала через прорехи истертой замшевой курточки. У него было заплаканное несчастное лицо. Он молча смотрел мне в лицо и еле заметно раскачивался. Взад-вперед, взад-вперед.

Непослушными смерзшимися губами я еле шевельнул:

— Что?

И я уже знал, что он мне ответит — «Улы нет», и меня свалил, растерзал, обезумил и поволок по кафельному полу такой нестерпимый ужас, такая нечеловеческая вопящая боль в сердце, такой нестерпимый визг страдания, что я заорал изо всех сил:

— Нет! Не-е-ет! Не-е-е-ет!

А Эйнгольц заплакал — по его одутловатому лицу катились круглые прозрачные капли, и мне казалось, что они вытекают из толстых линз очков, а не из этих противных набрякших красных глаз.

— Она жива! Она жива! — бесновался я и не понимал, что говорит мне Эйнгольц. Я не слышал его — он беззвучно шевелил своими опухшими вывернутыми губами.

И только тут я увидел на двери две коричневые сургучные заплаты, связанные ниткой, — квартира опечатана!

И прорвался сквозь глухоту голос Эйнгольца:

— ...психбольницу... связали... отбивалась... запомнил номер «скорой помощи»... не говорят... куда отвезли...

Жива. Жива. Ула, ты жива. Ты жива, Ула.

Господи всеблагий! Спасибо Тебе, великий Вседержитель! Больше ничего мне не надо.

Я плохо понимал, что говорит мне Эйнгольц, и сердце мое наливалось неправедным гневом, который от несправедливости становился еще нестерпимее.

— А ты что же смотрел? Ты что, не мог их перебить? Трус!

— Алешка, брат мой, подумай, что ты говоришь! Как я мог их перебить — они вдвоем скрутили меня...

Смотрел в его красное несчастное лицо беспомощного переростка, и вся моя душевная гадость вздымалась ненавистью к нему. Ах, как удобно иметь безответного виноватого под рукой, когда ты в бессильном гневе, в унижении собственной беспомощности, в дозволенной распоясанности свалившегося на тебя несчастья!

— Поехали! — крикнул я ему, и мы побежали вниз по лестнице, не дождавшись лифта.

40. УЛА. СЕРЫ ХОЧЕШЬ?

Сон разлетелся вдребезги от дикого крика — этот хриплый вопль размозжил тишину и носился надо мной в просоночной пустоте яростно и хищно, будто кровожадно радовался, застав меня врасплох.

Я дернулась, подпрыгнула и бессильно повисла на вязках, накрепко привязанных к железной раме кровати.

Я распята. Вчера меня поменяли на Варавву.

Серым жидким гноем втекал рассвет в палату через толстые решетки на окнах. Полумрак густел над нашими головами — моя соседка сидела в углу кровати, прижавшись к спинке и широко открывая рот, в котором зловеще мерцали стальные мосты, и жутко орала.

Растрепанные волосы вздымались над ней буро-серым облаком — как дым, и закатившиеся глаза уперлись в меня безжизненными желтыми яблоками.

Она была толстая, большая, как идол, вырастала она над кроватью. Мне было невыносимо боязно смотреть на нее, я хотела влезть под одеяло с головой, спрятаться от этих остановившихся глазных яблок. Но я не могла пошевелиться, я ведь была распята. Я боялась, что она встанет с кровати — она ведь не была распята, — ощупью доберется до моей кровати и задушит меня.

Ах, глупость ушедшей вчера жизни! Я боялась сумасшедшую больную женщину больше вчерашних насильников и бандитов!

Я мечтала, чтобы она замолчала, чтобы она перестала кричать! И, будто услышав мою мольбу, в палату вошли две няньки и стали гулко и хлестко бить больную.

Она кричала, они тяжело и равнодушно, как бы выполняя надоевшую крестьянскую работу, били ее кулаками и ладонями, и звук получался утробно-бухающий, вязкий.

— Что вы делаете? — заорала я. — Как вы смеете! Вы не имеете права бить больных! Прекратите! Вы же люди! Как вы можете?!

Но они даже не оглядывались на меня, продолжая тяжко лупить ее, и звук ударов — чвакающих и плюхающих, словно они взбивали ком теста, заглушался воплем больной. Она все так же разевала широко рот с сизым блеском стальных зубов и выбрасывала в мир пугающий рев сломанного паровоза.

— Перестаньте! — кричала я. — Этого нельзя... Вы не смеете!..

Ободранная моя глотка слабела и сипла, и дыхания не хватало — в распятом виде не покричишь. И больная помаленьку стала стихать. Няньки умаялись, одна утерла на лбу испарину, повернулась ко мне, сказала спокойно и строго:

— Крикнешь еще раз — вколем серу!

А другая аккуратно поправила у меня на шее хомут, подтянула вязку на ногах и доброжелательно сообщила:

— И чё ты, дуреха, рвесся? Ето у нее заместо побудки, как у нормальных зарядка...

Они ушли, оставив открытой дверь. Больная тонко скулила, иногда протяжно подвывая. Как замученная собака с отбитыми ногами. Побудка. Зарядка. Тюремный храм богини безумия Мании.

Сколько меня будут держать привязанной?! Просить не буду. Это бесполезно. Меня привязали на раму не в наказание, не за вину. Меня обменяли на Варавву. Может быть, я буду висеть на распятии вечно. Или пока не умру. Или пока не соберется вновь Великий Синедрион и первосвященник Каиафа не укажет на меня: «Отдайте нам ее!»

Я висела в полусознании и в этом обморочном тумане думала о том, как хорошо, что меня не видит сейчас Алешка — у него бы сразу разорвалось сердце.

Женщины вообще выносливее, сильнее мужчин. А иудейские — в особенности. Нам Бог дал сил на тысячелетия мучительства.

Жаркий шепот, быстрый, сбивчивый, журчит у меня под ухом:

— Эй, тетенька, тетенька... ты не оборачивайся... здесь все следят... это я — Клава...

Моя соседка рядом — сейчас задушит. И я закрываю глаза, чтобы не поддаться искушению — закричать. Не надо мне их звать на помощь. Это будет больно и страшно только один миг. Меня все равно нет.

— Тетка... не говори ни о чем... с няньками... они все... шпионки...

— Чьи шпионки? — еле шевелю я полопавшимися губами.

— Чьи-чьи!.. Известно чьи... Американские... Их всех... американцы... завербовали...

— А зачем?

— Зачем... — Я не вижу ее лица, я распята, она бормочет где-то за моей головой, но я слышу, как с мучительным скрипом движутся в ее окаменевшем черепе слабые мысли. — Зачем... известно зачем... всех... сделают шпионами... и захватят нас...

— А почему ты здесь, Клава? — спрашиваю я непонятно для чего.

— Я мужа... Петю... убила... Ух, крупный шпион... был... Петя...

Ее булькающая, захлебывающаяся, прерывающаяся речь заполняет меня отчаянием.

— Ух... Петя... шпионил... Он заведующий их был... у шпионов... Сеть организовал... Проводку в доме шпионскую... Провел... Да... Через эту проводку все население... узнавало... о чем я... думаю...

— Ты, Клава, ляг на кровать, отдохни, успокойся, — попросила я.

Она ворочалась, бубнила, клубилась за моей головой навязчивым бредом атмосферы сумасшедшего дома — того, что остался за стеной психбольницы номер семь.

Безумие огромного мира лишало меня последних сил, окончательной надежды на то, что где-то есть граница этой общей умалишенности.

— А чего... мне успокаиваться... я и так... спокойная... — бормотала паляще-быстро Клава, она говорила так, будто передавала мне свой бред шифром по телеграфу. — Петя... любимый был... а продал меня... американцам... шпионам своим...Они все обо мне... подслушивали... через электросчетчик... Я сразу поняла... А уж потом догадалась... и через радио тоже...

— Через радио?

— Ну да!.. Включу динамик... вроде бы он обычную херню передает... об урожае... или об политике... а сам меня слушает...

и мысли мои шпионам... передает... А Петя... придет с работы... сядет к телевизору... будто бы футбол... смотрит... а сам... все время... через него шепчется... разговаривает с американцами...

Она затихла, шумно скреблась ногтями, дышала тяжело, клацала железными зубами, будто по-собачьи ловила блох. Потом снова заговорила, и в голосе ее уже было такое напряжение и звон, что я не сомневалась — сейчас начнется припадок.

— У Пети... уже ночь была назначена... Шпионы на парашютах прилетят... Власть нашу свергнут... Я не дала... Знала я тоже... эту ночь... Любила Петю... чтобы не мучился... прямо в сердце ножом его... ударила... Он меня обмануть хотел... делал вид... что спит... а сам ждал шпионов... А я одна все... им разрушила... Чтобы не нашли Петю... шпионы... дружки его... я дом подожгла... Обуглился там Петечка — не узнали они его... — А-а-а-а-а-а-а-а-а! — невыносимо вопила надо мной, и я ждала бессильно, как она воткнет мне нож в сердце и подожжет этот дом, чтобы шпионы не узнали меня. Я слышала этот крик вчера. И когда-то давно — на проспекте, где мы с Шуриком гостеприимно приветствовали заезжего проходимца с числительным титулом. Так орала сирена — в них пересаживают души сумасшедших, убивших своих любимых мужей, завербованных американскими шпионами.

Какая высокая участь — умереть мгновенно! Нам и быстрой смерти не отпущено.

Деловито вошли давешние няньки в палату, за ними медсестра со шприцем в руках, выволокли из-за моей кровати бешено вырывающуюся Клаву, повалили на койку, задрали рубаху, и сестра штыковым ударом вогнала ей иголку в синюшно-багровую, всю в шишках кровоподтеков ягодицу, а Клава, постепенно слабея, кричала:

— Не хочу серу... не хочу серу... шпионки проклятые... чекисты за меня... отомстят... серу...

— Говорила я те, Клава, уймись, — бормотала нянька, удерживая слабо рвущуюся из ее рук больную. — Теперя тя сера уймет... Возбудилась — сама уймись, не хочешь коли — жри жопой серу...

У Клавы быстро краснело, багровело, дочерна раскалялось лицо, сильно выкатились белые без ресниц глаза. Она опять выла, как изломанная собака, стонала, прибормотывала:

— Ой-ей-ей! Ой, больно как, бабочки-голубоньки, что же вы со мной делаете! Ой!..

У нее температура росла на глазах, как в градуснике. Пот катился по ее лицу, но ей было не жарко, студеный озноб сотрясал весь ее громадный нескладный костяк. Стуча зубами, она еще пыталась что-то говорить:

— Шпионки... Петя... горит домик мой... Радио-то выключите...

И потеряла сознание. Остатки искривленного сознания покинули ее, она провалилась в обморок.

Все это произошло быстро. Я висела на вязках и молча со страхом смотрела. Уже не вмешивалась. Мы все распятые. Аппиева дорога.

Ах, какая тоска! Как затекло у меня, как одеревенело все тело. Тупая тяжесть. Все ломит, ноет, тянет, гудит. Почему боль не отлетает вместе с душой?

Я хотела смотреть в окно, но вязка давала повернуть шею чуть-чуть. В мутном сером квадрате за бронированным стеклом, за тяжелым переплетом решетки пролетали одинокие снежинки. Снег в сентябре? Или я провела уже месяцы в этой клетке на железной раме? Может быть, я действительно немного стронулась и не заметила, как пришла зима?

Закрыла глаза и потихоньку, баюкая себя, повторяла стихи давно убитого и забытого поэта Ошера Шварцмана:

> В миг одиночества печаль спешит ко мне,
> Ложится тихо на сердце мое,
> Как тусклый зимний день на снежные поля...

— Здравствуйте, Суламифь Моисеевна!..

Открыла нехотя глаза. Но меня никто не спрашивает о моих желаниях. Я ничья. Не открою глаза, вкатят серу.

Белая шапочка, белый халат. На шее удавка стетоскопа. Золотые очечки. Хлыщеватые длинные модные усы. И возраста нет в этих рыхлых расплывающихся чертах — круглый носик, веселые круглые глазки за стеклами, пухлая оттопыренная нижняя губа. Бесполые, безвозрастные, безнравственные, безумные. Чучела — шедевры таксидермизма. Неслыханный расцвет музея мадам Тюссо.

— ...Ну, что же не отвечаете, Суламифь Моисеевна? — добро лучится халат. Чучело заигрывает со мной, шутит, чучело относится ко мне с симпатией. — Ах вы, плутовка! Я же вижу, что вы не спите! Давайте покалякаем маленько! Отвлечемся и развеселимся...

Он усаживается на стул рядом с моей кроватью, внимательно и благожелательно смотрит мне в лицо.

— Как вы себя чувствуете?

Мне хочется плюнуть ему в круглую добродушную рожицу пухлого молодого бесенка на выучке. Но вчера мне плюнул в лицо насильник. И человек, над которым это надругательство совершено, никогда этого повторять не станет.

— Как ваше самочувствие, Суламифь Моисеевна?

— Какая разница? — шепчу я.

— Мне это надо знать — я ваш лечащий доктор. Моя фамилия Выскребенцев.

Я собралась с силами и ответила:

— Надеюсь, что когда-нибудь, доктор Выскребенцев, за все ваши дела в один прекрасный день вас схватят несколько сильных мужиков, будут долго бить, выкручивать руки, вязать ламповыми фитилями, волочь, как падаль, подвергать насилию, истязаниям и поруганию, снова бить, колоть аминазином, потом распнут на железной раме в комнате с буйнопомешанным — и тогда вы вспомните обо мне и узнаете, какое у меня самочувствие...

Я сознавала бессмысленность своей речи — и не могла не сказать этому благодушному гладкому палачику, я почти кричала — насколько у меня хватало сил, хрипя и давясь, задыхаясь в хомуте вязки.

— Это делается, Суламифь Моисеевна, для вашего же блага — вы были очень возбуждены...

Ничего не отвечала я ему больше, глядела в потолок.

— Ну не сердитесь! Не сердитесь, вам вредно волноваться. Если вы мне обещаете вести себя умницей, я велю вас сейчас же развязать...

Ничего не буду тебе обещать, мучитель, ни о чем я тебя просить не стану. Скорее бы умереть — и всему конец.

— Да и нельзя здесь вести себя неразумно! Здесь вязки не нужны: если возбудитесь — укол сульфазина, и полный порядок. Вон, как Клава Мелиха... — кивнул он на соседнюю кровать, где мучительным бредовым сном забылась Клава, вскрикивая и стеная, свиваясь время от времени в судорогах. Он меня тоже пугал серой.

Молча смотрела в потолок, а он ловко и быстро развязывал на мне путы. Молодец, доктор Выскребенцев, ученик Гиппократа, — чувствуется хорошая школа вязки. Он снял с меня простынные гужи, но тело так затекло и распухло, что я все равно не могла пошевелиться.

Психиатры, психологи, знатоки душ — у них тут стратегия воздействия. Вязку с меня специально не снимали до его прихода — надо вырабатывать положительный рефлекс на истязателя. Я ничья. Бездомная собачонка, отловленная сумасшедшими душегубами для чудовищных опытов.

325

Доктор Менгеле! Привет от молодого коллеги Выскребенцева.

— Не нервничайте, не сердитесь, Суламифь Моисеевна. Не сомневаюсь, что мы с вами подружимся. Мы же будем еще друзьями? — заглядывал он в глаза.

— Нет. Мы не подружимся. Пусть палач с топором дружит...

— Голубушка, Суламифь Моисеевна! Вы мне так затрудните процесс излечения!

— А от чего вы меня лечить собираетесь?

— Ну-у, спешить с окончательным диагнозом пока не надо. Но у вас, по всей видимости, заболевание, определяемое различными позитивными расстройствами и негативными симптомами...

— Как же называется это заболевание?

Выскребенцев встал со стула, одернул халат, развел руками — «перед нами ведь очевидные факты, при всей симпатии к вам ничего поделать не могу», — отошел к двери, помахал мне ручкой:

— Отдыхайте. При шизофрении главное — это покой...

Исчез розовый надувно-набитый пухлый бес.

Бредила во сне Клава, всхлипывала, металась и сопела, плакала и жаловалась.

Где-то в коридоре нянька кричала:

— Чё, серы захотел? Щас получишь! Сера тя уймет!

Серы! Дай ему серы!

Здесь все время пугают и мучат серой, здесь непереносимо воняет серой. Это правильно — здесь ад, здесь царит дух нечистой силы — Сера.

— Дай ему серы! Сера его уймет! Серы!

41. АЛЕШКА. РЫБИЙ ЖИР

Почему? Почему они это сделали?

Я перебирал все мыслимые варианты и единственную серьезную причину извлек из сбивчивого рассказа Эйнгольца — Ула ходила к Крутованову.

Зачем она это сделала? Откуда она знала о его существовании? О его роли в данном убийстве? Что она сказала ему? Ничего неизвестно.

Я ведь ей ничего о Крутованове не говорил. Как же она могла узнать о нем? Что же все-таки она сказала ему?

У меня кончились силы, кончились дела, кончились деньги, кончился сон. После той бесконечной ночи, когда мы с Эйнгольцем носились по Москве и я бесплодно скандалил в центральной скорой психиатрической, требуя, чтобы мне сказали, куда поместили Улу, орал и грозился, бесновался и умолял, а мне коротко и непреклонно отвечали: справки выдаются только родственникам, у меня пропал сон. Я зыбко задремывал на несколько минут и вскакивал почти сразу — в холодном поту, с захлебывающимся сердцем, гонимый бессмысленным призывом куда-то бежать, что-то делать, узнавать, добиваться, жаловаться.

И только очнувшись совсем, начинал соображать, что этот рывок — окончание больной дремоты, похожей на обморок.

Бежать — некуда. Делать — нечего. Узнавать — не у кого. Добиваться — бесполезно. Жаловаться — некому. Ула в руках у синих архангелов, а они — альфа и омега нашего разумения, они наши кормильцы и поильцы, они наши лекари и учителя, они наши судьи, они же палачи, они начало и конец нашей жизни. Акушеры и могильщики. Просить бесполезно. Их можно заставить только силой.

А силы у меня кончились.

Целые дни лежал я на диване и думал об Уле. О ее отце. О своем отце. О Соломоне. О Крутованове. О том, в какой нераспустимый клубок это все запуталось.

И не уходящее из меня чувство обеспокоенности правдой подсказывало мне неясно, туманными ощущениями, смутными воспоминаниями, острым предчувствием, что я как-то могу развязать этот перекрученный кровоточащий ком. Меня беспокоит правда.

Мысли шли огромными долгими кругами — как планеты, они приближались, заполняя меня светом предчувствия откровения, входили в зенит — спасительный выход был рядом, но незаметно переваливали они апогей и, тускнея в дальнем мареве безнадежности, уплывали, растворялись за горизонтом памяти. Потом возвращались опять.

Улу посадил Крутованов. Я в этом не сомневаюсь. Но почему? Что она ему сказала? Неужели все еще живо? Неужто под пеплом, пылью и мусором все еще тлеет жар? Да и удивляться нечему — страшный гнойник не вскрыли, его отпаривали компрессами и щадящими мазями. Он весь ушел вглубь, заразив своим ядовитым гноем остатки непораженных тканей.

Ула неосторожно сунула палец и затронула мозжащий фурункул. Может быть, она приняла на себя мою участь?

Всплыло в памяти почти забытое — молельня утопленников, буркотенье выпивающих, француз-путешественник гундит по телевизору: «...звери не выносят прямого человеческого взгляда и сразу становятся агрессивными... опущенные глаза и полная неподвижность служат для зверя признаком миролюбия... главное — не смотреть зверю прямо в глаза...»

Ула посмотрела в глаза зверю. Зачем ты это сделала, любимая? Только полная неподвижность и опущенные глаза могли быть знаком твоего миролюбия. От твоего прямого человеческого взгляда он сразу стал агрессивным.

Ула, ты забыла, что мы живем в нарывных джунглях, на краю распавшегося гнойного мира...

Иногда забегает ко мне соседка Нинка, все время пьяная. Она забирает у меня пустые бутылки, сдает и гоношит на новую выпивку. Ее одичавшие голодные дети бродят по квартире, как дворняги на помойке.

Евстигнеева совсем не видать. Он продал холодильник и каждый день пьет у себя в норе бормотуху, закусывая сырыми котлетами.

Вчера уехал в новый дом Иван Людвигович Лубо. Получил ордер и в тот же день выехал — он бежал из нашей квартиры, будто она горела. А у нас не пожар, а наводнение — лопнули трубы в кухне над нами, нас залило, в коридоре обрушилась с потолка штукатурка, сочится вонючая вода по стенам, провалился на кухне гнилой тесовый пол. В ванной отслаиваются и падают кафельные плитки и сломалась газовая колонка. Разруха наступила окончательная.

Хоть за вас-то, Иван Людвигович, я рад: у вас будет свой дом, который вы построите с женой и девочками. Чтобы воспитать в детях достоинство, чтобы они не выросли попрошайками. Только вот беда — не там вы строите свой дом! Вы огорчались, что ничего нам здесь не принадлежит, и хотели построить свой дом. Но ваш дом вам тоже не принадлежит. И ваши девочки вам не принадлежат — захотят, отберут дом, а девочек посадят в психушку. Мы все не принадлежим себе. Мы — никто. Пыль, прах, тлен.

Но сейчас я рад за вас — нас-то никто переселять не станет в новые квартиры. Антона уже отстранили от должности, проверка продолжается. А мы будем дальше доживать здесь, в гниющих городских джунглях.

Мне кажется, Иван Людвигович, что в вас тоже горел тонкий фитилек обеспокоенности правдой. Правда — от Бога, Истина — от ума. Но вы исподволь — за тридцать лет — огонек обеспокоенности правдой загасили в себе повседневными копеечными истинами, подсказанными напуганным умом в безнадежном стремлении построить свой нерушимый дом.

На болоте ставить дом — пустое дело.

Отвлекал меня немного Эйнгольц — каждый вечер приходил, раскрывал свой необъятный истертый портфель, добывал плавленые сырки, какие-то рыбные консервы, батон, и мы обедали, а вернее — он ужинал, а я завтракал. Потом он варил чай — прозрачное бесцветное бледное пойло, «писи сиротки Хаси». Вяло разговаривали, подолгу молчали, а поскольку думали об одном и том же, то разговор после огромных пауз возникал точно в установленном месте — как у оркестра на репетиции.

Я думал о том, как бы просочиться на квартиру к какому-нибудь иностранному корреспонденту — может быть, он заинтересуется Улой? Ведь по «чужим голосам» все время передают о заключенных в тюрьмы и психушки диссидентах. Но штука в том, что Ула не диссидент. О ней самой и ее инакомыслии никто в мире не знает, она им неинтересна. Ах, если бы им поведать всю историю — от начала до конца! Начиная с тридцатилетней давности убийства!

Но они не могут по государственному радио передавать мои соображения — им нужны свидетели и доказательства. Во мне загвоздка — это я не довел расследование до конца, я не успел сыграть роль Гамлета, у меня подломились руки.

Как бы рассказать им об Уле?

Радиопередачи из-за рубежа о нашей жизни — неразрешимая драма разговора глухих с немыми.

А Эйнгольц предлагал мне на это время переехать жить к нему. Он говорил, что в этой квартире я окончательно свихнусь.

Но я не соглашался. Я знал, что мне надо быть здесь — в этих гниющих росползнях, обреченных на распыл и расплев. И ждать сигнала.

И он пришел, когда позвонил в семь утра Севка — звеняще-веселый, гудящий от благодушной собранности, свистящий, как натянутая тетива.

— Я тебя разбудил, братан?

— Нет.

— А-атлична-а! Ты меня не проводишь в аэропорт?

— Когда?

— Сейчас. У тебя на сборы и прогрев мотора — пятнадцать минут. И ехать — пятнадцать. Итак, через полчаса жду тебя у подъезда...

— На такси экономишь?

— Экий ты, Алеха, грубый паренек! У меня чувства и напутственные тебе разговоры, а ты меня подъелдыкнуть хочешь...

— Хорошо. Через полчаса я буду...

Я промчался на одном вздохе через утреннюю изморось, туман и слякотную гадость, «моська» порол желтые длинные лужи, как катер. Мне было даже совестно сажать в мою грязную каракатицу такого нарядного джентльменчика, как мой брат Сева — в сером плаще, элегантной шляпе, сияющих башмаках, с щегольским зонтиком. Посмотрели бы его зарубежные коллеги-разоруженцы, как он ходит по квартире перед зеркалом в шинели и полковничьей папахе!

И всех бебехов — чемоданчик и атташе-кейс.

— Ты себя багажом не утруждаешь? — спросил я.

Севка лучезарно захохотал:

— Возить наш ширпотреб в Вену довольно глуповато! Омниа меа мекум в портфель!

Я развернул «моську» и погнал его в Шереметьево. В зеркало я видел, что Севка улыбается, но улыбка у него была ужасная — больше похожа на гримасу: сведенные губы, оскал белых неживых зубов, тусклые, словно спящие глаза.

— Ты что-нибудь насчет Антона узнавал? — поинтересовался я.

— Узнавал. С ним, наверное, обойдется. С должности попросят, конечно. Заместитель его сдал, как в упаковке. Бросят куда-нибудь на понизовку. Да ничего Антону не станется! Ты о себе лучше подумай!

— А что мне думать?

— Ты еще со своей евреечкой дерьма накушаешься — попомни мое слово!

— Это не твое дело.

— К сожалению, мое тоже. И что ты в нее вцепился? Что у нее — мышеловка других слаще?

— Заткнись. А то я тебя сейчас высажу. Иди в Вену пешком.

— Как сказал в аналогичной ситуации Понтий Пилат — умываю руки. Не хочешь слушать разумных советов — поступай как знаешь.

— Чем мне советовать, ты о себе лучше подумай! — огрызнулся я. — Жену, молодую бабу, годами оставляешь одну...

Севка от души расхохотался:

— А какое это имеет значение? Ей годы моего отсутствия не нужны. Ей двух часов отсутствия хватит, чтобы отпустить налево!

Я удивленно промолчал, а Севка хлопнул меня по плечу:

— Чего ты застеснялся? Ты что, не знаешь, что моя жена — блядь?

— Гм-м, я как-то не понимаю...

— А тут и понимать нечего! Алешенька, это имеет значение, если ты бабу любишь, а если ее ненавидишь, то это даже приятно.

Потому что грустная участь бляди — платить за минутные удовольствия огромными потерями и постоянными унижениями...

Мы мчались по Ленинградскому проспекту, и я оторопело молчал, делая вид, что внимательно читаю на крышах домов завлекающую рекламу, предлагающую советским трудящимся купить прокатные станы из Чехословакии, танкеры и сухогрузы из ГДР, тяжелые бульдозеры из Венгрии, польские блюминги и стальные трубы.

Зачем Севка в моем присутствии старается захаркать и растоптать ногами свою любовь — бесконечную, неотвязную и ненавистную, как солитер?

Чтобы как-то перевести разговор, я спросил его:

— Как там наши старики?

— Не знаю, — бормотнул он сквозь сжатые губы.

— Как не знаешь? Ты что — не прощался с ними?

— Попрощался, — рассеянно кивнул он, потом добавил: — Я вчера подумал, что не люблю их...

— Кого? — не понял я.

— Наших родителей.

«Может, он тоже сошел с ума?» — испуганно подумал я. А Севка зло усмехнулся:

— Они просто старые, очень злые, малокультурные, противные люди. Они не любят никого на свете. И их никто не любит...

— Они любят тебя, — напомнил я ему.

— Лучше бы они меня не любили, — досадливо тряхнул он головой. — Я вот думаю, уезжаю я сейчас на год, или на два, а может быть, больше, как уж там получится. И остаются здесь из всего людского моря только две дорогие мне души. Дочка, Рита, да ты. Но вы оба — и она и ты — меня не любите...

Я сосредоточенно глядел на мокрую, заляпанную глиной дорогу перед собой. И Севка медленно добавил:

— Наверное, и в этом есть какой-то смысл. Но мне он пока непонятен...

Мы уже проскочили кольцевую дорогу, когда я озадаченно спросил Севку:

— А что же ты так распинался за отцовскую честь, которую я, мол, хочу отдать на поругание?

— Это совсем другое дело! Как говорит наша маманя, дома — как хошь, а в гостях — как велят! Да и не за отца я распинался, а за тебя. Ты этого, дурачок, не понимаешь. Не говоря уж о том, что ты по своим изысканиям не очень точно представляешь себе его роль в той давнишней истории...

— А какая же у него была роль?

— Он отвечал за прикрытие операции. Руководил всей акцией Крутованов, а он человек артистичный — ему хотелось блеска и размаха. Когда-то в молодости, будучи студентом, Крутованов ходил в театральную студию, где вел курс режиссуры Михоэлс. Полицейский Нерон... — усмехнулся зло Севка.

Не выносящий человеческого взгляда зверь учился лицедейству у своей жертвы.

Севка неторопливо закурил, сказал задумчиво:

— Я думаю, что Крутованов вызвался руководить этим делом именно потому, что хорошо знал Михоэлса. Ему хотелось перещеголять его в режиссуре. Но он был дилетантом и сбил очень аляповатый и громоздкий спектакль. В нем было много лишних звеньев, из-за этого оставили массу следов. Такие дела надлежит исполнять в одиночку. А он приказал создать две опергруппы: прикрытия, которой руководил наш папашка, и ударную группу, которой руководил минский министр Цанава...

— Кто-кто?

— Цанава. Лаврентий Фомич Цанава, тезка и племянник Берии. Его звали Лаврентий Второй. Чудовище. Он сам пытал людей. Тбилисский амбал, кровожадное и хитрое животное. Он обеспечивал всю процедуру убийства Михоэлса, а костолома-исполнителя привез с собой из центра Крутованов...

Я заерзал на сиденье, а Севка положил мне руку на плечо:

— Нет-нет, как зовут костолома, я не знаю. И очень тебя прошу — не соваться ни к кому с расспросами. Считается даже у нас — такого человека не было. Вот этот безымянный человек и вмазал Михоэлсу по черепу ломом, завернутым в войлок...

— Подожди! Каким ломом? Их убили «студебекером»!

Севка покачал головой:

— «Студебекер» гнал Михоэлса и отца твоей еврейки по тротуару. Но их кто-то предупредил, или они что-то почувствовали — грузовик не смог их внезапно сбить на тротуаре, они вбежали в полуразрушенный двор на улице Немига, и костолом там догнал их и размозжил им ломом головы...

— Костоломов было двое, — сказал я.

Севка пожал плечами:

— Да, я знаю. Но кто был второй — мне неизвестно.

У поворота на аэропорт я спросил:

— Зачем ты мне это рассказал?

Севка очень больно сжал мне руку:

— Чтобы ты унялся! Чтобы тебе не врезали ломом по твоей дурацкой башке!

— Ты врешь! — сказал я ему с остервенением. — Ты за себя боишься! Ты боишься скандала...

Его пальцы на моей руке ослабли, он устало откинулся на сиденье:

— Живи как знаешь! Даст Бог — увидишь, я скандала не боюсь...

Показалась стеклянная коробка аэровокзала. Севка безразлично заметил:

— Нельзя придумать ничего глупее, чем опровергать свой жизненный опыт пустыми словами. Вот как наш папашка убедил самого себя и нас всех, что его вышибли на пенсию за исключительную принципиальность...

— А за что, по-твоему, его вышибли на пенсию?

— За то, что он кус не по зубам цапнул. За то, что надумал в рискованные игры играть...

Я припарковал машину, взял Севкин чемодан, он — портфель и зонт, и мы пошли к выходу. Толпа громкоголосых, шустрых, смуглых и рыжеватых гортанных людей клубилась у дверей. Я не сразу понял — все они евреи.

Севка кивнул:

— Венский рейс, накатанный еврейский маршрут. — Засмеялся и сказал: — Шереметьево правильно было бы переименовать в Еврейские ворота...

Зал был перегорожен фанерной стенкой, и у этой стены творился Содом — галдящие дети, бесчисленные узлы и чемоданы, собаки, ветхие старики, плачущие старухи, обезумевшие мужчины, прижимающие к груди документы и билеты, кричащие женщины, сотни рыдающих родственников и друзей.

Кто-то хохочет, здесь же обнимаются, кричат: «До встречи, даст Бог, там!», передают через головы сумки, взлетает петардой пронзительный вопль, кто-то упал в обморок, грохнулась со звоном, разбилась о каменный пол бутылка водки, горестный вздох и бодрящийся голос со слезой: «Пропади она пропадом, пусть вся наша горечь останется здесь!»

Открывается дверца в фанерной границе, и в нее ныривает еще одна семья, и новый всплеск криков и слез, и эта закрывающаяся дверца похожа на створки крематория — она проглатывает людей навсегда. Это похоже на похороны — те, кто остался по эту сторону, уже никогда не увидят ушедших в фанерную дверь.

Туда — дочери, здесь — матери. Туда — братья, здесь — сестры.

Туда — должна была уйти Ула. А я — остаться здесь.

333

Крах мира. Побег. Перелом жизни. Распыл беженства.

— Ужас, — сказал я Севке, а он покачал головой.

— Нет, это не ужас. Сто лет назад обер-прокурор синода Победоносцев предрек судьбу евреев в России: треть эмигрирует, треть вымрет, а треть ассимилируется и растворится. Этот ужас — для них счастье...

Я показал ему на толпу у дверцы:

— Ты — тоже сюда?

Севка засмеялся:

— Пока, слава Богу, — нет. Я через дипломатическую стойку...

Мы постояли, помолчали, потом Севка сказал:

— Вся моя жизнь — это бесконечное питье рыбьего жира...

— Что значит «питье рыбьего жира»?

— Я в детстве много болел, и меня заставляли пить рыбий жир. А чтобы задобрить меня, за каждую выпитую ложку давали пятачок, и я его клал в копилку. Когда копилка наполнялась, мне разрешали вынуть пятаки и самому купить себе новую бутылку рыбьего жира...

Севка рывком крепко обнял меня и пошел к стеклянной двери с табличкой «Дипломатическая стойка». Он приоткрыл ее, обернулся ко мне, помахал рукой и что-то сказал, я не расслышал его слов, но мне показалось, будто губы его произнесли:

— Мне надоел рыбий жир...

42. УЛА. ПОГРУЖЕНИЕ

Обход! Обход! Обход! Зашелестели, зашумели голоса, все пришло в короткое быстрое движение и смолкло. Тяжело ворочаясь и пыхтя, полезла под матрац Клава Мелиха. Громко запела Света — она пела что-то похожее на языческую молитву-заклинание. Света была учительницей музыки, она была убеждена в своей гениальности и писала поп-оперу. Над ней жестоко издевались ученики и терроризировал директор школы. Света была уверена в их сговоре. Однажды на уроке кто-то бросил в нее чернильницей, на крик ворвался директор и грубо заорал на нее. Света вышла на улицу — раздетая, в сильный мороз — и вышагивала по городу долго, распевая свою оперу. За полгода лечения у нее нет улучшения.

Все это рассказала мне Ольга Степановна — четвертая обитательница нашей палаты. Сама она уже полностью выздоровела. Да она говорит, что и не болела совсем — просто у нее было «затмение». В шесть часов утра она вырулила свой троллейбус из парка и поехала на конечную остановку. Но тут увидела на мостовой дьявола, который ее манил. Ольга Степановна погналась за ним, а он все уворачивался из-под колес, и сама не заметила, как врезалась в столб на противоположной стороне улицы. Она мне говорит, что затмений у нее больше не было, хотя дьявол пару раз приходил — «неприличным подманивал».

Света пела пронзительным голосом, вскрикивала иногда, как Има Сумак, страстно и протяжно, на разрыв души, то вдруг почти совсем затихая, но не умолкая совсем, а тихо и густо подвывая под сурдинку неведомых указаний своей безумной партитуры. Ольга Степановна оправила ей койку, прикрыла одеялом, потом подошла ко мне, взбила подушку, подложила повыше, поправила мне волосы своей старушечьей полукруглой гребенкой. Всмотрелась мне в глаза, серьезно сказала шепотом на ухо:

— Ты здеся не засидишь! Тебя бес посетил и ушел. Выпустят тебя скоро. Вместе отседа пойдем...

Она лежит в больнице третий год.

Обход! Обход! Обход!

— А Светка, бедняга, — плохая! Она отседа скоро не пойдет. Она отседа в Сычевку поедет... — доверительно шептала мне Ольга Степановна.

— Что такое Сычевка?

— И-и-и, родненькая! Все хотят узнать — что такое Сычевка! ДА ТОЛЬКО ОТТЕДА ЕЩЕ НЕ ПРИХОДИЛ НИКТО...

Обход! Обход! Стук каблуков в коридоре, переговаривающиеся голоса, водоворот из белых халатов в дверях. И сразу стало многолюдно в палате — бодрый говор, напряжение, испуг, подчиненность чужой воле, беспомощность, сталь дисциплины.

Посетили бесы.

Впереди — красивая докторша, которая меня принимала. По-видимому, она какая-то начальница. Мой жирноватый пухлый черт Выскребенцев крутится около нее, все время гнется, как резиновый, рапортует, заглядывая в бумаги. Мимо Клавы проходят они равнодушной снежно-белой толпой, только Выскребенцев на ходу бросает: «Существенных изменений не наблюдается!»

Около кровати Светы докторша присаживается, берет ее за руку, мягко спрашивает:

— Ну, Светочка, как дела?

Света поет. Ее голос взмывает под потолок, он звенит и вибрирует, как летящее копье, на него не действует тяготение, и

335

воздух в ее легких не кончается. Этот полет будет бесконечен. Но копье вдруг сухо, деревянно трескается в воздухе и разлетается дребезжащими осколками. Из глаз ее текут слезы, и рот перекошен судорогой.

Выскребенцев сообщает:

— У нее сейчас нижняя фаза прогредиентного цикла. Продолжаем давать тезецин и неолептил...

Ольгой Степановной все довольны. Нет, нет, о выписке пока речи быть не может. А если хорошо себя чувствуете, переведем вас в подсобные производственные мастерские. Что делать? Сумки-авоськи вязать, переплетать блокноты — да мало ли чем там можно заняться!..

— Здравствуйте, Суламифь Моисеевна!

Я задыхаюсь от ненависти, я не могу разлепить губ. И не хочу!

И они все согласно кивают — так и надо! Так и полагается!

Красивая докторша садится на стул рядом со мной, Выскребенцев открывает папку с твердым росчерком «История болезни». Пономарским голосом зачитывает:

— Больная Гинзбург, поступила в клинику 17 сентября. Госпитализирована спецнарядом по психиатрической «скорой»...

Спецнаряд. Спецмашины. Спецпитание. Спецлечение. Спецобслуживание. Спецпереселения. Спецслова. Спецмышление. Спецсотрудники. Спецлюди. Спецстрана имени Сталина.

— Двадцать девять лет, физического развития нормального, легкая сглаженность левой носогубной складки, легкая анизорефлексия. Патологических рефлексов не обнаружено. В позе Ромберга устойчива. Реакция Вассермана отрицательная...

А откуда же ей быть положительной? У меня же не сифилис. У меня — проказа.

— ...Больная не точно понимает цель направления на лечение...

Ошибаешься, розовощекий демон, — это я в диспансере, когда меня скручивал вязкой сумасшедший врач Николай Сергеевич, не понимала цели. Сейчас уже понимаю. Ты хочешь, чтобы я зарывалась под матрац, как Клава, пела вместе со Светой и гонялась за бесами по мостовой в одном троллейбусе с Ольгой Степановной.

— ...Больная плохо ориентирована во времени...

А вот это правильно! Я думала, надеялась, что хоть немного изменился во времени наш мир. Но я была плохо ориентирована.

— ...Формальные сведения о себе сообщает правильно, но на часть вопросов отвечает уклончиво...

Формальные сведения обо мне сообщает инспектор Сурова, а вы мне не дадите уклониться ни от одного вопроса. Я ведь теперь ничья.

— ...Расстройство мышления в форме резонерства... отсутствие критики своего поведения... утрата единства психических процессов... эмоциональное обеднение... присутствие глубокого аутизма — полного погружения в себя... страх... беспричинная тревога... растерянность... развернутый синдром Кандинского-Клерамбо...

Я приподнялась на кровати и сказала докторше:

— Вы же знаете, что я здорова. Зачем вы мучаете меня? Зачем вы меня держите здесь?

А она положила мне руку на плечо, мягко сказала:

— Наш долг — вам помочь. Вы не совсем здоровы. И мы вам поможем. Доктор Выскребенцев очень опытный и внимательный врач...

У нее почему-то дрожали крылья ноздрей.

А опытный и внимательный врач гудел надо мной неостановимо:

— ...Галоперидол... Я думаю, что наиболее эффективное нейролептическое средство против всех видов психомоторной беспокойности... Дал наиболее благоприятные результаты... Галоперидол... Галоперидол... Нейролептическое воздействие...

Они незаметно ушли, и перед моей кроватью уже стояла медсестра, молоденькая, тонкая, с мертвым перламутровым оком, ее зовут Вика, и протягивает она мне на бумажке три разноцветные таблетки:

— Примите, больная...

И меня охватывает вновь ужас, потому что я слышала, я знаю — большие дозы сильных нейролептиков превращают нормального человека в идиота, и эти три симпатичные разноцветных таблетки разрушат, как бронебойные снаряды, норму моего аутизма — полного погружения в себя, спасительного бомбоубежища, где я могу спрятаться от одолевших меня растерянности, тревоги и страха.

Я хочу крикнуть:

— Не буду! Не стану! Я здорова!

Но в тот миг, как я разомкнула губы, чтобы вздохнуть, медлительная Вика с неподвижными глазами наклонилась ко мне и с боксерской быстротой запихнула мне в рот таблетки, так же быстро одной рукой зажала мне нос, а другой ухватила за кончик языка и потянула на себя. Задыхаясь, я вскрикнула, всхлипнула — и разноцветные таблеточки нырнули в меня.

Вика равнодушно сказала:

— Лежите спокойно. Если возбудитесь — велю вас связать в укрутку...

И ушла.

Отравленная кровь тяжело и вязко бурлила во мне. Громкий гул в ушах наплывал, стихал и возвращался вновь. Стало очень жарко. По мне тек пот — струйками, непрерывно, намокла подо мной подушка, я задыхалась, но не могла поднять голову. В груди было пусто, и вся эта пустота вдруг заполнилась желтым медным тазом. В нем валялось мое сердце. И с грохотом подпрыгивало и стучало.

Желтые глазные яблоки Клавы... Она подкралась к моей кровати, никто не видит ее... Она хочет влезть внутрь меня и ложкой проткнуть мое бьющееся в тазу сердце... Желтый смрад серы... Как мне горячо... Алешенька, они разбомбили меня изнутри...

У меня нет больше убежища... Клава сейчас подожжет мою кровать... Она уже горит — это я сгораю... Я не могу больше...

И желтый голос Светы летит надо мной пронзительно, звенит копье над моим пожарищем, кричит жутко... Гало... пери... Дол!!!

Бегу по мостовой... Все горит на мне... Я сама... За что?! Смени меня на кресте, Варавва!.. Меня распяли вместо тебя... А вы все покинули меня...

Бесконечный бег... нескончаемая дорога... Она загибается передо мной вверх... Я задыхаюсь, у меня нет сил... Я бегу по кольцу...

Дед!.. Дед!.. Ответь мне! Я больше не могу!.. Дед!

— ...Мы — другие, Суламита. Мы — вечны... Каждый смертен, а вместе — вечны...

— Почему, дед?.. Я больше не могу... я умираю...

— ...Мы не можем погасить огня, и не в наших силах прервать великую пряжу жизни. Мы не вернемся в наш мир... не выполнив завета...

И сама я давно превратилась в голос Светы — лечу я стремительно в никуда, палящая и желтая, как боль...

43. АЛЕШКА. ЗАПОВЕДЬ ОТ ДЬЯВОЛА

На полдороге от аэропорта я заметил за собой «хвост». Где-то у поселка Планерное я остановился, чтобы купить в палатке сигарет. Задрипанная серая «Волга» проехала чуть вперед меня и стала. Я купил сигареты, сел в машину, медленно выехал на шоссе, покатил еле-еле. «Волга» телепалась за мной вразвалку. За Химками я дал полный газ — и серая замызганная развалюха мгновенно догнала меня. Форсированные моторы.

Пересек мост через Москву-реку, заехал на колонку, взял тридцать литров бензина и заметил, что пальцы у меня дрожат. Может быть, потому, что осталось у меня кругом-бегом два рубля? Мне казалось, что человекопсы знают — кончились деньги. Они, наверное, знают обо мне уже все. Вон они — терпеливо ждут.

В городе я потерял их из виду. На Маяковке свернул на Садовую и поехал к родителям. Мать обрадовалась. И сразу огорчилась — с порога я попросил одолжить сто рублей.

Отец стоял в дверях гостиной в своей всегдашней коричнево-зеленой полосатой пижаме, пронзительно смотрел на меня круглыми рысячьими глазами. Медленно ответил, нехотя шевеля своими спекшимися губами:

— Мы денег не печатаем. От пенсии до пенсии тянем. Нам одалживаться не у кого, хоть помри, а должны мы в семь рублей в день уложиться...

Да, это правда. Отец получает триста рублей пенсии. Минус партвзносы, плата за квартиру, электричество, газ. Отставной генерал, бывший министр, живет с женой на семь рублей в день.

— Чего смотришь? — рассердился папанька. — Хочешь, чтоб мы тебе последнюю копейку сбережений вынули? Вот тебе!

И протянул мне сухой мосластый кукиш.

— Уж потерпи маленько! Совсем мало осталось, мы с матерью помрем — тогда уж все пропьешь, прахом пустишь! А покамест нам в семь рублей уложиться надо...

Человек, родившийся не здесь, ничего понять про нашу жизнь не сможет. Всесильный сатрап, беззаконный хозяин жизни, без суда вешавший людей, гонявший свой самолет в Астрахань за свежей икрой и в Самарканд за дынями, убивавший гениев и хуторян, растоптавший целый народ — и теперь никем не наказанный, не осужденный, живет на почтенную генеральскую пенсию в семь рублей на день.

Этого нельзя понять — как? почему? зачем?

А распаленный моим молчанием, воспринимаемым как осуждение их жадности, папанька гневно отмахивал рукой, как в молодости шашкой:

— Я не как некоторые, что стыд и срам потеряли! Вон генерал Литовченко — упер с железной дороги вагон спальный, поставил его у себя на даче в Крыму и дачникам сдает купе, деньги лопатой гребет!..

Негромко перебил я его:

— Тебе привет от Гарнизонова...

— От кого? — ошарашенно переспросил отец.

— От Пашки Гарнизонова, твоего шофера бывшего.

Папанька удивленно и недоверчиво проронил:

— Спасибо. А где это ты его нашел?

— В Вильнюсе на улице встретил. Я туда в командировку ездил...

— Как он поживает, прохвост? — поинтересовался отец.

— Поживал хорошо, но сейчас у него неприятности...

— Нажульничал чего? — не сомневаясь, сказал отец.

— Нет, его Прокуратура Союза прижучивает...

— Во! Новости!

— Назначили новое расследование по делу об убийстве Михоэлса...

Даже в полумраке гостиной я видел, как стало стремительно сереть лицо папаньки. Господи, зачем заповедовал — «чти отца и мать своих»?

— Почему? — осевшим, сиплым голосом спросил отец.

— Откуда я знаю? Наверное, американский конгресс требует!

— Я не о том! Я спрашиваю: почему с него начали?

— А он говорит, что не с него — они с Михайловича начали. Помнишь, был у тебя рыжий еврей с усом на щеке?

— Помню... — рассеянно сказал отец, и я видел, как он у меня на глазах нырнул в волны омерзительного страха. Он даже не пытался вынырнуть — он сразу пошел ко дну. Обвисли усики, прикрылись толстыми скорлупками век яростные ядра глаз. Спросил вяло: — А ты-то откуда помнишь?

— У меня память хорошая, я весь в тебя!

Папанька долго сидел понурив голову, потом сказал досадливо:

— Вся эта зараза идет от Хрущева — кабана шалого, скота проклятущего! Сволочь волюнтаристская...

Я усмехнулся:

— Действительно, убедительный ряд волюнтаристов: Августин Блаженный — Шопенгауэр — Ницше — Хрущев. Что ты говоришь, подумай сам! Хрущеву пятнадцать лет как пинка под жопу дали!

Отец махнул на меня рукой, горячо спросил:

— А что Пашка говорил — о чем его там расспрашивали?

— Так он мне и скажет! Наверное, все на тебя валил!

И щеки у отца отекли, покраснели белки, кровью налились, и я вдруг вспомнил о епископе, у которого лопнул сосуд в глазу на допросе у папаньки.

Господи, что же я делаю? Зачем Ты мне дал этот непереносимый крест? Зачем Ты поставил судить меня отца моего?

Только истина от Тебя, но ведь правда вся от Тебя! Они замучают Улу, они, наверное, убьют меня. Но мне надо спасти Улу. Мне нужны имена, свидетели, факты. Я немой, мне надо закричать такую страшную правду, чтобы услышал глухой.

— Что же Пашка на меня скажет? — задумчиво спросил отец. — Я выполнял приказ центра.

— Но они с Михайловичем выполняли твой приказ, когда убили великого артиста. Тех, кто дал тебе приказ, уже нет, а ты есть! Понятна тебе разница?

— Они не убивали. Пашка был на подхвате, а Михайлович был разработчик...

— Что значит — «разработчик»?

— У него был агент — человек из близкого окружения Михоэлса, агент передавал Михайловичу все нужные сведения о нем...

Агент из окружения Соломона. Безрукий брат Гроднера? Он ведь навел на Михоэлса и отца Улы? Они ходили их приглашать...

Я закурил сигарету и твердо сказал отцу:

— Слушай, тебе надо всерьез об этом подумать. Тебя наверняка будут вызывать, и это не разговор — «они не убивали»... Даже я знаю, что туда привозили для этого «чистоделов»-костоломов. Но ты сможешь их назвать? Как их фамилии? Что с ними стало? Кто подписывал тебе директивы?

Отец смотрел сквозь меня, что-то обдумывал, припоминал, сопоставлял, оценивал, но страх и склероз мешали ему думать.

— Привозили одного костолома, — обронил рассеянно он. — Второй был адъютант — порученец Лаврентия Цанавы, белорусского министра...

— А где сейчас Цанава?

— Где-где! Помер! Его сразу вслед за Берией арестовали, и через неделю ни с того ни с сего такой бык здоровый умер. Отравили, думаю... Там наверняка и дела на него никакого нет, и показаний никто с него не получал в горячке...

— Адъютанта, наверное, можно разыскать, — заметил я.

— Разыщешь его — как же! Фамилия его, кажется, Жигачев была...

— Гарнизонов говорит, что он хорошо запомнил их, — сказал я наугад.

— Еще бы не запомнил! — скрипнул отец зубами.

Странно — мне Гарнизонов сказал, что подобрал их в темноте, привез и больше не видел. Я решил попробовать еще раз:

341

— А почему ты думаешь, что он запомнил наверняка?

— Ха! — Отец сердито покрутил головой, стукнул по столу кулаком. — Чего сейчас вспоминать! Не влияет!

Папашка медленно всплывал из омута испуга, к нему вернулась способность соображать, он смотрел на меня с неприязнью и недоверием.

— Ладно! Пустое. Поговорили — хватит. Язык за зубами держи крепче. Ничего не будет, некому это ворошить и незачем.

Все — он захлопнулся, как сундук. В короткие мгновения его растерянности и испуга, пока были отомкнуты замки его страшной памяти, мне удалось выхватить припорошенные пылью забвения, никем не примеренные, не ношенные, не виданные тряпки с давнего кровавого маскарада.

Михайлович «вел» агента из окружения Соломона.

Второй убийца был адъютантом Цанавы. Его фамилия Жигачев.

Гарнизонов должен был знать хорошо Жигачева или обоих убийц. Но почему-то скрыл это от меня.

Ну, что же, спасибо тебе, строгая жизнь, — ты отменила все заповеди. Ты повелела сотворить себе кумира, и нарекли мы его Богом, ты велела повсеминутно употреблять его имя всуе. Ты приказала властно — убий. И, объявив все общим, разрешила — укради, ты воспитала нас в возжелании чужого добра, осла и жены. Ты бросила нас в омут прелюбодейства с совестью и обрекла на вечное лжесвидетельство. Ты освободила нас от почитания отца своего, а поклоняться заставила несчастному полоумному мальчишке, обрекшему на смерть своего родителя.

Спасибо тебе, справедливая жизнь, что в поисках правды от Бога ты и меня сделала Павликом Морозовым.

Господа заграничные либералы! Дорогие американские фраера! Вам, наверное, не нравятся Павлики Морозовы? Дети, у которых нет отчества потому, что они убивают своих отцов. Впрочем, у вас ведь нет отчеств. И у вас нет крестьянских сыновей, которые стучат на своих папанек в ваше американское ФБР, и генеральских сыновей, которые хотят крикнуть миру истину о своих отцах в поисках правды от Бога.

Я — затравленный, загнанный, немой Павлик Морозов. Я почти убит в этой жизни. Я хотел докричаться до вас — безразличных и глухих. И проклят во все времена. Я принял заповедь — «оскверни отца своего»...

342

44. УЛА. АХРИМАН

...Мы гуляем с Алешкой по зоопарку. Воскресный день жарок и пуст. Белесый испепеляющий зной. Зачем мы пришли сюда? Деться некуда. Растаявшее мороженое, пожухшая листва. Кругом — клетки, решетки, ограды, колья, сетки. Загаженные камни вольер. Почерневшее мясо, тусклые кости валяются в клетках. Над ними гудят мухи.

А звери не едят. Они спят. Мелкий прерывистый сон, оцепенение неволи, усталость навсегда переломленной силы. Опустошение безнадежности. Звери знают, что они никогда не уйдут отсюда. Да и воля-то больше не нужна — они не могут жить на свободе, их тело отравлено тоской, а характер раздроблен безвыходностью.

Они спят. Они чувствуют, что чем больше спишь, чем меньше видишь этот постылый мир — тем скорее придет избавление огромной тьмы.

Мы, звери, даже над сроком своей жизни не вольны. Мы себе не хозяева. Мы — ничьи. Мы спим. Сделайте милость — не трогайте, дайте спать...

— Вставай, вставай!..

— Зачем?

— Вставай! На рентгеноскопию черепа...

Зачем просвечивать мой череп всевидящими невидимыми лучиками? Ничего в нем нет. Дикари — охотники за черепами — оторвали мне голову, сушили ее, набивали лекарствами — не помню, как называются, коптили, она висела на шестах, привязанная за волосы, и раскачивали ее жаркие ветры бреда. В полумраке беспамятства она ссохлась, отвердела — она размером с черное осеннее яблоко.

— Не дойдет она, клади ее на каталку, — говорит кто-то, и знакомый уже рокот колесиков режет тишину и духоту, густую, как пастила, меня хватают за плечи и за ноги, перебрасывают на жесткую узкую платформу каталки. Поехали.

В коридоре сквозняк, бьется с сухим скрипом форточка, оливковые тупые стены. Эти стены окрашены серой и желчью бессилия, тоской обитателей. И воздух — безнадежность, разбавленная вонью прокисших щей.

И истошный крик, проносящийся мимо бесовки:

— Серы хочешь? Сейчас дам серы!..

Серы! Крик, мат, вопль боли, утробное сопение, возня, тестяные тяжелые удары по волглой человеческой плоти, визг, трескучие шлепки, долгий стон муки. Сера.

Ввезли каталку в грузовой лифт, резкий лязг решетчатой двери, толстые прутья, надежное укрытие. Я не хочу почерневшего мяса и тусклых костей. Я хочу спрятаться. Я хочу спать. У меня расстройство мышления в форме резонерства. Если больше спать — быстрее придет конец постылому способу существования моих белковых тел.

Алешенька, любимый мой, где ты? Что с тобой?

Летит он на огромном букете из роз, как на воздушном шаре. Я хочу собраться с силами, посмотреть — высоко ли летит твой шарик, унесет ли он тебя отсюда, достанет ли сил на полет из бесконечных серых просторов психушки. Я не знаю, сможешь ли ты быть счастлив один, но будь хотя бы свободен...

А шарик опускается, медленно падает, ударяется здесь о каменистую...

Удар. Грохот. Лязг решетки — двери лифта.

Господи! Боже мой! Я рывком поднимаюсь на каталке. А если он уже здесь? В соседней палате? На следующем этаже? В смежном корпусе? Господи, не допусти этого! Я хочу принять на себя его муку! Они убьют его...

— Ляг! Ляг — тебе говорят! Ты что — возбудилась?..

Длинный темный коридор меряет бесконечным кругом вереница больных. Меня везут посредине коридора, они шагают с двух сторон: справа — вперед, слева — назад, черно-бурые, потухшие, заплесневелые, несчастные. Мужское отделение.

В своих арестантских халатах, с погасшими лицами, они как самоходные картофельные мешки. Вот что значит — скорбные главою...

Топь. Их движение — пузырьки глаз в гниющей мари.

Здесь плотина бесконечной великой реки Эн-Соф, здесь запруда духовности, здесь омут разрушенных душ.

Многие бредут в своем бесцельном марше нагишом, на них лишь короткие больничные сорочки. Что ищут эти голые люди на пожарище сознания, что хотят откопать под руинами памяти?

У евреев не было понятия ада. Они верят в нижнюю сферу жизни — царство зла Ахриман. Весь ужас мира в Ахримане.

Ахриман. Господи, за что ты меня спустил в Ахриман номер семь Мосгорздравотдела?

Коренастый голый урод без лица пристраивается сзади к няньке и начинает онанировать. Не останавливая каталки, нянька оборачивается и коротко, резко ударяет его ногой в пах, урод падает с мычанием и воем.

— Что вы делаете...

— Так это ж свадебный генерал! — смеется нянька, убежденно заверяет: — С ними только так! А то оставим тебя сейчас на десять минут перед рентгеновским — он на тебя враз вскарабкается... Нет, их только так и можно! Или серой...

Тьма кабинета, запах нагретой пыли и озона, сумеречные фигуры и резкие голоса, как в неоконченном сне.

Берия прямо с улицы втаскивал в машину женщин — замужних, несовершеннолетних, беременных — вез на тайные квартиры и вытворял с ними что хотел.

В нашем дворе жила такая женщина — Верочка.

Но Берия был не «свадебный генерал». Он был маршал Советского Союза. Он был свадебный маршал на брачной тризне террора и абсурда. Никто не бил его в пах и не колол серу.

А Верочка сошла с ума. Она играла с нами в песочные куличики и куклы, ссорилась с нами, плакала, обиженно растягивая мокрый рот: «За сто вы меня обизяете?» Ей было тогда лет тридцать. Как мне сейчас.

«За сто вы меня обизяете?»

45. АЛЕШКА. ИЗ ПЕЧЕНЕГОВ В ПОЛОВЦЫ

День начался кошмаром — полыхающий, протяжный, хлещущий крик соседки Нинки сошвырнул меня с дивана, выволок в коридор, протащил до ее двери и втолкнул в грязную неухоженную комнату. Мальчишки Колька и Толька сидели на кровати и ревели, глядя на заходящуюся от крика Нинку. Она кричала страшно, на одной ноте, разевая широко безгубый сомовий рот, показывая мне пальцем на потолок и на середину комнаты.

Тошнота подступила у меня к горлу. Намокшая от протечки на потолке штукатурка рухнула, и на пол вывалилось большое крысиное гнездо. Розовые маленькие тельца с длинными хвостами копошились и ползали среди обломков и пыли по паркету.

Они пищали.

Надо было подойти к Нинке, но для этого пришлось бы миновать эти розовые омерзительные ползающие существа; я не мог ступить шагу.

Нинка, не переставая кричать и не отрывая от крысят взгляда, бочком пошла вдоль стены, вспрыгнула на кровать, пробежала, соскочила, отпихнула меня от двери и с визгом помчалась по коридору, глухо стукнула где-то далеко входная дверь.

345

Вошел в комнату Евстигнеев — багрово распухший, с невидимыми в складках глазами. Под мышкой у него висел бесхвостый бурый кот.

— Ешь, кыся, ешь их, падлов, врагов народа, — сказал Евстигнеев и бросил кота на пол. Пружинистой упругой походкой кот прошел к рассыпанному гнезду, оглянулся на нас немигающим строгим взглядом и с тихим злым урчанием стал грызть розовую хвостатую мерзость.

Держась за стенку, я добрел до разрушенной кухни, где еще работал водопровод, открыл кран и стал пить холодную, пахнущую медной кислятиной воду.

Коммунальный апокалипсис.

У меня на столе лежал огромный пугающий Дуськин зуб, желтый, ощетиненный кривыми мощными корнями. Моталась перед глазами бугристая подушка евстигнеевского лица.

— Выпить хошь? — спрашивал он. — Давай рупь, притащу выпить...

Он налил мне из захваченной грязной бутылки самогон — зловонный и желтый, как керосин.

Яростный сполох света в тусклой запыленности — пролетел стакан, не задушил, не подавился, не выблевал назад. Ударил внутрь меня — в голову, в сердце, в живот, как разрывной патрон, — ослепил и разметал на кусочки.

Мне все ненавистно и отвратительно. Я не могу так больше. Я устал.

Ула! Это ты во всем виновата! Зачем ты смотрела в глаза зверю? Мы все противные розовые крысята. Теперь ты в закрытой психушке — какой, неведомо. А я пью самогон с Евстигнеевым. Ты лишила меня самого большого счастья — выйти на улицу, завести «моську», долго, неторопливо разогреть его и прокатить неспешно по дождливым, изгаженным, изнасилованным осенью улицам — через центр, на Ленинский проспект, потом направо — на Воробьевское шоссе, снова направо — на гудящий железом спуск метромоста, выкатить в свободный ряд, включить фары, нажать изо всех сил сигнал, педаль акселератора — в пол, до упора, и промчаться с ревом и визгом до середины моста, и когда стрелка спидометра подшкалит сотню — руль направо, треск разлетающихся крыльев, грохот обломившейся балюстрады и тишина короткого мгновенного пролета до асфальтовой ряби стынущей реки.

И пришел бы всему конец. Господи, какое это было бы счастье!..

Ула, ты отняла у меня мое счастье. Нам надо было или жить, или умереть вместе — когда мы еще оба были свободны.

А теперь ты в психушке, а я свободен только умереть. Но Гамлет и появляется лишь затем, чтобы умереть. Живой Гамлет смешон, он никому не нужен. Живой Гамлет стал бы со временем Полонием.

Все повторяется. Но за каждый повтор надо платить сначала, как на всяком новом представлении. Вот и могильщик — он урчит, бубнит и гычет, с трудом я понимаю его дряблое бормотание.

— ...народ больно нежный стал — а старшине не до нежностей... помню, исполняли мы по трибуналу лейтенанта-дезертира... поставили его над ровиком... сапоги и гимнастерку шевиотовую, конечно, сняли... а бриджи на нем новенькие... зима была, а по нему пот катится... я ему грю — портки расстегни, а он не понимает, самому пришлось пуговицы отстегивать... мне начальник конвоя грит: отойди — под залп угодишь... а лейтенант бриджи держит — не дам, грит, себя позорить... а чего там позорить... как дали из трех стволов — мозги целиком из черепушки вылетели... он-то и нырнул головой вперед в ровик... а я сразу с него бриджи и стянул наверх — ни пятнышка на них, ни кровиночки... Старшина всегда должен за добро казенное болеть... Их еще сколько небось носили эти бриджи-то... а вы крыс боитесь.

Люди сходят с ума, наверное, от ощущения бессилия. Ни сделать, ни изменить. Ни убить себя.

Над крысятами — бесхвостый кот. Над ним — Евстигнеев в бриджах с расстрелянного лейтенанта. Над ним — европеизированный Крутованов. Кто над ним? А-а, пустое! Они — на потолке, они грозят в любой момент рухнуть нам на голову....

— А Ленин чё сказал? — подступает ко мне, гудит, зловонит на меня Евстигнеев и протягивает еще стакан, пронзительно желтый и едкий, как желчь.

Стакан я забираю, а его отпихиваю от себя слабой бескостной рукой, мотаю головой — мне Ленин ничего не говорил.

— Выпей, Алексей Захарыч, и припомни слова вождя — учиться, он сказал, учиться и еще раз учиться...

Смердящая сивуха самогонки, пожар в глотке, туман перед глазами, стеклянная колкая вата в ушах, болтающаяся где-то в разрывах света башка кабана Евстигнеева, двоящаяся, как у дракона, и сиплый его голос повсюду:

— А чему учиться-то — не сказал? Вот и остались мы навек неученые...

И мне больше не хочется пролететь на гремящем «моське» с моста в подернутую холодным паром реку. Да и захотел бы — не доехать, я уже и конец капота не разгляжу. Великое дело вы-

347

пивка! На кой хрен строить душегубки и газовые камеры, возиться с крематориями — мы себя сами, за свои деньги, без толкотни и возмущения мировых гуманистов и отравим, и сожжем, и уничтожим! Гениальная выдумка — заменить экзотермическое сожжение на эндотермическое. Пусть помедленнее маленько, зато дешевле и при полном согласии и удовольствии сторон. Мы ежедневно забрасываем в себя пламя, по сравнению с которым Освенцим — карманная зажигалка.

Геноцид. Наверное, геноцид происходит от слова «генацвале». Дорогой наш генацвале Иосиф Виссарионович! Рыжий рябой антихрист... Мы все обречены...

— Ну-ка, пошел вон отсюда! Выметайся, выметайся... — услышал я знакомый голос, поднял свинцовую голову — стоит передо мной Антошка. Выгоняет Евстигнеева.

— Гони его, Антон, — шепчу я слабо. — Он жрет розовых крыс и носит штаны убитых...

Антон ходит по комнате, ногами расшвыривает стулья, топает, сердится на меня.

— Ты уже совсем спился! — кричит он. — Чего тебе-то в жизни не хватает?

— О-о! Антоша, мне всего хватает! С избытком...

— Нельзя, Алешка, так распускаться, — увещевал Антон, а я старательно рассматривал его сквозь заволакивающий все сумрак пьянства в середине глухого осеннего дня. И он казался мне маленьким, чуть сгорбленным, с поблекшим опавшим лицом и прижатыми ушами. И удаль его, раскатистая громогласность, бесчисленные анекдотики — все пропало куда-то, будто отобрали их, как форменную одежду вместе с приказом об отстранении от должности.

— Что слыхать-то у тебя? — спросил я и подумал с испугом, что мне это любопытно, но неинтересно — не волнует это меня совсем. Как-нибудь все устроится. Севка твердо обещал.

— Да вроде подыскали мне должностенку, — криво ухмыльнулся Антон. — Директором бетонного завода. Негусто, конечно, да в моем положении выбирать не приходится. Спасибо Гайдукову за это...

Почему Гайдукову? Это ведь Севка обещал уладить. Хотя Антон не знает, что я ездил говорить к Севке. Впрочем, какая разница? Гайдуков или Севка? Государственный блат или личный? Все пустое...

— Не грусти, ты еще снова поднимешься... — пообещал я Антону.

А он тяжело покачал головой:

348

— Вот это дудки! Выскочивших из тележки обратно не пускают. Да и черт с ними! Гайдуков говорит, что на бетонном заводе в наше время можно озолотиться...

— Будешь воровать — в тюрьму посадят, — сказал я бессмысленно, а Антон захохотал.

— Ни-ко-гда! — отчеканил он раздельно. — Это меня раньше, когда я копейки государственной в карман не положил, можно было в тюрьму упечь. А теперь-то кукиш! Я ведь вылетел с должности не из-за того, что преступление совершил...

— А из-за чего? За перевыполнение плана? — обронил я зло — мне Антон был сейчас неприятен.

— За то, что я о преступлении думать боялся, смотреть в ту сторону не мог, чужими руками хотел отбиться. А воровать надо спокойно, рассудительно и твердо. Спасибо державе — она меня научила.

— Ты тоже недоволен «Софьей Власовной»?

— Почему? Доволен. Нищета, бесправие и дикость — дело у нас привычное, тысячелетнее, зато можно с утра пьянствовать. Так что пусть так будет, коли мы все по-другому не способны...

— Левку Красного не забудь захватить...

— Обязательно! — твердо заверил Антон. — Все нормально. Ничего страшного. Как-нибудь доживем оставшееся. Вот только ко с дачи казенной велели до воскресенья выметаться...

Я представил эту заваленную мебелью и вещами двухэтажную домину — тремя пятитонками не вывезти.

— Куда же ты этот хлам денешь? — поинтересовался я.

— А что мне там брать? На даче только удочки и лыжи мои, остальное все — народное. Это мне держава давала попользоваться, пока я был честным...

Учиться, учиться и учиться. А чему учиться — не сказал.

— Ты не обидишься, если я прилягу? — спросил я Антона. Чего-то нехорошо мне...

И провалился в горячий душный сон, обессиливающий, полный рваных ужасов, убивающий душу. Во сне были потная бессильная борьба, тяжелое дыхание, падающие с потолка розовые крысы, ходящий на четырех лапах Евстигнеев, прорастающий в меня желтыми узловатыми корнями Дуськин зуб, треск рвущихся лифтовых тросов, свист и завывание бездонного падения и протяжный шепот-крик-напоминание: «Ж-ж-жи-жи-жига-жи жигаче-жигачев-жигачев!!!»

Жигачев.

Сел на диване. В комнате пусто — Антон ушел. В сером бельме окна белесый прочерк снега. Гул и грохот машин на

Садовой. Не проснулся еще, как лунатик, встал, вынул из ящика пачку бумаги, нашел мятую копирку, сел за машинку и стал лихорадочно стучать запросы. Мне, замечательному советскому писателю и видному журналисту, для увековечения подвигов народных позарез нужно найти героя и пропавшего молодца лейтенанта Жигачева. Сообщите все, что известно, — откуда он, где служил, в 47—48-м годах геройствовал в Белоруссии, как найти, сейчас ему должно быть около шестидесяти лет.

В пенсионный отдел КГБ, в архив Министерства обороны, в Министерство социального обеспечения, в управление кадров Белорусского КГБ, в наградной отдел Президиума Верховного Совета.

Из красивого бювара — подарка Улы — вынул конверты, надписал адреса. Теперь обратный адрес. Ула, любимая, подскажи — куда просить ответить? Ведь у меня даже нет теперь обратного адреса. Ответы придут в лапы моих опекунов.

Надпишу адрес Эйнгольца. Ночью выйду через черный ход, опущу письма в разные почтовые ящики. Может быть, дойдут...

Рухнул на диван и уснул мгновенно, будто просто перевернулся с боку на бок. И на исходе этого беспамятного обморочного сна появилась Эва.

Она сидела за столом, положив ногу на ногу, попивая небольшими глотками из стакана коньяк. В пепельнице исходила дымной струйкой сигарета, и этот ветвистый сизо-синий столбик дыма был похож на придуманное растение. И я нисколько не удивился, что ко мне пришла сюда зачем-то Эва — у нее ведь такое же запущенное, ненужное ей пустое жилье. Только побогаче. Она покачивала на ноге полуснятой туфлей, и я вспомнил, что так же раскачивал расписные сабо ее муж, мой брат — Севка. Он — в Вене. Антон — на бетонном заводе. А я здесь. Скучно Эве, выпить не с кем.

Она налила полстакана коньяка, подошла ко мне, села рядом на диван, просунула мне под шею руку, приподняла мою голову, протянула стакан — на, пей...

От Эвы пахло чистотой, хорошими духами и коньяком. И горестное чувство огромного, всемирного сиротства охватило меня, ощущение покинутости, полной своей прожитости, заброшенности и ненужности. Она обнимала меня за шею и тихо, ласково приговаривала: «На, выпей, выпей, тебе полегчает...»

И глоток коньяка накрыл меня волной тепла и привязанности к Эве — удивительное состояние сна, когда женщина, неинтересная и никак не возбуждающая тебя в яви, вдруг становится в сновидении необъяснимо привлекательной и прекрасной. А она быстро и жарко гладила меня своими длинными ладонями, приговаривая, как в бреду:

— Что же ты спишь одетым, Алешенька... Дай я тебе рубашечку расстегну... Дорогой ты мой... Совсем ты дошел... Не отталкивай меня... не надо... я ничего не хочу знать... я их всех ненавижу... я ни за что не отвечаю... я хочу быть с тобой... давай уедем куда-нибудь... тебе хорошо будет со мной... мы оба беспутные бродяги... нам будет хорошо... не отталкивай меня... у тебя руки как лед...

У нее были небольшие острые груди, торчащие чуть набок. Налево — направо. И между ними родинка. И она навалилась ими на меня, гладила по лицу, она скользила своим гладким ловким телом по мне, как будто хотела запеленать меня собою. Я упирался в ее твердый плоский живот руками, и руки мои подламывались, я пытался что-то сказать ей, но только булькали и мычали у меня во рту слова, она их сразу душила своими сухими длинными губами, и волосы ее были повсюду — у меня в руках, на лице, я чувствовал, как они щекочут мне шею и жгут живот.

И когда пришла уверенность, что я не сплю, это не сон, не выдумка, не мара, я толкнул ее сильно, крикнул: «Уйди, гадина, ты кровосмесительница!» — но было уже поздно. Я уже был весь в ней, и любила она меня яростно, щедро и беспамятно.

А потом отвалилась в сторону, глубоко и облегченно вздохнула, поцеловала-укусила меня в грудь и сказала ясным светлым голосом:

— Ну не сердись, любименький дурачок...Ты невыносимо добродетельный... Ведь тебе же хорошо было?.. Тебе же сладко со мной было?..

Мне было сладко. Господи, что же я совершил? Как же я выблюю из себя эту ядовитую горечь греха за миг насильной сладости?

— У тебя нет ванны? — спросила Эва.

Я с трудом разлепил губы:

— Она разрушена. Доживем так — в грязи...

Она помолчала, перегнулась через меня, и мне прикосновение ее было отвратительно, и она, наверное, почувствовала это, потому что взяла с полу сигареты, закурила, отодвинулась к самому краю дивана и медленно сказала:

— Это не грязь. Я люблю тебя. Давно...

— А я тебя нет.

Она пустила вверх длинный росток дыма, задумчиво спросила:

— Тебе сейчас хочется дать мне по морде? Сделать больно? Оскорбить?

— Нет. Ты здесь ни при чем.

— Эх ты, агнец Божий! Берешь грех мира на себя?

351

— Ничего я не беру. Переспали, и все. Ты же этого хотела.

— Нет! — Она стремительно приподнялась на локте. — Я не этого хотела! Я хочу жить с тобой всегда...

— Не будет этого...

— Почему, Алешенька?

— Не надо говорить об этом, Эва. Тут даже обсуждать нечего, ты для меня не существуешь. А я сам — почти умер...

Ула! Я не прошу у тебя прощения. Ты ведь и не узнаешь никогда об этом сумрачном кошмаре — в разоренном мерзком жилище, сгнившем, истлевшем, с падающими с потолка крысиными гнездами. Ула — от всей любви своей — пожалей меня, мне одному нести в себе эту ночь распада и извращения.

Мы долго лежали молча, рядом, но не касаясь друг друга, и мне казалось, что если я нечаянно дотронусь до гладкой прохладной Эвиной кожи, то опалю себе руку до кости, сожгу себя, как прикосновением к медузе. Эва уткнулась лицом в подушку, и дыхания ее было совершенно не слышно, но я знал, что она не спит.

— Нет, ты не умер, — тихонько хмыкнула Эва. — Ты любишь эту женщину?

— Тебя это не касается.

— Как знать...

Сердце заткнулось у меня где-то под горлом, мне не хватало воздуха, мои легкие лопались и шуршали, как пересохшие жабры.

— Ты что-нибудь знаешь об Уле? — спросил я медленно.

— Знаю, — негромко и спокойно ответила Эва.

У меня недоставало сил спросить, а Эва так же неслышно дышала. И молчала.

— Что?

— Она у меня, — бормотнула Эва в подушку.

Скрючившись, я неловко торопливо одевался, не попадая в рукава и штанины — мне было очень стыдно быть голым перед этой чужой жутковатой женщиной.

Хлебнул прямо из горлышка недопитой бутылки, которую принесла в мой незапамятно долгий, беспробудный ужасный сон Эва. И не почувствовал вкуса — будто воду.

— Как мне увидеть Улу?

Эва тихо засмеялась:

— Ты просто дурачок... У нас — тюрьма. А в наших тюрьмах, как ты знаешь, свиданий не бывает...

— Что же делать?

— Ничего, — сказала она, не отрывая головы от подушки. — Коли такая любовь — жди. Если хочешь, надейся на меня...

— Ты меня шантажируешь?

— Нет. Просто вы, Епанчины, привыкли всем забесплатно пользоваться. А в жизни за все надо платить...

Я встал, надел свою куртку, вернулся к столу, собрал и положил в карман конверты с запросами о Жигачеве и тихо вышел из комнаты, бесшумно притворив за собой дверь. В коридоре пронзительно заскрипели под ногами щелястые расползающиеся доски. Щелкнул замок, и я на лестнице. Черным ходом во двор.

На улице бесновался ветер, носивший тучи холодной водяной пыли. Вокруг фонарей дымились шары синеватого пара. Шипели в лужах машины. «Моська» зарос ровными круглыми бородавками капель. Я провел по крыше рукой, и на этой пупырчатой блестящей спине вспухла проплешина. Махнул рукой и пошел пешком — неведомо куда.

Черные щели почтовых ящиков. Влажный тряпочный запах облетающей листвы. Гул полночных бездомных автобусов. Сочащиеся краснотой, как сукровицей, буквы «М» над запертыми дверями метро. Плотная душная вонь в зале ожидания Курского вокзала — тысячи спящих людей на деревянных лавках, на каменном полу, на ступенях замершего эскалатора, на прилавках закрытых киосков. Они все сорвались со своих мест, гонимые, как и я, тоской и страхом, и кочуют куда-то без цели и смысла.

Старухи, дети, солдаты, деревенские мужики, молодые девки, командированные служащие разметались в беспокойном трепетном сне на коротком привале. Скоро подъем, и дальше — в бессмысленный и бесконечный путь.

Рухнула навсегда оседлая жизнь, став вечным бродяжничеством. Взорвали, затоптали, изгадили, забыли путь из варяг в греки. Мы вершим нескончаемый кольцевой маршрут из печенегов в половцы. Обезлошадевшие, спешенные скифы.

Прочь — в дождь, в пустоту, в ветер! И у ночи есть конец.

С рыком и гиканьем волокло меня в отчаянии по одичавшему мертвому городу, дотла разрушенному и разграбленному собственными хозяевами, пока не бросило, обессиленного и мокрого, у собственного порога. В комнате было пусто, пахло духами Эвы, пролитым коньяком, окурками, белела разворошенная постель на диване, мутно светила желтая лампа и набухало серостью оконное стекло.

На столе лежал плотный белый конверт. Я взял его в руки, медленно, будто по слогам прочитал на нем, пытаясь понять смысл: «Эва, очень прошу тебя передать это письмо Алешке — я сам не успеваю до отъезда. Целую, Всеволод».

Разорвал конверт — оттуда выпало десять хрустких глянцевитых новеньких сторублевых купюр и записка: «Алешка, я знаю, что у тебя сейчас плоховато с деньгами. Возьми в долг. Разбогатеешь — отдашь. Твой Севка».

46. УЛА. ШИФР 295

Бес, который манил Ольгу Степановну, так удачно увернувшийся от нее в погоне на троллейбусе, вернулся к ней ночью — уговаривал, стращал, прилещивал, но она ему не поддалась, с криком бегала по палате, ловила его, ругалась и плакала, с разбега перевернулась через мою кровать, разбила в кровь лицо, получила от дежурной сестры двойную дозу аминазина и теперь лежала неподвижно, почти бездыханная, с огромным синяком под глазом и присохшей бурой пеной на губах.

А Клава Мелиха, прячась за изголовьем моей кровати, рассказывала жарким шепотом, что теперь она выследила точно и знает наверняка, что здесь у них приемно-передаточный шпионский центр.

— Доктор... пухленький такой, симпатичный... он всем врет, что фамилия ему Выскребенцев... он и есть главный шпион... начальник диверсантов... его по-настоящему зовут Моисейка Ахмедзянов... я его сразу узнала... он раньше у нас учетчиком работал... я сразу вспомнила, что его фамилия Ахмедзянов... а Моисейка — то другой... он ему не то брат, не то по жене товарищ... евреи ведь и татары — это одно и же... они родину сговорились продать... придут американцы и негры... всех убьют... с живых кожу будут сдирать и есть... они все изменники родины... ой-ой-ей, мне бы только до чекистов добраться... им глаза открыть... никто ведь не знает... Слышь, тетка, ты мне напиши, что я тебе расскажу... беда у меня — я буквы забыла... ты мне только напиши... у меня тут шпион один знакомый есть... он чекистам донесение наше доставит... они придут... всех нас освободят...

Света накрылась с головой простыней и пела вполголоса свои чудные песни. Это была печальная музыка поражения, смирения, отступления.

Две санитарки ввели в палату новую больную — пожилую, совершенно седую женщину с ясным добрым лицом. За ними шел Выскребенцев. Клава упала на пол и ползком метнулась к своей кровати. Проходящая санитарка несильно пихнула ее ногой, заметила:

— Ползай, ползай — до Сычевки аккурат доползешь...

Выскребенцев показал старушке кровать в углу:

— Вот, Анна Александровна, ваше место будет. Располагайтесь. Я верю, что у нас с вами дело пойдет на лад...

Анна Александровна положила на тумбочку свой узелок, присела на кровать, вздохнула, и в позе ее было какое-то удивительное сочетание смирения и несогласия.

— А дела у нас должны обязательно пойти на лад, — рыхлился всеми своими пухлостями розовый черт, улыбался сочными губками, пушистые усята его дыбились. — У вас нет, дорогая Анна Александровна, выхода...

— Почему же это? — спокойно спросила женщина.

— Потому что вы проходили уже курс лечения в Ленинградской спецбольнице, Днепропетровской и Казанской. Если и мы не поможем, остается один путь — Сычевка. А вы ведь наверняка наслышаны о ней...

— Что ж, как Господь велит... — пожала Анна Александровна плечами.

— Ну, знаете ли, Анна Александровна, это не ответ, — развеселился мучитель. — Народная мудрость гласит — на Бога надейся, да сам не плошай.

— Оплошать вы мне не дадите, — твердо ответила старушка. — А я уж как-нибудь надеждой на Господа проживу...

— Как знаете, как знаете. — И, быстро потерев свои пухленькие надувные ладошки, повернулся ко мне: — А как вы себя чувствуете, Суламифь Моисеевна?

— Я требую, чтобы вы собрали комиссию! Вы преступник — вы кормите меня нейролептиками! Вы не имеете права! Я требую комиссии...

Выскребенцев доброжелательно улыбнулся, ласково блеснули его золотые очечки.

— Не волнуйтесь так, Суламифь Моисеевна! Успокойтесь! Конечно, вас будет смотреть и консилиум, и консультанты, и самая компетентная комиссия. Вы ведь и не представляете, как вам это самой нужно. Вам нужно очень серьезное лечение, заботливый надзор. Вы же нас сами и благодарить потом будете. Пока вы еще не понимаете, у вас неадекватная реакция. А поправитесь немного, поставим вас на ноги, вы мне еще цветы носить будете и сердечно благодарить...

Он, гадина, нарочно издевался надо мной. Я подумала, что он меня специально провоцирует на истерику. Собрала все силы и, как могла спокойно, сказала ему:

— Я вам официально заявляю, что больше не буду принимать таблетки галоперидола. Вы хотите действительно свести меня с ума — я вам не дамся...

Выскребенцев искренне, от души расхохотался:

— И после такого заявления вы хотите, чтобы я поверил в вашу адекватность, я уж не говорю об оскорбительности вашего заявления для моей врачебной чести, но подумайте сами, что было бы, если бы все пациенты психиатрической больницы сами назначали себе или отменяли методику лечения? К вашему же счастью, для вашего же блага мы свободны в выборе методов и тактики лечения больных. А если вы не захотите принимать таблетки галоперидола, я переведу вас на уколы триседила, эффективность которого вдвое выше...

От бессильной злости, от горечи, от беззащитности у меня против воли покатились по щекам слезы. А он поощрительно похлопал меня по руке:

— Поверьте мне, любая комиссия подтвердит мой диагноз. У вас классическая картина вялотекущей шизофрении. Вы раздражительны, грубы, вспыльчивы, циничны, вы все время насторожены и подозрительны. При этом вы повышенно сенситивны, ранимы, обидчивы и слезливы...

Я закрыла глаза и вдруг услышала тихий отчетливый голос новой больной — Анны Александровны:

— Ох, жутко тебе будет, доктор, гореть в геенне огненной...

Шаги его ватно прошелестели к двери, и оттуда донесся мягкий убеждающий голос:

— Геенна огненная будет здесь, на земле, и гореть в ней будем вместе... И вы — праведные, и мы — грешные...

Анна Александровна присела на край моей кровати и стала быстрыми, легкими движениями гладить мне лоб, переносицу, брови, и боль как будто вытягивалась ее мягкими пальцами, и становилось тише на душе.

— Ты поплачь, девочка, не крепись, ты пожалуйся — легче станет. А то душа от молчания, как глина от огня, каменеет. Это ведь они, антихристы, нарочно придумали, что жалость унижает человека — чтобы люди совсем друг на друга облютели. А жил на земле мудрый добросерд — епископ Дионисий, и заповедовал он людям изучать друг друга, чтобы лучше понять, поняв — полюбить, а полюбив — соединиться.

К нам подкралась Клава и неожиданно истошно заголосила:

— Широка страна моя родная... всюду жизнь привольна и широка... с южных гор до северных морей... человек проходит как хозяин, если он, конечно, не еврей... Ха-ха-ха! Попались, шпионы!.. О чем шептались?..

Меня от испуга и досады затряс колотун, а Анна Александровна даже не вздрогнула, только рука стала чуть быстрее двигаться:

— Не сердись, доченька, — нет ни вины, ни греха в ней. Пожалей ее — сердцем откройся, легче самой будет, неисчерпаемый колодец любви поместил нам Господь в сердце, да редко мы сами черпаем...

— А за что вас... сюда? — спросила я.

Старушка засмеялась:

— Расстройство сознания в форме религиозного бреда. Да вообще-то целая история болезни накопилась у меня. Я уже почти полный круг по спецпсихичкам сделала. У меня шифр 295, а он у них, как каинова печать, не смывается...

— А что такое шифр 295?

— Это по государственной тайной нумерации название шизофрении. Если однажды тебе поставили такой диагноз, он остается на всю жизнь. Никакая комиссия его снять не может. В крайнем случае могут заявить, что сейчас шизофренического состояния не наблюдается. Но шифр остается навсегда. И всю жизнь уже живешь с клеймом. Ни на работу, ни за границу, никуда с этим шифром ты не попадешь. У нас так и говорят: осужден пожизненно по 295-й статье...

Я тоже осуждена пожизненно. У меня проказа и шизофрения. Шифр 295. Шифр остается навсегда.

47. АЛЕШКА. ПОГОНЯ

Первую из десяти Севкиных новых сторублевок я оставил на станции техобслуживания. Ее уже несколько месяцев ждал вечно пьяный слесарь Васька Мяукин, давным-давно укравший для меня необходимые запчасти. Васька — пролетарий с интеллигентскими запросами, читатель «Литгазеты», ценил меня за смешные рассказы настолько, что не отдал дефицитные ворованные запчасти какому-то другому клиенту, хотя его почтение и не простиралось так далеко, чтобы дать их мне в долг.

— Когда пошабашим? — деловито спросил он.

— В обед должны все закончить и выпивать пойдем, — заведомо наврал я ему, поскольку в два часа меня должен был ждать около института Эйнгольц. И выпивать я сегодня не собирался.

— Тогда сымай пинжак — помогать будешь...

Мы с ним работали на пустыре за автостанцией. Как ловко и споро мелькали его пальцы! Васька снял мой старый карбюратор и поставил новый — от «жигуля». У него уже была приготовлена переходная прокладка, удлинитель, он мгновенно вкручивал болты, лихо свинчивал тяги, насаживал шайбы, гайки тянул до верного.

Заменил трамблер, выкинул старую и поставил новую бобину. Снял клапанную крышку и точно довел зазоры, потом чистил контакты, подгонял одно к другому, давая мне короткие команды — держи, тяни, подай пассики, ключ на четырнадцать, нажми, отпусти, на пол-оборота проверни, стоп! Он был похож на хирурга, копающегося среди кишок, нервов и сосудов разверстого брюха.

Долил масла, прошприцевал передний мост, подвел тормозные колодки. Прекрасный и быстрый мастер торопился изо всех сил — уже маячил обеденный перерыв, когда мы сможем с чистой совестью развести в себе огонь нашего собственного крематория. Его неукротимо призывала адская печь в зеленой бутылке. Я его хорошо понимал.

Он выдал мне машину — лучше новой. А я его обманул. Отдал хрустящую сотню и сказал:

— Возьми бутылку и иди в столовую. Я сейчас к тебе подгребу...

Крутанул стартером молодо заревевший мотор и помчался к Эйнгольцу. Мне нужно, чтобы «моська» вел себя сейчас хорошо, мне предстоит большая гоньба. Сегодня с утра я не видел около дома тусклой неотвязной «Волги» с моими серыми пастырями. Но вряд ли они отвязались совсем — они могут возникнуть в любой момент. Чего они хотят? Следить ведь за мной глупо. Может быть — припугивают?

Ах, как легко и резво бежал «моська»! Мы еще посмотрим, мы еще потягаемся со страшными форсированными машинами.

Эйнгольца я увидел издали, он стоял опершись спиной на серую облетевшую липу — коренастый, краснолицый, в своих толстенных мерцающих синеватыми бликами очках, и казался мне похожим на какое-то доисторическое вымершее животное. В ногах у него, прямо на асфальте, стоял необъятный портфель и две большие хозяйственные сумки, из которых торчали какие-то папки, книги, пачки бумаг.

Он вызывал у меня странное чувство — смесь раздражения, пренебрежения и необъяснимой приязни.

Пыхтя, влез Эйнгольц в машину со своим багажом, поздоровался коротко, утер красное потное лицо.

— У тебя, Эйнгольц, плохие перспективы. Ты — толстяк, неврастеник, литератор и еврей...

— А у тебя хорошие перспективы? — мягко поинтерссовался он.

— У нас у всех замечательные перспективы, — согласился я.

Мы долго ехали молча, я видел в зеркальце сзади задумавшегося Эйнгольца — у него было скорбное усталое лицо. Он сказал неожиданно:

— Меня в школе ненавидел наш классный руководитель. Он меня поймал однажды, когда я царапал бритвой парту, выволок за ухо на всеобщее обозрение и сообщил: «Сейчас ты бритвой парту режешь, завтра ты с ножом выйдешь на большую дорогу, и вырастет из тебя наверняка бандит, хулиган, убийца Кирова»...

Я думал, что он продолжит — как-то объяснит свое воспоминание, но он снова глухо, тяжело замолчал. Только на Серпуховке он спросил:

— А откуда ты узнал, что Ула в седьмой психбольнице?

— Не важно. Узнал...

Ах, Эйнгольц, Эйнгольц, больше всего на свете мне не хочется вспоминать, как я узнал, что Ула в седьмой псих-больнице.

Я кивнул на его сумки:

— Что это за бебехи?

Эйнгольц усмехнулся:

— Мой архив. Мне предложили очистить стол...

— В каком смысле?

— Меня уволили.

— Но ты же научный сотрудник? Тебя же можно уволить только по конкурсной комиссии? Через ученый совет?

— Алеша, это ты говоришь? Ты ведь не хуже меня знаешь, что у нас можно все.

У поворота к Волхонке-ЗиЛ я перестроился в правый ряд, но не успел проскочить на стрелку светофора, потому что меня отжал бойкий наглый «жигуленок», юркнувший вперед меня. Зеленая стрелка погасла, и я решил подождать — сейчас было не время глотничать с милиционерами.

— Как же ты теперь думаешь жить, Шурик?

— Не знаю. Я не думал еще. Мне как-то все равно...

— Что значит «все равно»? Жевать что-то надо!

— Надо. Но у меня какое-то непонятное ощущение, будто вся моя жизнь к концу подходит...

На Канатной улице я быстро догнал и обошел броском неспешно телепавшийся «жигуль», проявивший такую прыть на повороте. Сидевшие в нем двое мужиков тоже о чем-то спорили.

Эйнгольц отстраненно произнес:

— Сказал нам Спаситель — когда будут гнать вас в одном городе, бегите в другой.

Я посмотрел на него в зеркальце — лицо Эйнгольца было красным, напряженным и отчужденным. А позади нас маячил все тот же белый «жигуль». Невольно взглянул на номер — МНК 74-25. Свернул на длинную подъездную аллею к больничным воротам. И вспомнил.

— Шурик, я отправил в несколько организаций запросы. Я боюсь, что ответы до меня могут не дойти, и я дал твой обратный адрес. Не возражаешь?

— Нет. Конечно, не возражаю...

Остановил машину на площадке сбоку от ворот — огромных железных створок с электрическим приводом. Ворота открывались мотором из проходной за решеткой.

«У нас тюрьма», — сказала Эва.

Эва, что ты сделала с нами? Зачем тебе это надо было? Ах, все пустое! Эта жизнь к концу подходит...

Мы направились к одноэтажному каменному домику с табличкой над квадратным оконцем «Справочная». Я оглянулся и

359

увидел, что в другом конце площадки пристроился белый «жигуль» МНК 74-25.

Справки в этом медицинском учреждении давал красномордый морщинистый вахтер в сине-зеленой вохровской форме и фуражке. Он вглядывался в нас подозрительно из своей зарешеченной амбразуры, переспросил несколько раз:

— Как-как? Гинзбург? Суламиф? Щас посмотрим...

Он листал в тонкой засаленной папочке бумажки, воздев на курносый кукиш лица толстые роговые очки, слюнил пальцы с подсохшей чернотой ружейного масла под ногтями, бормотал сухими губами в белых налетах:

— ...Гинзбург... Гинзбург... так-так... Когда поступила?.. Семнадцатого?.. Так-так... В каком отделении, не знаете?.. Так... Нету... Нету такой у нас... Не значится...

Я начал орать на него:

— Как не значится — она здесь вторую неделю уже...

Но Эйнгольц дернул меня сзади — пошли, это бесполезно. А медицинский работник в охранной форме, взглянув на меня равнодушно, захлопнул изнутри ставню окна. Вот и все.

Белый «жигуль» на другом конце стоянки, двое пассажиров не бегут к проходной с кульками передач, не торопятся в справочную — узнать, как там их дорогой родственник лечится под надзором вохровцев.

Трехметровая кирпичная стена с вмазанным в гребень стекольным боем, с двумя рядками колючей проволоки на косом кронштейне внутрь территории.

«У нас тюрьма. В тюрьме свиданий не бывает».

Только вышек караульных с пулеметами по углам нет.

Мы пошли вдоль стены — вдруг где-нибудь есть пролом, лазейка, незапертая калитка, неохраняемый хозяйственный двор. Высоко над головой — битое стекло, колючая проволока и полуоблетевшие кроны старых деревьев.

Стена повернула налево, далеко-далеко тянется ее кирпичный траверс — вдоль пустыря, огромной помойки, заброшенной свалки, железнодорожной насыпи. Какие-то склады, бараки, кучи гниющей картошки, железные ржавые коробочки гаражей, горы строительного мусора, бродячие собаки. Стена, стена, стена...

— Даже если мы попадем туда — ничего не узнаем, — сказал Эйнгольц. — Там целый город. Надо знать отделение...

Мы обошли вдоль стены всю больницу и не нашли лазейки. Вернулись к стоянке, выйдя прямо к белому «жигулю». Один из его пассажиров стоял около справочного окна, и медик-охранник не гнал его и не захлопывал перед ним ставню. Да ведь они и не ругались между собой!

А второй пассажир, видимо, шел за нами — чуть поодаль. В кабине «жигуля» на заднем сиденье стоял большой черный портфель — такой же, как у Эйнгольца. Правда, они в нем носят не выкинутый из очищенного стола архив, а скорее всего бутерброды, термос с чаем, а то и бутылку. У них ведь ненормированная беспокойная и оперативная работа!

— Послушай! — удивленно сказал Эйнгольц, показывая на «жигуль» — в машине раздавался отчетливый крякающий протяжный звук. — Что это?

Звук повторялся с пятисекундным интервалом.

— Это, Шурик, вызывной сигнал радиопереговорного устройства.

— В «жигуле»? Зачем? Это же частная машина?

— Нет, друг Эйнгольц, это не частная машина. Это вызывают по радиотелефону вон того жлоба. А он следит за нами...

Я взял ошарашенного и перепуганного Эйнгольца за руку и пошел через площадку к «моське». От справочного окошка отделился и пошел нам навстречу развинченной фланирующей походкой шпик. Он, видимо, хотел внимательно рассмотреть Эйнгольца — меня-то он наверняка хорошо знал в лицо.

Когда мы поравнялись, я, ослепнув от ненависти, даже не разглядев его как следует, громко сказал:

— Эй ты, топтун! Поторопись — там тебя на связь вызывают!..

Быстро сели в машину, Эйнгольц еще дверь не захлопнул, как я запустил мотор, крутанул на пустой площадке дугу задним ходом, включил первую и погнал на всю катушку прочь от больницы. Мы уже выскочили из подъездной аллеи, когда они в нее только въехали.

Они будут стараться догнать меня изо всех сил — их работа тоже стоит на обмане и очковтирательстве, он ведь наверняка побоится доложить начальству, что я их расколол. Им лучше доложить, что объект наблюдения скрылся, используя сложности уличного движения.

Сейчас быстрее! Быстрее! Выиграть секунды! Я не знаю, зачем я убегал от них, мне ведь все равно некуда деться, они перехватят на полдороге или около дома. Но я знал, что надо оторваться. Я знал, что надо с ними бороться, — я ведь не понимал, зачем они пасут меня, и коль скоро им это зачем-то надо, я обязан им всеми силами мешать.

До Добрынинского рынка у меня нет выбора — только прямо, самым быстрым ходом. А тут большой развод движения. Налево, через бульвар, за строящимся домом есть проезд на Шаболовку. Снова налево — к Текстильному институту.

— Посмотри назад, Шурик, — ты их не видишь?

Эйнгольц долго всматривался, неуверенно развел руками:

— Кто их знает — сзади много машин, темнеет, я цвета плохо различаю...

Направо — через Вторую Хавскую, прямо, налево, к Донскому монастырю. Полный круг, с протяжным воем баллонов, с натужным ревом мотора я промчался вокруг монастыря. Свернул за угол рядом с Соловьевкой и влетел в глухую подворотню. Заглушил мотор и выключил подфарники. Обернулся назад — по улице промчались за нашей спиной несколько машин, но был ли среди них МНК 74-25, я видеть не мог.

— А теперь что? — спросил Эйнгольц.

— Посидим, покурим, отдышимся. Потом поедем по домам...

Через подворотню мимо нас шли люди, с криками пробегали мальчишки, густел вечерний сумрак и пронзительно блестел влажный асфальт. Сигаретный дым липнул к щитку, кряхтел и тяжело вздыхал Эйнгольц, с шелестом и гудением проносились по улице машины, загорались в окнах разноцветные плафоны, из открытой форточки приплывал к нам блюз, густой и темносладкий, как патока. Мир жил вечерне, устало и спокойно — он не знал, что эта жизнь подходит к концу, он не знал о нас, двух испуганных беглецах в запыхавшемся от гонки «Москвиче», спрятавшемся в темноте чужой подворотни.

— Алеша, ты говорил о запросах, которые ты послал...

— Ну?

— Ты ищешь убийцу Михоэлса и отца Улы? — Он спрашивал запышливо, неуверенно, будто боялся, что я его обругаю и прогоню.

— Да. А ты откуда знаешь об этом?

Он подышал, посопел робко, уклончиво ответил:

— Мы с Улой говорили...

— Так. И что ты хочешь сказать о запросах?

— Я хотел тебе сказать... Я думаю... Мне кажется, ты не получишь ответа... Я тебе сказал это, чтобы ты зря не надеялся...

— Почему ты так думаешь? — удивился я. — Ты что-нибудь знаешь?

Эйнгольц покрутил головой, будто его душил воротник рубахи, погудел носом, сказал негромко, отвернувшись от меня:

— Убийца давно мертв. Ничего тебе не сообщат о нем.

— Не мычи! Что ты тянешь! Объясни мне по-человечески!

— Я не тяну, я всегда старался забыть об этом, и мне стало так страшно, когда я увидел этих убийц на машине — тех, что гнались за нами. Они все могут. Бог весть, что будет с нами завтра. И мы должны разделить между нами то знание, что есть у нас. Я не тяну — я стараюсь получше припомнить...

— Так вспоминай, Шурик, вспоминай! И не бойся — они нам ничего не сделают, у них пока что руки коротки. Эти-то не убийцы еще — это просто шпики... Вспоминай, Шурик...

— Мне говорили, что для убийства Михоэлса привезли одного человека из Москвы и второго взяли в Минске — это был адъютант белорусского министра генерала Цанавы, брата или племянника Берии...

— Все правильно. Как их фамилии были — не помнишь?

— Нет, я не знаю. После убийства их обоих привезли в Вильнюс, там они должны были отсидеться, пока шум уляжется. Все бы и сошло гладко, но в Минск приехал расследовать убийство Шейнин. Во дворе, где произошло убийство, Шейнин нашел лом, завернутый в лоскут войлока, измазанный кровью и кусками мозга...

— Так, значит, старый сыщик нашел этот лом! — вырвалось у меня.

Эйнгольц покорно кивнул:

— Да, он был сыщик получше, чем писатель! Шейнин снял с лома отпечатки пальцев, и произошла катастрофа. По отпечаткам пальцев установили, что они принадлежат адъютанту Цанавы...

— Что ты говоришь, Шурик! Как это могло быть? Ведь адъютант уже отсиживался в Вильнюсе?..

— Им не пришло в голову, что у Шейнина, как начальника следственной части прокуратуры, существует свой выход на дактилоскопическую картотеку. А этот адъютант был в сорок втором году приговорен за разбой к шести месяцам штрафбата, на передовой отличился, был ранен, награжден и кем-то представлен Цанаве. Видимо, молодой бандит понравился этому людоеду, и он приблизил его... Надо полагать, он ему крепко доверял, если поручил такое дело...

— Господи! — хлопнул я себя по лбу. — Значит, Шейнин тогда уже знал почти все...

— Да, он стал искать адъютанта, и было решено этого головореза убрать...

— Его фамилия — Жигачев.

— Может быть, — кивнул Эйнгольц. — Не знаю. Ликвидировать этого адъютанта было приказано старшине Гарнизонову...

— Что-о? — открыл рот я. — Пашке Гарнизонову? Ты ничего не путаешь, Шурик?

Он медленно покачал головой, печально мигнули его набрякшие тяжелые веки:

— Нет, Алеша, я не путаю. Он был шофером твоего отца. Гарнизонов дал этому Жигачеву, или как там его, стакан спирта, в который было подмешано сильное снотворное, отвел его в гараж, посадил в машину и включил мотор. Через полчаса Жигачев задохнулся...

— Шурик, ты это наверняка знаешь, кто тебе это сказал?

Он помедлил, будто раздумывал — говорить или пока еще можно молчать, быстро произнес:

— Мне сказал человек, давший спирт и снотворное...

— Шурик, мне надо выяснить, от кого ты это все узнал. Мне это очень важно!

Эйнгольц твердо взглянул мне в глаза:

— Нет, Алеша, я не скажу. Это все правда. Наверняка правда. Но сказать, откуда я знаю, я не могу... — Помолчал и просительно добавил: — Поверь, Алеша, я тебе как брату говорю — час правды еще не пробил. Мы всю ее не готовы узнать...

48. УЛА. СТЕКЛЯННЫЕ ПУЛИ

— ...Серы! Я те щас закатаю полну жопу серы — тады успокоишься! Серы!.. — орали кому-то няньки в коридоре, их гавкающие голоса заглушали рассказ Анны Александровны, и я вдруг с удивлением поймала себя на том, что меня сердят только крики — мешают слушать, а в сердце нет ужаса и сопереживаний к несчастной, которую сейчас будут травить и мучить сульфазином.

Человек, наверное, ко всему привыкает.

Анна Александровна рассказывала, как впервые попала в психушку. Из Президиума Верховного Совета. Она пришла в приемную с жалобой. Прожила перед этим полгода в Почаевской лавре, не вынесла — поехала в Москву жаловаться. Местные власти расположили в одном крыле монастыря клуб с агитпунктом, а в другом — отделение для буйных больных — психохроников. В часы моления слева доносилась джазовая музыка, пьяная ругань и визг лапаемых девок, а справа — жуткие крики связываемых в укрутки и накачиваемых серой больных.

Анна Александровна привезла жалобу, подписанную почти пятьюстами верующих. Ее выслушали, приняли бумагу, и по «скорой» психиатрической направили в Ленинградский психприемник. Через год — в Днепропетровск. Еще через год — в Казанскую страшную психбольницу. Теперь привезли сюда. Здесь предстоит освидетельствование комиссией. И грозит диагноз — неизлечима.

Она не демонстрирует улучшения в состоянии — она не проявляет критики к своему поведению. Пока она не признает, что раньше была неадекватной, возражая против подселения в монастырь комсомольского клуба и психиатрической больницы, врачи не могут констатировать улучшения в ее состоянии.

Шифр 295 с пометкой «психохроник» — это пожизненное заключение.

У меня тоже что-то сдвинулось в голове, я искренне не понимаю многих установлений. Меня тоже ждет пометка «психохроник» на папке истории болезни.

А по палате расхаживает, завернувшись в простыню, Света — с коротко срезанными волосами и прекрасными горящими синими глазами, все время поет свои диковинные песни и говорит, ни к кому из нас не обращаясь:

— Слушайте, слушайте — гремит музыка... она повсюду... она вокруг нас, она в нас, это язык вселенной, обращенный к нам... слушайте высокий говор сфер... примите разложенную в семь нот литературу чувствований. Господи, неужели вы не слышите и не понимаете?.. Я хочу перевести на ваш бедный язык идеи и лик громадного мира... Слушайте меня... вы разве оглохли?.. Немота пала... Семь нот вам кричат... и все тональности... регистры и лады... Евангелие от Баха... Откровение от Гайдна — узнайте Апокалипсис от Бетховена... Я вам спою святое благовествование от Моцарта...

Ее ломкий голос, тонкий и ясный, — метался и звенел по серому сумраку палаты. Разве это сумасшествие? Какой-то непонятный нам стремительный внутренний полет.

Клава сказала неожиданно осознанно:

— Сейчас эту дуру глушанут лекарством... — Помолчала и добавила: — Витаминами. Витамины на нашу погибель придумали евреи... А их в природе и не существует... Вот евреи их придумали и продали американцам... А нам теперь — в очереди стой...

Анна Александровна подошла ко мне и положила ладонь на лоб:

— Ты, девочка, с медсестрами и няньками не воюй — принесут таблетки, ты их прими. Иначе заколют они тебя уколами. Ты ведь, слава Богу, не пробовала триседил в уколах, не знаешь, какой это ужас. Бред, память пропадает, совсем в животное превращаешься...

Я улыбнулась ей — впервые, как попала сюда.

— А вы сами, Анна Александровна? Вы же не принимаете таблетки?

Она засмеялась легко, радостно:

— Э, голубка! Тебе-то повезло — они тебя в глупостях обвиняют, свое безумие на тебя перекладывают. Чего бы ты этим разбойникам ни сказала — нет у тебя на совести греха. А мне надо от Бога отказаться — силу антихриста признать. Это я не могу. Коли велит Господь — умру скорее...

Она присела на мою кровать, и пахло от нее чем-то домашним, очень уютным — как от тети Перл. Коржиками с корицей, травами, теплом плиты.

— И не спорь ты с ними — с сестрами, няньками, они тут главная сила. Если не поладишь с ними — погибнешь. Они все — младшие начальники, что здесь, что на воле, и определяют всю нашу жизнь — то ли палкой оглоушить, то ли пайку хлеба выдать...

В палату вошла сестра Вика, окинула нас своим прозрачным рыбьим взором, спокойно и невыразительно сказала:

— Гинзбург — сегодня на пункцию спинного мозга. Остальным приготовиться к инъекциям...

В руках у нее был стерилизатор со шприцами и коробочка с ядами, которыми они нас каждый день хладнокровно травили. Стеклянные пульки ампул пробивают насквозь и попадают прямо в мозг.

Интересно, что делает Вика после работы? С кем она живет? Рассказывает ли она им, что делает на работе? А может быть, ей и неинтересно говорить об этом?

Вика подтолкнула Свету к кровати — ложись, ложись — и выстрелом влет подбила ее песню. Хрипя и булькая, песня падала на пол, слабо трепыхаясь, неразборчиво и суетливо, шелестя непонятными словами. Прервался внутренний полет, Света кубарем рухнула в трясину забытья. Откровение от Гайдна захлебнулось прерывистым храпом, сипением и свистом.

Анна Александровна глядела в окно, губы ее шевелились. Она боролась всем естеством своим с действием яда, уже разъедавшим ее изнутри, помрачающим рассудок, туманящим память, оскверняющим ее веру. Глаза у нее выкатывались из орбит, по лицу катил пот, и громкое бешеное дыхание срывалось с губ.

— Гинзбург, собирайтесь на пункцию, — сказала Вика.

Я встала, подошла к Анне Александровне, взяла ее за ледяную руку. Она меня не видела, ничего не слышала, не помнила, не сознавала. В ней жили только отравленные внутренности. Через час я вернусь с пункции и со мной совершат то же самое.

Алешенька! У меня часто путаются мысли и пропадает память.

Они убивают в нас душу. Сделай что-нибудь, мой любимый! Спаси меня отсюда!

49. АЛЕШКА. ЗА ПОМИН ДУШИ

Перед рассветом снова пришли судьи «ФЕМЕ». Сквозь сон я услышал оглушительный металлический удар — звук тяжелый и дребезжащий, с прохрустом и тихим звоном разлетевшегося стекла. Приподнял голову с подушки и увидел их за столом. Они сидели неподвижно, сложив на столешнице узловатые иссохшие руки, а перед ними был воткнут ржавый кинжал, валялась свитая петлей веревка и открыта толстая книга, и тайным всеведением я угадал, что это Книга Крови, их страшный протокол.

Я знал, что схожу с ума от пьянства и невыносимого нервного напряжения, но сил сбросить, отогнать наваждение не было. Да и желания. Мне было все равно.

— Ты знаешь, кто мы?

— Да, гауграф. Вы судьи «ФЕМЕ».

— Кто рассказал тебе о нас?

— Мой отец.

— Откуда он узнал о нас?

— Ему передали ваши протоколы в сорок пятом году в Берлине.

— Почему?

— Они хранились в запечатанных пергаментных пакетах в архивах гестапо. И на них была печать — «Ты не имеешь права читать это, если ты не судья «ФЕМЕ».

— Почему же они вскрыли пакеты, которые не смели тронуть веками?

— Они думали, что это секретные документы гестапо, и вскрыли их как правопреемники.

— Что сказал тебе отец?

— Он смеялся над глупостью гестапо, сказав, что они могли бы многому научиться у вас, если бы хватило ума и смелости вскрыть протоколы.

— Ты знаешь, что мы храним?

— Да, гауграф, — вы храните Истину и караете праздномыслов, суссловов и еретиков.

— Ты знаешь, в чем наша сила?

— В страхе людей перед вами, в тайне вашего следствия, вашего суда и неотвратимости казни. В сообщничестве запуганных людей, готовых на любые услуги вам, только чтобы отвести от себя подозрения и смерть.

— Ты знаешь, как доказываем мы обвинение?

— Да, гауграф. Шесть посвященных должны поклясться в правдивости обвинителя, даже если они ничего о подсудимом не знают. И обвинение признается доказанным.

— Ты знаешь наш приговор?

— Да, гауграф. Еретик лишается мира, и права, и вольностей, шея его отдается веревке, труп — птицам, душа — Господу Богу, если он пожелает принять ее; да станет его жена вдовою, а дети пусть будут сиротами.

— Ты готов? — мертво и решенно спросил гауграф.

И тут опять раздался громовой лязг и металлический грохот. Рывком с криком отчаяния рванулся я с постели — все исчезло. Пустота, рассветные сумерки, тяжелое дыхание. И рев удаляющегося мотора за окном. Я подбежал к растворенной фрамуге и увидел, что по Садовой небыстро уезжает грузовик-снегоуборщик, здоровенный утюг с бульдозерной лопатой впереди.

Екнуло сердце, я перевесился через подоконник вниз — у тротуара съежилась груда металлического лома. Останки отремонтированного заново «моськи».

Летел по лестнице через три ступеньки, выбежал в холодную тонкую морось дождя и за десять шагов уже знал — труп. Они убили «моську» насовсем.

Вот финиш гонок с преследованием, так они выигрывают все соревнования. Когда можно все и всех убить, упрощаются любые состязания. Это они меня пугают. Ведь можно было убить нас с «моськой» вместе. Просто пока еще не время.

Бандит ударил «моську» дважды — спереди, потом развернулся и врезал сзади. Кузов выгнулся и расплющился. Персломился и вылез наружу подрамник, сели боковые стойки. Багажник уполз в кабину. Рулевая колонка воткнулась в потолок. Квадратики рассыпавшегося лобового стекла плавали льдинками в коричнево-черной луже масла, вытекающего из расколовшегося картера. Ржавые потеки воды из порванного пополам радиатора. Двигатель на асфальте. И задранное вверх правое колесо.

На смятой в стиральную доску крыше с тихим треском лопалась и отслаивалась краска. Задняя дверца была распахнута. Я влез в кабину, сжался в уголке и погрузился в какое-то странное состояние — не то оцепенение, не то обморок, не то немую истерику. Я слушал, как над моей головой потрескивает отлетающая краска, будто лопались стручки, и вяло думал о том, как кусками разваливается моя жизнь. Я думал о том, что никакая машина не заменит мне больше «моську» — и не потому даже, что у меня никогда не будет денег на покупку другой машины. «Моська» был важной частью моей жизни. И особенно жизни с Улой. Не верится, что моя жизнь когда-то вмещала столько счастья. Ах, какое это счастье — неведение! Как должны быть счастливы люди с иммунитетом к неизлечимому недугу — обеспокоенности правдой! Боже, какой это высокий и страшный недуг, не признающий благополучных исходов!

Вокруг убитого растерзанного «моськи» собирались ранние прохожие, сочувствовали, вздыхали, удивлялись, шутили, кто-то злорадствовал, советовали мне собрать валяющиеся вокруг детали — что-то продать можно, спрашивали — не поранило ли меня, а маленькая старуха с лошадиным лицом, похожая на пони, сказала, что я наверняка пьяный — иначе незачем сидеть мне в порушенной машине.

Не объяснить им, что я не ранен, не пьян, не сокрушен от потери последнего своего имущества. Разве можно объяснить прохожим, что такое скорбь о маленьком верном «моське»? Товарища убили.

Потом я пошел домой, оделся, бесцельно послонялся по комнате и подумал, что самое время люто напиться. Нужно дать нервам разрядку. Раз вы меня не убили вместе с «моськой» — теперь мой ход.

Дорогие мои товарищи мучители! Вы не учли одну важную подробность, вы о ней попросту не знаете. А называется она национальный характер. Такая штука существует, хотя вы глубоко уверены, что вам удалось его уничтожить, превратив нас в жалобных просителей и дрожащих напуганных тварей.

И малоизученной чертой нашего национального характера является русская ярость — необъятная волна застящего глаза гнева, что родится от отчаяния, горячего и блестящего, как нож, безоглядного, бурей вздымающаяся злоба на поношение, когда уже не думаешь о корысти или расчете, когда не помнишь о каре и не страшишься мести, когда нет большей цели, чем порванная вражья пасть, и мечты нет выше, чем за правоту свою костьми полечь!

Не напугаете вы меня больше. Ярость во мне белая — как безумие, как ненависть, как смерть...

Выбежал на улицу, прохожие глазеют на разбитого «моську», и милиция уже пожаловала, золотыми фуражками покачивают, лбы многомудрые напрягают, языками цокают. Но не стал я им ничего говорить. Это глупо — я ведь уже лишен мира, и права, и вольностей...

И Нина Федорова здесь же стоит почему-то — наша секретарша из Союза писателей. На меня смотрит с болью, лицо трясется.

— Ты как сюда попала, Ниночка?

— Я за тобой, Алеша. Тебя Петр Васильевич разыскивает. Там переполох какой-то. Меня за тобой на машине послали, у тебя телефон не отвечает...

И не пригасла моя ярость, и страх к горлу не подступил, хотя решил я, что они будут меня арестовывать. Бегать мне от них бессмысленно, но если они так обнаглели, что хотят меня взять в Союзе, то я хоть устрою им там памятное представление. Я буду драться, вопить, кусаться, я соберу толпу, которая надолго запомнит, как меня будут волочь по коридорам. Помогать им молчанием я не стану.

Уж если писателями поставлен руководить генерал МГБ, то пусть он всем покажет свои профессиональные ухватки.

Я не заметил, как мы с Ниной промчались на казенной машине через центр, «Волга» притормозила у подъезда, и я влетел в вестибюль, и во мне клокотала и ярилась каждая клеточка, бушевал и рвался каждый нерв, и только рогатина в бок могла сейчас угомонить мое бешенство.

Безлюдно и пусто было в этот утренний час в нашем клубе. В деревянной гостиной сидел за столиком негр и собирал партвзносы. Этот человек — поэт Джимми Джеферсон. Бесприютное дитя людское, затерявшееся в мирской неразберихе. Его ленивые родители — американские коммунисты — привезли сюда до войны младенцем, и в возрасте одного года он стал кинозвездой. Джима сняли в картине «Цирк» — нелепой мелодраме о белой женщине, гонимой американскими и немецкими расистами за ее чернокожего ребенка и нашедшей счастье в нашей стране. В апофеозе фильма маленького негритенка передают с рук на руки и любовно баюкают представители братских советских народов. Ударный кусок — Джим на руках у Соломона Михоэлса, с чувством и слезой поющего ему еврейскую колыбельную. Как только Соломона убили, весь этот кусок вырезали, и двадцать лет зрители с удивлением смотрели, как непонятной причудой монтажера черный младенец перелетал с рук на руки через весь цирковой амфитеатр.

Теперь Михоэлса снова вклеили в картину, но ныне живущие люди просто не знают, кто этот лобастый еврей с выпирающей мощной губой, кого он представляет и на каком языке поет.

А тихий безобидный Джимми собирает у нас партвзносы в свободное от писания лирических стихов время.

Я хлопнул его по плечу и спросил:

— Джим, ты хорошо помнишь Михоэлса?

Он удивленно посмотрел на меня и покачал головой:

— Вообще-то не очень... Даже можно сказать — совсем не помню. А что?

— Ничего, Джимми, все в порядке. Главное — собирай аккуратно взносы и не забивай себе голову пустяками...

Бегом поднялся по лестнице на второй этаж и рванул дверь в кабинет Торквемады.

— Вот он, явился! — крикнул мне в лицо мой постный истязатель, пепельный от тоски и злости Торквемада Петр Васильевич.

Как школьники боятся директорского кабинета, так все писатели опасаются этой нелепой комнаты, куда они ходят к зловещему хозяину с просьбами, доносами, для порки и унижений.

И я боялся. Пока меня не затопила душная ярость ненависти.

А в разных углах дивана сидели два сизых неприметных человека. Они должны в совершенстве знать систему карате, если надеются тихо забрать меня отсюда.

Я сел в кресло напротив стола, удобно развалился и закурил сигарету — специально разместился так, чтобы эти двое были все время в поле зрения.

— Доигрались, гаденыши... — горько сказал хозяин, и я увидел, что он не ломает дурака, а действительно остро горюет, он сокрушен и раздавлен.

Но я молчал, как замороженный. Мне им помогать нечего.

— Ты знаешь, где твой брат? — спросил Торквемада, прикусывая от злости синий кантик нижней губы. Ага, значит, и до них уже докатилась эта грязная история с Антоном. Но как они собираются к ней подвязать меня?

— На работе, наверное. А что?

— Я про Севку спрашиваю!.. — крикнул писательский генерал, и с его очков посыпались синие искры, как с точильного камня.

— Севка?! — И предчувствие сжало холодной мохнатой лапой сердце. — Он в Вене... Я не понимаю, о чем вы спрашиваете...

— В Вене... В Вене!.. В Вене!!! В жопе он, а не в Вене! Он убежал — Иуда проклятый! Перебежчик! Сука продажная! Предатель!!!

Взметнулись бесплотно с дивана сизые, я отшатнулся, спросил испуганно и удивленно:

— Куда убежал? Что вы несете такое?.. Вы о Севке говорите?..

— О Севке! О Севке! О братце твоем замечательном! Он позавчера попросил политического убежища у американцев...

«Мне надоело пить рыбий жир...»

— Ты понимаешь, что это значит?

«У меня здесь остаются две родные души, и обе меня не любят...»

— Полковник спецслужбы — перебежчик! Ты представляешь, что он, гадина, унес с собой?..

«Омниа меа мекум в портфель...»

— Мы ему покажем убежище! Рук хватит — мы его там сыщем, блядь проклятую!..

«Тебе не нужно меня ненавидеть. Да и не за что...»

— Он бы хоть о вас подумал! Вы-то здесь остаетесь!

«Я не люблю родителей...» «...Возьми в долг. Разбогатеешь — отдашь...»

— Он говорил с тобой перед отъездом?

— Нет.

— Врешь, мы точно знаем, что говорил...

— Ну, говорил, допустим...

— О чем?

— Это не ваше дело. Мы говорили о наших семейных делах...

— У вас больше нет ваших семейных дел. Все они — наши!

371

Я усмехнулся, покачал головой. Не говорить же о Севкиных слезах — он ведь тогда оплакивал меня, как умершего. Не говорить же о том, что Севка обманул меня — он попросил меня не рыпаться, не мелькать, чтобы получить последние несколько дней до отъезда, чуть ли не часов, а сам сказал им, что уговорил меня уняться. Да и не в обиде я на него за это — мы словно умерли оба, больше нам никогда не увидеться. Не судья я ему...

Жаль, что я не маленький негритенок. И не сижу на руках у Соломона, и не мне поет он колыбельную. Я бы его запомнил. Я бы все запомнил о нем. И не сидел бы в пустынной гостиной, собирая партвзносы. Но у судьбы свой — тайный — расклад карт.

— Вы нам за него здесь ответите! — визжал, пузырясь клубочками пены, Торквемада Петр Васильевич. — С вас спросим за изменника родины! Знаю, знаю, что и ты, волчонок, в лес смотришь! С тебя спросим!..

— Вы-то, может, спросите, да я вам не отвечу, — сказал я ему тихо. — И больше не орите на меня. Вы мне надоели. Если мой брат совершил преступление, возбуждайте уголовное дело и допрашивайте меня в установленном законом порядке. А к вам я сюда больше не приду. Плевать я на вас хотел...

Встал и медленно, не прощаясь, вышел. Спустился по лестнице в гостиную — там было пусто. Русский негритянский поэт уже собрал партвзносы и поехал, наверное, в райком. А Севка убежал в Америку.

Чушь какая-то. Я, наверное, сошел с ума.

Заглянул в буфет и попросил барменшу Мусю налить мне полный стакан водки.

Будь здоров, братан Севка.

За помин твоей доброй железной души, «моська».

За твое терпение, Ула. Дождись меня, я иду к тебе.

50. УЛА. РЕЦИДИВИСТЫ

Какая невыносимая горечь! Так горько, будто я наелась хины. Горечь несмываемой пленкой покрывает рот. Дышать трудно. Жарко. Очень душно. Что сейчас — день? Ночь? Плохо вижу. Дым плывет. Клубы его заволакивают глаза. Больно смотреть — веки сами закрываются. Как пересохло, затвердело и все полопалось во рту!

Я знаю эту старушку. Она живет здесь, со мной рядом. Не могу вспомнить, как ее зовут. Ласково говорит мне что-то, но нельзя разобрать слов — шелестящий лепет, мешанина звуков

толчется в моих ушах, как грязная вода в засорившейся раковине. Не понимаю.

Она поит меня из стакана холодным чаем, потом просовы-
вает через мои волглые непослушные губы соевую конфету. Вода
и конфета растворяют, гонят, смывают немного горечь. А конфета пахнет нафталином. Знакомый запах. Когда я ела пахну-
щие нафталином конфеты?

Боже мой, как это было давно! Я вспомнила! Моя раненая,
отравленная память откапывается из серой пыли забвения, она
тянется вверх из бурой трясины беспамятства — она подсказала
мне этот вкус и запах.

Ее звали тетя Перл. Да-да, я ведь жила только у нее. У тети
Перл конфеты пахли нафталином — они были ценностью, ред-
костью, их берегли для гостей. Тетя Перл их прятала в платяном
шкафу. А гости ходили очень редко. Такие гости, что стоили
угощения конфетами. Конфеты успевали пропахнуть нафталином, которым пересыпали все вещи от моли.

Когда приходил с проверкой участковый, в этом нафталино-
вом шкафу пряталась моя мать, уже приехавшая из ссылки, — у
нее не было прописки. Про эту симпатичную тетеньку все говорили, что она моя мама, а я-то знала, что моя мама — это тетя
Перл, потому что симпатичную женщину я совсем не помнила,
но гордилась, что у меня теперь две мамы, хотя одна всегда
прячется при первом же стуке в дверь.

И потому я радостно закричала участковому, показывая на
щель в шкафу: «А вот мамочкины ножки!», и в тот раз от него
удалось откупиться только двумя бутылками водки, большим
ломтем сала и твердым обещанием, что тетя Перл будет шить
его жене бесплатно.

Я вспоминаю теперь, что тетя Перл всегда кому-нибудь шила.
Они с дядей Левой были удивительно рукастые люди, но как-то
так вышло, что все их умения всегда были под запретом. Поэтому они всю жизнь всего боялись. Боялись, преодолевали эту
боязнь, делали недозволенное и снова боялись. Они научили
меня все делать и всего бояться.

Эти тихие боязливые люди прожили целую жизнь в героиче-
ской борьбе. Когда-то очень давно дядя Лева был нэпманом — он
открыл слесарную мастерскую, где с двумя товарищами успешно
зарабатывал на хлеб. Хозяином этого промышленного концерна
был оформлен именно он, поэтому, когда нэп прикрыли, его товарищей просто оставили без хлеба, а дядю Леву посадили в ОГПУ.
Его ни в чем не обвиняли — тогда шла по всей стране кампания
изъятия нетрудовых ценностей у нэпманов. А предлагали сдать
четыреста рублей золотом, или долларами, или драгоценными камнями. Почему четыреста? А потому, что области предписали собрать миллион контрибуции со своего населения, району — сто

373

тысяч, местечку — десять тысяч, а на дядю Леву по плановым подсчетам коммерсантов из ГПУ пришлось рублей четыреста. Золотом. Или долларами. Или камнями. Им было все равно.

Следователь так и сказал тете Перл: «Пока не сдадите награбленные у трудящихся ценности, будет ваш муж сидеть...»

У дяди Левы не было четырехсот рублей золотом. И еще у него не было одной почки. У них с тетей Перл был мальчик Миша пяти лет. И тетя Перл была беременна. Она сделала аборт. Тяжелый, с осложнениями, и больше никогда не смогла забеременеть. А тогда тетя Перл помчалась собирать деньги. Унижалась, молила, скандалила, грозилась. Она знала, что ее Лева — без почки-то — в тюрьме умрет. И она собрала со всех родных и знакомых деньги, и вызволила его из ГПУ, спасла от смерти.

Только мальчика Мишу не уберегла. Тетя Перл уехала с ним в Одессу к каким-то приятелям, обещавшим отдать ей три золотых червонца и пять серебряных ложек. Когда мальчик гулял, во двор вбежала бродячая собака, набросилась на ребенка, искусала, свалила наземь — ее с трудом отогнал граблями сосед. Мальчик Миша заболел минингитом и через две недели умер.

А дядя Лева был объявлен лишенцем. Лишенец — это человек, лишенный избирательных прав, у которого нет также права на проживание, которого запрещено принимать на любую государственную работу, на учебу, и детям его все это тоже возбраняется.

Кандидаты в гетто. Избранники уничтожения.

Они жили как шпионы, по фальшивым документам. Их готовили не в лабораториях и типографиях ЦРУ, сигуранцы или РСХА. Их добывали всеми путями, за взятки и услуги в сельсоветах, в милиции, в исполкомах, подчищали, вытравливали, приписывали — и торопливо снимались с насиженных мест, чтобы раствориться в массе незнакомых людей.

Тетя Перл и дядя Лева поселились в Сокольниках — тогда это был почти пригород. Они жарили и продавали с рук на Сухаревском рынке котлеты с ломтиками хлеба, но Сухаревку разогнали. Они стали делать творожные ванильные сырки для какой-то артели, прикрыли вскоре артель. Потом был короткий период благополучия — дядя Лева стал печь мацу, которую в Москве было не достать.

За три месяца они выплатили стоимость железнодорожной теплушки, которую снимали под жилье. Спустя много лет и я выросла в этом старом деревянном вагончике, снятом с колес, и все-таки неостановимо двигавшемся по колее нашей жизни.

Во времена тучных хлебов — выпечки мацы — тетя Перл умудрилась еще купить подержанную никелированную кровать с металлическими шариками на спинках, сильно изношенный

374

дерматиновый канцелярский диван, буфет и почти исправную швейную машину «зингер».

Но мацу печь запретили, и дядю Леву снова чуть не посадили, он подался в бега и, как он со смехом мне рассказывал потом, «партизанил до самой войны». Он ушел на фронт — все давно забыли о маце. И на войне дядя Лева стал классным автомехаником.

На мое счастье, они забрали меня сразу после убийства отца — еще до ареста матери. Иначе меня бы отправили в детский дом. Мне был тогда один год, и первое чувство любви я всегда связываю с тетей Перл — в самых дальних, почти стершихся закоулках памяти я вспоминаю ее домашний теплый запах, почти исчезнувшие ее слова — «арценю ман таерс, мане зисэ мейдэлэ, ман хохуменю, ман нэшуменю...»

Как они безумно трудились, как вертелись, как изворачивались, чтобы скромно прокормиться, кое-как одеться, чтобы меня выучить в школе!

И для этого все время нарушали закон и действующие предписания власти. Ни один самый отъявленный гангстер столько раз сознательно не преступал законов своего мира, не бывало более злостных рецидивистов, чем дядя Лева и тетя Перл.

Я отчетливо помню самое дерзкое и самое прибыльное преступление дяди Левы — это был автомобильный бум. Он его сам придумал, тщательно спланировал и с огромным трудом и риском осуществил с помощью двух пособников. Его соучастниками стали слесари Поздняков и Остапов.

Они собрали из металлического лома совершенно исправный грузовик «шевроле».

Ах, какая это была головокружительная и лихая история! Дядя Лева заключил с рязанским колхозом трудовое соглашение на сборку из колхозных материалов грузовика. Председатель колхоза вместо запчастей, которых у него не было, дал дяде Леве спирт, свиное сало, полбочки смородинового варенья и десять мешков картошки. С этим бесценным добром дядя Лева ходил по учреждениям и раздавал его в виде взяток, за что голодные начальники разрешили продать колхозу старый автомобильный мотор от «студебекера», раму от «шевроле» со свалки и резину от трехтонки «ЗИС-5».

Я помню, как холодным зимним вечером дядя Лева, Поздняков и Остапов привезли и сгрузили в наш сарай длиннющую ржавую железину — раму. «Что это?» — спросила я удивленно. «Это, детонька, тебе новое пальтишко, и мне сапоги, и тете меховая шапка. Это — машина, это грузовик «шевроле»!» — сказал весело дядя Лева, и я решила, что он шутит. Ничто в этой мертвой железяке не напоминало машину.

А они ее поставили на большие козлы, притащили откуда-то автоген и раздули маленький кузнечный горн. Из-за оврага прикатили на бревнах проржавевшую, брошенную, всю мятую кабину от грузовика.

Я смотрела часами, как они работают. Сейчас так не работает никто.

Остапов выбивал молотком, который он называл киянкой, вмятины на кабине, отдирал железной щеткой ржавчину и краску до белого блестящего металла, приваривал ювелирным швом стальные заплатки, лудил и затирал в струе пламени жидкий бегучий припой, сшивал разрывы, и незаметно возвращалась к кабине ее былая плавная округлость, исчезала ржавая грязная заброшенность хорошей вещи, выкинутой равнодушными, ленивыми руками.

Поздняков разбирал до винтика мосты, вымачивал все эти железки в ведре с керосином, подгонял какие-то детали напильником и с дребезжащим громом ковал на небольшой наковальне прозрачно-красные шкворни, или болты, или пальцы...

Дядя Лева перебирал старый двигатель. Они вывесили его на потолочную балку, потом разобрали, и вокруг меня беспрестанно летали непонятные, но приятные на слух слова: «надо будет новые кольца только... поршень в порядке... гильзы цилиндров... коленвал отшлифуем... шатуны надо где-то достать... распредвал накрывается...»

На раму уселась кабина, и Остапов быстро приладил крылья. Он долго мучился... нигде не мог найти капот. А потом они за воскресенье вырезали, сварили и выбили новый из цельного куска железа, который выменяли у нашего управдома. И мотор, собранный, чистенький, аккуратный, нырнул с балки в квадратный проем под капотом.

Радиатор достать не смогли, и дядя Лева неделю паял старый, каждый раз наполнял водой, и радиатор снова тек, будто в нем было столько же дыр, сколько воздушных ячей. Дядя Лева чертыхался, сушил его и снова паял. А с бензобаком повезло — во двор к кому-то приехал на «додже» солдат, загулял, деньги кончились, и он за полсотни продал им один из своих двух баков.

Поздняков пристругивал и крепил вместо выломанных и сгнивших новые доски для кузова.

С кряхтеньем и оханьем монтировали резину на колесах, прикручивали их тяжелыми лоснящимися гайками. Качали воздух в баллоны ручным насосом — каждый по двести качков, потом смена.

И мне давали подкрашивать кисточкой места, куда им было трудно подлезть. Зеленой краской из пульверизатора покрыли машину, и красивее ее не было на свете. Однажды — это было уже весной — налили в бак ведро бензина, подкачали бензонасос, дядя Лева сел за руль, Остапов поплевал на руки, взялся за заводную ручку, крутанул резко, мотор тихо и мгновенно включился и, набирая обороты и голос, заревел грозно и плавно утих, ровно и мощно заработал.

Председатель колхоза, который не смог бы получить грузовик у государства ни за какие деньги, был счастлив. И срочно стал договариваться с дядей Левой о восстановлении из лома еще одной машины. Но и первым-то грузовиком — сборным зелененьким «шевроле» — не довелось попользоваться: кто-то анонимкой сообщил в ОБХСС, что председатель купил краденый автомобиль.

Грузовик поставили под арест до конца следствия, а дядю Леву и председателя колхоза посадили — за разбазаривание и хищение государственной и кооперативно-колхозной собственности. У дяди Левы была еще одна статья — занятие незаконным промыслом. По-своему это было правильно, ведь законный промысел состоит в том, чтобы посадить человека в тюрьму, пока он не внесет выкуп в четыреста рублей золотом, или долларами, или драгоценными камнями. Это промысел не только законный, но и необременительный, и безубыточный, и верный.

Дяде Леве дали пять лет лагерей общего режима: но просидел он только год, потому что сдох великий кровопийца — в честь погибели душегуба объявили амнистию для уголовников и хозяйственников-малосрочников.

В его отсутствие нарушала непрерывно закон тетя Перл — надо было кормиться. Любыми правдами и неправдами она доставала полотно и тесемочные кружева и шила удивительной красоты постельное белье — пододеяльники, простыни, наволочки. Чтобы не нарушать закон, ей надо было зарегистрироваться как кустарю — тогда бы ей назначили выплату налога, много превышавшего всю ее выручку. Но ей надо было кормить нас и кое-как одевать меня. И она нарушала закон. И страшной грозной тенью над нами всегда маячил неумолимый и непреклонный «фин» — фининспектор Кузьма Егорович Чреватый, разящий неожиданно и жутко, как кара небесная.

Я хорошо помню его — худого до согбенности, с истертым портфелем под мышкой, в коротких, до щиколоток, брючатах и стоптанных парусиновых ботинках. В этих ботинках он ходил и зимой. Может быть, поэтому у него всегда были залиты насморочными слезами глазки и на костистом севрюжьем носу висела капля?

Но нас эта капля не смешила — мы боялись его как огня. Чреватый врывался в нашу теплушку днем или ночью — он не жалел своих сил и не считался с рабочим временем, проводил у нас тотальный обыск, составлял протокол, штрафовал, отбирал шитье и еще неготовый материал.

Тетя Перл выставляла меня на улице караулом — чтобы я могла вовремя предупредить, когда Чреватый будет на подходе.

Но и это не помогало — однажды он влез в окно и застал тетю Перл на месте преступления. Помимо служебного рвения, он был антисемит и ненавидел нас душной ненавистью. Составляя протокол, он слюнил чернильный карандаш, отчего на его бледных толстых губах, похожих на край ванны, оставалась синяя полоса, и бормотал себе под нос: «Ух, племя хитрое, иудское, на какие только гадости вы не способны!» Капелька прозрачная тряслась у него на кончике острого носа, когда он с торжеством бросал нам какое-то ужасное оскорбление, смысл которого мне до сих пор непонятен: «Импархотцы!»

В конце концов он описал и конфисковал у нас швейную машинку «зингер». Но тетя Перл отнеслась к этому совершенно равнодушно. «Ай, какая уже разница! Все равно говорят, что скоро нас всех вышлют на Таймыр...» Но тиран провалился в преисподнюю, и вернулся дядя Лева, готовый и дальше нарушать законы. В лагере он выносил новую идею. Неделю он возился у себя в сарае с какими-то железками, и возникло преступное чудо под названием «каландр».

Это сооружение состояло из двух стальных цилиндров, цепной передачи и ручки, которая вращала всю эту систему. Тетя Перл сварила несколько килограммов сахара и разлила его в тонкие гибкие листы. Потом листки запускали между цилиндрами, и с другой стороны каландра — из вырезанных в цилиндриках пустот — вываливались желтые леденцовые пистолеты, куколки, петушки.

Дядя Лева крутил ручку каландра, я заворачивала конфеты в прозрачные бумажки, а тетя Перл продавала их на Преображенском рынке. Мы зажили! Наши пистолеты, куколки и петушки пошли нарасхват.

Но скоро опять возник фининспектор Чреватый. Составил протокол, оштрафовал, описал нашу мебель, разбил кочергой каландр, пригрозил снова посадить дядю Леву, обозвал нас импархотцами и ушел, забрав с собой весь сахар.

Этот серый человек мне часто мнится олицетворением нашего хозяйства. В своей убогости, бессмысленной разрушительной энергии, неукротимой и беспричинной жестокости.

Эти серые насморочные люди с потертыми портфельчиками убили в нашей земле навсегда деловитость, задушили и растоптали своими изношенными парусиновыми туфлями дух предпринимательства.

А что было потом? Ведь мы же как-то жили?! Что было потом? Не помню. Серая пелена отделяет меня. А где я сейчас? Это, кажется, больница. Кто эта женщина, похожая на тетю Перл? Я ведь ее знаю. Только вспомнить не могу. Я помню только то, что было давно. И еще здесь какие-то женщины. Не помню. Все плывет и путается в голове... Они отбили мне память...

51. АЛЕШКА. ЭКЗИТУС

Отец смотрел на меня в упор круглыми зелеными глазами, уже подернутыми мутной старческой порыжелостью, и молчал. И в эти минуты самого страшного в своей жизни потрясения он был мне по-прежнему непонятен — я не мог догадаться, о чем он думает.

Не охнул, не крикнул, не выругался, не заплакал расслабленно, выслушав мой рассказ о Севке. Только бросил походя: «Матери пока не говори...» И всматривался упорно в мое лицо, будто хотел найти в нем истолкование необъяснимого решения Севки.

Может быть, так он всматривался своими страшными рысячьими глазами в лицо допрашиваемого епископа, когда у того лопнул сосуд и залило кровью глаз?

Сосуд не выдержал напряжения, которое разрывало этого человека пополам. Мучительный страх перед смертью и долг перед людьми.

Меня разрывали клокотавшая во мне ненависть и жалость к отцу. Я жалел его — и ничего не мог с собой поделать.

— Что же, выходит, польстился он на иудины сребреники? — спросил неожиданно отец, и в голосе его плыло огромное недоумение.

— Не знаю, он со мной не говорил об этом, — покачал я головой и вспомнил: «Омниа меа мекум в портфель». — Это во все времена самая конвертируемая валюта... Хотя нам его и не стоит судить.

— Почему? — прищурился отец.

— Без вас найдется кому.

Отец встал, прошелся по комнате, потом резко повернулся ко мне:

— Сейчас поеду в Комитет, официально откажусь от него! Прокляну его!.. Лишу его нашего имени!.. Пусть он там берет себе фамилию какую хочет — Смит или Рабинович, но нашего имени пускай не позорит! Прокляну...

— Перестань! — крикнул я, мне было больно смотреть на этого старого сердитого идиота. — У нас уже сорок лет эти театральные номера не в ходу...

— А почему? — крикнул он тонко и сипло. — Почему не в ходу? Почему мы жизнь свою и молодость покладали ради счастья детей? Какие мытарства весь народ терпел ради счастья будущих поколений!

— Оставь, отец, сейчас не время говорить об этих глупостях, — заметил я устало. — Дети, ради счастья которых надо было все это вытерпеть, давно умерли от голода или от старости.

Отец бессильно опустился в кресло, посмотрел на меня, вздохнул глубоко, и лицо его перекосилось, будто от боли, опустошенно опустил голову, притих. И вдруг заорал — задушенно и жутко:

— Это ты, ты, ты, гаденыш! Из-за тебя, мерзавца, он сбежал! Ты думаешь, я не знаю, не догадываюсь, куда ты, сволочуга, подкапываешься! Из-за тебя сбежал Севка! Из-за тебя и твоего брата-жулика! Вы его опозорили, все пути ему в жизни перекрыли! Последней опоры меня в жизни лишили!..

Распахнулась дверь в гостиную, и вбежала перепуганная мать.

— Что? Что здесь происходит? Что такое?

Я стал выпихивать ее из комнаты:

— Иди, мать, иди, тебе здесь нечего делать, иди, у нас мужской разговор...

И услышал сзади себя булькающий сиплый хрип, обернулся — отец сполз с кресла на ковер, и лицо его было синюшно-багрового цвета.

— Сердце... — хрипел он. — Сердце разрывается... Ой, как горит все внутри... Сердце болит...

Бросился к нему, хотел поднять и — не мог. Он весил тысячи тонн, он сросся с полом, с камнями этого дома. Он был неподъемный. Я надрывался, пытаясь оторвать его от ковра, и не мог.

Заголосила мать, и я крикнул ей:

— Неси быстрее нитроглицерин, валидол...

Глаза его закрывались тяжелыми перепонками век, быстро стекала краснота со щек, и он на глазах стал неотвратимо желтеть, блекнуть, подсыхать. Зубы его были крепко сжаты, я слышал скрип, когда раздвигал их, чтобы засунуть таблетки нитроглицерина.

— Притащи подушку из спальни, надо подложить ему под голову, — сказал я матери, а сам побежал к телефону вызывать «скорую помощь». На коммутаторе долго было занято, потом женщина с безжизненным механическим голосом долго выспрашивала меня о симптомах, и я закричал ей: — Да поторопитесь, черт вас возьми! У него, по-моему, инфаркт!

— Обойдемся без ваших диагнозов, — ответила она так же механически. — Ждите, машина к вам пошла...

Я вернулся в гостиную. Мать подсунула ему подушку под голову, и нитроглицерин, видимо, помог — отец отчетливо дышал, ровно и неглубоко. Глаза его вновь были открыты, но яростный блеск в них пригас. У него был взгляд человека сломленного. И испытывающего сильное смущение из-за того, что почему-то лежит на полу.

— Схожу, приготовлю тебе горчичники на сердце, — сказала мать. — Сейчас врач сделает укол, и перенесем тебя на кровать...

— Хорошо, — сказал отец и утомленно прикрыл глаза.

Мать вышла, и наступила оглушительная тишина, разрезанная мелким пунктиром его усталого дыхания. Я смотрел на свои ботинки и только сейчас заметил, что они испачканы в масле, вылившемся из разбитого картера «моськи».

— Вы меня все вместе погубили, — неожиданно ясно и негромко сказал отец. — Эх вы! Головотяпы — батьку на кобеля поменяли...

Я поднял на него взгляд и увидел все тот же жуткий зеленый огонь в его круглых неистовых глазах — он меня сейчас ненавидел.

— Ладно, отец, потом поговорим. Не стоит сейчас тебе разговаривать, полежи спокойно...

— Уж куда спокойнее! — Слабая ухмылка раздвинула его губы, и во рту зловеще мигнула золотая коронка. — Ты ведь про меня все небось вынюхал? Все, верно, разузнал? Лучше бы меня расспросил — я бы тебе скорее рассказал. Да и верней, пожалуй...

— Нет, отец, ничего бы ты мне не рассказал. Ты не хотел, чтобы я знал это о тебе. Наверное, ты был прав...

— Вот видишь, хоть в чем-то я был прав. — Он судорожно вздохнул. — Это ты точно говоришь, не сказал бы я тебе ничего. Чужой ты волчонок в нашей семье, как приблудный...

— Батя, не надо тебе сейчас разговаривать. Полежи тихо...

— Еще належусь тихо. Раньше я тебе не сказал бы, а сейчас скажу, — очень спокойно и отчетливо говорил он, старательно формуя слова непослушными, словно замерзшими губами. — Тех ребят, что Пашка Гарнизонов вывез из Минска, звали Жигачев и Шубин. Петр Григорьевич Шубин...

И он засмеялся. Я видел, что ему — от сказанного или нитроглицерина — стало легче. Он засмеялся, и на лице его появилась дурашливая легкость. Или радость. Или насмешка.

— Жигачев уже умер. А Петр Григорьевич жив. Здоров. В атомном институте заведует режимом. Жив...

381

На лице его плавало веселое удивление. Вошла мать с горчичниками в тарелке, глубже раздвинула сорочку, поставила желтые бумажные квадратики на грудь, села сбоку на стул, пригорюнилась. Отец задышал спокойнее, ровнее, прикрыл глаза, его морило в дремоту. Он уже почти заснул, потом вдруг приоткрыл потухающий круглый зеленый глаз и сказал мне:

— Жив ведь, а-а! Ты сыщи его...

И заснул. Мать пошла к себе за лекарствами, а я сидел неподвижно и смотрел на спящего отца. И не мог заставить себя поверить, что это — мой отец. Мой родитель. Мое начало.

Я не верил ему. Смеху его. Его облегчению. Его словам. Его сну.

В дверь позвонили, я побежал открывать врачам «скорой помощи». Они прошли, не снимая своих черных форменных шинелей, и я еще подумал — почему у врачей должна быть такая устрашающая форма?

В гостиной старший поставил на пол рядом с отцом свой квадратный чемодан, встал на колени, приложил к груди отца трубочку фонендоскопа и внимательно долго слушал, наклонив набок голову, и я снова удивился — почему он не снимает фуражку. Потом повернулся к нам и деловито сказал:

— Экзитус.

— Что? Что? — переспросил я.

— Умер.

И дикий пронзительный крик матери заполнил все.

52. УЛА. ОДНОЛИКИЙ ЯНУС

— Есть миллион! — крикнули над головой, я вздрогнула и напугалась — мне показалось, что спрашивают у меня: есть миллион?

— У кого? — спросила я.

И очнулась.

— Есть миллион! — ответил радиоприемник. — Шестая доменная печь ордена Ленина Новолипецкого металлургического комбината выдала первый миллион тонн чугуна...

Я была вся мокрая от душного изнуряющего больного сна. Хотелось пить, ссохлось горло, тяжело дышать, стучит в висках, кошмар длится, безумие продолжает навязчиво лезть в уши...

По радио передавали последние известия, и крикливый въедливый голос из желтой коробочки над дверью пугал меня все сильнее ирреальностью своих сообщений:

— ...Атмосфера нерушимого морально-политического единства общества, сплоченности народа и партии вокруг ленинского ЦК... обстановка трудового подъема, творческого горения, оптимизма и уверенности советских людей в завтрашнем дне...

Я вспомнила вас! Вас зовут Анна Александровна! В моем жарком кошмаре, в потере себя, в провале памяти вы поили меня водой. И дали соевую конфету, чуть-чуть пахнущую нафталином. Вы чем-то мне напоминаете мою давно умершую тетю Перл. Пахнут руки коржиками с корицей. Это не вы обнимали меня? Не вы шептали «ман арценю»?

А кто эта девушка с остановившимся взглядом? Я тоже помню ее. Но кто она? Евангелие от Баха... А-а-а! Почему же она молчит? Почему она не поет? Она ведь всегда поет удивительные песни — немые псалмы. Или это не она поет? Может быть, я все перепутала? Моя память подернута тонкой прозрачно-зеленой ряской, а под ней — топь, бездна, гниющая трясина. Они разрушают мою память.

Человек, потерявший память, утрачивает личность.

А зачем прокаженной личность, вместо личности можно выжечь на щеках каленым железом клеймо — 295. Нет, на щеках жгли раньше слово «воръ». А шифр 295 навечно выжигают в твоей истории болезни.

Кто эта девушка? Почему она не поет? Что случилось с ней?

Я боюсь. Боюсь своей рваной памяти, посекшейся, отравленной, усталой. Боюсь надвигающейся на меня потери себя, черноты ползущей на меня ночи беспамятства. Мне страшно рвущееся из динамика безумие:

— ...деятельность советских людей проникнута горячим стремлением внести свой достойный вклад в осуществление предначертаний партии и порадовать Родину трудовыми подарками...

Я могу порадовать свою любящую, но очень суровую Родину только одним подарком — потерей своей памяти, полной утратой своей личности. Тогда и наступит полная уверенность в завтрашнем дне — Сычевка.

Я боюсь. Я и так уже давно ничья. И ничего у меня нет, кроме последнего убежища — моей памяти. Но я плохо помню, как зовут этих людей. И не очень ясно вспоминаю, как я попала сюда. Мне четко видится только очень давнее. А вместо всех сегодняшних чувств — боязнь, тошнотворный страх под горлом, парализующий меня ужас.

Может быть, память о прошлом еще не растворилась потому, что все воспоминания продернуты красной ниткой страха, намертво стянувшей мое сердце сегодня?

Как же не бояться мне, когда все чувства вынянчены в жестокой колыбели страха?

383

Мы боялись фининспектора Чреватого, грозившего оставить нас без хлеба.

Мы боялись контролера Могэс, грозившего отключить нам навсегда электричество, которое дядя Лева воровал прямо со столба стальной закидушкой на проводе.

Мы боялись дворника, обещавшего настучать куда следует о том, что у нас всегда прячутся родственники без московской прописки.

Мы боялись участкового милиционера, который всегда мог посадить дядю Леву, неисправимо нарушавшего советские законы.

Мы боялись пожарного лейтенанта, штрафовавшего нас за пользование керосинкой.

Мы боялись управдома, каждый год включавшего нашу теплушку в план сноса нежилых помещений.

Мы боялись соседей, которые могли сообщить в школу о моем отце — буржуазном националисте и о моей репрессированной матери.

Мы боялись всего.

Мы боялись жить на земле. Мы были лишенцы — нас лишили права на жизнь.

Я не должна думать об этом, я должна все забыть. Мы все обязаны забыть все. Компрачикосы изуродовали двуликое божество времени Януса, разрушили его идею всякого начала и конца. Они отколотили ему прикладами и нейролептиками лицо, развернутое в прошлое, в день вчерашний, в нашу память. У нашего Януса один лик — обращенная в будущее, бессмысленно веселая, пьяная морда, изображающая оптимизм и уверенность в завтрашнем дне.

— Почему? Почему она не поет? — крикнула я. — Что с ней? Я боюсь за нее!

Седенькая старушка, Анна Александровна зовут ее, подошла, присела, дала мне попить, погладила прохладными руками мое горячее лицо, тихо сказала:

— Не волнуйся, детонька, не волнуйся. Свете сделали электрошок. Даст Бог — поможет ей...

Да! Да! Я помню — ее зовут Света... Она ждала откровения от Гайдна... Она хотела расшифровать нам музыку — светозарную литературу высоких сфер...

А сейчас она лежит уставившись неподвижными глазами в потолок, равнодушная, холодная, пустая. Не поет, не дышит, не живет. Глухонемая.

Они пришибли ее потрясением электрошока. Может быть, и вылечили — сожгли на электрическом стуле ее прекрасное и возвышенное второе «Я»...

53. АЛЕШКА. ЗАВЕЩАНИЕ

Гладкий загорелый полковник из управления кадров говорил мне доверительно, но строго:

— Руководство распорядилось хоронить Захара Антоновича как частное лицо...

Я молчал. Полковник, видимо, только что вернулся с юга из отпуска, и на его смуглом лице белели светлые подглазья от солнечных очков. После отдыха его распирала энергия командира и распорядителя.

— Вы же сами понимаете, что в нынешних условиях... х-м... после того, что совершил ваш брат... х-м... всякие церемонии на генеральских похоронах выглядели бы... х-м... по крайней мере неуместными...

Он не запинался от смущения. Он акцентировал нашу нынешнюю виноватость. Мне его лицо казалось чем-то знакомым. Может быть, мы с ним где-то когда-то выпивали — в прошлой жизни. В Доме литераторов. Или у Гайдукова. А может, вместе с Севкой? А может быть, они все похожи друг на друга?

— И вообще, должен вам сказать, в сложившейся обстановке ваш отец сделал для вас лучшее, что мог.

— Пошел вон отсюда, пес.

Полковник встал, коротко ухмыльнулся:

— Я на вас не обижаюсь, я понимаю — все-таки у вас горе. Единственно, что я хотел бы напомнить, — не надевайте на покойника в гроб ордена...

— А твое-то какое дело?

— Если вы хотите оформить вашей матери пенсию за покойного, вы обязаны сдать в наградной отдел все ордена. Без этого пенсию оформлять не станут. Таков порядок.

Ордена, которые отбирают в обмен на пенсию. Чепуха какая-то. Сумасшедший дом.

Слякоть, дождь, сильный ветер. Похоронная контора. На дверях табличка: «Бюро гражданских процессий». Единственная дозволенная пока процессия граждан. Невесть откуда взявшийся Шурик Эйнгольц сует мне в рот таблетки седуксена.

— Перестань, Шурик, у меня сердце болит...

Зал, заставленный гробами. Жуткие гремящие железные венки. Ловкие быстрые бабы за столами. Очередь. Ругань.

— Насчет места на кладбище договорились? — спрашивает меня Шурик.

— Антон в Моссовет поехал. Старые дружки обещали помочь...

Подошла наша очередь. Конторщица спрашивает:

— Вам гробик какой — простой или парадный?

Идиотизм какой — парадный гроб! А-а! Все пустое...

— Парадный.

— Размер? Росточка какого был ваш усопший?

— Метр восемьдесят.

— Ага, гробик два пятнадцать. Нету. Нету сейчас таких гробиков. — Похоронщица вся лучится притворным сочувствием, глаза боевые, жадные.

Я достаю и кладу перед ней новую хрустящую сторублевку.

— Сделайте. Пусть возникнет.

— Ну что вы! Зачем это? Мы и так для хороших людей стараемся как можем... — Сторублевка исчезает со стола, будто испарилась, а баба набирает телефон, делает вид, будто с кем-то договаривается: — Маша, а, Маш? Это Лязгина из седьмой... Ты мне гробик два пятнадцать сооруди... Позарез нужно... Люди очень душевные... Парадненький, красный, с обивочкой... Да-да, и ленточки обязательно...

Она выписывает длинную квитанцию. У меня болит сердце, кружится голова, нет сил стоять.

— Веночек берете?.. Вот этот хорошенький — за сорок шесть рублей... Текст для ленточек напишите... Вы цветочки у нас не берите, жухлые они все, а вы подъезжайте на улицу Горького в цветочный магазин. Я туда Лизе звякну, вы с черного хода зайдите, она вам соберет бутоньерку красивую из гвоздичек... Рубликов на пятьдесят станет, но вид имеет... Теперь запишем вам тапочки... Тапочки обязательно — ботиночки на ножки не влезут... И накидочку... Гладенькую или с кружевами? Если военный, то гладенькую... Сколько лет? Семьдесят один... Не старый, не старый еще... Жить бы мог еще да радоваться... Кроме катафалки еще автобусик вам запишем?.. Значит, сейчас езжайте на армянское кладбище, там у нас столярный цех, получите гробик и отвезите его в морг...

— Не ешь ты все время валидол, не помогает он, — говорит мне мать и протягивает бутылку с какой-то коричневой бурдой: — На, это лекарство для укрепления сердечной мышцы...

— Спасибо.

— Сынок, а Севочке послали телеграмму? — спрашивает она и плачет. — Может, он сумеет прилететь, с отцом попрощаться? Не увидит ведь больше никогда!

— Мама, его оттуда не отпустят. Это ведь заграница, сама понимаешь...

Выхожу на кухню, достаю из холодильника бутылку водки и делаю два больших глотка. Лекарство для укрепления сердечной мышцы вылил в раковину, а в пузырек перелил оставшуюся водку и положил в карман. Последнее мое лекарство, другое не помогает.

Вернулся в спальню, достал из шкафа красный сафьяновый чемоданчик. Здесь лежат все документы отца. Он всегда был заперт. Отец держал ключ в ящике своего письменного стола. Мать причитает:

— Как он вас, мальчиков своих, любил... Все для вас делал... Для него вообще, кроме семьи, ничего не существовало... Только о нас и думал всегда...

Я принес из кабинета ключ и отпер чемоданчик. Красные коробочки орденов половину чемодана занимают. Толстые коричневые корочки грамот Верховного Совета, депутатские мандаты, всякие удостоверения, аккуратно сложенные справки, тяжелый значок почетного чекиста. На самом дне — плотный конверт с надписью «Вскрыть после моей смерти». Я взглянул на мать, она лежала, отвернувшись к стене, и тихо бессильно постанывала.

Я отобрал нужные для похорон справки и долго крутил в руках конверт с надписью «Вскрыть после моей смерти». Что в нем? Кого это касается? Если это завещание, то касается оно только меня, ибо имущества никакого отец оставить не мог, а его неоплаченных обязательств принять на себя не мог никто, кроме меня.

За дверью раздались шаги, и я быстро спрятал конверт в карман. Вошел Антон с заплаканным обрюзгшим лицом. Он улыбался довольно:

— Все-таки дожал я этих гадов! Выбил из них место на Ваганьковском кладбище!..

Антон продолжал свою линию борьбы, поражений и побед.

По квартире ходили какие-то неведомые люди, хриплые седые старики, краснолицые вопленные старухи, верткие бабешки, трясли мне руку, выражали соболезнование, лезли целоваться, слюнявые. Откуда они все возникли? Никогда их не видел.

Явился крепко подвыпивший Гайдуков, заловил меня со стаканом водки в коридоре и стал возбужденно рассказывать, как ему удалось все-таки отбить баню. Он называл мне какие-то имена и фамилии могучих ходатаев, которые нажали на все кнопки и защитников музея с его вонючими картинами послали в задницу.

Сумасшедший дом.

Я заперся на крючок в маленькой комнате — когда-то это была наша с Севкой детская. А теперь это ничья комната. Севка далеко уехал, я постарался забыть о нашем детстве. И дом уже почти дотла разрушен. Здесь будет жить хозяин вечнонерушимой бани Андрей Гайдуков.

Я присел на продавленный диванчик, достал из кармана конверт и зубами сорвал кромку. В конверте лежал один лист. Развернул и прочел его, не улавливая никакого смысла.

ОПРЕДЕЛЕНИЕ

Именем Литовской Союзной Социалистической Республики Гражданская Коллегия Верховного суда Литовской ССР рассмотрела 20 февраля 1953 года иск гр-ки Эйнгольц М. С., 1920 г. р., работающей в должности врача-ординатора спецмедсанчасти хозяйственного управления МГБ Лит. ССР, к гр-ну Епанчину З. А., 1910 г. р., генерал-майору МГБ, о признании им отцовства их сына Александра, родившегося в 1949 году.

Ответчик Епанчин З. А. с иском полностью согласился и обязался принять на себя все проистекающие от признания его отцовства юридические и материальные последствия данного факта. В судебном заседании истица никаких имущественных требований к ответчику не заявила.

Гражданская Коллегия определила: считать гр-на Епанчина З. А. отцом Александра Эйнгольца. Данное определение является основанием для Отдела загс г. Вильнюса о внесении соответствующих перемен в метрическое свидетельство Александра Эйнгольца в части фамилии, отчества и национальности.

Председатель Гражданской Коллегии Верхсуда Лит. ССР
Н. Гришкене.
Члены Гражданской Коллегии: К. Густов, А. Рубонавичюс.

Я дочитывал лист до конца, внимательно рассматривал его и начинал читать снова, но все равно это не вмещалось в мою башку.

Шурик Эйнгольц мой брат? Этот тихий пучеглазый еврей называется Александр Епанчин? Какой-то бред! Может быть, я сплю? Мне это снится?

Почему же ему все-таки не дали фамилию отца? И как в феврале 1953 года — в момент подготовки уничтожения евреев — какая-то жалкая врачиха-еврейка могла подать иск в суд против генерала МГБ?

Но ведь отец полностью признал иск! Если бы он не хотел, ему проще было ее посадить, отправить в ссылку, расстрелять — что угодно! Значит, он хотел признать этот иск?

Что происходит? Я ничего не понимаю. Я сошел с ума. Странно и потерянно закатывается моя жизнь. Кто? Эйнгольц? Мой брат? Это же чепуха!

Подожди! А откуда же знает Эйнгольц обстоятельства убийства Михоэлса? «От человека, который дал снотворное и спирт...»

Из-за двери был слышен громкий бабий рев Виленки, и мать снова причитала:

— Как он вас, деточек своих, любил... Все для вас делал... Только о нас думал...

Постучали, и голосом извозчика Гайдуков сказал:

— Алеха, собирайся, надо ехать в морг...

В квартире все пришло в движение, мать в каком-то нелепом длинном пальто и черном вдовьем платке обвела дом ищущим внимательным взглядом, будто уходила отсюда навсегда, тихо сказала, ни к кому не обращаясь:

— Сим молитву деет, Хам пшеницу сеет, Яфет власть имеет — смерть всем завладеет, — горько, взахлеб, по-старушечьи зашлась и обвисла на локтях у Антона и Гайдукова.

Отец лежал в гробу молодой, все равно красивый, в парадном мундире. И застыла на его лице злая веселая улыбка. Он смеялся надо мной. Он проклял меня. Проклял хитро, мстительно. Именем Петра Григорьевича Шубина.

Отец назвал его нарочно — в саморазрушительном экстазе, когда я думал, что он задремал, а он-то знал, что уже умирает. Отец отомстил его именем мне, Севке, Антону, всем нам — за то, что мы погубили его.

Отец знал, что если я полезу к Шубину в атомный институт — меня прикончат. Он предложил мне выбор.

Отец, прощай. Мы — квиты. Ты дал мне жизнь, ты же ее мне сломал. Из-за меня ли ты умер, или ты умер из-за Севки, или просто пришел твой час — не имеет сейчас значения. Вся эта жизнь подходит к концу...

В толпе на кладбище я увидел сиротливо стоящего в стороне Шурика Эйнгольца. Я подошел к нему:

— Ты знал, что мы — братья?

— Да, — испуганно мигнул он. Наверное, это имел в виду Шурик, когда сказал мне, что не все еще готовы узнать правду. Чего-то надо было сказать ему, а что — я не знал. Просто обнял его и отошел, а он сказал мне вслед:

— Храни тебя Господь...

В пустых кронах деревьев ожесточенно дрались, кричали пронзительно вороны, вновь припустил сильнее дождь, и могильщики закричали:

— Все! Все! Прощайтесь...

Замелькали в глазах лица — набрякшее тяжелое Антона, кукольный лик его жены Ирки, проваливающееся в обморок мятое желтое лицо матери, проплыл невесомо гроб, опустилась крышка, исчезло навсегда улыбающееся лицо отца, застучал молоток, полыхнул пламенем крик, тяжелое сопение могильщика, скрип и стук опускаемого в яму гроба, дробный грохот посыпавшейся вниз глины, плач, сытое шлепанье блестящих лезвий лопат, уже не видно красного сатина обивки, и глина не стучит, а тупо чавкает, яма сровнялась с землей, и вырос ровный холмик...

Железная табличка «З. А. Епанчин», два венка, бутоньерка, внасыпку цветы. Я увидел, что Виленка ломает стебли цветов — все подряд.

— Зачем ты это делаешь?

— Не успеем уйти, целые цветы украдут...

Сумасшедший дом. Все, кто хотел в нем выжить, должны были переломиться.

Кто-то похлопал меня по спине. Обернулся — Эва с дочкой. Ее зовут Рита, бледнокартофельный росточек. Мы с тобой, Рита, две родные души, которые оставил здесь твой папка. Что станется здесь с тобой?

— Иди, Риточка, вперед, мы тебя сейчас догоним, мне надо с Алешей поговорить, — сказала ей Эва и обернулась ко мне: — Ну, что скажешь про нашего молодца?

— Ничего не скажу.

— Чего так?

— Это мы с тобой его с двух сторон подпихнули...

— Не выдумывай! — махнула она рукой и неожиданно засмеялась: — Я его даже уважать больше стала. Хотя мне тут дадут за него прикурить...

Я взглянул на нее — чуть заметно тряслись ноздри, и зрачок был огромный, почти черный, во весь глаз. Видать, крепко с утра подкололась.

— А чего же ты не спрашиваешь про свою любимую? — сказала она с тем же ненормальным смешком.

— Ты все равно ничего не скажешь. Ты ее ненавидишь...

— Это верно, — легко согласилась Эва. — Но я тебя много лет любила, дурачок. — И добавила с болью: — Ничего ты не понимал никогда. Пропала наша жизнь...

Мы дошли до ворот, она остановилась и сказала:

— Я на поминки не поеду. Давай здесь попрощаемся. — Она расстегнула сумку и достала сложенный лист бумаги, протянула: — На, спрячь, чтобы дождь не замочил...

— Что это?

— Это мое личное заключение о том, что твоя Ула Гинзбург психически абсолютно здорова. Распорядишься им правильно — меня погубишь, но ее вытащишь...

54. УЛА. ВАВИЛОНСКАЯ БАШНЯ

К Клаве Мелихе ночью приходил и сожительствовал с ней Сталин.

Ольга Степановна придирчиво выспрашивала про обстоятельства и детали. Клава задумчиво поясняла:

— Мужик как мужик... но старенький... росту очень высоко-го... в шинели богатой... вроде генеральской... все чин чином...

— Это чё — снилось тебе, что ли?

— Снилось!.. Как же! Приходил взаправду... с авосечкой... а там бутылка, ясное дело... колбаска копченая по четыре рубля... и лимон... Я, говорит, страшное дело, как лимоны уважаю... От них вся сила происходит...

— Ну и что потом?

— Чё! Чё! Будто сама не знаешь, чё потом бывает!.. Легли мы с им...

— И как он?

— Обыкновенно! Я ведь не себе для удовольствия... а ему... из уважения...

— Вот и врешь!

— Чё это я вру?... Чё это я вру? — загудела, накаляясь, Кла-ва. — Ты на меня щас не смотри... я на воле такая хорошенькая была... да... хорошенькая такая... мне даже однажды офицер в трамвае место уступил...

— Врешь! — ликовала Ольга Степановна. — Коли ты правду говоришь, где же бутылка, которую вы выпили? А? А? А?

Забулькала, тяжело, с присвистом задышала Клава, забор-мотала быстро и вдруг с ревом бросилась на Ольгу Степановну:

— Ты ее скрала... хабалка проклятая... сдала за двенадцать копеек... и мне же в душу плюешь... Я те щас... Шпионка про-клятая...

Они вцепились друг другу в волосы, к ним бросилась Анна Александровна, Света безучастно и мертво смотрела в потолок, а я испуганно заголосила, и, осыпаемая с двух сторон ударами, Анна Александровна прикрикнула на меня:

— Молчи, няньки сейчас прибегут. На собак волка не зовут...

Но няньки и так уже явились, привлеченные воплями деру-щихся. Отшвырнули к стене Анну Александровну, легко — од-ними затрещинами — загнали в кровать Ольгу Степановну, а вот с Клавой им пришлось повозиться всерьез. Они молча и мрачно, очень деловито пинали и тузили ее, тяжело валили на пол, пока медсестра принесла мокрую простыню и полотенца.

— Давай, давай, отсюда сподручней, крути сюда, давай — мне ловчее будет, — запыхливо возили они ее по полу, запеле-нывая постепенно в простыню и утягивая полотенцами. За три минуты они превратили Клаву в белый влажный кокон, слабо шевелящийся на линолеуме.

— Дурында здоровая, — облегченно сказала нянька. — По-лежи в укрутке, небось очухаешься...

Наступила тишина и опустошенность разгрома. Я забилась под одеяло — меня сильно знобило, одолевала тошнота. Света лежала неподвижно — она отсутствовала. Анна Александровна стояла у окна и что-то быстро шептала — по-моему, она молилась. Ольга Степановна сидела в углу кровати, читала старую газету — она единственная в нашей палате читает газеты — и время от времени злорадно бормотала:

— Так тебе и надо! Ко мне бес приходил — и то я не дерусь...

Через час Клава кричала нечеловечески — укрутка высохла и впилась в тело раскаленными клещами. И чем больше она сохла, тем боль становилась невыносимее, и Клавины крики не слабели, не иссякали, а только хрипли и наливались звериным отчаянием.

Ольга Степановна нравоучительно заметила:

— Теперь кричишь, раньше думать надо было — когда возбудилась...

Анна Александровна судорожно вздохнула, будто застонала, еле слышно сказала:

— Господи! Прости меня, грешницу...

Я ни о чем не думала. У меня была пустая, вялая голова. Непроглядная тьма Сычевки медленно надвигалась на меня.

Пришла сестра Вика и, как всегда, равнодушно, почти не глядя, прямо через простыню вколола Клаве аминазин.

Постепенно стихали рев и крики Клавы. А Ольга Степановна, ни к кому не обращаясь, ткнула пальцем в газету и сказала грустно:

— Вот мы все на жизнь жалуемся. А в Америке-то тоже не сахар — каждую неделю жизнь хужеет и дорожает...

Я попросила Анну Александровну:

— Расскажите что-нибудь...

Негромко успокаивающе шелестел ее голос, я вслушивалась и вспоминала слова Библии, но из какой книги — напрочь утекло из памяти.

— ...Нимрод-завоеватель основал державу огромную и могучую, и возгордился, и задумал основать всемирное царство под своей державой. И было это богопротивно, поскольку определил Господь потомкам Хама быть рабами других. Могущество свое и центр всемирной власти своей порешили хамиты прославить башней до небес в Вавилоне. Предприятие безумное, неисполнимое и противное Божьей воле, высшему предначертанию.

И, когда закипела работа, обжигались кирпичи и заготовлялась земляная смола, Господь смешал языки их так, что они перестали понимать друг друга, воцарился хаос, прервалась работа и безумные строители рассеялись по всей земле...

55. АЛЕШКА. ЧЕЛОВЕКОПСЫ

Утром позвонил Шурик и сказал, что из наградного отдела Президиума Верховного Совета пришло письмо.

Я стоял босиком на холодном осклизлом полу — спросонья не мог найти тапки, переминался с ноги на ногу, слушал сиплый голос Шурика и думал о том, что следствие — это пинг-понг. Игра прерывается, если все мячики проваливаются в пустоту. Хоть один должен возвращаться.

— ...Референт Храмцова пишет, что разыскиваемый тобой Жигачев, судя по сообщаемым тобою отрывочным сведениям, — Дмитрий Миронович Жигачев, 1923 года, уроженец Москвы, призван на фронт в сорок втором...

Как холодно! Скоро зима, а все равно не топят. В глубине квартиры шмыгал тяжело в своих подшитых валенках Евстигнеев, где-то кричали Нинкины пацаны.

Шурик сказал:

— Храмцова уверена, что ты собираешься написать о нем героическую повесть...

— Кто знает, — хмыкнул я.

— Вот она пишет, что в сорок четвертом году награжден медалью «За отвагу» и орденом Славы 3-й степени, а в сорок пятом году — орденом Красной Звезды, Отечественной войны 2-й степени, медалями «За взятие Кенигсберга» и «За победу над Германией»...

— Что и говорить — геройский паренек Жигачев, зря, что ли, он понравился Лаврентию Второму...

— Ничего, его подвиги еще впереди — вот, январь 1948 года: награжден командованием спецвойск МГБ СССР за выполнение боевого задания против националистических банд орденом Красного Знамени...

Вот так-то! Наверное, немало удивился бы Соломон, если бы узнал, что двух безоружных евреев сочтут даже не одной, а несколькими националистическими бандами.

— Там больше ничего нет? — спросил я.

— Тут написано: «До призыва в Красную Армию Жигачев Д. М. проживал в Москве, в Кривоколенном переулке, д. 6, кв. 12». Все. Подпись — референт Храмцова. Тебе привезти письмо сейчас?

— Нет, Шурик, у меня разные дела. Я уезжаю. Давай к вечеру. Приедешь?

— Конечно, Алеша, приеду...

Околевая от холода, я помчался к себе в комнату, но мне заступил дорогу Евстигнеев:

— Слышь, Алексей Захарыч, Нинка-то дня два уже домой не приходит. Ребяты одни по квартире бегают. Жрать хочут, я же их с моих доходов кормить не стану...

— Погоди. — Я вынес ему из комнаты десятку. — Купи ребятам каких-нибудь харчей, а себе выпить. Нинка догуляет, глядишь, не сегодня завтра объявится...

Купюра исчезла мгновенно, будто он за щеку ее спрятал.

— Это дело, это дело, — бормотал он. — Эть баба какая блудная, параститутка пропащая, совсем щенков своих забросила... А тут холод такой...

— А когда топить начнут?

— У нас топить не будут... — равнодушно сказал Евстигнеев.

— То есть как это — топить не будут? — удивился я.

— Отключили нас от системы отопления... Порушено у нас здесь все... Текет все... Трубы прохудились, батареи старые... Слесарь давеча приходил, отключил нас совсем от котельной...

У меня зуб на зуб не попадал, пока я одевался. Из куртки достал бутылку из-под лекарств для укрепления сердечной мышцы — в ней прозрачно плескалась заботливо налитая вчера водка. Сковырнул зубами пластмассовую пробку-затычку, опрокинул бутылочку — и почти сразу согрелся. И сердце перестало мучительно ныть. Хорошее лекарство. Бутылка удобная — граммов на триста. Вроде пепси-колы.

Господи, как я стал свободен! Для меня больше нет запретных вещей и поступков. У меня осталось так мало времени, что дозволено мне все. Дороговато стоит свобода. Но если заплатил — можно все.

Папкиным проклятием заплатил я за право выскочить в холодную морросливую мглу тусклого октябрьского утра, махнуть рукой таксисту — в кармане еще несколько Севкиных сторублевок — и скомандовать: «В Щукино».

Там мои сегодняшние дела, там, наверное, конец моих дней, туда привела меня душевная боль по имени «обеспокоенность правдой», там атомный институт, там работает начальником режима Петр Григорьевич Шубин, скромный, ничем не приметный ангел смерти.

Сидя в такси, я каждый раз оборачивался, пытаясь рассмотреть сквозь заднее запотевшее окно, угадать, в какой из этих бесчисленных «волг», «жигулей», «москвичей» едут мои преследователи. Но в этот час тысячи машин мчат по улицам. И к атомному институту подъезжает много машин одновременно.

Я знал, где находится административный корпус — года три назад я выступал с группой писателей перед учеными-физиками. Как они хохотали над моими маленькими смешными рассказами! Ах, как вас завлек бы сейчас мой длинный печальный рассказ!

Но меня больше никто не зовет к вам выступать. Я приехал сам. И нужен мне только один человек. Петр Григорьевич.

«Жив ведь! А-а? Ты его сыщи!»

Огромный вестибюль, перегороженный металлическим забором. С двух сторон в стенах квадратные окошки, похожие на собачьи кормушки. Может быть, там, внутри, действительно сидят собаки, а с этой стороны выстроились перед бойницами физики, протягивают в окно квадратики залитых в целлофан пропусков, а оттуда собака выкидывает им алюминиевую бирку.

Торопливо бегут ученые с биркой к центру забора, где стоят два огромных шкафа под охраной вахтера. Физики показывают алюминиевую бирку вахтеру, потом бросают ее в щель шкафа, там что-то гудит и пощелкивает, затем на электронном табло вспыхивают красные светящиеся цифры — наверное, номер мыслителя с биркой, и отскакивает в сторону штанга турникета, ученые спешат к себе на рабочее место подумать о природе мироздания.

И вахтеры невиданные — молодые рослые парни в велюровых несмятых шляпах, коричневых одинаковых плащах со стальной опухолью пистолета на заднице. Это — кадры Петра Григорьевича.

Я подошел к окошку с надписью «Бюро пропусков», заглянул туда и вместо собаки увидел вахтера в несмятой шляпе. Им вместо фуражек выдают шляпы. А на посту надлежит быть в головном уборе.

— Мне надо позвонить Петру Григорьевичу, — сказал я.

— Фамилия? — невыразительно спросил он, чуть сонно.

— Шубин.

— Я спрашиваю вашу фамилию, — так же сонно спросил он.

— Алексей Епанчин, я писатель. — И протянул ему свой писательский билет. Он его проработал до последнего штампика об уплате членских взносов, положил на стол, взял толстую линованную тетрадь и переписал в нее все, что было написано в билете, потом тетрадь отложил, а билет накрыл огромной мясистой ладонью.

— Я вас слушаю, — сказал он, будто я только что заглянул в окно.

— Мне нужен телефон Шубина.

— Он вам назначил встречу?

— Какое ваше дело? — озверел я. — Я вас спрашиваю о телефоне!

— А я вас спрашиваю, назначена ли вам встреча, — с непреклонностью камня ответил вахтер.

— Это я должен Шубину назначить встречу! Он ждет меня! — выкрикнул я ему в сонную рожу-маску.

У него чуть дрогнула губа. С таким же успехом я мог орать на шкаф-турникет с электронным контролем бирок. Номер не соответствует, штанга не откроется.

Я оглянулся — я научился уже чувствовать их спиной. Слоняющийся по вестибюлю вахтер пронес свою несмятую шляпу поближе ко мне, по стойке «вольно!» занял позицию в трех шагах от меня.

— Как мне позвонить его секретарше, сказать, что я приходил?

Сторожевая собака в будке сдвинула велюровую фуражку с опущенными полями немного на затылок, равнодушно сообщила:

— Секретарю Петра Григорьевича все сообщат, не беспокойтесь. Он доложит, а Шубин вам назначит время встречи... Тогда, кстати, вы и номер телефона будете знать, по которому вас ждет Шубин.

Похоже, что я замкнул кольцо вокруг себя. Батька, ты это имел в виду?

Я вышел на улицу и медленно, не спеша, пошел к центру. Дождя не было, а стлался влажный серый туман, от которого пробирал до костей озноб, и казалось, что скоро начнется ночь. Вечер наплывал сразу за утром. Я шел осторожно, часто оглядываясь, держась поближе к стенам домов, пропуская все машины на переходах. Им сейчас должно быть очень соблазнительно в этом сером сумраке и полдневной разреженности толпы вылететь на тротуар шальной «Волгой» и подгрести меня под капот, задними колесами промолотить в хлюпающее кровавое месиво и умчаться, пока никто и подбежать не успеет. «Виновник автодорожного происшествия с места наезда скрылся, и принятыми мерами розыска установить виновного пока не удалось...»

Нет, вы уж, ребята, погодите маленько. Я не для этого ходил по всем этим бесчисленным адресам. Меня ждет Ула.

Любимая моя, я почти пришел. Мне остался всего один адресок — Кривоколенный переулок. Да и не для дела он мне занадобился — я хочу просто понять все до конца. А для встречи с тобой, Ула, я сделал все возможное. Осталось чуть-чуть.

Написать. Священное таинство превращения мысли в слово, слова — в документ, факт, крупицу истории. Крик в мир. Я поменял все свои ненаписанные книги на этот крик. Да нет, я не жалею, Ула, об этом! Бог с ними, с книгами! Они не смогли, все книги мира, спасти этот сумасшедший разваливающийся мир. А что же могло спасти мир? Обеспокоенность правдой? Знание? Жертвы? Не знаю... Зашел я в магазин, купил бутылку водки и аккуратно разлил ее сначала в бутылку для укрепления сердечной мышцы, остальное в себя. Лекарство спрятал в карман, оно мне еще сегодня понадобится.

В стеклянном кубике пельменной уселся в уголок, долго и лениво ковырял мокрые холодные комья фабричных пельменей. Они жалобно, синевато ежились в стальной тарелке, похожей на собачью миску, и я вспоминал псов-вахтеров в атомном институте. По запотевшим стенам текли струйки влаги, стекаясь в круглую лужицу около засохшего фикуса, замусоренного объедками и окурками. Здесь было тепло. Я не спешил. Куда мне спешить? Если за тридцать пять лет кто-нибудь сохранился в Кривоколенном переулке, они подождут меня еще час. Да и вряд ли они могут рассказать мне что-нибудь интересное. Скорее уж я им мог поведать про геройского родственничка.

Как важно знать заранее о конце своего пути! Как много можно принять решений! Соломон ведь знал о конце своей линии борьбы, побед и поражений. Он хорошо написал в какой-то статье незадолго до смерти: «В смерть каждому приходится уходить одному, в этом трагедия боязни смерти...»

Я отхлебнул из бутылки — стало теплее, тише. Тише на душе. Я даже подремывал слегка. И в покойной дремоте я с неслыханной ясностью ощутил одиночество Соломона, человека, не просто ждавшего своей смерти, а призвавшего ее к себе открыто, публичным выкриком, который толпы людей вокруг ясно услышали, но сделали вид, будто не поняли... А он, уставший молчать, вдруг закричал за месяц до смерти:

— ...Ричард III — путем убийств, вопреки горбу и уродству, вопреки здравому смыслу, яркому солнцу и справедливости, всякой правде — ворвался на престол. И кругом все пытаются тоже быть горбатыми. Это становится стилем, все ходят горбатыми, и каждый старается себе сделать горб побольше. Это становится верой...

Ула, спасибо тебе за нашу горькую судьбу. Я не хочу жить горбатым, я ненавижу стиль горбатых, я не стану исповедовать веру горбатых.

Я ненавижу собак в велюровых шляпах на форсированных машинах. Они опоздали — им уже не согнуть меня в горбатую веру. И мне не надо аллегорий — мир уже много знает, они смогут многое понять. Осталось написать и передать. Пусть мир знает больше — знание сокрушит однажды царство горбатых.

С трудом поднялся и вышел. Тучи пали совсем низко, сеялся маленький дождик, от тумана и выхлопных газов было больно дышать. Почему-то пропало ощущение времени, мне казалось все время, что ночь уже наступила, и уходить в эту ночь мне было боязно, как в смерть.

Я стоял на тротуаре, высматривая зеленый огонек такси, мне еще надо было успеть, пока ночь не наступила окончательно, съездить в Кривоколенный переулок.

И отчетливо вспомнил письмо вдовы Михоэлса: «...в последнее время Соломона преследует один и тот же сон, ему каждую ночь снится, что его разрывают собаки. Странно? Он ведь в детстве любил собак?..»

Бедная женщина, она не понимала, что ее муж знает — он едет умирать.

Быстрее, быстрее гони, таксист, гони в Кривоколенный, дом 6, оттуда призвали на службу собаку из вещего сна великого комедианта. А потом собаку отравили выхлопным газом в гараже. И дали орден. Или сначала дали орден, а потом отравили? Наверное, так. А-а, все пустое! Какое это имеет значение...

Гулкий полутемный подъезд старого пятиэтажного дома. Здесь хорошо гнездиться собакам-людоедам. Гремящий лифт стучит и дергается, как изношенный вагон на стрелке. Осталась в тросе одна-единственная проволока, висит на ней кабина, раскачивается, дверями стеклянными дребезжит. А я не закрываю глаза и не прижимаюсь к стенке. Я больше не боюсь, что кабина сорвется в пропасть. И одна проволочка выдержит, коли мне осталось в этой жизни только написать и отправить. На остальное наплевать.

И дверь квартиры 12 открылась без звонка, как только я вышел из лифта. Я знал, что кого-нибудь здесь обязательно застану, я в этом не сомневался ни секунды, как будто мне назначил здесь встречу через своего секретаря Петр Григорьевич Шубин. Я ведь и пришел-то сюда из чистой добросовестности — ничего сообщить они мне не могли.

— ... Дмитрий Миронович Жигачев — мой покойный отец, — говорит мне женщина с истертым нуждой и заботами лицом. — А мама — на дежурстве, она в соседнем доме лифтершей работает... Из газеты? Писатель?.. Да я вам ничего толком и сказать не могу. Папа погиб, когда мне года три было. Мама тогда же и переехала сюда из Минска — чтобы жить вместе с бабушкой. Вместе и материально получше было, да и за мной бабушка присматривала... Так и занимаем эти две комнаты... Мне от школы все обещают квартиру дать, да никак не получается... А бабушка только в прошлом году умерла... Вот мы с мамой и Сережкой живем втроем... Одиннадцать лет мальчику. Я его одна воспитываю, без мужа... Трудно, конечно, — какая у учительницы зарплата... Воспитываю его, чтобы памяти деда Дмитрия был достоин...

Она показывает на большую фотографию в рамке — кудрявый развеселый лейтенант в орденах и медалях озорно смеется, прищурив красивые разбойные глаза.

Над кем смеешься? Над своей судьбой? Над глупыми родственниками, сделавшими из тебя святого с ломиком, завернутым в войлок? Или ты смеешься над горбатым безумным миром?

— ...Мне за отца до конца учебы пенсию платили — он ведь геройски погиб. У нас грамота хранится, его посмертно орденом наградили. А тела его так и не нашли... Эти литовцы — зеленые братья, — они же ведь ужас какие бандиты были!.. Мама в бабушкиной ограде на кладбище мраморную досточку на него повесила — все-таки память, хоть тела его там и нет... Отлились, я думаю, этим бандитам наши слезы — товарищи наверняка за него отомстили... Мама говорит, что его все очень любили...

Это уж точно, отомстили. Интересно, что бы она сделала, если бы я назвал ей имя и адрес убийцы ее отца, которого все так любили?

Кто это говорил мне недавно про варягов, без которых нам уже не разобраться со своими делами до конца мира? Не помню. Все перепуталось в моей голове...

— А к вам никогда не приходил его боевой товарищ? Шубин его фамилия? — спросил я на всякий случай.

— Шубин? — задумалась она, покачала головой: — Нет, не приходил. Никто не приходил. Мне бы мама сказала...

Она захлопнула за мной дверь, и я пошел медленно вниз, с трудом передвигая чугунные ноги: устал я, видит Бог, как я ужасно устал!

В подъезде стояли собаки. Двое. Без шапок — для удобства работы. И чьи-то тени мелькали на улице в просвете стеклянной двери.

Куда же ты исчезла бесследно, моя ужасная усталость и покорная готовность умереть? Не-е-ет! Меня ждет Ула, я еще должен написать и отправить. Я должен крикнуть в мир и криком своим развалить стены ее психтюрьмы!

Чтобы заткнуть мне пасть, двух собак-людоедов маловато. Низко цените.

Я не спеша считал ступеньки последнего лестничного марша, а думал я быстро. Бежать назад, стучать, звонить в двери квартир поздно. Они догонят меня и получат преимущество уединения от людских глаз. И бить станут насмерть — отсюда легко скрыться незамеченным. Нет, мне надо прорываться на улицу, еще не ночь, еще много прохожих — там люди, а они их опасаются больше всего.

Миновал последнюю ступеньку, и один из псов двинулся мне навстречу. В руках у него была незажженная сигарета, он тянул ее мне навстречу и улыбался, и издали еще говорил громко: «Спичек не найдется прикурить?» Ему надо, чтобы я сунул руку в карман. И второй шагнул ко мне.

Обычный русый симпатичный парень протягивал мне сигарету. И щурил глаза, как задушенный газом лейтенант с фотографии. Где лом в войлоке держишь, глупый пес?

Только бы ножей у них не было, а стрелять они побоятся.

399

Я хрястнул его наотмашь ребром ладони, но чуть-чуть промахнулся — удар пришелся не на шею, а на скулу, и он не рухнул, а просто отлетел. Второй бросился без слов, с рычанием, и от мощного толчка я отвалил обратно на лестницу, но успел вскочить. Я все равно выиграл старт, я вам, гадинам, покажу, что здесь вы свою зарплату тяжело отработаете.

Ударил одного ногой, и сразу слепящий тычок в нос: хрип, тяжело стукнули меня по голове. Я первого — под ребра, второй — кулаком меня в ухо. Боль ужасная, и я вспомнил, что мне надо орать. Мне нечего стесняться, мне некого стыдиться — надо кричать как можно громче!

Но не выходил крик из моей груди. Мы упали все вместе клубком на пол, и получил я коленом в лицо, второй кричал сипло: «Коля, Коля!..»

Треск, глухое гудение в голове, беспорядочные удары, и мне все труднее отвечать, и я чувствую, что кто-то еще навалился — Коля прибежал на помощь. Мне на лицо навалился один грудью, и жуткий ошеломляющий удар по почкам, так, что всего меня подкинуло. Я вцепился зубами в грудь, завыл пронзительно бесстрашный опер, удар ногой по затылку.

Чьи-то голоса, шум, стук дверей, пронзительный женский вопль. Невероятным усилием поднялся на колени, треск в груди — это ребра мои ломаются, все-таки отмахиваюсь, надо встать, надо встать, во что бы то ни стало — встать! И волоку их на себе, и со звоном вываливаемся в стеклянную дверь, яркий свет и холод лужи, в которую ткнулся лицом. Еще раз долбанули ногой по голове, и чей-то запыхавшийся голос надо мной:

— Скоро убьем тебя, суку, совсем...

Топот. Тишина. Дождь идет сильный.

«Отлились, я думаю, этим бандитам наши слезы — товарищи наверняка за него отомстили...»

56. УЛА. ПРЕДСТАВЛЕНИЕ

Выскребенцев представлял меня:

— Как известно, шизофрению с систематизированным бредом трудно отграничить от патологического паранойяльного развития психопатических личностей...

Он говорил длинными плавными оборотами, надувая значительно свои пухлые хомячьи щеки, озабоченно поблескивал золотой оправой медных очешек. Профессор серьезно слушал его, не перебивал, согласно кивал головой. Они мне казались грошовыми актерами, занятыми в дурной пьесе о врачах, — так многозначительно подавали они свои наукообразные реплики, ошеломляющие несведущих зрителей.

Но это была необычайная пьеса, где единственный зритель обязан участвовать в безумном сценическом действе, заканчивающемся в Сычевке.

Я была этим фантастическим зрителем-актером абсурдного спектакля, и все знали, что происходящее — нелепая жестокая выдумка. Но играли с полной серьезностью.

— ...В правильности первоначального диагноза убеждает нас также то обстоятельство, что обычно вялотекущая шизофрения проявляется к тридцати годам...

Вялотекущее расщепление души. Они не просто играют во врачебный консилиум, они специально говорят это в моем присутствии, чтобы посеять во мне сомнение, заставить поверить, что я сошла или схожу с ума. Своей серьезностью, актерской игрой в науку, задумчивой озабоченностью они пытаются расщепить мою душу.

— ...Больную характеризует многотемность бредовых идей... Она болезненно заострена на эмоционально-значимых темах...

Вскоре они разрушат совсем мою память. Первый этап таксидермизма — надо все забыть. Потом можно даже выпустить отсюда беспамятное чучело, бывшую мою личность, от которой останется только паспорт в столе инспектора ОВИРа Суровой. Но проще отправить в Сычевку.

Профессор покачал головой, и с его серо-седой, якобы профессорской прически посыпалась перхоть. У него было красное отекшее лицо пьяницы, крикуна и рукосуя. Он сказал категорически:

— Мы придаем основное значение не всдущему синдрому, определяющему, как это ошибочно считалось ранее, форму шизофрении, но главному — итогу течения болезни. В первую голову необходима длительная устойчивая терапия...

Консилиум. Бесовская курия!

Выскребенцев гундел, захлебываясь чувственным удовольствием от огромного количества ученых слов:

— Здесь имеет место типичнейший случай полного аутизма, того, что мы называем стеклянной стеной отчуждения, сопровождающегося неустойчивостью мышления и глубокой неконтактностью...

Один из белых халатов спросил Выскребенцева:

— Вы не рассматривали вопрос о переводе больной на амбулаторное лечение и поликлинический надзор?

Это значит — не собираетесь ли вы ее выписать из больницы? Нет, они меня не выпишут. Не надо пустых надежд. Они меня не отпустят, пока не превратят в выпотрошенное беспамятное чучело. И халат скорее всего не имеет в виду меня отпускать. Наверное, это просто его реплика в их сумасшедшем представлении.

— К сожалению, больная не проявляет никакой критики своего состояния, — горестно вздохнул Выскребенцев. — Мы не можем констатировать ни малейшей положительной динамики...

И красномордый профессор отрезал:

— Без поддерживающей терапии нейролептиками бредовые идеи могут быстро и очень сильно актуализироваться. Пока разговоры о выписке явно преждевременны...

Они не развлекались. И не издевались надо мной. Видимо, такие разговоры входят в их тактику расщепления человеческих душ.

А Выскребенцев тоненько засмеялся:

— Тут уместнее говорить о стационаре для хроников...

Стационар для хроников — это Сычевка.

Когда они вышли, я спросила Анну Александровну:

— А что такое Сычевка?

Она закрыла на миг глаза, вздохнула, перекрестилась.

— Смерть, — сказала она тихо. — Страшная, медленная смерть. Там и работа у персонала не лечить, а содержать. Сама понимаешь, что за больница. Это бывший концлагерь под Смоленском. Все осталось, как было, — проволока, бараки, только вместо вертухаев — уголовники-санитары и срок до смерти... Больше трех лет никто не выдерживает...

Адонаи Элогим! Спаси меня! Избавь от этого ужаса!

Алеша, ты слышишь? Больше трех лет никто не выдерживает...

57. АЛЕШКА. МЕМОРАНДУМ

Не помню, как я добирался домой. На тротуаре я очнулся от того, что пил распухшими разбитыми губами из лужи, во мне горела и мучительно ныла каждая клеточка. Какой-то прохожий похлопал меня по плечу:

— Слышь, керя, вставай! Иди домой, ты уже наотдыхался! Слышь, вставай!..

Я плохо видел его, он двоился, расплывался — левый глаз у меня совсем затек.

— Слышу, — сказал я и удивился хлюпающему звуку моего голоса. Сплюнул — и на черный мокрый асфальт вылетел вместе с кровавой кашей зуб.

— Давай помогу, — говорил мне незнакомый человек. — Сейчас менты объездом тронутся, в два счета загребут в вытрезвитель...

К счастью, он принимал меня за пьяного, он ведь не знал, что мне отомстили товарищи убитого героя.

Потом прохожий пропал куда-то, и я отправился домой, не разумея маршрута, не соображая, где я нахожусь. Мне было только очень холодно — они разорвали на мне в клочья куртку, и весь я промок насквозь, пока валялся на тротуаре у подъезда. Я пытался остановить машину, но шоферы освещали меня фарами — грязного, разодранного, окровавленного — и с ревом исчезали в темноте. Я никак не мог найти троллейбус — может быть, я шел не по тем улицам, или они уже перестали курсировать. Мечтал присесть где-нибудь отдохнуть, но не было ни одной скамейки.

Чудовищно кружилась и гудела голова. На каком-то перекрестке мне показалось, что я теряю сознание, но меня просто согнуло пополам и началась ужасная рвота — из меня текла желчь и пена. И все время сверлила лишь одна мысль — не упасть, ни в коем случае не упасть. Тогда заберут в вытрезвитель, и все проблемы у них со мной будут решены — пьянице в вытрезвителе ничего не стоит впаять год за хулиганку. А я не написал и не передал...

Я наверняка не дошел бы. Но останавливая в очередной раз такси, я влез в карман куртки и понял, что геройские мстители вытащили у меня деньги. Может быть, это входит в сценарий разбойного нападения неустановленных преступников, а может, — просто естественный рывок нормальных уголовников.

А у меня было четыре новеньких сотни и разменные мелкие бумажки. Воришки проклятые! И ярость придала мне сил, я долго еще шел по улицам, пока все не погрузилось в густую пелену беспамятства...

Я пришел в себя, увидев перед собой лицо Шурика. Я лежал на диване, укрытый одеялом. На голове — приятная холодящая тяжесть мокрого полотенца. Лицо очень болит. Ничего не помню — как добрался сюда, что происходило, все исчезло.

— Шурик, они у меня все деньги украли, — сообщил я, и мне почему-то казалось это очень важным, и досада, что деньги эти бандюги не сдадут начальству, а тихонько припрячут и потом пропьют, была такой огромной и острой — мне хотелось, как в детстве, уткнуться в одеяло и горько заплакать. Наверное, это была спасительная защитная реакция измочаленного организма.

— Плюнь, забудь, — улыбнулся Шурик. — И так проживем. Слава Богу, сам-то хоть пришел...

— Сколько времени?

— Полвторого. Ты почти четыре часа проспал. Я тебе сейчас крепкого чаю налью.

Я приподнялся, спустил ноги с дивана, и вся комната подпрыгнула и метнулась перед глазами, плавно покружилась, не сразу замерла, и все встало на свои места. У меня, наверное, небольшое сотрясение мозга. Левый глаз ничего не видит — толстая, гладкая, как финик, горячая опухоль на его месте. Ладно, все пройдет, надо сейчас собраться с мыслями, сгруппироваться, отбить сильно концовку.

Сорок лет назад во время спектакля Соломон выскочил за кулисы и ткнулся глазом в чью-то горящую папиросу — потом два месяца болел, но в тот вечер отыграл остальные три акта.

На столе млел сизым паром рубиновый чай в стакане. Я встал с дивана, и снова комната запрыгала, закачалась передо мной, но я устоял на ногах и заставил комнату вернуться на место.

— Ты бы лежал лучше, — сказал просительно Шурик.

— Нет, братень, сейчас лежать не будем. Сейчас мы делом займемся...

— Хорошо, — безропотно согласился Шурик, не спрашивая, каким делом мы будем заниматься среди ночи. Господи, почему же мне никогда раньше в голову не приходило, что он — очень хороший человек?

От горячего чая болел рот — опухшие губы, ссаженный язык, разбитые десны, но я пил все равно и чувствовал, как возвращаются силы.

— Шурик, ты не знаешь, почему отец оформил тогда свое отцовство? — Я знал, что ему неприятны все эти разговоры, но не хотел оставлять для себя больше никаких неясностей.

— Я думаю, что отец как-то странно, по-своему любил мою мать, — задумчиво сказал Шурик, — тогда он думал, что даже ему не удастся спасти ее, поэтому он согласился спасти хотя бы меня...

— В каком смысле?

— В это время было принято решение о выселении всех евреев на Таймыр, мы бы там все за одну зиму погибли, — просто, без волнения объяснил Шурик. — Мать предупредили об увольнении, а вы уже жили в Москве. Мать ни о чем не просила, но в феврале отец прилетел в Вильнюс и через своих знакомых оформил признание иска об отцовстве...

— А почему он тебя просто не усыновил?

— Для этого нужно было согласие твоей матери — и вся история вскрылась бы...

— Но почему твоя мать не довела процедуру до конца?

— Умер Сталин — отпала для нас смертельная опасность, и мать не хотела подвергать отца риску скандала...

— Она жива?

Шурик отрицательно покачал головой. И замолчал. И я больше не спрашивал — там было только его, и мне нечего было лезть без спроса. Захочет — сам расскажет.

Мы долго молчали, потом я сказал ему:

— Шурик, я выяснил обстоятельства убийства Михоэлса и отца Улы, мне известны имена конкретных убийц и организаторов преступления. Теперь я хочу составить доклад об этом и передать его на Запад, чтобы выручить Улу...

Шурик кивнул.

— Ты мне хочешь помочь?

И снова Шурик кивнул.

— Учти — если попадемся, то поплатимся головами. Нам этого не простят...

— Не предупреждай меня, я готов. Христос сказал — нет больше той любви, как если кто положит душу за друзей своих. Что надо делать?

— Нужно найти выход за границу. Человека, который передаст доклад...

Шурик протер платком запотевшие толстые линзы очков, задумчиво наклонил к плечу голову, надел очки на переносье, взглянул мне в глаза, твердо сказал:

— У меня есть товарищ, сельский священник. Под Владимиром. У него были связи, он поможет.

— Ему можно доверять?

— Да, — отрубил Шурик. — Я верю ему, как себе. Когда нужно отдать?

— Немедленно. Сегодня утром...

— Хорошо, садись пиши. Я уеду, как закончишь...

Шурик налил мне еще стакан чаю и прилег с книжкой на диван. А я заправил в машинку закладку в два экземпляра и медленно, собираясь с мыслями, отстукал одним пальцем заголовок: «МЕМОРАНДУМ».

Кому писать? О чем писать? Как написать?

Как обеспокоить мир правдой, ради которой люди здесь согласились умереть?

Правда — от Бога, Истина — от ума.

Как рассказать вам о моей вере в то, что история евреев — это повторение крестного пути Христа, заканчивающегося на нашей Голгофе?

Как объяснить вам чувства человека, от которого отрывают любимую женщину и швыряют в тюремный сумасшедший дом?

Безнадежно.

Я буду говорить на языке судебной процедуры.

Я вчиняю иск!

Я требую суда открытого и гласного над уголовными и политическими преступниками, которых государство три десятилетия укрывает от справедливой кары, от праведного возмездия за злодеяния.

Наша держава не признает никаких сроков давности за гитлеровские преступления. Я прошу мир отменить сроки давности на сталинские преступления. На них не могут распространяться никакие сроки давности, потому что они продолжаются, изменив лишь свое обличье и характер.

Люди, убившие три десятилетия назад великого актера Михоэлса, продолжают для сокрытия этого злодейства держать и сейчас в психиатрической тюрьме жертву давнего преступления.

13 января 1948 года убийством Михоэлса и Моисея Гинзбурга была начата неслыханная в нашей стране по масштабам антисемитская кампания, имевшая конечной целью депортацию и полное физическое истребление евреев.

Ровно за полвека — 13 января 1898 года — мир вздрогнул от гневного возгласа Эмиля Золя, брошенного в лицо антисемитам — «Я обвиняю!».

Уставший и отупевший за полвека насилия и кровопролития мир не шелохнулся, когда оперативными работниками МГБ Шубиным и Жигачевым были убиты Соломон Михоэлс и еврейский писатель Моисей Гинзбург...

Не останавливаясь ни на минуту, я стучал на машинке, и незаметно отступила боль во всем теле, остановилось головокружение, открылся затекший глаз. На бумаге струились черные ручейки строк, и выстраивались в них четкой лесенкой имена, факты, даты — они поднимались со дна небытия, из бездны забвения, из беспросветной топи беспамятства, как острова в мутном океане страха и тоски, они воздымались вехами памяти и позорными столбами.

...Руководил операцией заместитель министра государственной безопасности генерал-лейтенант С. П. Крутованов...

...он прибыл в Минск, где непосредственно командовал убийцами республиканский министр генерал-лейтенант Л. Ф. Цанава...

...У Михоэлса и сопровождавшего его Моисея Гинзбурга не было надежды на спасение, ибо в случае отказа ехать в Минск они должны были направиться на приемку спектакля в Вильнюс, где был подготовлен резервный вариант их уничтожения моим отцом, генерал-майором З. А. Епанчиным...

...связь между Минском и Вильнюсом обеспечивалась офицером-агентуристом Михайловичем, получавшим все необходимые ему данные от своего агента из близкого окружения Михоэлса...

...Михайлович использовал в качестве приманки административно-ссыльного Л. Х. Гроднера, инвалида, прикрепленного к местной спецкомендатуре, и его брата — актера театра

406

А. Х. Гроднера, поручив им пригласить Михоэлса к себе на еврейский национальный и семейный праздник...

...Иван Гуринович, шофер машины, обслуживающей в Минске Михоэлса и Гинзбурга, был задержан и заменен оперативным работником МГБ...

...в связи с тем, что Михоэлс и Гинзбург отказались ехать на машине, план убийства был скорректирован...

...в районе бывшего еврейского гетто на улице Немига грузовик «студебекер», управляемый Шубиным, догнал их, на скорости выехал на тротуар и сбил Михоэлса, скончавшегося на месте...

Моисей Гинзбург был только оглушен и, спасаясь от убийц, нашел в себе силы встать и побежать через проходной двор. Из «студебекера» выскочил Жигачев, догнал Гинзбурга во дворе и завернутым в войлок ломом проломил ему череп...

...на развилке шоссе убийц подобрал и увез в Вильнюс шофер и телохранитель генерала З. А. Епанчина — младший лейтенант П. В. Гарнизонов...

...прибывший для расследования в Минск начальник следственной части Прокуратуры Союза Л. Р. Шейнин обнаружил на месте преступления лом с отпечатками пальцев старшего лейтенанта Д. М. Жигачева — до службы в МГБ судимого уголовного преступника, дактокарта которого хранилась в отделе уголовной регистрации...

...административно-ссыльный Л. Х. Гроднер, инвалид без обеих рук, который выполнял агентурное поручение Михайловича и мог на допросе дать исчерпывающие показания Шейнину, был утоплен в проруби на реке Неман...

...обстоятельства встречи с Михоэлсом и приглашения его в гости разъяснил Шейнину брат утопленного Л. Х. Гроднера — актер А. Х. Гроднер, который после допроса, реально оценив угрожающую ему опасность, на много лет скрылся из Минска...

...дальнейшее расследование Шейниным убийства стало опасным, в связи с чем он был отозван в Москву и на вокзале арестован органами МГБ...

...однако дальнейшее существование Жигачева, оставившего пальцевые отпечатки на ломе, было признано нецелесообразным...

...младший лейтенант П. Гарнизонов, напоив Жигачева спиртом с разведенным в нем снотворным, уложил его в гараже и включил двигатель машины, от чего Жигачев вскоре задохнулся...

...Михоэлс был похоронен как выдающийся культурный и государственный деятель, но сразу же после этого был разогнан Еврейский антифашистский комитет, который он бессменно возглавлял, закрыт созданный им Московский государственный Еврейский театр, прекращены все еврейские издания, произведены тотальные аресты и казни еврейских писателей, брошены в концлагеря и тюрьмы все заметные деятели еврейской культуры.

...В апогей гитлеровских гонений на евреев — в Хрустальную ночь — было сожжено, разгромлено и разграблено двести пятьдесят синагог в Берлине. Такого не может случиться у нас, поскольку в Москве осталось сейчас две синагоги...

...Это часть изглаживания памяти о Михоэлсе, поскольку еврейство, еврейская культура как часть мировой цивилизации немыслима без дел и имени этого великого человека и мученика за свой народ...

...Добрая память о Михоэлсе у нас практически уничтожена. Но злоба и страх за ненаказанное и нераскаянное преступление сохранилась в полной мере...

...Я требую предания суду генерал-лейтенанта МГБ С. П. Крутованова, пребывающего ныне на должности замминистра внешней торговли СССР.

Убийцы Михоэлса — Шубина, начальника службы безопасности института атомных проблем.

Провокатора Михайловича, подвизающегося сейчас в должности старосты Московской хоральной синагоги.

Пенсионера МГБ Гарнизонова — укрывателя убийц и убийцу...

...Оставаясь на свободе, пребывая в почете и находясь под покровительством государства, эти преступники продолжают свои злодеяния...

...Дочь убитого Моисея Гинзбурга — Суламифь Гинзбург, литературовед и историк, подавшая заявление на выезд в государство Израиль, встретилась с Крутовановым и заявила ему о преступной роли, которую он сыграл в смерти ее отца...

...Через три дня ее заманили обманом в психдиспансер, там избили, связали и силой водворили в тюремную спецпсихушку...

...Я располагаю авторитетным медицинским свидетельством о полной вменяемости С. Гинзбург и считаю заточение ее в сумасшедший дом продолжением длящегося три десятилетия зверского преступления...

...Я намерен передать общественности медицинское заключение о состоянии здоровья С. Гинзбург и прошу у мира защиты человека, подвергаемого мучительной казни для сокрытия правды о расправе, учиненной над ее отцом...

Прошу вас, люди. И наши силы не бесконечны.

Закончил я письмо, когда ночь за окнами стала редеть и меркнуть. Чуть слышно посапывал на диване Шурик. Остаток

408

чая в стакане подернулся серой алюминиевой пленкой. Было очень тихо. И меня захватывало, обволакивало, топило в себе чувство завершенности всех земных дел. Я очень устал жить. Как много мне досталось!

Разложил письмо по экземплярам, копирку поджег в пепельнице и, глядя на ее желтое дымное пламя, думал о том, что где-то люди, свободные от непереносимой тяжести знания, от свербящего недуга обеспокоенности правдой, ходят по лесам, жгут настоящие костры, вдыхают сладкий запах осени и греют озябшие руки над потрескивающими сучьями.

Может быть, Господь даст мне это в следующей жизни?

Поднял встрепанную голову Шурик, подслеповато прищурился на меня:

— Что?

— Все. У меня готово...

Заклеил письмо в конверт, сверху обернул газетой.

— Как холодно здесь! — ежился Шурик.

— Да, холодно. Нас отключили от отопления...

— Похоже, нас от всего отключили, — усмехнулся Шурик и стал надевать свое старенькое нескладное пальто. Из драпа. Такие сейчас уже и не носит никто.

Он спрятал за пазуху пакет и обеспокоенно посмотрел на мое лицо:

— Алеша, у тебя глаз жуткий — весь кровью залит. Сходи к врачу...

— Ладно, схожу. Потом. Когда ты вернешься?

— Сегодня к ночи. Или завтра утром.

— Жду тебя, Шурик. Приезжай быстрее...

Я проводил его до дверей, мы потоптались секунду на месте, а потом одновременно шагнули друг к другу и крепко обнялись.

— Как хорошо, Шурик, что я нашел тебя...

Он захлопнул дверь за собой, и я еще слышал на лестнице его дробный топот маленького неуклюжего слоненка.

А я вернулся к себе, скатал первый экземпляр письма в тонкую трубочку и осторожно запихнул ее в пустую бутылку, накрепко закупорил.

Бутылку положил под подушку и обессиленно лег на диван. Я слышал, как я засыпаю. И на душе моей был покой. Шуршал, завихривал меня неостановимо сон, и в нем была сладость отдохновения.

Мы плыли вместе с Улой по ярко сверкающей воде, и Ула ясно и радостно смеялась. И пела она что-то — но не мог разобрать что.

Она пела, звала меня и смеялась.

А я медленно погружался в воду, и эта блестящая текучая вода щекотала мне веки, она размывала лицо Улы, я плохо видел ее, но она все еще смеялась и звала меня, но я погружался все быстрее и уже знал своим измученным сердцем — больше ее для меня нет.

58. УЛА. ГОСПОДЬ С ТОБОЙ!

Койка Светы пуста. Сегодня утром ее забрали няньки — куда, не сказали. И ей не сказали. С нами ведь здесь не разговаривают. С нами разговаривает здесь только радио. Вестью безумия мира трещит целый день в палате картонный голос динамика: «...в Курганской области прочитано шесть тысяч лекций, посвященных новой Конституции».

Клава Мелиха тайком съела полагавшийся Свете обед и теперь боится, что санитарки обнаружат покражу и свяжут ее в укрутку. По-моему, Клава совсем выздоровела. Она степенно рассуждает о том, как ее выпустят отсюда, надо будет жизнь зачинать сызнова, Петю-то теперь не воскресишь, надо будет найти какого-нибудь мужичка — для общего хозяйства и здоровья и с ним вдвоем тихо доживать.

— Не век же мне слезы на кулак мотать! — рассудительно говорит она Ольге Степановне.

А та спрашивает с интересом, безо всякого ехидства:

— А Петю не жалко?

— Как же не жалко? Жалко! Да чего ж теперь поделаешь? И пожил он все-таки — он же меня постарше был...

Анна Александровна совсем потеряла силы — лежит, я ее кормлю супом с ложки. Чудовищная еда, жалобное хлебово для брошенных людьми животных.

Сегодня Анну Александровну вызывали на комиссию — долго расспрашивали, много записывали, ничего не сказали. Зачем им говорить с нами? С нами радио поговорит: «...На Новокузнецком металлургическом комбинате пустили печь по получению агломерата из железорудного кварцита, что дает народу десятки миллионов рублей прибыли...»

Я пытаюсь запихнуть в старуху осклизлую вареную рыбу и синюю холодную картошку. Когда-то мы ехали с Алешкой на машине с юга, и в кафе под Орлом нам дали меню. В нем было написано: «Первое — 26 коп., второе — 47 коп., третье — 12 коп.» И все. Тогда меня это очень рассмешило. Сейчас это мне не казалось таким смешным. Тогда я знала, что через триста километров мы скроемся дома от этого вала равнодушной усталой ненависти к людям. Здесь нам от нее не скрыться.

Человек должен знать границу, предел опасности и страдания. Иначе за ним закрываются ворота ада.

— Сколько же можно терпеть? — вырвалось у меня невольно.

Анна Александровна отодвинула алюминиевую солдатскую миску, печально улыбнулась:

— Протопопа Аввакума спросила истомленная страданиями жена: «Доколе мука эта?» «До смерти, матушка», — сказал ей Аввакум. Мне, видать, до смерти, а тебе — пока не вырвешься. Тебе вырываться надо...

Мы помолчали, потом она мне сказала тихонько:

— Я думаю, они мне на комиссии поставили гриф «психохроник». Неизлечимая...

— Зачем вы так говорите? — слабо возразила я. — Может быть, и нет, пока поостерегутся...

Анна Александровна засмеялась невесело:

— Кого им стеречься? Профессор говорит Выскребенцеву — хрестоматийное проявление бредовой сверхценной идеи с реформаторским уклоном, неизлечима... — Она утомленно прикрыла глаза, шепотом рассказывала мне: — Они меня спрашивают: вы своей жизнью довольны? Довольна, отвечаю. Снова задают вопрос: а хотели бы снова стать молодой, красивой, заново жизнь прожить? Говорю, что не хочу. Они переглядываются, кивают с пониманием — все ясно! А что им ясно? Что они понимают? В тридцать седьмом году посадили моих родителей, в лагерях они и остались. Я перед войной окончила школу и сразу же на передовую. Санинструктором. Четыре года на фронте, там и вышла замуж за нашего ротного. Вернулись домой, только-ко обустроились, сын родился, а муж в пивной анекдот про Сталина рассказал. Тут и кинули его на сталинские пятилетки без права переписки и с поражением в правах. А меня с ребеночком выселили из комнаты, дали угол в бараке. Три месяца прожили, а у барака стена рухнула, и жили мы три зимы в развалинах, у знакомых ютились, на вокзалах спали. Наконец устроилась дворником — дали мне теплую комнату в подвале. А тут и муж из лагерей пришел, но человек другой совсем стал — не узнаю его совсем, будто подменили его там — пьет, плачет, скандалит, ни о чем сговориться невозможно. Пожил он с нами немного и ушел к другой женщине — сказал, что там с ней познакомился. А еще через два года вернулся — тихий, отрешенный, весь прозрачный. Рак у него уже был. Отмучился люто — хотя недолго, и взял его Господь к себе. Сынок выучился на военного инжене-

411

ра, а когда меня посадили, то его из армии уволили. Он говорит — из-за тебя, из-за твоих, мать, бредней карьера моя порушилась. Обижен, не ходит ко мне. Вот и скажи, Ула, захочет кто-нибудь такую жизнь наново прожить, но им ведь я этого объяснять не стану!..

— Ничего не надо никому объяснять! — хлестнул по нашим головам пронзительный резкий голос Выскребенцева. — Для вашей же пользы лучше было бы других послушать...

Анна Александровна приподнялась на кровати, и мне казалось, что смотрит она на этого пухлого злого хомяка в золотых очках с состраданием. Покачала головой, горестно заметила:

— Правду, видать, говорят, что лжа как ржа — тлит...

— Вставайте, вставайте, — коротко скомандовал он Анне Александровне. За ним уже маячил смутный рыбий лик сестры Вики. — Мы вас должны показать консультанту, собирайтесь...

— Я готова, — кивнула Анна Александровна.

— Нет, со всеми вашими вещами собирайтесь, все берите, — быстро обронил Выскребенцев.

Анна Александровна долгим взором смерила его, оглянулась на меня, вздохнула горько:

— И сейчас врет... Такое уж дело у него...

Она стала собирать в свой старушечий узелок жалкий скарб, а Выскребенцев, краснея от злости, процедил:

— Не забывайтесь, смотрите, как бы вам не пожалеть...

Смирно опустила руки, полыхнула молодыми светлыми глазами:

— Дальше Сычевки зашлешь?

— Не мелите чепухи! Собирайтесь быстрее! — зло выдохнул хомяк, а сестра Вика уже тянула Анну Александровну к двери.

Но она вырвала руку, снова повернулась ко мне:

— Будь счастлива, доченька! Господь с тобой!

Хищным прыжком бросилась на нее Вика, за другую руку ухватил Выскребенцев, и они мигом выволокли Анну Александровну в коридор.

Вялый топот удаляющихся шагов, чей-то недалекий жуткий крик, конвойная угроза: «Серы захотел?!», чавканье Клавы, пустой взгляд Ольги Степановны, внимательно слушающей радио.

Я легла на кровать, закрыла глаза в одной надежде, единственной мечте — уснуть поскорее, ничего этого не видеть, не слышать, не думать.

Не вспоминать, что следующая очередь в Сычевку — моя.

59. АЛЕШКА. ПОКЛОНЕНИЕ ОТЦУ

Я нашел на вешалке старый плащ — добросовестное китайское сооружение, твердое и просторное, как извозчичий балахон. Мода на эти плащи прошла незапамятно давно — вместе с дружбой с китайцами.

А плащ, на счастье, сохранился — мне все равно больше нечего надеть. А плащ грел, укрывал надежно от неостановимого дождя и — самое главное — совершенно незаметно скрывал бутылку с закупоренным в ней меморандумом.

Бутылка угрелась на груди во внутреннем кармане. Бутылка — странный конверт для письма в шестнадцать страниц. Но другой меня не устраивал, потому что я полдня ездил на транспорте, бесцельно и бессистемно пересаживаясь из троллейбуса в автобус, из автобуса — в метро, перед самым отправлением поезда выскакивал из вагона — в надежде сбить со следа «хвост», наверняка пущенный за мной. И все это время я надсадно соображал, где мне надо спрятать письмо. Но придумать ничего не мог.

Во всем огромном городе не было ни одного человека, которому я бы доверил свое письмо. Мне нужен был хранитель, который бы не просто сберег письмо, а в любом случае — что бы со мной ни произошло — дал бы ему дальнейший ход.

Такого человека я не знал. Я прожил свою прежнюю жизнь среди совсем других людей.

Все время тлела во мне подспудно мысль — она промелькнула еще утром, когда я вкладывал письмо в бутылку, — что его пока надо закопать. Письмо нельзя держать при себе. Но если со мной что-то случится, закопанная бутылка пропадет. Правда, остается друг Шурика — сельский священник из-под Владимира. Но о результате его поездки — и то неокончательном — я узнаю сегодня только к ночи или завтра утром. Письмо нельзя таскать при себе. Даже закопанное оно существует, а если со мной что-то случится — оно погибнет.

И случиться со мной может каждую минуту. Меня могут убить, арестовать или посадить в сумасшедший дом. Как легко объявить мой меморандум бредом маньяка, находящегося сейчас на стационарном излечении!

Я заметил, что, как летчик-истребитель в полете, я ежеминутно оглядываюсь. Я все время ждал удара в спину. Все время всматривался в лица прохожих, догонявших меня сзади, и пытался изо всех сил найти человека-пса.

Привычно хмурые, усталые, раздраженные лица — все одинаковые. Посинело-красные от резкого ветра и холодного дождя.

413

Как же мне днем, на глазах у филеров, закопать бутылку?

Вылез из автобуса у зоопарка и пошел пешком в сторону Краснопресненской заставы. И снова перебирал в уме всех знакомых, возможные варианты и предполагаемые места захоронки. Ничего путного в голову не приходило, пока ноги сами не привели к воротам Ваганьковского кладбища.

Другой возможности у меня не осталось. На входе у продрогших баб купил пожухлые вялые астры. Сквозь приоткрытые двери церкви был виден дымный слабый лампадный свет. Истопталась грязь на асфальте в тяжелую серую слизь. Ветер налетал порывами и драл со стоном жидкие листья в опустевших кронах. Ох, крутая, лютая зима идет!

Долгая дорожка в глубь кладбища, легкий укос вниз, к ограде, к недалекой сортировочной станции, откуда ползут гудки электровозов и доносится резкий лязг вагонной сцепки. Все время дождь, дождь. Меркнущий свет уходящего октябрьского дня. Какая здесь тоска и пустота!

Сломанные цветы на могиле отца увяли, стали мусором. Как мы все. Рыхлая красная глина. И тем же красным цветом побежала ржавчина на металлических венках, покосившихся от ветров, грузно осевших от бесконечных дождей.

Рядом на старой могиле стоял покривившийся гранитный памятник со стершимся именем усопшего, но с отчетливо видной гравировкой — «Идеалисту и мечтателю...»

Ты, отец, не был ни идеалистом, ни мечтателем. При жизни ты любил тайны, ты их умел творить, ты их умел хранить.

Сбереги еще одну. В ней вся моя жизнь. Оставшаяся жизнь. И прожитая.

Я оглянулся по сторонам — никого вокруг, пусто все, заброшенно, сумеречно и тихо. Встал на колени, упер бутылку заткнутым горлышком в глину, и с силой нажал на донышко, и плавно вползла бутылка в мягкий размокший грунт, залепил донышко тяжелым красным комом. Правый ближний угол. В ногах. Все.

Вот видишь, отец, ты меня смог заставить после смерти поклониться тебе на коленях. Делом всей жизни. Моим письмом. Спасибо...

Разложил астры на могиле, потом долго собирал дождевые капли с голых кустов, оттирая дочиста глину с ладоней. Оглянулся еще раз и быстро пошел к выходу.

А у дверей церкви стояла серая «Волга»; и четверо крепких мужиков разом выскочили из нее, когда я появился из аллеи.

И радость за спрятанное письмо погасила страх, не дала разорваться груди от бешеного боя сердца, когда желтоглазый верзила с костистым лицом спросил меня:

— Алексей Захарович, не хотите прокатиться с нами?

414

И в припадочном веселье, с огромным облегчением от пронзившего меня чувства завершения мучивших меня так долго страхов, от сброшенного ярма невероятного напряжения, я крикнул ему:

— Пройди с дороги! Мне не по пути...

Но их было не обойти на этой дорожке, они стояли в своих одинаковых плащах, как серая гранитная стена, и в глазах их тускло просверкивала надпись — «Мечтатели и идеалисты».

Желтоглазый тихо и быстро сказал:

— Не надо шуметь, не заставляйте применять силу! Не драться же нам с вами, — напомнил он мне. — Вы задержаны и ведите себя скромно...

Они взяли меня за руки и повели к машине, и я не сопротивлялся.

Нет смысла. Кому кричать? Сирым старухам, выходящим из церкви? В мглистое дождливое предвечерье? На пустынном кладбище? Нет смысла. Письмо спрятано. Второй экземпляр, Бог даст, сегодня будет у владимирского священника. А со мной пусть делают что хотят. Мне плевать...

Меня запихнули на заднее сиденье между двумя псами, двое других прыгнули вперед, и машина сорвалась и помчалась как на пожар. Они себя сами надрачивают на мнимую опасность, рискованность и лихость своего людоедского промысла. Бесплодный горький азарт онанистов.

Желтоглазый обернулся ко мне с переднего сиденья:

— Ходили на могилку батюшке поклониться?..

Я посмотрел на его костистую рожу замороженного осетра и ничего не ответил. А он не обиделся, он был в возбуждении еще длящейся охоты и доволен, что все прошло тихо и благополучно.

— Правильно сделали, молодцом, Алексей Захарыч! Чтить надо предков, всем на свете мы им обязаны. Вам бы раньше его слушаться — сейчас бы совесть не грызла и с нами знаться не пришлось бы...

— Я с тобой и не собираюсь знаться, — сказал я равнодушно.

— От вас это теперь не зависит. И очень прошу вас — не грубите мне. А то...

— Что а то?..

— А то, что мы вам — пока не приехали — вот этот глазик, левый, поврежденный уже маленько, выдавим. Чтобы вы не сопротивлялись при задержании...

— Плевать я на вас хотел. Вам даже на битье надо указание получить.

— Сергуня! — попросил моего соседа — безмолвного квадратного пса, и тот неуловимым движением врезал мне локтем под ребра, и боль в печени полыхнула невыносимая.

Я закрыл глаза, стиснул зубы, чтобы не завыть от этой рвущей острой боли, весь сжался в тугой горячий ком и долго занянчивал, затерпливал, зализывал в себе это палящее терзание.

Поделом мне, так и надо дураку. Не о чем разговаривать человеку с псом.

Машина промчалась по улице Герцена мимо освещенного подъезда Союза писателей, мимо турецкого посольства, мимо церкви Вознесения, где еще совсем недавно — в другой жизни — три месяца назад я шел от Антона, сморенный жарой и недопитостью, и был гостем на венчании Пушкина, а Красный в это время растолковывал Антону обстоятельства и хитрости своего замечательного варианта, который позволял наверняка откупиться от трахнутого папки Гнездилова, а я сидел в сладком одиночестве бара, выпивал в тишине и отъединенности и беззаботно дремал за столиком, пока меня не разбудил найденный Торквемадой братан мой пропащий Севка...

...Что же ты сейчас, хитроумный писательский генерал, Петр Васильевич Торквемада, ловкий инквизитор, не найдешь Севку?..

Перешел на положение невозвращенца. Старая традиция. Со времен князя Андрея Михайловича Курбского.

Севка опять вез бы меня желтым гаснущим вечером по пустынной вымирающей Москве, и снова вошло бы в меня чувство краха этого мира, апокалипсис Третьего Рима.

И примчался бы я ночью на ревущем, еще не убитом «моське» к Уле...

Где вы все? Куда это все делось? И меня везут в тюрьму...

— Вы зря закрыли глаза, Алексей Захарыч, — сказал над моим ухом желтоглазый. — Посмотрите, как прекрасно на воле! Вы смотрите, смотрите — когда снова придется, неизвестно! А жизнь так замечательна!..

Что ты знаешь о жизни, злое кровоядное животное! Счастье сытости, довольное урчание похоти. Глупая сторожевая скотина.

Мне не надо открывать глаза — я и так все помню. Господи, низкий поклон Тебе только за то, что Ты наградил меня памятью чувств!

Прощай, Соломон. До свиданья. Гамлет доиграл спектакль до конца. Меморандум уже, наверное, у владимирского священника. Шурик возвращается назад.

Гамлет призван раскрыть правду. Возвышенная и неизлечимая болезнь — обеспокоенность правдой — заразительна. Ничего нет страшнее для этого выдуманного мира, чем правда. Потому что в их Начале было слово, и это слово было — Ложь. Их

416

сила и сейчас стоит на Лжи. Как трудно причаститься к правде, чтобы перестать бояться их силы.

А, все пустое! Конец пути. Площадь Дзержинского, улица Берии, переулок Малюты Скуратова, тупик Огромной Лжи, дом Нескончаемого Мучительства. Лубянка.

Когда-нибудь здесь будет музей. Памятник всем, кого провели через тяжелые окованные двери мимо прапорщиков вахты, коротко бросив: «Арестованный...»

Длинный коридор, поворот, еще коридор, лифт, переход по лестнице, коридор, неисчислимые двери в бессчетные кабинеты, везде красные ковровые дорожки, от которых ломит в глазах, а шаги становятся неслышными.

Ввели в пустой кабинет, зажгли свет. Стол, сейф, стулья у стены, на окнах белые занавесочки.

— Ну, вот и пришли, — вздохнул желтоглазый. — Подойдите к столу...

Я сделал несколько шагов.

— Выкладывайте все из карманов на стол. А ты, Сергуня, проверь — не забыл ли он чего...

Проверяйте. Ничего у меня нет. Мелочь, измятый носовой платок, ключи, писательский билет, ручка. Зуб! Дуськин зуб! Вон ты куда со мной добрался! В этом был твой символ? Да теперь это уже не важно: одно письмо — у священника, второе зарыто у отца.

Желтоглазый скомандовал:

— Садитесь вот сюда, в угол... — и ушел из комнаты. Сергуня уселся напротив меня, загородив квадратными плечами окно.

И наступила тишина, ватная, тяжелая, в которой было слышно лишь ровное дыхание Сергуни, сиплое и шуршащее, как паровое отопление. Иногда он тонко, деликатно сморкался в огромный красный платок, вырезанный, наверное, из ковровой дорожки в коридоре. У Сергуни было озабоченное крестьянское лицо.

Я подумал, что убийцы и истязатели в наших представлениях незаслуженно окружены ореолом необычности, отличности от других людей. Нет, это просто работа такая. На нее надо попасть, а дальше — делай как все!

Сергуня неожиданно сказал задумчиво:

— А у меня тоже есть один знакомый писатель...

И снова замолчал, круто, очень глубоко. Чушь какая-то! Какой у него может быть знакомый писатель? Он его отлавливал, как меня? Бил локтем в печень? Или они учились вместе в школе... Тьфу, чепуха какая-то лезет все время в голову! Просто у Сергуни теперь два знакомых писателя...

Распахнулась бесшумно дверь, и желтоглазый впустил в кабинет двоих, вошел следом и стал у притолоки. А судя по тому, как проворно вскочил задумавшийся Сергуня, пришедшие были начальством. Желтоглазый мигнул ему, и Сергуня громоздкой сопящей тенью истаял в коридор.

Пришедшие мгновение суетливо толкались у стола, предлагая друг другу место, наконец расселись и уставились на меня. Севший у стола — красивый молодой верзила, наверное, мой ровесник, с чуть заметным тиком, смотрел на меня с легкой улыбкой. С жалостью. Со снисходительностью. Он окидывал меня неспешно взглядом с ног до головы, и весь я — с грязными ботинками, в мешковатом китайском плаще, с синяками и кровоподтеками на лице — был ему жалок.

Он достал из кармана блейзера пачку «Кента», золоченую зажигалку, мягко спросил:

— Курить, наверное, хотите?

— Хочу, — сказал я, взял из протянутой пачки сигарету и с наслаждением затянулся синим душистым дымом.

Желтоглазый гремел ключами у сейфа, потом распахнул полуметровой толщины дверь, достал несколько папок и положил их на стол. Ого! Неужели на меня уже исписали столько бумаги? Трудно поверить...

Желтоглазый снова оттянулся куда-то на задний план, пижонистый молодой начальник неспешно покуривал, а его спутник — худощавый элегантный черт лет шестидесяти — положил ногу на ногу, развалился на стуле и упорно рассматривал меня.

Не знаю почему — я решил, что главнее молодой. Во времена моего батьки они ходили на службу в погонах.

Сейчас им больше нравятся шведские костюмы, коттоновые рубахи. Французские галстуки. Все правильно — детант!

— Ну что же, Алексей Захарович, — почти приятельски улыбнулся мне главный, — не хотите ли вы нам поведать, как дошли до жизни такой?

Я молча курил.

Он засмеялся:

— Алексей Захарович, вы же не мальчик, должны понимать сами — здесь в молчанку не играют. Вы не карманник, а я не опер из МУРа, чтобы нам тут дурака валять...

— А почему я должен отвечать вам? — спросил я спокойно, без вызова. Все-таки большие перемены свершились — в папашкины времена сразу же били до полусмерти.

— Почему? — переспросил он и снова засмеялся, и тик рванул наискось его щеку. — Потому что я имею достаточные правомочия, чтобы решить вашу дальнейшую судьбу.

418

— Моя судьба и без вас решилась...

— Ошибаетесь, любезнейший, — отчеканил, как хлыстом хлопнул. — Ничего теперь в вашей жизни без меня не решится...

Вот это и есть, наверное, самый страшный сатанинский соблазн — решать чужие судьбы. И на его красивом моложавом лице с дергающейся щекой была написана решенность моей судьбы. Не азарт. Не злоба. Даже не равнодушие — просто мертвая рожа власти над моей жизнью.

— Юрий Михайлович, он наверняка многого не понимает, — усмехнулся второй, тот, что сидел сбоку. — Он еще в горячке совершенного подвига...

Оба засмеялись, и Юрий Михайлович с дергающейся щекой покивал согласно:

— Не понимает, не понимает... — Он взял со стола одну из толстых папок и показал ее мне: — Знаете, что это такое?

Со своего места в углу комнаты я не мог разглядеть надписи на коричневом картоне, но крупный штамп с красными буквами «Х. В.!» я видел отчетливо.

— Знаю, — кивнул я. — Христос Воскрес!

— Не-ет, вы еще многого не понимаете, — и быстро сердито подернул щекой. — В этих папках описано убийство Михоэлса, столь любезного вашему сердцу. А «Х. В.!» — значит «Хранить вечно!», и не вам снимать такие грифы!

Я развел руками:

— Что же теперь поделаешь! Не знал, что не мне снимать — и снял...

Юрий Михайлович перегнулся ко мне через стол:

— А вы не думаете, что вам этот гриф обратно в глотку запихнут?

— Во-первых, мне это безразлично. А во-вторых, — поздно...

Я вяло отвечал ему и каким-то параллельным течением чувств и мыслей удивлялся собственному безразличию, огромному душевному отупению, охватившему меня. Все происходящее было мне не страшно и скучно. Все эти слова не имели значения и смысла. Меморандум написан, спрятан, передан. Пытать меня не станут. Да если и станут — ничего не скажу. Когда перелезаешь из блейзера в брезентовый китайский плащ, то открываешь себе многое, о чем и не догадывался.

Тик стал сильнее, и улыбка все заметнее становилась рваноклееной. Он сказал мне с торжеством, которое подсвечивало его мертвенное лицо:

— Вы — самонадеянный и недальновидный молодой человек...

И будто забыл обо мне. Он открыл другую, тоненькую папку, достал из нее несколько страниц и стал медленно внима-

419

тельно читать их. Пожилой все так же сидел на приставном стуле — нога на ногу, где-то по стенкам неслышно скользил желтоглазый, а я смотрел на моложавого начальника и думал о том, что в те поры, когда убивали Соломона, моему отцу было столько же лет, сколько ему сейчас. А Крутованов-то и вовсе молодой!

Юрий Михайлович, без которого теперь в моей жизни ничего не решится, читал машинописные странички, но мне казалось, что он делает это для меня, потому что я видел, — он их уже не раз читал, он хорошо знал их содержание. Время от времени он забегал на несколько страниц вперед, отыскивая что-то нужное, а иногда возвращался в самое начало.

Я не мог понять, зачем он это делает. Но потом он дочитал до конца, сложил листочки в стопку, подровнял их на столе, постукивая пальцем неровно высовывающиеся края, и протянул их пожилому черту:

— Посмотри еще разок, занятно...

И на последней странице я увидел растекшееся масляное пятно.

Яркий свет в казенной бронзовой люстре мигнул, померк и вновь ослепительно вспыхнул, дыхание остановилось, и я почувствовал внутри себя бездонную провальную пустоту.

Это масляное пятно я видел сегодня утром, на исходе ночи. На последней страничке второго экземпляра меморандума.

Шурик! Шу-у-урик! Что ты наделал! Шурик! Кто, кто положит жизнь свою за друзей своих? Шурик! Как оказался у них меморандум?

С беззвучным грохотом рушилась стена, на мою голову сыпались ее камни, тек мне в глаза едкий песок.

Ула! Прости меня — я не виноват! Я сделал все, что мог. Не моя вина. Прости, любимая...

— Вы знаете, что это такое? — спросил меня пожилой, показывая пачечку страниц. — Узнаете?

— Да, я знаю, что это такое, — сказал я обессиленно.

— Вас не интересует, как это к нам попало? — спросил Юрий Михайлович, и по разъяренному подергиванию щеки я видел, какое его снедает нетерпение.

— Меня интересует, как это к вам попало, — повторил я.

— Нам передала его железнодорожная милиция. — И тихо, радостно засмеялся. — Драматическая случайность — на станции Электроугли сорвался с поезда и погиб не установленный следствием гражданин. И у него нашли эти бумаги...

Этого не может быть, они меня нарочно пугают, они специально врут мне, они давят на меня, чтобы сильнее деморализовать, они знают, что я отрезан от всего мира, они хотят усилить мою заброшенность и испуг, они знают, что Ула — в психушке, Севка бежал, Антон — в ничтожестве, отец умер, этой гадостной ложью они хотят замуровать меня в ощущении сиротства и покинутости. Они все врут. Они тебя, Шурик, выследили, арестовали и отняли меморандум. И тебя, Шурик, допрашивают сейчас где-то в соседней комнате, а они мне нарочно говорят, что ты сорвался с поезда на станции Электроугли и погиб. Они все врут, они все врут, Шурик, они меня просто пугают, Шурик, я им не верю...

Шурик, брат мой найденный, ответь мне! Ответь, я прошу тебя, Шурик! Не покидай меня в этот страшный час! Шурик! Шу-у-у-у-р-и-и-и-к!..

— Вас отвезут сейчас на опознание трупа, — сообщил Юрий Михайлович. — Впрочем...

Он выдвинул ящик письменного стола, не глядя достал из него конверт, из конверта высыпал на стол несколько фотографий.

Желтоглазый кивнул мне, я встал и, ничего не видя вокруг, лунатически двинулся к столу.

Шурик. Голый, лежит на оцинкованном топчане, под голову подсунуто полено. Без очков он всегда близоруко, беспомощно щурился. А тут глаза широко открыты, на лице усмешка.

Над кем смеешься, несчастный замученный слоненок?..

— Между прочим, его кровь — на вас... — сказал задумчиво Юрий Михайлович.

Да, Шурик, брат мой, твоя кровь — на мне. А я все еще жив.

Пожилой встал со стула, подошел ко мне и сунул в лицо стопку страничек:

— Вы хоть знаете людей, о которых сочинили эту бредовую чепуху?

— Из-за этой «чепухи» вы хотели убить меня и — убили Шурика!

Коршуном взметнулся Юрий Михайлович:

— Слушайте, вы! Говорите, да не заговаривайтесь! — заорал он. И, сразу успокоившись, добавил: — Железнодорожная милиция установила, что он поднялся с места, беспричинно побежал по вагону, а в тамбуре распахнул дверь и... видимо, упал.

Я сдержал судорожный бой сердца, спросил через силу:

— Беспричинно?.. И за ним никто не гнался?

Юрий Михайлович сощурился:

— Следствие таким фактом не располагает... Пока...

...Беспричинно побежал по вагону.

Тебя выследили человекопсы, и ты понял это, Шурик. Ты не захотел отдать им меморандум и предпочел умереть. Но я еще жив, Шурик.

Шурик, я все еще жив! И, пока я жив, пока у нашего отца хранится бутылка с первым экземпляром документа, мы не уничтожены, они нас боятся. Они боятся правды. Нашей обеспокоенности правдой. Нашей бессмысленной — для них — готовности умереть.

Прощай, Шурик. Прощай, брат мой...

Я переиграю эту проклятую машину, потому что у меня есть чем заплатить за выигрыш в этой сумасшедшей игре.

Жизнью.

— Сергей Павлович, он же ведь писатель, но не юморист, а фантаст, — сказал пожилому желтоглазый, но тот взглянул на него мельком, и бес исчез, будто растворился в стене.

Сергей Павлович... Сергей Павлович... Сергей Павлович...

— Сочиняя эту гадость, вы наверняка не ожидали так уж скоро увидеться со мной, — сказал грозно пожилой, он смотрел мне прямо в лицо, и я отчетливо видел перед собой его растянутые линзами хрусталики в зрачке — черные, длинные, как у кота.

Это же Крутованов! Вон как вас забрало! Вынырнул, упырь!

— Нет, не ожидал, — согласился я. Шурик, я рассчитывал встретиться сегодня с тобой. Прощай, добрый неуклюжий слоненок. Я постараюсь с ними рассчитаться.

— А на что вы рассчитывали? — спросил Юрий Михайлович.

— Этого я вам не скажу, — сказал я тихо.

— Тогда, может быть, вы сообщите нам, где находится первый экземпляр этой клеветнической пакости? — спросил, закусывая губу, Крутованов.

— О-о, этого я и сам теперь не знаю, — засмеялся я злорадным сипящим смехом. — Во всяком случае — далеко отсюда. С поезда не уронишь...

— А именно? — весь подался ко мне Крутованов.

— Ничего я вам не скажу, не надрывайтесь зря...

— А вы отдаете себе отчет в своем положении?

— Конечно. И не грозите вы мне! Вам меня не испугать! Как говорят в домино, я сделал «рыбу»! Даже если вы меня сейчас убьете, последний ход все равно остался за мной! Вам капут!..

— Почему же это нам капут? — усмехнулся Юрий Михайлович, но смешок вышел неуверенный, дребезжащий.

— Потому что эти бумажки — бомба под все ваши дела, договоры, переговоры, контракты, под все ваше бесконечное враньё! И весь мир мне поверит! А чтобы ни один дурак не усомнился в моей правдивости, вы скрепили этот меморандум государственными печатями: посадили Улу в психушку, меня — в тюрьму, а Шурика загнали под колёса...

— Все, что вы говорите, — ерунда, но я не намерен спорить об этом, — с тонкой нотой растерянности, с огромным искренним непониманием сказал Юрий Михайлович, и щека у него снова задрожала. — Но я хочу вас спросить о другом. Зачем вы вообще затеяли эту историю?

— Я её не затевал. Её затеяли вы. А я только рассказал. И никаких законов я не нарушал...

— Ну, допустим, допустим! — махнул он нетерпеливо рукой. — Но зачем?..

— Я хочу, чтобы вы выпустили Улу Гинзбург, — твёрдо отсек я.

— Не врите! — пронзительно крикнул Крутованов. — Вы стали этим заниматься и ковыряться во всей этой грязи задолго до всего случившегося... Вы! Вы ей рассказали все эти басни! Из-за вас она находится сейчас в таком печальном положении...

— Я не вру. Когда я начал ковыряться в вашей кровавой грязи, я просто хотел знать правду. А меморандум я написал, чтобы спасти Улу...

Крутованов махнул на меня рукой, уселся опять в свою вольную позу — нога на ногу и насмешливо спросил:

— Ну и что, удалось вам узнать правду?

— Думаю, что да!

Бес сочувственно покачал головой:

— Вы просто блаженный дурачок. Если так случится, что вашу постыдную писанину опубликуют, а Суламифь Гинзбург врачи вылечат и выпустят из клиники, она сама после вашей медвежьей услуги будет умолять власти не лишать её нашего гражданства и никуда не отправлять отсюда...

Пошёл какой-то очередной их подлючий ход, блесна с крючком уже крутилась около моего носа, и я, не меняя позы, тем же равнодушным голосом поинтересовался:

— Отчего же это?

— От позора. Вы же не всю правду сообщили в своем пакостном сочинении...

— Что же вас там не удовлетворило?

Крутованов прошёлся по комнате, подбоченясь, остановился против меня:

— А то, что вы в своем фантастическом опусе ограничились невнятной скороговоркой в той части, которую считали невыгодным акцентировать... Уж если писать правду — то всю, а не только ту, что вас устраивает...

— Какая же правда меня не устраивала?

— Ну, например, вот тут... — Он взял у Юрия Михайловича, смотревшего на меня с недоуменным отвращением, меморандум и мгновенно открыл его на интересующей странице: — Вот тут вы более или менее справедливо пишете о том, что Михайлович получал исчерпывающую информацию о Михоэлсе из близкого к нему окружения. А от кого именно?

— Не знаю. Но это сейчас не имеет значения...

— Имеет! — выкрикнул Крутованов. — Именно это как раз имеет значение! А получал он информацию от агента-осведомителя по кличке Кантор...

Нехорошо мне было. Кружилась голова, душно, под ложечкой каменно давил тяжелый ком, тошнота сводила скулы и заполняла кислотой рот.

Господи, избавь меня!

— А кем был в миру этот осведомитель, вы знаете? — спросил с торжеством Юрий Михайлович, и щека его дернулась от неудержимого ликования.

— Нет, — помотал я головой.

— Его звали Моисей Гинзбург...

Огромная легкость падения в пустоту. Тишина. Их счастливые ухмылки победителей. Они от меня уже не скрывают своих тайн. Может быть, я умер? Может быть, ничего не происходит? Всплеск фантазии, клочок мыслей после жизни, пролетевший в никогда. Шурик, мы, наверное, умерли вместе. Им ничего не нужно скрывать от меня. Когда-то мне рассказывал старый писатель Рабин, как в тридцать седьмом году на ночных допросах следователь велел ему отворачиваться к окну, а сам занимался любовью со стенографисткой здесь же, на диване, — он знал, что Рабин уже умер.

Я, наверное, умер. А они врут. Им не поверят, им никто не поверит. Или поверят? Я им разве верю? Я верю? Они хотят растоптать последнее... Зачем же они тогда его убили? Если это правда, то убивать было зачем?

— Мы легко можем переслать туда письменное обязательство сотрудничать с органами, которое дал Михайловичу Гинзбург, — любезно заверил меня Крутованов. — Представляете, какое сочувствие вызовет безвинная жертва, оказавшаяся сотрудником специальных служб? Как вы любите говорить — «стукачом»!

— Да бросьте, вам никто не поверит, — через силу усмехнулся я. — Все знают, какие вы мастера туфту гнать. И потом, если Гинзбург был стукачом, то зачем же вы его убили? — И по тому, как, не сговариваясь, одновременно засмеялись Крутованов и Юрий Михайлович, я понял, что у них своя правда — умер не только я, умер мир.

— Судьба агента — лишь незначительное обстоятельство, зависящее от цели и масштаба операции, — с усмешкой пояснил Крутованов. — И вы напрасно нам не верите — Моисей Гинзбург был почти такой же прекрасный и интеллигентный человек, каким вы и его дочь себе представляете. И мы его не осуждаем за минутную слабость, когда он предпочел смерти необходимость информировать нас о некоторых пустяках. Помнится, он очень этого не хотел. Но сейчас это спасти его репутацию не может, хотя и жизнь ему тоже не спасло. Такова грустная реальность...

Он смеялся надо мной. Он мне даже к окну не велел отворачиваться — он при мне насиловал и осквернял своей бешеной спермой человеческую память. Он объяснял мне безумие поисков правды в мире, где все поражено гниением, забрызгано грязью предательства, растоптано подковами палачей.

Он доказывает, что все умерли, никто не пережил тех лет. И мы все — громадный бескрайний некрополь, царство смердящих гнилостных теней.

Но он врет. Я не верю. Я не имею права верить. Отец Улы не мог быть стукачом. Не все умерли...

Или?..

Пролетела и погибла, сброшенная с поезда, спора другой жизни — брат мой, Шурик. Но я-то все еще жив. И вам, трупоедам, не поддамся.

— Что вы хотите от меня?

Взгромоздился над столом Юрий Михайлович:

— Для начала — первый экземпляр вашей писанины...

— Я уже сказал вам — вы его не увидите никогда! — твердо и ясно сообщил я.

— Почему?

— Потому, что эта бумажка не дает вам возможности сделать из меня незначительное обстоятельство, зависящее от цели и масштаба операции!

— Ошибаетесь, — зло зашипел, задергал щекой Юрий Михайлович.

— Нет, не ошибаюсь, — покачал я головой. — Я задействовал эту схему так, чтобы она не зависела от моих человеческих слабостей. Например, если я предпочту вдруг жизнь...

— Что вы хотите этим сказать? — поднырнул Крутованов.

— У меня нет с меморандумом обратной связи. Моя воля не может изменить его судьбы. Его судьба зависит от судьбы Улы...

— Нельзя ли яснее! — крикнул Юрий Михайлович, он уже не скрывал своей злобы.

— Можно, — охотно согласился я. — Первый экземпляр меморандума находится на Западе...

— Его вывез ваш брат Всеволод? — мягко спросил хитроумный Крутованов...

— Это не имеет значения, — усмехнулся я радостно, горячо и быстро. — Но он в надежных руках! Если вы незамедлительно не выпустите Улу, через три дня меморандум будет оглашен во всем мире! Вот вам и ОСВ, вот вам хлеб, вот вам компьютеры, вот вам режим благоприятствования!

И, рубанув себя по локтю ладонью, показал им на всю длину руки непристойный жест.

Злоехидно ухмыляясь, ко мне подошел Крутованов и вежливо спросил:

— Позвольте поинтересоваться, как узнают ваши хозяева и наниматели, что клеветническую шумиху надо поднимать через три дня, а не через неделю? Или через месяц?

— Потому что детонатор этой бомбы я сделал из себя! Мое исчезновение — значит арест или смерть! Значит — кричите на весь мир!

Юрий Михайлович покачал головой, подергал щекой, задумчиво и грустно сказал:

— Сволочь! Проклятая продажная сволочь! Жидовская наемная гадина...

— Поцелуйте меня в задницу! — ухмыльнулся я. — И имейте в виду: о том, что я не вернулся домой, уже знают. Учтите, теперь течет ваше время...

Еле слышно прошипело реле электронных часов, дрогнула стрелка, и они невольно взглянули на циферблат. Скоро полночь. Новый день.

Какая сладостная сила лжи — на всем белом свете нет человека, который заметит мое исчезновение. В перевернутом мире могут поверить только лжи.

60. УЛА. НОЧНАЯ ПОБУДКА

Не сон. И не явь. Кружится голова, сильно мутит от вечерней таблетки галоперидола. Душно, но бьет тяжелый озноб. Сейчас, наверное, ночь — и не определишь сразу. Здесь, как в тюрьме, никогда не гасят лампы, всегда распахнуты двери палат и маячат неотступно бледные отечные лица нянек.

И нигде нет часов. Никогда нельзя точно узнать время. Оно здесь не нужно. Здесь гнилой затон, черный омут в пересохшем старом русле бесконечного потока Эн-Соф. Пустота и безвременье. Нет времени и нет сроков.

Зачем явился среди ночи за мной Выскребенцев? Что он хочет? Зачем в ступе моей беспомощности толчет он снова и снова мою горькую муку? Почему он пришел среди ночи? Он ведь сегодня не дежурит? Я слышала, как он прощался, уходя вечером домой. Или это было вчера? Плохо помню, все перемешалось в голове...

— ...Нет-нет, Суламифь Моисеевна, вы недооцениваете пользы, которую приносит вам галоперидол! — равнодушно талдычит он. — Галоперидол обеспечит вам вегетативную устойчивость, психическую безразличность к эмоциональным импульсам...

Какие у него маленькие незначительные черты лица — если снять золотые очки и сбрить пушистые усишки, через пять минут его лицо забудется навсегда.

— Вы не представляете себе, каких успехов в применении галоперидола добились наши коллеги из ГДР! — совершенно серьезно объяснял он.

Зачем он вызвал меня среди ночи в ординаторскую? Зачем приехал ночью?

— У ваших коллег богатые традиции со старых времен... — заметила я ему. Как мне холодно! Как трудно дышать!

— Что вы хотите этим сказать? — сухо, официально спросил злобный мелкий хомяк.

Сама не понимаю, зачем я ему отвечала, но уж как-то невыносимо унизительно было безответно слушать его гадостные ламентации.

— Достоевский записал в дневнике, что главная современная беда — в возможности не считать себя мерзавцем, делая явную и бесспорную мерзость. Если бы он дожил до наших дней!

У хомяка лоб пошел красными сердитыми пятнами и вспотели злым паром стекла очков, мелкое личико конусом вытянулось вперед, как у крысы перед броском.

— Я заметил, — сказал он, — что чаще всего цитируют Достоевского именно евреи, которых он достаточно справедливо ненавидел...

— Чем же вам лично так досадили евреи? — спросила я, кутаясь в свой кургузый застиранный байковый халат.

— Мне лично — ничем, — развел он короткие худые ручки недоростка. — Поэтому я могу объективно судить о том вреде,

427

который они приносят любой самобытной культуре, любой нации, в которую они вгрызаются...

Раздался телефонный звонок, я вздрогнула от неожиданности, а он проворно схватил трубку, будто уже давно ждал этого звонка.

— Выскребенцев слушает... Да-да... Я понял... Хорошо... Сейчас — здесь... Нет, ничего.. Не думаю... В пределах нормы... Хорошо... Слушаюсь...

Забилось гулко, замолотило, заухало сердце, как на стремительном пролете вниз, — он говорил обо мне! И они еще не отбили мне память совсем — я хорошо помню, что он уходил сегодня вечером! И прощался! Значит, он среди ночи приехал из-за меня! Что они задумали? В Казанскую психтюрьму? Или в Днепропетровск?

Или пришла очередь? В Сычевку?..

— Так вот, когда меня перебили, я говорил о том, что вы, поселившись среди людей другой нации, живете их достоянием, как червь в плоде, и пока вы не выгрызаете дотла дух народа, вы не успокаиваетесь...

Песок в глазах, тяжело дышать, трудно думать, нет сил жить. Я смеялась. Сиплым лающим смехом больной собаки.

— Позвольте узнать, что же выгрызли у других народов Альберт Эйнштейн и Зигмунд Фрейд? Кафка и Андре Моруа? Амадео Модильяни и Джордж Гершвин? Стефан Цвейг и Марк Шагал?

Господи, как мне горько!

— Ну конечно, конечно! Сразу же весь походный еврейский иконостас! Да заберите их, хоть на крест себе повесьте, ваших гениев! И живите с ними! А допускать вас к жизни других народов так же нельзя, как не разрешают в спорте профессионалам играть с любителями! Вы чужие! Вы всем людям на земле чужие!

У меня так кружилась голова, что я боялась упасть со стула. Стучит в висках, горечь во рту. Мерзкий раскрасневшийся хомяк напротив меня скалит клычки.

— Так отпустите нас, — сказала я чуть слышно. — Отпустите меня отсюда...

— Вылечим и отпустим, — милостиво пообещал хомяк. — Кому вы здесь нужны...

По коридору затопали шаги, они приближались к ординаторской, все ближе и громче стучали сапоги, и всю меня залило безбрежной ужасной тоской — я поняла, что идут за мной.

Женский голос за дверью сказал:

— Доктор Выскребенцев здесь...

Вошли двое серых мужчин, и своей безликой страшной коренастостью они были похожи на санитаров, вязавших меня в психдиспансере. У одного в руках был завязанный в простыню куль.

— Вам звонили? — спросил один из них хомяка, а тот замахал руками, заулыбался.

— Все знаю, мне все профессор сказал...

Потом взял у него из рук белый узел и протянул мне:

— Одевайтесь...

— Зачем? — Они забирают меня отсюда, они повезут меня в страшный психиатрический лагерь уничтожения, где медленно и жутко убивают людей.

— Одевайтесь, вам говорят! — прикрикнул Выскребенцев. — Вас переводят в другое лечебное учреждение...

Я оттолкнула от себя куль, он рассыпался, и на пол упало какое-то синее женское пальто, туфли, платье, белье. Чьи-то чужие вещи.

— Вам давно инъекции триседила не делали? — зашипел, оскалился хомяк. — Одевайтесь сами, чтобы мне не пришлось к вам принимать строгих мер!

— Это не моя одежда...

— Вас не спрашивают — надевайте что дают!

Нас не спрашивают. Ношеные вещи. Может быть, их хозяйку отвезли в Сычевку? Или убили?

Нет смысла дальше цепляться за жизнь. Зачем медленно и ужасно умирать в Сычевке? Надо усыпить их настороженность, надо покорно все выполнять. Господь дарует мне последнюю милость — на улице вырваться у них из рук и броситься под машину.

— Вы будете одеваться? Последний раз я вас спрашиваю!

— Да.

Они все трое смотрели, как я одеваюсь у них на глазах, — они смотрели спокойно, не отворачиваясь. И я не отворачивалась — куда мне было деться в тесной ординаторской! Да и нисколько не стыдилась я — мне они были безразличны, как сторожевые собаки. Я думала об Алешке, я готовилась умереть.

61. АЛЕШКА. ОНИ ВЕДЬ ТОЖЕ ЛЮДИ?

— Мы вас будем судить, — значительно сообщил Крутованов и скрипуче-едко добавил: — Думаю, что судьба ваша будет ужасна...

Я засмеялся ехидно и готово напомнил:

— Вы меня судить не будете! Лично вы к тому времени будете просто говенный дедушка на пенсии. У нас сантименты не в ходу, а ценится только целесообразность. А с точки зрения целесообразности придется вышвырнуть замызганного кровью и грязью бойца с международной работенки...

— Вам от этого легче не станет, — яростно бормотнул Крутованов, и по тому, как захлопали под синими стеклами очков жабьи перепонки век, я понял, что двигаюсь правильно: два стимула у них — страх и корысть. Я должен их обыграть, у меня есть огромное преимущество — я уже прошел все ступени страха и больше не боюсь их, а корысть всего мира меня больше не интересует.

— Станет! — выкрикнул я. — Станет мне легче! Пошевелите чуть-чуть мозгами — это не вы меня отловили, а я сам к вам пришел! Думайте! Вам отыскать выход нужнее, чем мне...

— Это еще почему? — важно, высокомерно откинулся на спинку кресла Юрий Михайлович, но и в нем уже я не видел того радостного злого азарта, что сотрясал его при нашей встрече.

— Потому что вам ошибиться нельзя, а мне терять нечего. За вами — должности, погоны, дачи, пайки, машины, вся корысть вашей власти, а за мной — пустыня...

— Я не понимаю — чего вы хотите? — закусив в ненависти губу, спросил Крутованов.

— Чтобы вы отпустили Улу...

— Вы что, нас действительно дураками считаете? — стукнул кулаком по столу Юрий Михайлович. — Мы ее выпустим, чтобы ваши грязные басни распечатала продажная пресса на весь мир? Вы этого хотите?

— Не скрою, я бы этого очень хотел, — сказал я совершенно искренне. — Но, к сожалению, это невозможно...

— Почему?

— Ула, к сожалению, не знает, что я больше не боюсь пойти в каторгу или умереть. И она не допустит публикации, пока я в вашей власти. Она-то соображает, на что вы способны! Вы ведь всегда были сильны своей системой заложников...

Крутованов усмехнулся:

— И уж особенно сердечно она вас поблагодарит, когда узнает, что именно вы извлекли из забвения факт сотрудничества ее папаши с органами госбезопасности. А мировое еврейство поблагодарит ее за соучастие папаши в смерти Михоэлса...

Я махнул на него рукой:

— Я вам уже сказал: никто вашим фальшивкам не верит. И повторяю: я забил «рыбу».

— На что же вы надеетесь? — поинтересовался Юрий Михайлович.

430

— На вашу корыстность. Рассчитывать на ваш здравый смысл не приходится. Надеюсь, что вы прикинете, подсчитаете, сообразите — взрывать эту бомбу нет никакого резона. Проще и выгоднее бомбу разрядить, выслав отсюда Улу. Пока еще вы, — я поочередно показывал на них пальцем, — можете сами решить этот вопрос. А если бомба взорвется, то ваши действия будут оценивать ваши начальники. И нет никакой уверенности, что они признают их правильными...

...Я стращал, уговаривал, торговался, и в памяти моей неосознанно проплывал завет Соломона, поучавшего строго: «Сознание правоты подсказывает Гамлету все — и выбор средства, и выбор секунды, и чувство ритма, и чувство меры...»

Ведь бомбы у меня никакой не было. Вернее, она была, но, закопанная в глину холмика на отцовской могиле, для них совершенно безвредная. И сознание моей правоты наделяло меня силой, и я сам начинал верить, что бутылка с вложенными листочками — бомба, и не закопана она на Ваганьковском кладбище в ногах у моего отца, а давным-давно вывезена Севкой, и хранится у него, и в любой момент может быть взорвана криком на весь мир, и обещанием этой готовности были слова Севки у стеклянной дверцы в аэропорту с надписью «Дипломатическая стойка»: «Мне надоело пить рыбий жир...»

Они ушли куда-то, наверное, совещаться. А меня по-прежнему сторожил дремлющий квадратный Сергуня, шипело реле в часах, трещал негромко рассыхающийся паркет, и раскачивали меня плотные волны усталого возбуждения, горели уши, слезились глаза, и я верил, что мне сотни лет, я бесконечно стар, и мысли были нечеткие, быстрые, как сны.

И все происходящее — просто, бедно и нелепо, как в абсурдной выдумке слабоумного. Жизнь, наверное, действительно проще наших представлений.

Какая странная игра! Скорее бы все закончилось. Все! Ни на что больше сил не осталось. Удивительную жизнь я прожил — ничего не успел сделать. Целую жизнь я прожил для того, чтобы один раз пугануть бандитов. Хотя в наших условиях и это немало. Ничего я не чувствовал — ни скорби, ни боли, ни страха. Я выгорел дотла.

Они могут не принять моих условий — если бессмысленная злобность окажется больше их корыстности. Но уздой на злобность служит их трусость. Они всегда выигрывают, потому что глушат беззащитных и безоружных. Они боятся встречной силы. И считаются только с силой.

И если этот вопрос решают не они сами, а какое-то начальство над ними, то они наверняка еле заметно жулят и тихонько подыгрывают мне. Им риск непонятен и ненавистен.

Они признают только громадное превосходство сил. Полную безнаказанность.

Но могут быть какие-то не известные мне обстоятельства. И они не захотят принять мои условия. Или не смогут. Тогда всему конец. Бомба не взорвется. Ее все равно что нет. Кровь Шурика — на мне — останется неотмщенной. И Улу навсегда погребут в психушке. И зря ждал меня тридцать лет Соломон во тьме небытия, надеясь, что мне удастся доиграть Гамлета и это чудо, как в детской сказке, даст ему воскресение.

У меня и страдать сил не осталось. Как у последнего солдата разбитой линии обороны. Только готовность умереть не сойдя с места.

Истекали часы. Я дремал, откинувшись на спинку стула, и меня спросонья познабливало в моем толстом китайском плаще, и невесомость дремоты раскачивала из стороны в сторону, и мне снова виделась Ула — неясным размытым отпечатком, с букетом увядающих золотых шаров, она звала меня куда-то, показывая на уходящую вдаль серую шоссейную дорогу, у обочины которой сидел на корточках незнакомый улыбающийся человек, и я знал, что он немой, он многое мог бы рассказать, но я знал заранее, что он нем, и, чем ближе мы подходили, тем вернее я узнавал это улыбающееся лицо с толстыми стеклами бифокальных очков, и улыбка уже была гримасой острой боли, и лицо его было мертво, и я знал, что это Шурик...

Передо мной стоял Крутованов и вбивал в меня гвозди коротких злобных фраз:

— Она будет выпущена... примем меры, чтобы не болтала... вы будете, естественно, под постоянным надзором... если там опубликуется хоть слово... вас в тот же день изолируют навсегда... вопрос о вас будет решаться отдельно... шпионаж... до смертной казни включительно...

Что он меня пугает, глупец? Хотя он не ведает, что за выигрыш у машины надо заплатить жизнью...

Все ставки сделаны, победитель платит за все, игра подходит к концу.

62. УЛА. ТОРОПЛИВЫЙ КАТАФАЛК

Не думаю, чтобы они догадались о моем плане. Скорее всего они всегда так конвоируют. Серые коренастые мужики крепко взяли меня под руки, а Выскребенцов бойко затопал впереди. И пока мы шли по длинным полуосвещенным коридорам, спускались по серым зловонным лестницам, я старалась не виснуть у них на руках, не спотыкаться, не заплетаться отвыкшими от ходьбы ногами — я хотела, чтобы они поверили в мою послушную покорность.

432

Как они повезут меня в Сычевку? На машине? В арестантском вагоне?

Ноги все равно плохо слушались. Ничего не меняется. Как во все времена — евреи сами идут к своей могиле. Это, наверное, часть ритуала нашей смерти. Мне не повезло. Я родилась во времена упадка и наступающего краха эпохи. А когда родился мой отец? А когда родился мой дед, убитый немцами в Умани? За великий дар нашей неистребимости, нашей вечности Господь дал нам тяжелую ношу — мы всегда живем при крахе каких-то эпох.

Выскребенцев собственным ключом — «квадратом» — отпирал перед нами бесчисленные двери, пропускал в них, запирал и снова обгонял, и твердо печатал шаг. Он задержался в тамбуре входной двери, заскрежетал замок, звякнула цепь-накидушка, распахнулась тяжелая створка, и в лицо мне ударил морозный свежий воздух, у меня закружилась голова, и я качнулась, тяжело просела в руках у санитаров.

— Ну-ну-ну! — закричали они разом, сердито и немного напуганно, вцепились мне в плечи, поволокли вперед. Но я уже и сама справилась.

Еще перед вечером шел дождь, все текло грязными унылыми струйками. А в ночь приморозило — и прямо перед собой я видела краснеющий край неба, исполосованного, как трещинами, темными прочерками сухих голых сучьев когда-то бушевавшего здесь желтым пламенем клена.

А надо мной небо еще было черно-синим, бархатным, в крупных серебряных звездах, и казалось оно мне чародейским колпаком, криво насунутым на сухонькую безумную головку земли.

Господи, как я не хочу умирать! Алешенька, прощай, мы ничего не успели... Алеша, спасибо тебе за все, не твоя вина, что у тебя недостало сил спасти меня от страшного провала открытого передо мной люка санитарного автобуса.

— Заходите! Заходите! Не задерживайтесь! — Они волокли меня, подталкивали, засовывали в автобус, и, прежде чем люк захлопнулся, я еще успела рассмотреть приземистые корпуса моей тюрьмы, поникшие деревья, злой проблеск молодого льда на подмерзшем асфальте.

Выскребенцев и серые мужики прыгнули в автобус, мне крикнули: «На носилки ложитесь!» А шоферу постучали в наглухо закрытую переборку — поехали!

Закрашенные окна, ни одной щелки. Стеклянно-железная мышеловка. Слава Богу, все подходит к концу. Все равно больше нет сил.

Прощай, дед, я не выполнила твой завет, совсем уже истончилась ниточка моей жизни. И здравствуй — я возвращаюсь к тебе.

433

Прощай, моя память — мне больше ни о чем не хочется вспоминать. Я лежу с закрытыми глазами, прислушиваюсь к булькающему, гудящему шуму баллонов под дном моей мышеловки.

Это не санитарная машина, это быстрый замаскированный катафалк.

От меня уже ничего не осталось — от той, которой я была, которую я ощущала и знала, что это — Я. Они меня, наверное, действительно вылечили. Таксидермисты. Алеша, наверное, хорошо, что ты меня не увидишь такой — тебе было бы страшно и отвратительно видеть мое чучело. Любимый, мы придумали ужасную вещь — вернуть в нашу жизнь прошлое. И оно явилось страшным кошмаром, оно ожило леденящим душу кадавром, оно разрушило нас. И будущего у нас никакого не было, потому что в нашей жизни нет никакого отдельного прошлого и отдельного будущего — они соединены, как хвост и пасть кобры, и мы скручены мертвенными кольцами ее настоящего.

Прощай, Шурик, добрый мой, верный друг — пусть исполнится твоя вера в блаженство алчущих правды, пусть они насытятся.

Со всеми я успею попрощаться за долгий путь к Смоленску, в психиатрический концлагерь, последнее пристанище. Там — все, конец. Они выпотрошили меня, лишили сил, памяти, надежд.

Но заставить меня жить они не смогут...

Катится катафалк, вскрикивает иногда сирена, молчит конвой. Мне все равно... И горевать не могу — я пуста. Высушена, прокопчена, легка, пуста.

Солнце взошло уже давно — пожелтели, налились теплым светом закрашенные окна моего торопливого катафалка. Хрипит над головой сирена, на повороте прижимает меня к холодной железной стенке. Солнце появилось — как давно я не видела солнца! И сейчас мои глаза закрыты. Еле шевелю губами, про себя бормочу, баюкаю себя и утешаю словами Маркиша, давно уже канувшего в бесконечной реке Эн-Соф: «Уже не ночь, еще не день, и свет зари пока неведом, и мышь летучая, как тень, влетает в щель меж тьмой и светом»...

Скрип тормозов, автобус останавливается, разворачивается, подает задним ходом...

63. АЛЕШКА. ЗАДУМАВШАЯСЯ СОРОКОНОЖКА

И снова тот же путь — по Ленинградскому проспекту, в Шереметьево. За долгую ночь ветер выдул тяжелые тучи, мороз подсушил лужи и грязь, и красное безжалостное солнце вставало над прошибленным городом, как палач.

В машине жарко гудела печка-отопитель, а меня трясло в моем брезентовом извозчичьем плаще. От недосыпа, тоски и ужасного непроходящего напряжения.

Муравьиный бег прохожих, толкотня машин. Сумасшедшее завлекательство реклам на крышах, предлагающих муравьям купить блюминг.

Здесь мы недавно еще ехали с Севкой на верном «моське».

Омниа меа мекум в портфель.

И «моська» уже убит.

И отец умер. Меморандум закопан в могиле, у него в ногах.

Дураки! Вы не понимаете, что Севка никогда не взял бы у меня меморандум.

Его взял Шурик. Вы его и убили.

Ула, я не хочу сейчас думать о тебе — я боюсь, что у меня не хватит сил.

Далеко завез нас ночной автобус в Бескудникове из далекой счастливой зимы.

Ула, я мечтаю только об одном — чтобы ты благополучно улетела. И бомба останется при мне...

— ...Алексей Захарыч, знаете, в чем ваша беда? — обернулся ко мне желтоглазый бандит с переднего сиденья. — Вы — задумавшаяся сороконожка. Помните? Сороконожка, которая задумалась, с какой ноги ходить надо. И все ноги перепутались...

Да, может быть. Еще посмотрим. Вы меня втянули в игру поазартнее карт и выпивки. Сейчас ваш ход. Сделайте его, а там посмотрим. У меня пока что бомба.

Стрелка-указатель на обочине — «Аэропорт Шереметьево, 5 км».

Шофер сказал желтоглазому:

— Ко мне брат приезжал из Рязани. Удивляется — зачем евреи из Москвы уезжают? У вас же, говорит, есть мясо в магазинах...

Желтоглазый засмеялся, и по тому, как он смеялся, как сильнее закраснелась кожа под его белыми волосиками, я понял, что он знает, почему уезжают евреи. Знает, одобряет, завидует — он бы сам сбежал, кабы знал, что там его возьмут на редкую работу — охотиться на людей, служить человеком-псом.

Кто это говорил — Антон? Или Севка? Или Гайдуков? «Кроме родины и партии, я могу все продать...»

Вынырнула справа громадная коробка аэропорта, мреющая короткими солнечными бликами. Машина проехала здание вокзала, свернула к решетчатым охраняемым воротам, притормозила около контрольной будки, желтоглазый опустил стекло и показал часовому красную книжечку, тот козырнул, и мы подкатили к аэропорту со стороны летного поля.

Желтоглазый ушел. А я, плотно сжатый с двух сторон охранниками, смотрел через плечо шофера на залитый солнцем аэродром, гигантские снулые рыбы самолетов, суету бензоза-правщиков, медленные маневры тягачей. Больше мне все равно ничего не было видно. Сердце тикало еле слышно, как останав-ливающиеся часы.

От аэровокзала к толстому грибу посадочного перрона шел застекленный пандус — длинный прозрачный пенал, квадрат-ный стеклянный шланг, склеенный из четырехметровых сек-ций. По нему перекачивают в самолеты отработку нашего мира, отходы нашего общества.

Буксировщик-тягач подтянул к перрону бело-голубой «Ту-154». Пронзительно гудя, взгромоздился на борт трап.

По стеклянной кишке прошел экипаж самолета — я видел отчетливо даже золотые нашивки на их синих шинелях. До них было метров десять.

Улу проведут здесь?

64. УЛА. НИКОГДА!..

Мы ехали не больше часа. Наверное, меня куда-то будут перегру-жать. Передача имущества по безналичному расчету. Мне все равно. Эти серые безликие санитары не дадут мне вырваться из рук.

Выскребенцев выскочил из автобуса, быстро захлопнул за собой дверь. И снова поплыла тишина, слепая и вязкая, как немота. Я замерзла, и санитары ежились. Где-то недалеко загу-дел мощный мотор, заревел истошно и смолк. На улице, за тон-кой железной стенкой я слышала чьи-то тяжелые топающие шаги, неразборчивые голоса, кто-то совсем рядом сказал:

— Гля, скрутило кого-то, «санитарку» пригнали...

Ах, как скрутило! Вовек не разогнуться.

Распахнулся задний люк, вынырнул из него, как бес из ко-лодца, Выскребенцев, махнул серым рукой, сверкнул льдисто стеклами очков.

Подхватили под руки, подняли рывком: вперед, быстрее!.. быстрее!.. вот сюда наступайте, не поскользнитесь!.. давайте, да-вайте быстрее!..

Глухой стеклянный двор из заматованного стекла, распах-нута боковая дверь — прямо против люка, один шаг, и я уже в сумеречном коридоре, низкое пластмассовое перекрытие, стек-лянные, замазанные стены, заклеенные бумагой двери.

Быстрее!.. Быстрее!.. Они волокут меня под руки, ноги дав-но сбились, бессильно тянутся по черному резиновому ковру. Стеклянные переходы и стеклянные простенки, просвечиваю-щиеся двери, далекий гул, неясный шум, плеск голосов, пово-рот, лестница на второй этаж со стеклянными перилами, огромные алюминиевые ручки-раковины на стеклянных дверях. Что это? Куда они меня привезли? Какое еще мучительство надумали они для меня?

Втолкнули в комнату — без окон, только стеклянные глухие стены, люминесцентный мертвый свет с потолка, стулья, письменный стол. А за столом — мерзавец. Молодой, с желтыми глазами садиста, кривой волчьей ухмылкой. Редкие русые волосы чешет красной расчесочкой, волоски с нее сдувает в мою сторону. Продул все зубчики, положил ее в карман, а мне сказал весело:

— Садитесь, садитесь, в ногах правды нет...

Посмотрел на моих серых санитаров, поднял строго брови, и они, толкаясь в дверях, вылетели из комнаты. А Выскребенцев нажал мне руками на плечи, силой усадил на стул и сел рядом.

— Итак, вы знаете, что вы тяжело, практически неизлечимо больны психическим недугом? — спросил злобно-радостно желтоглазый издеватель.

Я молча смотрела на его пустой письменный стол. Стол обнаженно блестел, как тогда, в диспансере, когда со мной разговаривал сумасшедший врач.

— Молчите? Не понимаете вопроса? Или не хотите отвечать? Ну? Я ведь жду...

Ничего не скажу. Не буду я с убийцей разговаривать. Надежда что-то объяснить или вымолить пощаду заставляла нас строиться в колонны и вела в Бабий Яр, к печам Освенцима. В вечный лед Колымы.

Не буду говорить. Мне все равно. Не дам ему радости поиздеваться над моей надеждой. Да и надежды больше нет.

Он повернулся к Выскребенцеву:

— Я вижу, доктор, что вы были правы, нам ее не вылечить!..

Им мало отправить меня в Сычевку, они хотят еще меня помучить. Мучьте, проклятые истязатели, мне все равно. Таксидермисты поработали на совесть — чучелу не больно. Вы не знаете, что давно замучили меня насмерть.

Мучитель внимательно смотрел на меня. Потом достал свою расческу и снова безо всякой нужды стал расчесывать слабые неживые волосики. У него на голове была розовая кожа, воспаленно светившаяся под жидкими прядками. А желтыми глазами он щупал мне лицо, грубо лапал, давил в зрачки, сплевывал ухмылками.

Я покосилась на Выскребенцева — тот смотрел на мучителя во все глаза, он тонко улыбался, ему нравился палач, он слегка шевелил губами, наверное, повторял про себя, запоминал, учился.

Как могло не понравиться такое ласковое обещание:

— Мы вас, пожалуй, передадим специалистам, которым ваше лечение окажется по силам...

Передавайте, делайте что хотите. Я все равно тебе ничего не скажу.

А он открыл ящик стола, достал картонную папку, бросил ее на столешницу и сказал разочарованно:

— Вы, наверное, действительно не в своем уме...

Из папки вынул какие-то листы, не спеша просмотрел их и негромко, пресно сообщил:

— Компетентными органами вам разрешен выезд на постоянное жительство в государство Израиль. Пусть они вас там сами долечивают...

Что он сказал? Я не понимаю. Глухота обрушилась как обвал. Темно в глазах. Это — ложь. Они все-таки придумали, как донять меня сильнее. Они суют мне вместо воды губку с уксусом, чтобы боль полыхнула сильнее. Закаменели губы. Сердце рвется в клочья, не хватает воздуха, не могу дышать. Гадины, что же вы с людьми вытворяете? Где же все-таки последний предел мучений и издевательств?

Не поддамся тебе, противный розовый крысеныш! Лучше умереть на месте, не раскрыв рта, не выдав той муки, которая снова заполыхала во мне нестерпимо.

И вдруг где-то совсем близко заревел, завыл, басисто загудел могучий мотор — так звучит только самолетный двигатель. Самолет? Где-то совсем рядом — самолет? Мы в аэропорту? Этот стеклянный лабиринт... Они ввезли меня со двора?

Господи! Всемогущий Шаддаи! Я ничего не понимаю — раскалывается моя голова, разбегаются мысли. Что происходит? Боже мой, я безумна! Они закололи меня триседилом — это ведь бред, долгий мучительный сон надежды! Я сейчас, я проснусь, все сейчас кончится...

Мучитель вышел из-за стола, прошагал деревянно ко мне, протянул зеленоватый лист, длинный, складчатый, весь заполненный печатными буквами и прописными строчками. И в углу — моя фотография.

Тошнота, обморочная слабость, пулеметный пульс, катится по лицу не то пот, не то слезы.

— Вот ваша выездная виза. Через час вылетает самолет...

Алеша, Алеша! Мир кончился, он померк, мучительно и медленно, в судорогах и моем горячечном бреду — я совсем сошла с ума. Прощай, любимый, все кончено...

— Распишитесь на этом бланке, что у вас нет никаких имущественных претензий к государству...

— Я не могу! — закричала я. — Мне надо увидеть Алешу!..

— Замолчите! Еще слово, и я велю надеть на вас смирительную рубаху! Цыц! Епанчина вы больше не увидите никогда. Никогда! И запомните как следует, зарубите у себя на носу, повторяйте это каждым утром — вы бы сейчас в Сычевку ехали, если бы не хлопоты и усилия Епанчина. Поэтому, когда вы приедете

438

на свою еврейскую родину, упаси вас Бог начать там болтать что-нибудь. Если вы хотите, чтобы он был жив, — онемейте навсегда! Он поручился за вас и добровольно предложил себя заложником. Хоть слово вы где-нибудь вякнете, мы его тут мгновенно ликвидируем! Вы меня поняли? Он жив, пока вы молчите! Поняли? Поняли?..

Алеша, Алешенька. Ты все-таки спас меня. Алешенька, любимый, ты положил за меня свою жизнь. Алешенька, я не хочу...

— Вставайте, все, пошли...

65. АЛЕШКА. ОНИ ВЕДЬ ТОЖЕ ЛЮДИ?

В стеклянном коридоре показались несколько человек. Они шли со своими сумками и баулами по освещенному солнцем проходу, и прозрачная кишка перрона была похожа на кинопленку, но в ней кадры не двигались, а люди сами переходили из одной стеклянной клеточки в другую. Они останавливались в солнечно-бликующих квадратиках, и беззвучно кричали что-то в нашу сторону, и махали руками и поклажей своей в нашу сторону. Я оглянулся — позади нас громоздились на частые прутья забора провожающие. Они карабкались друг другу на плечи — чтобы в последний раз увидеть своих дорогих, они просовывали руки между прутьями, они ползли и пластались по забору. И громко, отчаянно рыдали.

Провожающих стаскивали с забора равнодушные милиционеры, и дворничихи гнали метлами, зло материли за то, что они топчут чахлые газоны вдоль ограды.

А в неподвижной ненормальной киноленте все шли и шли люди. Когда-то давно они, видимо, догадались, что пленка остановилась, и пошли сами — из кадра в кадр, пока не исчезали в самолете.

В одном кадре молодой парень, сорвав с себя плащ, счастливо размахивал им, как флагом, над головой. В другом — две женщины везли на инвалидной коляске старика. В следующем — привалился к стеклу мужчина и глотал из стеклянного патрончика лекарство. Потом — пробежал щенок-доберман, поджарый, проворный, как молодой еврей. И шла вприпрыжку маленькая девочка с голубыми бантами и куклой на руках.

Исход.

Потом стих поток людей. Опустел стеклянный коридор. Одиноко прошагала проводница в синей шинели с красной повязкой на рукаве.

Смыли изображение с пленки. Навсегда?

439

Выморенность, пустота, тошнота, как перед обмороком. Мои конвойные с двух сторон вдруг взяли меня крепко за руки — я проглядел, как появился в первом кадре желтоглазый боец.

Шел бойким шагом из клеточки в клеточку, на середине обернулся, махнул рукой, и я увидел Улу.

Совсем близко — за двумя стеклами. Вели ее мимо меня двое. Они держали ее под руки, и я видел, что она и шагу без них не ступит.

Я знал, что это Ула, и не верил. Это не ее лицо. Это посмертная маска — назойливо подробная копия черт, из которых ушла жизнь. Это не ее слепые глаза. Они убили ее душу.

Легкая, гибкая, быстрая, Ула шла через остановившуюся ленту, по-старушечьи осторожно перебирая ногами.

Я видел совсем близко ее неподвижное лицо в стеклянном квадрате коридора, и это прекрасное, любимое, мертвое лицо проникало в мое сердце, оно заполняло меня целиком, швыряло в радостную дрожь, стремление бежать, кричать, что-то делать, стать больше самого себя, это лицо заслоняло собой все — аэропорт, сидевших рядом человекопсов, огромное желто-синее морозное небо, оно растворяло два разделявших нас стекла, и я, чувствуя, что от невыносимой боли кровь моя брызнет сейчас из каждой поры, закричал изо всех сил:

— Ула!.. У-л-аа-а!..

И навалилась сразу же охрана, они запихивали мне в рот свои толстые тупые руки, пригибали вниз голову, и сверху еще наседал шофер, у которого брат удивлялся, что евреи уезжают из Москвы, и они почти придушили меня, заталкивая на пол машины.

А потом отпустили, я выпрямился, рванулся, но кинолента была пуста и насквозь просвечена косыми лучами солнца.

На прутьях забора висели гроздья провожающих, будто их взрывом разметало по ограде.

Потом вернулся желтоглазый бандит, уселся удобно на переднем сиденье, и от борта самолета откатили трап, надсадно заревел тягач-буксировщик, сдернул потихоньку самолет с места и покатил его на взлетную полосу...

...Не помню, как ехали назад. Всю дорогу желтоглазый объяснял, предупреждал, грозил, предостерегал — ничего не слышал, не понял я и не запомнил. Помню только, как высадили они меня у подъезда моего дома, и желтоглазый сказал мне через открытое окошко машины — а я уже стоял на тротуаре:

— Одумайтесь — завтра будет поздно...

Вошел в лифт, нажал кнопку, и было почему-то ощущение, что кабина не ползет вверх, а плавно проваливается в преисподнюю. Ах да! Я и не заметил, как оборвалась последняя нитка изношенного троса.

440

У дверей своей квартиры стал шарить ключ по карманам. В бездонных провалах брезентового балахона сыскал мелочь, носовой платок, писательский билет, ручку, Дуськин желтый зуб о четырех корнях. А ключа не было. Потерялся. Или оставили его себе присяжные «ФЕМЕ», чтобы ходить ко мне запросто.

Долго трезвонил я в дверной звонок, равнодушно размышляя, что и открыть-то мне некому — в нашей выморочной квартире никого, наверное, уже не осталось.

Потом затопали чьи-то шаги в коридоре, и по кабаньи-тяжелой поступи узнал я Евстигнеева. Отворил дверь и смотрел на меня — опухший, красный, дикий — не узнавая.

От него разило перегаром, потом, чем-то нечистым.

— Эй, ты, геноссе! Пропусти в дом, — отодвинул я его с дороги. И он вспомнил меня, пошел понуро следом.

— Слышь, Алексей Захарыч, забрали вчерась мальцов Нинкиных в детдом...

— Да? Почему?

— Она, параститутка, по пьяному делу под машину попала... Теперя долго в больнице пролежит... Ну, мальцов и взяли на казенный кошт...

— Ну что ж, поздравляю тебя — одни мы с тобой тут остались.

— Заимно! — серьезно кивнул мне кудлатой ватной головой Евстигнеев. — Слышь, Алексей Захарыч, я чуть не запамятовал — тебе сегодня утром почтальонша пакет принесла...

Шаркая, цокая, топоча, нырнул он к себе в берлогу, а я вошел в свою комнату и, не снимая плаща, завалился на диван, закрыл глаза, выключился.

Прошли часы или несколько минут — не знаю, около меня стоял Евстигнеев, протягивал пухлый разодранный пакет — так выглядят возвращаемые из издательства рукописи.

— Ну, что там? Ты же наверняка посмотрел...

Евстигнеев сочувственно покачал головой, почмокал губами:

— Пишут, что не подошла издательству ваша книга. Пока, мол, не подошла, и нет, мол, у них сейчас возможности ее опубликовать. А вы, мол, дальше пишите, желают творческих успехов...

И осторожно положил рукопись на стол. Ушел в коридор, и оттуда доносился ко мне его разговор с самим собой — громкий, горестный, возмущенный:

— ...Сам никогда стакан не поставит, а ему нальешь — как кашалот раззявит пасть...

В комнате было сумеречно. Я встал с дивана, взял рукопись и присел на подоконник. Исчирканные, замусоленные, мятые листы. Галочки на полях, знаки вопросительные, восклицательные, карандашные пометки — «Что автор хочет сказать?»

Автор больше ничего не хочет сказать. На последней странице нетвердой рукой, видимо, выпившего рецензента написано: «Все вопиющее из рукописи выбросить, остальное сжечь!»

Я отворил фрамугу, порыв холодного бензинового угара хлестнул в лицо. Неистовый поток бесцельно мчащихся по Садовой машин. Они истолкли уже утреннюю заморозь на асфальте в липкую черную грязь.

Взял первую страничку рукописи, высунул на улицу и разжал пальцы. Листок на короткое мгновение замер, будто раздумывая, что делать ему на свободе, и тотчас же взмыл, подхваченный порывом ветра.

Потом бросил второй, третий, четвертый...

Они вылетали из рук радостно, стремительно, они догоняли друг друга, сталкивались, разлетались в разные стороны, поднимались выше, плавно кружились и постепенно оседали вниз, как огромные снежинки.

Большой был роман — как много белых страничек гонял сейчас осатанелый ветер по улице! Они прилипали к лобовым стеклам машин, застревали в кузовах грузовиков, таранили мостовую, и тут их сразу же колеса размешивали с тягучей глинистой жижей.

Снова влез в комнату Евстигнеев, постоял у двери молча, глядя, как я выкидываю последние странички, потом тихо сказал:

— Боюсь я, Алексей Захарыч... Жить мне очень страшно стало...

Подождал чего-то, подумал, предложил:

— Давай выпьем, Алексей Захарыч... Есть у меня бутылка самогонки... потом лягим по койкам, задремлем, отекем во сне... Нестрашно станет...

Я покачал головой:

— Нет, я на улицу пойду.

Нагреб в карманах балахона семьдесят четыре копейки, выкатил из-за дивана четыре пустые бутылки. Пойду в гастроном на угол. На стакан водки я насобирал. И на соевый батончик. С кем-нибудь сейчас бутылку сообразим. Пойду на угол. Пойду к людям. Они ведь тоже люди?..

1979 г.

«НИЧЕГО, КРОМЕ ПРАВДЫ...»

Это страшная книга.

Я прочитал ее два раза и — при всем своем жизненном опыте и тех знаниях, в которых больше всего печали, — не мог не содрогнуться. Но разве может быть ужасным детектив? Какие бы страсти-мордасти в нем ни рассказывались, мы знаем, что в такой книге содержатся определенные «правила игры», что в ней все должно закончиться благополучно и добро всегда победит зло. А в том, что «Петля и камень...» братьев Вайнеров внешне является детективом, нет никаких сомнений. Об этом свидетельствуют и фамилии авторов — известнейших мастеров советского детектива, — и все приметы их писательского почерка, и элементы, обязательные для каждого детектива: зловещая тайна, неразгаданное убийство, смерти и преследования...

И все же эта книга не детектив. Иначе чего ради авторы в своем коротком предисловии дают обещание, что в их книге будет содержаться «правда, одна правда, ничего, кроме правды...». И как можно было давать такое обещание тогда, когда эта книга писалась — в 1975—1977 годах, если в центре этого объемного произведения находится «еврейский вопрос» и деятельность КГБ, а сюжетом является до сих пор еще не полностью разгаданное убийство великого артиста Соломона Михоэлса?

Но роман «Петля и камень...» написан не в жанре детективного исследования, где авторские предложения лишь комментируют документы, материалы архивов, публичных или специальных библиотек. Это — художественное произведение, и в нем закономерно сочетаются реальные исторические личности, и даже до сих пор здравствующие люди, с персонажами, чьи судьбы и характеры созданы фантазией писателей. Обещание писателей сказать «правду и только правду» относится не к каждому факту описываемого в романе, а к тому, что составляет самую страшную суть романа — к времени. К тому самому времени, которое в «Петле и камне...» изображено со всем накалом ненависти и отвращения, какие может выразить писатель.

Время действия романа — семидесятые годы. Уже не только погребен, но даже и вынесен из своего незаконного жилья — Мавзолея — Сталин. Уже «сподвижники и соратники», выращенные Сталиным, спихнули, выгнали из ЦК, сослали под охрану на загородную дачу единственного среди них, кто остановил деятельность кровавой сталинской мясорубки, освободил сотни тысяч людей, которых не успели еще превратить в лагерную пыль, кто сделал наивную попытку повернуть партию и страну к идеалам, провозглашенным Лениным...

Сталина уже давно нет, а все еще существует хорошо смазанная и время от времени проверяемая созданная им государственная машина. Никого не расстреливают в подвалах Лубянки, и по ночам не скрипят у подъездов тормозами машины, приехавшие за новыми жертвами. Но по-прежнему могуч и всесилен аппарат насилия, не признающий ни законных, ни нравственных норм. И не лубянские, а какие-нибудь другие камеры и «спецпсихушки» готовы принять людей, осмелившихся поднять голос против лжи и насилия. Как силен и всемогущ страх, привитый годами беспощадного сталинского террора! Образованные, считающие себя интеллигентами люди покорно подымают руки, осуждая своих коллег, своих товарищей, совершивших проступок, неугодный начальникам. А ведь им уже не угрожают ни следственные кабинеты, ни этап на Колыму... Ну в крайнем случае понизят в должности, не пустят в научную загранпоездку! И те, кто всегда в России считался совестью нации, — писатели, они покорно и взахлеб поносят, обливают грязью своих коллег — и великих, и менее великих. А ведь им не угрожает участь хотя бы одного из тех сотен писателей, кто был расстрелян, замучен пытками, погиб от голода и истязаний в «Архипелаге ГУЛАГ»! Ну не напечатают, не переиздадут, ну не пустят за казенный счет на какую-нибудь «встречу» в Париж или Италию... Покончив с хрущевским «волюнтаризмом», избавленные от страха перед своим покойным властелином, правители всех рангов — от малых до великих — спешат воспользоваться всеми благами, которыми они беспредельно владеют. И пусть это все приобрело другие, внешне либеральные формы, о которых весело поется в народной частушке:

> Мой миленочек в ЦК
> Чем-то там заведует.
> Ничего не запрещает,
> Только не советует... —

но суть, суть осталась прежней.

Вот в этой затхлой, удушающей атмосфере лжи, обмана, угроз, насилия, презрения ко всем основам морали и нравственных ценностей живут, действуют, страдают и гибнут герои романа «Петля и камень...».

Собственно, роман этот внешне является хроникой жизни одной семьи. Семьи, взращенной, поднятой на поверхность жизни Сталиным и его временем. Уже не действует, а находится в отставке глава семьи — бывший одним из руководителей «органов» при Сталине, Ежове, Берия... Он «не при деле», от прошлого у него остались генеральская квартира, пенсии, пайки, почтение тех, кто пришел ему на смену. Да еще созданная им благополучнейшая «элитная» семья, в которой устроены, пристроены и процветают выращенные им сыновья. Все, кроме одного, не ставшего ни крупным деятелем разведки, ни важным и процветающим хозяйственником, а пришедшего в литературу Пусть небольшим, совсем «средним» писателем, но окончательно выломившимся из своей семьи, семейного окружения, из тухлой и недостойной жизни. От его лица и идет повествование о той фантасмагории лжи, террора, воровства, хамства, презрения к народу, в которой вынужден жить лирический герой романа. От его лица и лица его возлюбленной, прекрасной, талантливой женщины, чей отец погиб вместе с Михоэлсом в те времена, когда Сталин стал разрабатывать свой вариант решения «еврейского вопроса». Стремление этой женщины узнать тайну гибели отца и желание ее любимого помочь ей распутать этот клубок заговора и преступления служат внешним сюжетом романа «Петля и камень...».

Время, когда это происходило, ушло от нас и превратилось в историю. Но «история должна быть злопамятной», говорил тишайший великий историк Николай Михайлович Карамзин. И, как бы следуя сей заповеди, авторы романа не делают никаких попыток писать об этом времени «добру и злу внимая равнодушно». Они не летописцы, они — судьи. О большинстве персонажей своего романа они пишут с острейшим накалом ненависти и отвращения. Они никого не милуют. Это относится даже к наиболее положительным героям романа. Складывает свои крылья сопротивления, уходит в чужой мир национализма и национальной исключительности Суламифь Гинзбург; спивается Алексей, который только в водке находит возможность отключиться от жуткого мира, в котором вырос и живет, от вечного страха за любимого человека. Личность этого персонажа романа заслуживает особого внимания. Обстоятельства биографии и личной жизни замкнули его в узкий круг продажных политиков, вороватых дельцов, в тот особый, отделившийся от народа слой, который присвоил себе бесконтрольную власть и возможность безнаказанного воровства. А сам Алексей воспринимает этот мир как глубоко аморальный, антинародный, подлый во всех своих проявлениях. Понимает это, но все же связан с ним еще не разорванной пуповиной; презирает, но встречается, да еще и пользуется ошметками благ... И только тогда полностью рвет с этим миром, когда понимает всю зловещую, всю страшную силу руководителей этого коррумпированного общества; когда ввязывается с ним в борьбу — сначала в поисках истины, а затем и в попытках спасти любимую женщину, попавшую в лапы наследников тех «органов», в которых некогда властвовал его отец.

Одни из самых потрясающих страниц романа — это рассказанная самой героиней романа — Улой — история того, как попала она в «спецпсихушку», как воочию выглядела та «карательная медицина», которая на многие годы стала позором нашего общества. Об использовании психиатрии для борьбы с людьми, выступающими против антинародной внешней и внутренней политики, написано довольно много. Ибо многие вырвавшиеся оттуда были высланы, очутились за рубежом, и «спецпсихушки» были описаны во многих публицистических и мемуарных произведениях. Форма романа дает возможность авторам «Петли и камня...» раскрыть чудовищное насилие над здоровыми людьми как бы изнутри, передать ужасающие по своей выразительности впечатления и чувства человека, попавшего в карательное учреждение, более страшное, чем тюрьма, чем лагерь, страшнее, чем смерть... Может быть, оттого, что авторы — слава Богу! — не были сами в подобном учреждении, а пользовались тщательно собранными материалами и рассказами пострадавших, им удалось создать обобщенный образ несчастного, попавшего в лапы «карательной медицины».

Конечно, кроме того страшного мира, что изображен в романе братьев Вайнеров, существовал и другой — огромный, работящий, создающий те материальные ценности, без которых невозможна жизнь; мир, в котором — пусть мучительно, пусть с великим трудом — растили и учили детей, писали стихи и романы, верили в правоту и незыблемость «десяти заповедей», на которых зиждется возможность человеческой жизни. Этот мир почти или же целиком отсутствует в большом романе писателей. И происходит это вовсе не потому, что авторы «не увидели», «отказались от главного», «презирают людей труда» и пр. и пр., что лежит на кончике пера любого критика, с удовольствием выполняющего «внутренний» или же «внешний» социальный заказ.

Тот ирреальный, чудовищно фантастический мир, который изображен в романе «Петля и камень...», избран авторами не только потому, что они его хорошо, во всех подробностях, знают. Они убеждены, что здесь надобно вскрывать одну из раковых опухолей, которые пустили метастазы по всему организму народа, что необходимо рассказать о тех, кто нагло и безнаказанно пользуется плодами труда всего народа.

Что является наиболее страшным в романе «Петля и камень...»? Нет, вовсе не изображение «сладкой жизни» мафиози — больших, средних и маленьких. Закрытые сауны, отдельные кабинеты ресторанов, доступные и продажные красотки, аморальность в мыслях и поступках — все это уже хорошо знакомо по газетам, журнальным очеркам, кинофильмам. И не это создает чувство ужаса у читателя. Самое страшное в книге — страх. Ощущение полной безнаказанности тех, кто может сотворить с тобой все, что угодно... Могут выгнать с работы, схватить человека и его семью «железной рукой голода»; могут выселить на улицу и превратить в БОМЖА, могут посадить в тюрьму по любому придуманному обвинению; могут заточить на всю жизнь в «психушку» и уничтожить как личность...

Читая роман «Петля и камень...», ловишь себя на мысли о том, почему в эти наступившие годы гласности, споров, предложений требование «правового государства» звучит громче, нежели даже столь понятные требования заполнить полки товарами, поднять планку бедности и прямой нищеты, в которой живут миллионы советских людей. Стремление избавиться от постоянного, гнетущего страха, от унизительного, принижающего чувства беззащитности оказывается сильнее всех других любых жизненных благ. Существует распространенное в литературе выражение «глоток свободы». Да, этот глоток для человека столь же значим, как и кусок хлеба насущного.

Понимание этого составляет идею романа, объясняет, почему написан он с таким отчаянием, почему так безрадостен его конец. А он безрадостен до предела. Уезжает из своей страны, своей родины умный и талантливый ученый; подло убивают прекрасного, доброго человека; спивается, не находя никакого выхода из кошмарного жизненного круга, герой романа...

Так неужели нет ничего оптимистического, дающего людям хоть какую-нибудь надежду в этой книге, которую я назвал страшной? Есть. Во-первых, еще одно, и сильнейшее, напоминание, что нет у людей большего блага, нежели чувство свободы; что это благо — самое необходимое. И появись эта книга тогда, когда она была написана, она сразу же достигла бы своей цели — пусть эта цель и была бы вызвана той «шоковой терапией», к которой прибегли авторы.

Но есть и глубокий смысл в том, что она появляется сейчас, когда — как кажется — стало предметом истории все страшное, описанное в романе. Но стало ли это только прошлым, навсегда исчезло ли это зло, изображенное в романе столь открыто? Никто из нас не может за это поручиться. На наших глазах происходит упорная, часто становящаяся кровавой, борьба мафиозных кланов за власть, за привилегии, за то, чтобы быть господами «теневой экономики». Появление организованной преступности, сращивание с коррумпированными представителями власти — все это еще не преодолено. Борьба за свободу, за правовое государство идет с нарастающим накалом. И «Петля и камень...» сейчас читается не как страшный роман о недавней истории, а как роман-предупреждение. Он призывает не только к правде, человечности, законности, он — предупреждает: «Люди! Будьте бдительны! Помните, от чего мы избавились и избавляемся такой высокой ценой!»

И мы закрываем последние безрадостные страницы романа не только с проклятием недавнему прошлому, но и с железной решимостью: «Нет! Больше мы этого не допустим! Сейчас мы перестали быть бесправными. Нам дали в руки главное оружие — гласность, право голоса; свободу выбора представителей государственного аппарата на всех уровнях. Будем же достойны этой великой возможности, открываемой перед нами». А те, кто относится со скепсисом, иронией, недоверием к происходящему, те, кто тоскует по прошлому «порядку», пусть прочтут или перечитают роман «Петля и камень...».

Лев Разгон

По вопросам оптовой покупки книг
издательства АСТ обращаться по адресу:
Звездный бульвар, дом 21, 7-й этаж
Тел. 215-43-38, 215-01-01, 215-55-13

Книги издательства АСТ можно заказать по адресу:
107140, Москва, а/я 140, АСТ – "Книги по почте"

Литературно-художественное издание

Вайнер Аркадий
Вайнер Георгий

Петля и камень в зеленой траве

Роман

Художественный редактор О.Н. Адаскина
Технический редактор О.В. Панкрашина
Младший редактор Е.А. Лазарева

Подписано в печать 23.06.00.
Формат $84 \times 108^1/_{32}$. Усл. печ. л. 23,52.
Тираж 10 000 экз. Заказ № 4523.

Налоговая льгота — общероссийский классификатор продукции
ОК-00-93, том 2; 953000 — книги, брошюры

ООО «Издательство АСТ»
Лицензия ИД № 00017 от 16 августа 1999 г.
366720, Республика Ингушетия,
г. Назрань, ул. Кирова, д. 13
Наши электронные адреса:
WWW.AST.RU
E-mail: astpub@aha.ru

Отпечатано с готовых диапозитивов
на Книжной фабрике № 1 Госкомпечати России
144003, г. Электросталь Московской обл., ул. Тевосяна, 25.